Le baron BLACK

Collaboration à la traduction : Serge Rivest,
Claude Papineau, Guy Rivest et Monique Roy
Correction : Caroline Yang-Chung
Infographie : Johanne Lemay

Catalogage avant publication de Bibliothèque
et Archives Canada

Tombs, George
    Le baron Black

    Traduction de : Robber Baron: Lord Black of Crossharbour

1. Black, Conrad. 2. Éditeurs - Canada - Biographies.
3. Hommes d'affaires - Canada – Biographies. I. Titre.

PN4913.B56T6414 2007   070.5092   C2007-941661-6

Pour en savoir davantage sur nos publications,
visitez notre site : **www.edhomme.com**
Autres sites à visiter : www.edjour.com
www.edtypo.com • www.edvlb.com
www.edhexagone.com • www.edutilis.com

10-07

DISTRIBUTEURS EXCLUSIFS :

• Pour le Canada et les États-Unis :
MESSAGERIES ADP*
2315, rue de la Province
Longueuil, Québec J4G 1G4
Tél. : 450 640-1237
Télécopieur : 450 674-6237
* une division du Groupe Sogides inc.,
  filiale du Groupe Livre Quebecor Média inc.

• Pour la France et les autres pays :
INTERFORUM editis
Immeuble Paryseine, 3, Allée de la Seine
94854 Ivry CEDEX
Tél. : 33 (0) 4 49 59 11 56/91
Télécopieur : 33 (0) 1 49 59 11 33
Service commandes France Métropolitaine
Tél. : 33 (0) 2 38 32 71 00
Télécopieur : 33 (0) 2 38 32 71 28
Internet : www.interforum.fr
Service commandes Export – DOM-TOM
Télécopieur : 33 (0) 2 38 32 78 86
Internet : www.interforum.fr
Courriel : cdes-export@interforum.fr

• Pour la Suisse :
INTERFORUM editis SUISSE
Case postale 69 – CH 1701 Fribourg – Suisse
Tél. : 41 (0) 26 460 80 60
Télécopieur : 41 (0) 26 460 80 68
Internet : www.interforumsuisse.ch
Courriel : office@interforumsuisse.ch
Distributeur : OLF S.A.
ZI. 3, Corminboeuf
Case postale 1061 – CH 1701 Fribourg – Suisse
Commandes :   Tél. : 41 (0) 26 467 53 33
                   Télécopieur : 41 (0) 26 467 54 66
                   Internet : www.olf.ch
                   Courriel : information@olf.ch

• Pour la Belgique et le Luxembourg :
INTERFORUM editis BENELUX S.A.
Boulevard de l'Europe 117,
B-1301 Wavre – Belgique
Tél. : 32 (0) 10 42 03 20
Télécopieur : 32 (0) 10 41 20 24
Internet : www.interforum.be
Courriel : info@interforum.be

Gouvernement du Québec – Programme de crédit
d'impôt pour l'édition de livres – Gestion SODEC –
www.sodec.gouv.qc.ca

L'Éditeur bénéficie du soutien de la Société de développement des entreprises culturelles du Québec pour
son programme d'édition.

Le Conseil des Arts du Canada
The Canada Council for the Arts

Nous remercions le Conseil des Arts du Canada de l'aide
accordée à notre programme de publication.

Nous reconnaissons l'aide financière du gouvernement
du Canada par l'entremise du Programme d'aide au
développement de l'industrie de l'édition (PADIÉ) pour
nos activités d'édition.

George Tombs

Le baron BLACK

Traduit de l'anglais par l'auteur

 LES ÉDITIONS DE L'HOMME

The Canadian Press/AP/Jeff Roberson

CHAPITRE 1

Tweedy, Browne et Black

Le ciel était morne et gris, en ce jour de décembre 2006. Des arbres noirs, lisses et dépourvus de feuilles se profilaient sous une basse couche de nuages, pendant que la neige fondait au sol. Trois mois avant le début du procès de Conrad Black, à Chicago, sous quatorze chefs d'accusation de fraude criminelle, de violation du devoir de fiduciaire, de fraude postale et électronique et de racket, j'avais pris un vol de Montréal vers Toronto pour y passer la journée. Black – le baron Black de Crossharbour, plus précisément – m'avait accordé un entretien de deux heures à sa riche demeure du quartier huppé de Bridle Path, en banlieue de Toronto, afin de discuter d'une nouvelle édition du livre que je lui avais consacré.

Je pris un taxi à l'aéroport. À mesure que nous approchions de la résidence de Conrad Black, mon chauffeur sikh devenait de plus en plus agité. « Oh mon Dieu ! » s'exclama-t-il, lorsque les bungalows ranch à un étage plantés sur de petits lotissements firent place aux sombres palais néogothiques et aux manoirs méditerranéens tape-à-l'œil des arrivistes de la banlieue de Toronto. « Il y a tellement de gens riches qui habitent par ici ! Regardez-moi ces maisons ! Il doit y avoir une foule de jardiniers qui travaillent ici au printemps ! Dites-moi, monsieur, qu'est-ce que vous faites dans la vie ? Vous êtes professeur d'université ? C'est un job bien payé ! Alors nous voici à destination. Oh ! Mon Dieu ! Nous devons nous présenter à la grille et annoncer notre arrivée par intercom. Et votre ami, est-ce qu'il est *aussi* professeur d'université ? »

Le 26 Park Lane Circle est un manoir en briques d'une valeur de 20 millions de dollars canadiens, doté d'un imposant portique et de fenêtres de style palladien, sis en retrait de la route sur une propriété boisée de 11 acres. Black le décrivait parfois, à la blague, comme son « chalet ». Mais c'était en fait la maison de ses parents, le lieu où il avait grandi. Dans les années 1980, lorsque Black en avait hérité, il avait embauché l'architecte new-yorkais des célébrités, Thierry Despont – lequel comptait notamment, parmi ses clients, le milliardaire Bill Gates, grand patron de Microsoft –, afin de reconstruire entièrement le manoir, y arrachant des sections entières, y ajoutant une piscine intérieure et une bibliothèque. Les impôts fonciers annuels payés par Black sur cette propriété s'élèvent à plus de 70 000 $CAN.

Passé l'entrée, une allée tournait vers la droite puis revenait en boucle devant la porte centrale. Même en cette première semaine de décembre, des pommes vertes bien mûres pendaient toujours aux branches de deux immenses arbres. Nous contournâmes un immense saule pleureur avant de nous arrêter juste devant l'entrée.

Werner, le majordome allemand de 65 ans, tout de blanc vêtu, attendait à la porte. D'un air sévère et obséquieux, il me conduisit au vestiaire, à droite en entrant, où il accrocha mon blouson de cuir. Il me mena ensuite à travers le hall d'entrée ouvert sur deux étages, au plafond voûté en berceau, et dont les murs étaient ornés de portraits du prince régent (le futur George IV) et de Napoléon. À ma gauche se trouvait l'escalier où le père de Conrad Black, George, était tombé en 1976, culbutant par-dessus la rampe pour s'écraser ensuite sur le plancher principal. C'est ce jour-là que le père avait dit à son fils : « La vie, c'est l'enfer ; la plupart des gens sont des salauds et tout ce qu'il y a, c'est de la merde[1]. »

« Tout dans la maison a été changé, m'avait confié l'un des cousins de Conrad Black, excepté l'entrée et l'escalier où oncle George a fait sa chute fatale. » Black lui-même a déjà écrit qu'il n'était pas certain que la mort de son père ait été accidentelle. C'était un sujet délicat pour lui. Pendant des décennies, la dépression et la mort soudaine de George Black avaient hanté son fils, flottant au-dessus de lui comme un nuage sombre. Ainsi Conrad avait-il décidé de conserver l'entrée et l'escalier d'origine, comme pour commémorer la triste fin de son père.

Au moment où j'y passai, le 26 Park Lane Circle était devenu la cage dorée de Black. Dans les mois précédant son procès au criminel, il avait dû déposer une caution de 21 millions de dollars[2] – du jamais-vu dans l'histoire de la justice criminelle américaine – et la juge fédérale Amy St. Eve avait posé comme condition de sa mise en liberté de ne se rendre nulle part ailleurs qu'à Chicago, dans sa ville de Toronto ou à sa retraite hivernale de bord de mer à Palm Beach, d'une valeur de 35,5 millions de dollars, sans avoir obtenu au préalable le consentement du tribunal.

Dans le puits d'escalier, je reconnus une immense gravure représentant Rome du début du XIXe siècle, que Black avait conservée en souvenir de sa logeuse au cours de ses jeunes années à Londres. Elle faisait de 3 à 3,6 mètres de longueur. Je me rappelais l'avoir vue dans le manoir – d'une valeur de 13,1 millions de livres sterling – que Black possédait à Cottesmore Gardens, lorsque nous nous y étions rencontrés en 2002. Il avait par la suite été contraint de vendre cette propriété trois ans plus tard, lorsque son empire financier avait commencé à se désintégrer. À ma droite se trouvait le salon principal, doté d'une série de fenêtres françaises s'ouvrant sur le parc, lequel se prolongeait en pente descendante vers des terrasses et jardins opulents, pour se terminer sur un boisé qui devait être trop accidenté pour les réceptions en plein air, mais faire le bonheur des ratons laveurs.

Werner me guida au-delà d'un escalier menant au sous-sol, dont les murs étaient tapissés de cadres dorés contenant des extraits de lettres échangées entre le président Franklin Roosevelt et sa cousine (qui était sans doute aussi sa maîtresse), Daisy Suckley. Je me souvenais d'avoir vu certaines d'entre elles en 2003, au cours de mes visites aux anciens bureaux de direction de Conrad Black chez Hollinger International, dans la Cinquième Avenue à New York, juste avant sa destitution. Je remarquai également au passage d'autres lettres encadrées, signées de la main d'Abraham Lincoln.

Je venais de pénétrer dans le saint des saints de la mythologie personnelle de Black. Voilà un homme qui cherche à fondre sa personnalité à celles de ses héros politiques en couvrant ses murs de riches symboles de puissance, comme si une partie de leur splendeur pouvait ainsi déteindre sur lui. Doté d'une nature rêveuse et expansive, il dépense des fortunes afin de s'entourer de décors fastueux, établissant des analogies entre sa propre personne et des personnages colossaux, plus grands que nature, comme pour noyer sa profonde insécurité.

Werner me conduisit ensuite dans une petite salle où se trouvaient quelques fauteuils Empire vert et crème que j'avais aussi déjà repérés à la résidence de Cottesmore Gardens. Beaucoup de choses avaient été déplacées ces dernières années. Les murs étaient chargés d'œuvres de peintres canadiens valant plusieurs millions de dollars, étalées comme une collection de timbres. On y dénombrait un Jean Paul Lemieux, une toile inclassable de Robert Pilot montrant une église au Québec, ainsi qu'un Maurice Cullen. Un autre tableau de A. Y. Jackson montrait une petite chapelle de paroisse dans la campagne de Charlevoix avec, au premier plan, des troncs d'arbres flottant sur les eaux glacées d'une rivière. Sur une table à café basse se trouvaient quelques livres consacrés aux bijoux en platine ainsi qu'un ouvrage récent de l'ex-mari de Barbara Amiel, George Jonas. C'est là que j'attendis.

J'avais rencontré Conrad Black et Barbara Amiel pour la première fois en juin 1993, alors que je travaillais pour *The Gazette*, un quotidien montréalais qui appartenait à l'époque au groupe Southam. Un ancien camarade de classe, le financier montréalais André Desmarais, m'avait invité à un gala privé au sommet du mont Royal, surplombant le fleuve Saint-Laurent, le Vieux-Montréal et les magnifiques demeures de pierres grises du «Golden Square Mile». Pendant la durée de cette soirée huppée, l'accès au sommet de la montagne avait été fermé au public à l'occasion d'un dîner qu'André avait organisé en l'honneur de l'Americas Society, un réseau de chefs d'entreprises et d'hommes d'État créé par David Rockefeller dans le but de réunir les décideurs des Amériques et de susciter entre les pays des Amériques des liens politiques, économiques et culturels.

Quelques centaines de personnes étaient présentes, dont plusieurs magnats latino-américains à la calvitie naissante, accompagnés de plantureuses et flamboyantes escortes en talons aiguilles qui défiaient la gravité de plus d'une façon. «Ces femmes-trophées voyagent toujours en paires de limousines, me glissa l'organisateur de l'événement avec un sourire entendu. Une pour étirer leurs longues jambes et une deuxième pour y empiler tous leurs sacs Holt Renfrew. » C'était un monde de flambeurs et je n'étais qu'un spectateur.

Il y avait là le père d'André, le milliardaire Paul Desmarais, qui avait été un rival de Conrad Black dans les années 1970, dans la course pour le contrôle du conglomérat torontois Argus Corp.

Miguel Alemán, sénateur mexicain et fils d'un ancien président du Mexique, figurait aussi parmi les invités, tout comme un autre milliardaire, David Rockefeller, alors président de la Chase Manhattan Bank ; Guilherme Frering, copropriétaire brésilien de la CAEMI, le quatrième producteur de minerai de fer au monde ; le controversé banquier argentin José Rohm ainsi que Norman Webster, mon rédacteur en chef (il avait précédemment été rédacteur en chef du *Globe and Mail,* où il avait embauché Conrad Black comme chroniqueur pour ensuite le congédier). Conrado Pappalardo – le bras droit du dictateur fasciste du Paraguay, le général Alfredo Stroessner – était aussi présent, tout comme Ken Taylor, l'ambassadeur du Canada en Iran qui avait contribué à la libération d'un certain nombre d'Américains lors de la prise d'assaut de l'ambassade des États-Unis à Téhéran en 1979, ainsi que Peter White, un Québécois né au Brésil, le vieil ami et premier associé de Black dans l'industrie de la presse.

Des serveurs en livrée circulaient parmi la foule, portant des flûtes de champagne sur des plateaux d'argent. Tel était l'univers de Conrad et de Barbara. Leur réputation – cultivée autour d'un style de vie flamboyant et d'écrits délibérément caustiques et provocateurs – les précédait. Rivés l'un à l'autre, ils consacraient quelques minutes à chaque conversation, ne semblant écouter qu'à moitié, se dirigeant déjà vers une autre connaissance repérée plus loin.

Je me présentai à Black comme éditorialiste de la *Gazette*, puisqu'il venait tout juste de se porter acquéreur d'une part minoritaire du groupe Southam, propriétaire du quotidien. Avec sa taille de 1,88 mètre et sa carrure imposante, il respirait la puissance. Il paraissait être un combattant redoutable, capable de mettre des gens en pièces. Tonitruant, pompeux, maniéré, adepte de la langue de bois, cherchant constamment à classer les gens dans des cases intellectuelles qu'il était aussitôt prêt à démanteler, il pouvait tout aussi bien être en mode d'avance rapide que de retour rapide, ouvrant les yeux de ravissement ou les fermant

d'un air menaçant : un homme agressif qui voulait néanmoins être aimé.
Pendant que nous parlions, Barbara tirait sur la manche de Black. Ses
cheveux bruns et lisses, sa robe noire bien ajustée et ses hauts talons lui
conféraient une allure théâtrale. Pendant qu'elle jetait des coups d'œil
à gauche et à droite, dépistant la prochaine occasion pour Conrad de
nouer un contact, ses yeux brillaient d'une flamme terne dans laquelle je
lisais un curieux mélange de fureur, d'ennui et de fragilité.

Je suivais de près la carrière de Conrad Black depuis plusieurs
années. Ses opinions néoconservatrices ne m'inspiraient aucune sympathie, son catholicisme suranné et doctrinaire me laissait perplexe et
j'avais souvent entendu dire qu'il se servait de ses propriétés médiatiques
comme de vaches à lait. Je lui suggérai que s'il devait prendre le contrôle
de Southam, il pourrait faire de la *Gazette* le vaisseau amiral du groupe
et bâtir un réseau de correspondants nationaux et internationaux afin
de faire concurrence au *Globe and Mail*. En guise de réponse, Black se
mit à casser du sucre sur le dos du *Globe*. Il prenait plaisir à ridiculiser la
prétention du journal à se présenter comme « le quotidien national du
Canada ». Quant à l'idée de faire de Montréal le centre de quoi que ce
soit d'important, elle lui paraissait complètement anachronique. Il avait
d'autres projets. Après quelques minutes, Black et Amiel se dirigèrent vers
les Rockefeller, de qui il avait loué une résidence d'été dans le Maine.

Je n'aurais pu imaginer, en 1993, qu'en l'espace de seulement
10 ans Black et son principal associé, David Radler (diplômé, comme
lui, de l'Université McGill), allaient intégrer la *Gazette* à leur empire
de presse, le troisième au monde avec 600 titres au Canada, en Grande-
Bretagne, aux États-Unis, en Israël et en Australie. Que Black allait renoncer à sa citoyenneté canadienne afin de devenir baron et membre
de la Chambre des lords britannique. Et que moi-même j'allais devenir
son biographe – l'interviewant ainsi qu'environ 200 autres personnes,
membres de sa famille proche, amis d'enfance et camarades de collège,
associés d'affaires, rédacteurs, adversaires et critiques – pour témoigner
de l'ascension et de la chute, toutes deux vertigineuses, de ce génie orgueilleux et destructeur. Compte tenu de l'effondrement de la carrière
et des finances de Black, à partir de 2003-2004, j'allais être la dernière
personne à mener, avant son procès, de longs entretiens biographiques
avec lui et avec ses proches.

Jeune garçon, Conrad Black jouait régulièrement aux échecs avec son père, à la demeure familiale de Park Lane Circle, et il avait porté ses talents et ses stratégies de l'échiquier à la planète tout entière. J'étais frappé par la façon dont il traitait les gens comme autant de rois, dames, fous et cavaliers qu'il déplaçait à sa guise. Pour lui, chaque individu servait ou contrariait ses intérêts. La personnalité, les ambitions et les valeurs morales de chacun lui fournissaient des données précieuses, qu'il articulait avec un étonnant détachement et utilisait ensuite pour mobiliser et manœuvrer les individus au mieux de son avantage.

Il me fallait m'assurer de ne pas devenir moi-même le pion de Black. Voilà un homme qui n'avait qu'à claquer les doigts pour s'approprier sur-le-champ la moitié de la une de n'importe quel quotidien au Canada. Des formules percutantes tombaient de sa bouche, prêtes à s'étaler aussitôt dans un flot incessant d'articles de journaux. Il adorait façonner les idées des autres. Il adorait être le centre d'attraction. Mais dans ces conditions, il cherchait souvent à épater la galerie, affirmant, pour le simple plaisir de provoquer, des choses qui ne correspondaient pas à ce qu'il pensait vraiment.

Cela représentait tout un défi de prendre la mesure d'un homme si sombre, plein de contradictions, de fureur et d'énergie, et qui ne semblait même pas se comprendre lui-même. Les discours et les écrits de Black étaient riches en allégories et émaillés d'allusions à la splendeur historique et aux prouesses militaires. Dans son autobiographie, *Conrad Black par Conrad Black*, il se compare tour à tour à un certain nombre de personnages historiques, de Henry VIII au pape Alexandre VI et à Napoléon, en passant par le personnage fictif du magnat de la presse du film *Citizen Kane*, le général Douglas MacArthur et le général allemand Heinz Guderian (tout au moins de façon implicite), l'inventeur de la stratégie du blitzkrieg durant la Deuxième Guerre mondiale. D'autres recherches ont indiqué que Black lui-même – et d'autres – se comparait à au moins cinq personnages de Shakespeare : le mélancolique roi Lear, obsédé par le pouvoir ; le prince Hal, ce bon vivant exubérant et tapageur ; le maître de la dissimulation Bolingbroke, qui succéda à Richard II sur le trône ; le politicien romain Cassius, qui proposa à Brutus d'assassiner Jules César ; et le fourbe Shylock, avec sa « livre de chair ».

La plupart de ces personnages évoquent le pathos, la souffrance, la défaite imminente et l'inévitable disgrâce. Je me suis souvent demandé si toutes ces analogies n'étaient pas simplement une forme de « grandeur par association », un camouflage exubérant et hâbleur destiné à protéger la personne vulnérable et inquiète qu'au fond de lui il n'a jamais cessé d'être. À moins qu'il ne se soit agi d'un artifice pour inciter les gens à ramper devant son *ego* colossal pendant qu'il se moquait d'eux. Ainsi, chaque fois que Black parlait de lui-même, j'avais l'impression d'entendre l'ultime discours, comme lorsque la lune commence à se profiler devant le soleil au moment d'une éclipse totale.

À l'apogée de sa puissance, en 2002, Black se servait de sa majorité de contrôle des actions avec droit de vote de Hollinger International Inc. — une société dont l'actif dépassait les 2 milliards de dollars — pour contrôler le *Daily Telegraph* et *The Spectator* de Londres, le *Chicago Sun-Times* et le *Jerusalem Post*. Il était également copropriétaire du *New York Sun*, un quotidien alors à ses débuts et qui connaissait un succès relativement modeste. Jusqu'en 2000 et 2001 (au moment où il s'était départi de presque tous ses actifs canadiens), Black contrôlait 57 % de tous les quotidiens au Canada. Il prétendait que tout avait commencé avec un investissement d'à peine 500 $, lorsqu'au milieu des années 1960 lui et son associé Peter White avaient acheté deux journaux ruraux des Cantons-de-l'Est et s'étaient ensuite associés à un autre Montréalais, David Radler, pour se porter acquéreurs d'un petit quotidien, le *Sherbrooke Record*. Mais il s'agissait là d'un euphémisme calculé, dans la mesure où Black avait hérité de ses parents et de ses grands-parents une fortune considérable.

En matière éditoriale, Conrad Black était l'objet d'une grande admiration pour sa capacité de relancer des journaux en perte de vitesse, comme le quotidien britannique *Daily Telegraph*, et d'en lancer de nouveaux, comme le *National Post* de Toronto.

Sur le plan financier, son vaste empire de presse avait de quoi impressionner, mais plusieurs se demandaient s'il ne s'agissait pas là d'un immense château de cartes, incroyablement compliqué et fortement endetté. Mais Black n'en était pas moins le propriétaire de journaux le mieux rémunéré au monde. En 2002, selon le *Crain's Chicago Business*, il avait empoché 7,1 millions de dollars en salaire et avantages — un million de plus que les éditeurs du *New York Times*, du *Chicago Tribune* et du *Washington*

Post réunis. En outre, il avait touché des frais de gestion de l'ordre de 6,6 millions de dollars par l'intermédiaire de son holding privé Ravelston Corp. En 2002, selon la liste du *Evening Standard* de Londres des « 50 résidents les plus riches des quartiers de Kensington et Chelsea », la fortune personnelle des Black s'établissait à 194 millions de livres sterling (405 millions de dollars canadiens). Toutefois, l'actuel baron Beaverbrook m'avait souligné que ces « listes de gens riches », comme celles du *Evening Standard*, n'évaluaient que les actifs, sans tenir compte des dettes. Selon Beaverbrook, peu importe combien Black gagnait, il semblait toujours trouver le moyen de dépenser plus qu'il ne possédait, que ce soit en soirées mondaines, en travaux réalisés par le décorateur intérieur des célébrités David Mlinaric, en œuvres d'art et en bijoux. À elles seules, les multiples résidences personnelles de Black valaient tout près de 100 millions, ce qui représenterait une saignée dans les finances personnelles de n'importe qui. Black concevait son rôle comme celui d'un créateur de fonds de roulement, négociant des rachats, lançant de nouvelles entreprises et développant des stratégies afin d'améliorer la qualité éditoriale des propriétés médiatiques de Hollinger. En retour, il était richement rétribué, aussi bien en dollars qu'en prestige. Et il protégeait ses gains par le contrôle des actions majoritaires au sein de ses entreprises et en créant de la valeur pour ceux qu'il appelait les « actionnaires de référence », orientés vers le rendement à long terme. Dans son esprit, il existait une distinction très nette entre ces derniers et les autres détenteurs d'action.

Son ancien associé d'affaires et administrateur de Hollinger, Hal Jackman, compare Black à Napoléon, qui avait connu « des succès prodigieux, et pensait qu'il pouvait continuer à le faire indéfiniment, mais le monde entier s'est finalement retourné contre lui. Conrad a fait de même, poussant les choses toujours un peu plus loin et multipliant les comportements outranciers. Mais aujourd'hui, le public lui est largement hostile. Il est allé trop loin. Son attitude a été suicidaire. Quelqu'un qui agit de la sorte sait que, tôt ou tard, on aura sa peau. Il ne pense pas comme les gens raisonnables. Tous ces paiements et ces maisons ont fait se retourner les gens contre lui[3] ».

Tout commença à s'effriter autour de Black à la mi-octobre 2001, deux semaines seulement avant son entrée triomphale à la Chambre des lords à titre de « baron Black de Crossharbour », un honneur qui lui avait été conféré en reconnaissance de sa réussite à la tête du *Daily Telegraph*. Lorsqu'il fit son entrée à la Chambre des lords, Black ressemblait à un nouveau Roi-Soleil qui venait d'atteindre le pinacle de la réussite sociale. Voilà un homme d'affaires d'origine canadienne, né à Montréal, qui venait de recevoir un titre de noblesse et d'obtenir un siège permanent à la Chambre haute du Parlement britannique. Mais je me demandais si ce Black rayonnant n'était pas poursuivi par un double malfaisant : une version plus sombre et autodestructrice de lui-même, qui s'employait à démanteler tout ce qu'il venait de réaliser.

En octobre 2001, Tweedy, Browne Company, qui détenait environ 18 % des actions ordinaires de catégorie A de Hollinger International, écrivit au directeur du comité de vérification de la société, l'ancien gouverneur de l'Illinois James R. Thompson, pour se plaindre du fait qu'entre 1995 et 2002, une somme de 150,3 millions de dollars avait été versée par Hollinger à Ravelston, le holding privé canadien contrôlé par Black, « en vertu d'une entente non divulguée demandant à Ravelston des "conseils stratégiques, des services de planification et financiers", mais non assortie d'objectifs de résultat ». De plus, expliquait la lettre de Tweedy, Browne, une somme supplémentaire de 3,7 millions de dollars avait été versée directement à Black. « Et qu'avons-nous — actionnaires de Hollinger — reçu en contrepartie de ces 154 millions ? Les actions de notre société ont perdu environ 30 % de leur valeur depuis son premier appel public à l'épargne... »

Chris Browne, l'associé directeur de Tweedy, Browne — un homme aux manières aimables —, se préoccupait du niveau élevé des paiements que Hollinger International avait versés à Black et à ses associés.

Browne, un homme aux cheveux blancs et aux lèvres minces, était un rejeton de l'establishment financier de Manhattan. (Il ressemblait à une nouvelle espèce du monde animal : le béluga tueur.) Il était également passé maître dans l'art hautement politique de miser sur la couverture médiatique pour soutenir ses portefeuilles dont la valeur s'élevait à plusieurs milliards. Les bureaux de direction de Tweedy, Browne, situés dans Park Avenue (dans le même immeuble que ceux de Henry Kissinger), arborent des gravures géantes de Wall Street au XIXᵉ siècle ainsi que des cartes du Nouveau Monde datant du XVIIIᵉ siècle.

« À la fin de l'été et au début de l'automne 2001, précise Browne, nous avons commencé à remarquer que les montants pour frais de gestion versés à Ravelston avaient augmenté considérablement. Nous avons donc envoyé une lettre au conseil d'administration en octobre 2001, pour nous enquérir des critères utilisés pour déterminer s'il s'agissait là de paiements raisonnables, tous versés sous forme de montants forfaitaires. Aucune information n'avait été divulguée concernant la part de Conrad Black ni celle de David Radler, non plus que la manière dont ces sommes étaient calculées... Aucun administrateur ne daigna répondre à notre lettre. Mais Conrad y répondit. Nous eûmes une rencontre avec lui, mais je ne dirais pas que nous avons obtenu une explication satisfaisante. Il nous dit seulement que ces frais allaient diminuer, dans l'avenir[4]. »

Browne me dit qu'il avait l'impression que Black et ses associés se payaient ces frais de gestion – et des frais d'autres natures – davantage en fonction de leurs besoins que de la valeur objective des services qu'ils fournissaient.

Le nouveau baron ne fut pas très bien inspiré de provoquer ainsi Browne, un mordu d'architecture et d'histoire qui vivait seul avec Orville, son terrier border. En trente ans de carrière dans les affaires, Browne avait juré deux fois et élevé la voix deux fois aussi. Il ne s'agissait pas exactement d'un combat entre David et Goliath. Black avait beau être un géant des médias, Browne n'était pas non plus un perdant naïf ; c'était l'un des investisseurs les mieux branchés et les plus respectés à New York. Les différences marquées de tempérament et de manières entre l'un et l'autre devinrent un élément clé de l'affaire. Vers la fin de 2001, Browne entreprit une intense campagne qui mena à des révélations sur les pratiques d'affaires douteuses ayant cours chez Hollinger. Black aurait pu alors éviter les enquêtes et le scandale s'il avait choisi de transformer Hollinger en société fermée, d'agir de manière proactive avec Tweedy, Browne, d'ajuster ses pratiques de gestion pour tenir compte des changements récents en matière de gouvernance d'entreprise ou encore de porter une plus grande attention à la nouvelle moralité des milieux de l'investissement qui avait abouti à l'adoption de la loi Sarbanes-Oxley de 2002. Cette loi américaine exige que les dirigeants d'entreprises publiques signent une attestation en vertu de laquelle ils ne peuvent plus plaider l'ignorance si les chiffres contenus dans leurs états financiers ne sont pas conformes à la réalité. Mais au lieu de cela, Black choisit plutôt l'attaque, accusant Tweedy, Browne d'être des « terroristes de la gouvernance d'entreprise[5] ».

Black paraissait outré qu'on puisse avoir la témérité de mettre en doute la manière dont il dirigeait son entreprise. Un courriel transmis à un cadre de l'entreprise, le 5 août 2002, montre à quel point il s'estimait au-dessus des préoccupations terre à terre de la société et, en particulier, des actionnaires : « Au cours des derniers mois, il n'y a pas eu une seule occasion où je suis monté dans notre avion sans me demander si nous pouvions vraiment nous le permettre. Mais je ne suis pas disposé à rééditer l'épisode de la Révolution française où les nobles renoncèrent à leurs droits. Nous devons trouver un équilibre entre une fiscalité injuste imposée à notre entreprise et un traitement raisonnable pour les directeurs-fondateurs. Après tout, nous demeurons les propriétaires, tout assiégés que nous soyons. »

Les problèmes de Black tenaient-ils à son orgueil démesuré ? Croyait-il détenir, en tant qu'actionnaire de référence, un droit inaliénable à une considération particulière, alors que les actionnaires indépendants tels que Tweedy, Browne n'étaient là que pour la forme ? Ou avait-il déjà quitté la balle des yeux lorsqu'il se plongea pendant deux ans, de 2001 à 2003, dans la rédaction de son encyclopédique biographie de Franklin Roosevelt, un projet auquel il rêvait depuis des décennies ? Quelle que soit l'explication, son sentiment d'omnipotence et d'autosuffisance ne fit rien pour détourner de lui deux menaces de taille : d'une part, les enquêtes menées par la Security and Exchange Commission[6] (SEC) et le Federal Bureau of Investigation (FBI) ; d'autre part, les poursuites intentées par des actionnaires alléguant que des paiements injustifiés de plusieurs centaines de millions de dollars avaient été effectués, et que certains d'entre eux avaient été versés illégalement, dans la mesure où ils n'avaient été ni approuvés au préalable par le conseil d'administration ni divulgués de façon fidèle à la SEC.

Black était un propriétaire d'entreprise formé dans le moule du XIXe siècle : un égocentrique pétri de grandeur et d'ambition, un homme rusé ayant du goût et du discernement, un entrepreneur impitoyable doté d'une volonté de fer, comme ces requins de la finance des débuts du capitalisme industriel aux États-Unis. C'était un magnat de la presse de première grandeur, à la manière de William Randolph Hearst, qui nourrissait ses presses de nouvelles croustillantes et sensationnalistes et de visions et d'idées bien affirmées sur l'avenir des démocraties de l'Atlantique Nord, soit les États-Unis, le Canada et la Grande-Bretagne. Black se servait de ses journaux pour soutenir les causes politiques – surtout néoconservatrices – auxquelles il croyait, de même que pour écraser ses adversaires. Il était d'ailleurs tout disposé à faire la sale besogne lui-même, signant à l'occasion des articles pour démolir ses propres employés. Il adorait manipuler, concevoir des voies détournées et s'y engager aussitôt pour débusquer ses ennemis et leur arracher la victoire finale. Il avait une conception navale des affaires : il les voyait comme une bataille déchaînée en haute mer, en pleine nuit, au cœur de terribles tempêtes, ponctuée de salves bien ciblées qui, avec un peu de chance, allaient couler ses ennemis par le fond.

À bien des égards, le décor des bureaux de direction de Hollinger International à New York était un reflet de la personnalité de Black, un témoignage de son amour et de son admiration pour la grande république américaine et sa marine. Il voulait désespérément que cet amour et cette admiration soient partagés.

La fenêtre de la salle de réunion donnait sur un gratte-ciel du début du XXe siècle surmonté d'une tour d'eau décrépite en bois, soit la voyante et noire Trump Tower. Plus loin, on pouvait apercevoir la tour W. R. Grace avec sa façade concave et l'excentrique édifice de la Légion d'honneur. Accrochée à un mur de cette salle se trouvait une aquarelle illustrant le premier passage d'un président américain – Franklin Delano Roosevelt – dans le canal de Panama, le 11 juillet 1934, à bord du croiseur USS Houston, se frayant un chemin dans l'écluse de Miraflores, la bannière étoilée flottant au vent pendant qu'une garde d'honneur est rassemblée sur le quai. L'aquarelle avait été peinte longtemps après l'événement, à partir d'une photographie noir et blanc qui se trouvait dans les archives de la marine américaine.

Le long des murs, dans des cadres dorés, on pouvait apercevoir certains des documents controversés de Franklin Roosevelt dont Hollinger International avait fait l'acquisition au prix de plus de 10 millions de dollars américains : un discours présidentiel tapé à la machine ainsi que les lettres manuscrites, sur papier à en-tête du USS *Houston*, qu'avait fait parvenir le président à Daisy Suckley. Plusieurs critiques avaient allégué que l'entreprise n'aurait jamais dû acheter ces objets destinés à aider Black dans ses recherches personnelles sur FDR.

Une longue table en chêne et des haut-parleurs noirs disposés çà et là comme des ovnis menaçants étaient visibles à partir de l'entrée de la salle du conseil et on pouvait facilement imaginer l'impérial Black en train de présider une réunion des membres distingués de son conseil d'administration.

Ce décor était une façon de les conditionner. Tout à l'entrée de la salle de réunion, il y avait un portrait encadré en noir et blanc du célèbre gangster des années 1930 Al Capone, signé de sa propre main. L'adjointe de Black, Jan Akerhielm, s'était fait un devoir de me le montrer. À côté, dans le bureau de Conrad Black, on pouvait apercevoir un portrait à l'huile de Lord North, l'incompétent premier ministre britannique sous George III, qui avait « perdu » les 13 colonies pendant la guerre de l'Indépendance. Le bureau comprenait également, à l'intérieur de cadres dorés, des autographes de Benjamin Franklin et d'Andrew Carnegie, le requin de la finance doublé d'un philanthrope. Le long du couloir extérieur, on pouvait aussi voir une réquisition de mules datant de la guerre de Sécession et signée par le général William T. Sherman.

Black aimait bien nommer des politiciens à la retraite à ses conseils d'administration, des conservateurs en Grande-Bretagne et des républicains aux États-Unis. Lord Carrington, ancien ministre britannique des Affaires étrangères et de la Défense qui avait aussi été secrétaire général de l'OTAN et membre des conseils de Hollinger et du *Telegraph*, m'avait confié qu'il connaissait très peu de choses en matière de finances[7].

Les choses n'étaient pas très différentes chez Hollinger International où, parmi les membres indépendants du conseil d'administration, on comptait notamment l'ancien secrétaire d'État Henry Kissinger et l'ancien secrétaire adjoint à la Défense Richard Perle. Je rencontrai Henry Kissinger dans son bureau de Park Avenue, en septembre 2003, au moment où les choses commençaient vraiment à se gâter pour Conrad Black. Deux agents des services secrets en costume bleu marine étaient de faction, prêts à défendre Kissinger. Cette rencontre avec le bouledogue pugnace qu'est Kissinger impliquait, au moins en partie, une certaine forme de conditionnement. Ainsi, alors que j'attendais dans une antichambre décorée de bronzes chinois, il laissa ouverte la porte de son bureau de façon que je puisse l'entendre aboyer au téléphone. « Conrad, il y a ici un journaliste canadien qui est venu me rencontrer. Qu'est-ce que je dois faire de lui? *Ja. Ja.* Vous le connaissez? *Ja. Ja.*» Les règles de base de l'entrevue étaient que je pouvais tout enregistrer de notre conversation, entouré de photographies autographiées du pape Paul VI, du roi Hussein de Jordanie et de Richard Nixon. Mais dès l'instant où je dévierais du sujet prévu, il me crierait aussitôt « d'arrêter cette machine ». Au cours de sa carrière, il avait dû accorder des milliers d'entrevues. Il termina celle-ci en m'affirmant que dans son rôle d'administrateur chez Hollinger International, il apportait « une certaine compréhension de la situation internationale, et ils ont des journaux dans diverses parties du monde. Je peux offrir un jugement sur le contenu des quotidiens, lorsqu'ils traitent de sujets que je connais bien. Il est bon pour l'entreprise que d'autres administrateurs aient des connaissances plus poussées que les miennes en matière financière. Je ne suis pas là pour les finances[8] ». Il souligna également qu'il lisait chaque jour la version électronique du *Daily Telegraph*. Kissinger avait été si retors que j'en avais conçu une impression extrêmement désagréable. Une fois l'entrevue terminée, j'avais même porté la main à mes poches pour m'assurer que mon portefeuille s'y trouvait toujours. Je demandai ensuite aux deux agents des services secrets comment trouver un autobus de retour vers l'aéroport LaGuardia, mais ils n'avaient jamais pris un autobus de leur vie. Ils savaient seulement où je pourrais louer une limousine.

Le milliardaire et conseiller en investissement Stephen Jarislowsky, qui a fait partie de plusieurs conseils d'administration de sociétés contrôlées par Black – dont celui de Southam –, affirme que celui-ci était « une joyeuse fripouille » qui arrivait à duper la plupart des gens qu'il rencontrait et qu'il le faisait avec enthousiasme. Selon lui, la nomination de Kissinger au conseil d'administration, malgré son manque d'expérience financière, était tout à fait typique de Black. « La plupart des gens qui siégeaient à ses conseils ne connaissaient rien aux finances. Ils servaient de façade. Le Grand Homme aime s'entourer de Grands Hommes. Dans les années 1990, aux conseils d'Argus et de Southam, il y avait un juge, un général et un cardinal[9]. » Jarislowsky est connu pour son jugement éclairé en matière de finances, son art des déclarations fracassantes sur la gouvernance des entreprises et son occasionnelle franchise sur ses propres affaires.

Hal Jackman, qui a amassé une fortune d'un demi-milliard de dollars à la tête d'une compagnie d'assurances et d'un chemin de fer dans le Nord de l'Ontario, reproche à Black d'avoir donné « beaucoup d'argent à des ex-politiciens pour s'entourer d'administrateurs flagorneurs. Ça n'en vaut simplement pas la peine ».

Black réunissait périodiquement les membres de son conseil d'administration et ceux de son conseil consultatif sur les affaires internationales, leur offrant des dîners bien arrosés et se réjouissant de ces conversations d'initiés sur la politique internationale. Plusieurs membres des deux conseils étaient eux-mêmes ravis à l'idée d'appartenir à un cercle aussi restreint de décideurs bien branchés, même si Margaret Thatcher – qui était souvent sous l'effet du décalage horaire – avait tendance à s'endormir dès qu'elle se mettait à table. Ce qui ne l'a jamais empêchée d'empocher les mêmes riches honoraires que les autres – de l'ordre de 25 000 $ par jour – du simple fait de sa présence. C'est comme si Black s'offrait, moyennant finances, l'amitié des grands et des puissants de ce monde.

C'est dire que lorsque d'importants investisseurs institutionnels tels que Tweedy, Browne commencèrent à confronter Black par lettre et aux assemblées d'actionnaires, qu'ils commencèrent à affirmer que Hollinger International était *leur* société et qu'il devait en tout temps agir en leur nom, c'est beaucoup plus que l'avenir professionnel de Black qui se trouva en cause. Ils risquaient ainsi en effet d'écorcher son amour-propre, le personnage qu'il s'était construit : celui d'un homme au-dessus de la mêlée qui s'était bâti un réseau d'initiés, l'ami intime des présidents et des premiers ministres, qui connaissait la nature du pouvoir et la façon de mettre ses journaux à contribution pour dominer la partie. Voilà ce qui peut expliquer comment Black pouvait étudier les lois auxquelles il était soumis en tant que président et chef de la direction de Hollinger International, les analyser et pontifier à leur sujet d'un ton détaché, comme s'il s'agissait d'un problème purement intellectuel.

Quelques semaines à peine avant une assemblée des actionnaires tenue le 22 mai 2003, au cours de laquelle un investisseur l'avait ouvertement accusé d'être un « voleur », Black m'avait dit que la loi Sarbanes-Oxley était « une loi démentielle », assortie de « toutes sortes de conditions absurdes qui consistaient à la fois à fermer la porte de la grange après que les chevaux se furent sauvés et à pénaliser les gens respectueux des lois[10] ». Il avait ajouté que cette loi avait été adoptée en réaction à un « sentiment de dégoût » à l'égard de graves malversations « impliquant de grosses sommes d'argent et des sociétés d'envergure. Je crois qu'il n'y avait pas beaucoup plus à faire que d'appliquer les lois criminelles déjà en vigueur, à savoir que ces gens qui ont commis des gestes illégaux devraient être poursuivis et, si trouvés coupables, être condamnés à de lourdes peines. Mais quand la politique et l'opinion publique s'en mêlent, on se retrouve avec un peu d'exagération. Voilà ce qui s'est passé ».

Conrad Black souligna qu'il était « étonnant que des choses objectivement condamnables – des comportements criminels ou même simplement désobligeants – arrivent si peu fréquemment », compte tenu des sommes d'argent qui changent de mains dans des pays tels que les États-Unis, le Canada et la Grande-Bretagne. « Ici aux États-Unis, le PIB est de l'ordre de 12 billions de dollars. Le secteur privé à lui seul représente presque les deux tiers de ce montant, soit 8 billions de dollars. La fréquence des comportements apparemment graves y est vraiment tout à fait négligeable. »

Black affirmait également que le danger provenant de l'extraordinaire boom économique des années 1990 tenait au fait que, dans ses derniers milles, il était devenu « vulgaire », « économiquement non fondé » et, citant le président de la Réserve fédérale Alan Greenspan, soutenu par « un enthousiasme irrationnel ». Quand la bulle avait fini par éclater, soutenait Black, il y avait eu « beaucoup de récriminations » et des révélations relatives à un « instinct promotionnel qui était manifestement entré dans le domaine de la fraude ». Mais si l'on comparait la situation à celle des années 1920, « ou à l'époque des barons des chemins de fer et des requins de la finance, je trouve que, de façon générale, le dossier est excellent ».

Il pourfendait par ailleurs « des éléments moralisateurs des médias libéraux aux États-Unis, et à l'étranger, qui essaient de représenter l'économie capitaliste américaine comme corrompue, vulgaire et exploiteuse et les dirigeants d'entreprise comme formant un groupe essentiellement composé de personnes vénales et moralement méprisables. Je pense que tout cela est fortement exagéré et que la réaction a aussi été quelque peu exagérée ».

En mai 2002, Black envisageait déjà la possibilité de déployer la seule stratégie qui aurait pu résoudre la plupart sinon la totalité des problèmes auxquels il dut faire face par la suite, soit le rachat de la part des actionnaires minoritaires. Mais il avait rejeté cette idée. « Je n'ai pas pour objectif de faire de Hollinger International une société fermée, avait-il lancé. Ce que je souhaite, c'est plutôt de tirer parti, au profit des actionnaires de référence, de la sous-évaluation de nos actions. Aussi longtemps que nous en aurons les moyens, sans grever nos ressources, et pourvu que le cours de nos actions offre les meilleures perspectives parmi les options d'investissement disponibles, cela demeure la bonne chose à faire. Mais je n'envisage pas, comme tel, d'éliminer complètement les actionnaires du public. Je serais heureux de pouvoir me passer d'eux entièrement, si cela était à notre avantage, mais pas si cela nous oblige à accroître notre endettement ou à racheter ces actions à un prix trop élevé. »

Chris Browne estime que Black prenait alors ses désirs pour des réalités : « Je ne pense pas que la privatisation était une option réaliste pour lui. L'entreprise était déjà bien trop endettée pour qu'il rachète les parts des autres actionnaires[11]. »

Vers la fin de 2003, Tweedy, Browne entama une poursuite devant la Cour de la Chancellerie du Delaware, pour « la récupération de plus de 73 millions de dollars versés à Ravelston et à ses filiales (incluant Lord Black) aux termes d'ententes de non-concurrence signées dans le cadre de ventes d'actifs par Hollinger International ».

Ces paiements de non-concurrence, versés lors de la vente du groupe Southam à CanWest Global en 2000 au coût de 3,2 milliards de dollars, avaient été divulgués à l'époque, mais la façon dont ces paiements avaient été négociés n'était pas claire.

Un aspect essentiel de cette poursuite consistait en une campagne médiatique menée en parallèle par Laura Jereski, analyste financière chez Tweedy, Browne et ancienne journaliste fort agressive du *Wall Street*

Journal. (Elle avait écrit, en 1993, un article qui avait mené au plus important jugement en diffamation de l'histoire américaine – 222,7 millions de dollars –, qui avait été renversé par la suite.) La plainte de Tweedy, Browne avait pour objectif « le remboursement d'honoraires raisonnables d'avocats ayant participé à l'enquête menée par des actionnaires au sujet de possibles malversations chez Hollinger International et ayant rédigé des mises en demeure envoyées au conseil d'administration ».

Selon Tweedy, Browne, l'abondante couverture médiatique – savamment organisée par Laura Jereski – démontrait que son enquête *profitait* à Hollinger International. La couverture médiatique faisait donc la preuve que Tweedy, Browne méritait qu'on lui rembourse les frais de sa propre enquête.

Le bien-fondé des paiements de non-concurrence allait devenir l'un des enjeux primordiaux des poursuites et enquêtes gouvernementales dont Black a fait l'objet. Mais un autre enjeu vital fit surface le 31 mars 2003, lorsque Hollinger International remplit sa déclaration 10-K pour l'exercice 2002. Dans ce 10-K, ou rapport annuel, Hollinger International lançait un message ambigu au sujet de Black et de ses proches associés canadiens. D'une part, le rapport soulignait que « notre succès dépend en grande partie des capacités et de l'expérience de Lord Black, notre chef de la direction, de F. David Radler, notre chef de l'exploitation, de Daniel W. Colson, le chef de la direction du *Telegraph*, et de notre équipe de direction. Si nous devions perdre les services de Lord Black, de F. David Radler et de Daniel W. Colson ou d'un ou plusieurs de nos hauts dirigeants, cela pourrait compromettre notre capacité de contrôler efficacement nos activités ou de mener à bien nos stratégies commerciales actuelles ou futures ». Mais par ailleurs, le 10-K expliquait aussi aux actionnaires de Hollinger International que « Lord Black est notre actionnaire de contrôle et il est possible qu'il existe un conflit entre ses intérêts et les vôtres. [...] Des entités affiliées à Lord Black et à d'autres dirigeants et administrateurs de la société sont engagées dans des transactions importantes avec la société, lesquelles n'ont pas nécessairement été conclues sans lien de dépendance. [...] Certaines filiales de la société ont également conclu directement des ententes de service distinctes avec certains dirigeants de Ravelston, de même qu'avec Black-Amiel Management Inc. et Moffat Management Inc., des filiales de

Ravelston. Toutes ces ententes de service ont été négociées dans le cadre de rapports entre société mère et filiale et ne résultent donc pas de négociations d'égal à égal entre parties indépendantes. Il est donc possible que les conditions de ces ententes de service ne soient pas aussi favorables à la société et à ses filiales que celles qui auraient résulté de négociations avec de tierces parties non affiliées». Autrement dit, Hollinger International reconnaissait le prestige et l'autorité de son actionnaire de contrôle, Lord Black, tout en prévenant les lecteurs du rapport, dûment transmis à la SEC, que «Black et plusieurs de ses proches associés pourraient être en situation de sérieux conflit d'intérêts, ayant utilisé leur position d'actionnaires de contrôle pour obtenir des avantages excessifs de la société». Le document 10-K de 2002 propose une lecture passionnante, dans la mesure où il brosse un tableau, à larges traits, de la relation complexe qu'entretenaient Black et ses principaux associés canadiens avec la société mère américaine.

Dans sa couverture de l'assemblée annuelle des actionnaires de Hollinger International du 22 mai 2003, au Metropolitan Club de New York, le magazine *Fortune* rapportait: «Black et son épouse Barbara Amiel – une chroniqueuse de droite dont les traits rappellent Gina Lollobrigida et dont les opinions s'inscrivent dans le sillage de Rush Limbaugh[12] – ont salué leurs amis de la main. Ils ont soufflé des baisers à Donald Trump et à sa compagne, le mannequin Melania Knauss. Black a balayé des yeux la salle et retroussé sa lèvre supérieure. Il savait ce qui se préparait: l'un après l'autre, les actionnaires se lèveraient pour lui faire des reproches. Finalement, il a perdu patience. Oui, a-t-il admis, il y a lieu d'améliorer le cours des actions de Hollinger. Mais Black drainait de plus en plus d'argent de ses journaux. Pourquoi, a-t-il demandé, personne ne recevait-il pas de félicitations pour cela? "Vous avez le droit de dire tout ce qui vous passe par la tête, chacun d'entre vous, a-t-il dit à ses investisseurs. Vous ne savez pas de quoi vous parlez, mais vous demeurez les bienvenus en tant qu'actionnaires[13]."»

Soumis à des pressions croissantes, Black mit sur pied le 17 juin 2003 un comité spécial ayant pour mandat de mener une analyse et une enquête indépendantes sur les allégations de Tweedy, Browne. Le comité, conseillé par l'ancien président de la SEC Richard Breeden, entreprit alors de passer au crible des documents de Hollinger International représentant plusieurs années d'activités, à la recherche d'irrégularités.

Une semaine avant que le comité soit officiellement créé, Tweedy, Browne avait envoyé une nouvelle lettre au conseil d'administration de Hollinger International, laquelle révélait que des actifs de Hollinger International avaient été vendus en 2000 à Bradford Publishing, une société détenue et contrôlée par certains membres du conseil et de la haute direction de Hollinger. Tweedy, Browne, qui estimait qu'il s'agissait là de transactions intéressées, exigeait des éclaircissements. Tweedy, Browne venait de découvrir quelque chose d'important. Dans la foulée, Hollinger International accusa plus tard Black et Radler d'avoir participé à des transactions intéressées, alléguant par exemple qu'en 1998 ils avaient fondé Horizon Publications Inc. dans le but de faire l'acquisition de journaux appartenant à Hollinger International. Chacun d'entre eux détenait 24 % des actions d'Horizon, mais ils avaient le contrôle bénéficiaire (par des personnes interposées à qui ils avaient cédé des actions et qui demeuraient apparemment sous leur influence) d'au moins 73 % des actions de l'entreprise. Ce fait n'avait pas été divulgué à la SEC, au dire de Hollinger International, et ni les membres du conseil d'administration ni ceux du comité de vérification n'avaient été adéquatement informés de la nature des transactions reliées à Horizon.

En 2000, Bradford Publishing Co. avait été mise sur pied « comme un instrument additionnel leur permettant [Black et Radler] de détenir d'autres journaux régionaux qu'ils achetaient de la société [Hollinger International] à un prix substantiellement inférieur à leur valeur marchande ».

Au début de novembre 2003, malgré la crise imminente chez Hollinger International, Black partit pour deux semaines en tournée promotionnelle pour son ouvrage monumental (600 000 mots) sur Franklin Delano Roosevelt. La chroniqueuse du *Washington Post*, Tina Brown, qui couvrait le lancement du livre dans un restaurant new-yorkais, écrivit que « même avec des invités prestigieux comme la philanthrope Jayne Wrightsman et le couturier Oscar de la Renta, les personnes présentes se réduisaient à un petit groupe d'amis loyaux comme Henry Kissinger et Ronald Perelman. Malheureusement pour Black, un autre lancement, plus animé et plus couru, avait lieu au même moment dans une salle adjacente : celui du nouveau livre de l'ancien secrétaire au Trésor Robert

Rubin. "Je ne fais que passer", a lancé une habituée des mondanités, avant de se précipiter vers la fiesta de Rubin[14] ».

De nouveau, le Black rayonnant était pourchassé par l'autre Black, sombre et autodestructeur. Un pas en avant, un pas en arrière. Il avait toujours voulu revêtir fièrement le manteau de la gloire, mais il en était quitte pour l'humiliation. À mesure que le scandale Hollinger se déployait, Black faisait la une des journaux à New York, Londres et Toronto. Et lorsqu'il fut forcé de démissionner de son poste de chef de la direction de Hollinger International, la couverture et les critiques des médias s'intensifièrent. « L'appétit d'empire de Lord Black a dépassé ses moyens », titra le *Wall Street Journal*. « Des paiements irréguliers ont entraîné la déchéance du magnat d'affaires », affirma en une le *Globe and Mail* de Toronto. Et selon Lex, l'influente chronique du *Financial Times* de Londres, « le voile a été levé sur les obscurs secrets de Hollinger. Dans ce qui représente une victoire pour le militantisme des actionnaires, Lord Black a été contraint de démissionner comme chef de la direction. [...] Il pourrait même être obligé de démanteler la totalité de son empire[15] ».

Après avoir négligé pendant plusieurs années d'enquêter sérieusement sur le douteux empire financier et la vie personnelle de Black, les journalistes, surtout au Canada, se mirent à publier des chroniques et des articles détaillés au sujet du scandale. « La jubilation des médias est déplacée, écrivit le chroniqueur économique Eric Reguly du *Globe and Mail*. Ce n'est pas notre heure de gloire. Tout ce qu'a révélé Tweedy, Browne se trouvait dans le domaine public. Ce ne sont pas des détectives. La presse n'a tout simplement pas fait son travail. »

Mais Black n'était pas intimidé pour autant. Au cours d'une séance de signature dans une librairie torontoise, il lança aux journalistes : « Vous tous qui écrivez aujourd'hui que je suis fichu, vous avez peut-être tort. Je suis toujours président de la société mère. Je demeure l'actionnaire de contrôle. Je suis codirecteur du processus stratégique et je demeure président du *Telegraph*. Hier seulement, j'ai gagné 50 millions de dollars. C'est le genre de catastrophes auxquelles je peux m'habituer[16] ! »

Black croyait bien pouvoir compter sur l'appui des membres du conseil d'administration qu'il avait triés sur le volet et payés grassement. Mais durant la semaine du lancement de son livre, le comité spécial de Hollinger International annonça que la société avait versé plus de

32 millions de dollars à Black, Radler, deux autres dirigeants de la société ainsi que la société mère Hollinger Inc. de Toronto. Le comité ajouta que ces paiements n'avaient été ni autorisés de manière explicite par le conseil d'administration ni divulgués de façon appropriée à la SEC et qu'une portion de 7,2 millions de dollars de cette somme était allée directement à Black.

L'enquête se poursuivit et, au cours d'une réunion houleuse du conseil d'administration, Black fut attaqué au sujet de ces paiements. Il accepta de démissionner comme chef de la direction à la date du 21 novembre, même s'il demeurait en poste comme président du conseil et actionnaire de contrôle. Radler, quant à lui, démissionna sur-le-champ. Black, avec l'aval du conseil, décida de retenir les services de la banque d'investissement new-yorkaise Lazard LLC pour évaluer les options stratégiques de Hollinger International, y compris la vente totale ou partielle des actifs de la société. Selon l'une des personnes présentes à la rencontre, Black défendit ses agissements avec acharnement. Mais le 19 novembre, deux jours plus tôt que prévu, il démissionnait. Cela signifiait qu'il n'aurait pas à signer le plus récent rapport trimestriel de la société. Hollinger annonça que Black, Radler et les autres allaient rembourser à la société, avant le milieu de 2004, les paiements non autorisés. La SEC émit alors des assignations à comparaître afin d'exiger des renseignements supplémentaires de la part de Black, de Hollinger International, de ses vérificateurs (KPMG) et d'autres personnes.

Le 21 novembre 2003, Black fut sommé par son conseil d'administration de démissionner comme chef de la direction de la société mère torontoise Hollinger Inc. Devant son refus, quatre administrateurs indépendants – le comité de vérification au grand complet – claquèrent la porte. Dès le début de décembre 2003, le magazine *Forbes* avait ajouté Black à sa « galerie de fripouilles » et classé la révélation des paiements non autorisés chez Hollinger International parmi les pires scandales financiers de l'année.

S'appuyant sur son aisance verbale, ses connaissances juridiques, sa mémoire prodigieuse et sa présence intimidante, Conrad Black avait obtenu, au fil des ans, toute une série de résultats impressionnants auprès des tribunaux. Soutenu par une intuition pénétrante et des avocats grassement payés, il était passé maître dans l'art de sortir gagnant des litiges. Il savait également reconnaître à quel moment se retirer ou en venir à une entente lorsque des problèmes juridiques graves risquaient de se poser. Mais tout cela commença à changer en décembre 2003, lorsque la SEC assigna Black à comparaître afin qu'il témoigne au sujet de rapports financiers présumés inexacts présentés par la filiale américaine Hollinger International et d'un certain nombre de paiements douteux de non-concurrence qui lui avaient été versés ainsi qu'à ses proches associés et à Ravelston, sa société privée d'investissement. Black choisit d'invoquer le Ve amendement, soit son droit constitutionnel de ne pas s'incriminer lui-même. Beaucoup de critiques demandèrent alors comment un honorable et responsable chef de la direction d'une entreprise cotée en Bourse pouvait refuser de collaborer avec la SEC. « Aux États-Unis tout au moins, la décision, pour un haut dirigeant d'entreprise, d'invoquer le Ve amendement pour refuser de témoigner est généralement le signe avant-coureur d'une destitution ou d'une démission forcée », avait écrit Dan Ackman, chroniqueur au magazine *Forbes.* ·

Black fut crucifié dans les pages financières de tous les journaux de la planète, alors que ses critiques remettaient en question la structure d'entreprise complexe qui permettait à Ravelston Corporation, un holding créé en 1969, de contrôler 78 % des actions de Hollinger Inc. qui, à son tour, détenait 30 % des actions ordinaires de Hollinger International et la totalité des droits de vote… laissant Black avec 72 % des droits de vote. Plusieurs commentateurs laissèrent entendre qu'il avait « gaspillé » les milliards de dollars versés par CanWest Global pour l'achat des journaux du groupe Southam. D'autres se demandèrent pourquoi, dans le cadre de cette même transaction, Black et ses plus proches associés avaient encaissé des dizaines de millions de dollars – exempts d'impôt – en paiements de non-concurrence. Black assura que ces paiements avaient été dûment autorisés par le conseil d'administration et divulgués de façon transparente dans les rapports de la société.

Mais Tweedy, Browne porta plainte à la SEC, alléguant que Black et ses associés avaient « usurpé » le droit de Hollinger International de toucher ces paiements de non-concurrence, puisque c'était la société – et non ses dirigeants – qui avait vendu les journaux. De vives critiques portaient également sur le fait que 202,7 millions de dollars en frais de gestion avaient été versés, entre 1995 et 2002, à Black et à ses associés, alors que depuis 1999 Hollinger International avait affiché des pertes cumulatives de l'ordre de 171 millions de dollars. Les actionnaires minoritaires étaient furieux de constater que ces déboursés pour frais de gestion avaient réduit les revenus de l'entreprise et eu pour effet de faire fléchir le cours des actions.

Lorsque Hollinger International présenta son rapport 8-K modifié (un rapport *ad hoc* requis par la SEC lorsque certains événements survenus chez une entreprise cotée en Bourse doivent être expliqués aux actionnaires), en mai 2004, la société allégua que « l'ampleur des sommes détournées par le groupe Black entre 1997 et 2003 est largement sinon tout à fait sans précédent quant à la proportion des revenus d'exploitation d'une société publique par actions. Entre 1997 et 2003 (les chiffres de 2003 étant des estimations), Hollinger a affiché des revenus nets (la somme revenant à la société et disponible aux autres actionnaires) de l'ordre de 155,4 millions de dollars, après avoir versé à Black [son épouse Barbara Amiel, plusieurs associés et leurs sociétés de portefeuille respectives] des frais d'honoraires ou des compensations totalisant approximativement 390,7 millions de dollars. Ainsi [...] Black et Radler se sont servis de leur position de contrôle afin que la société leur verse, de même qu'à leurs principaux associés, presque 72 % de tous les revenus nets de la société [...]. En comparaison, au cours de la même période, les cinq principaux dirigeants de la New York Times Company et de la Washington Post Company, deux entreprises ayant également des structures de vote à deux niveaux, ont reçu environ 4,4 % des revenus nets dans le cas du *Times* et 1,8 % dans le cas du *Post* ». Même si Hollinger International alléguait que le versement de ces sommes était de nature criminelle, il restait maintenant à le prouver devant un tribunal.

Le 18 janvier 2004, Hollinger International destitua Black de son poste de président du conseil et intenta une poursuite contre lui, Radler, Ravelston et Hollinger Inc., réclamant plus de 200 millions de dollars. En février 2004, Black perdait le contrôle de son empire de presse de façon aussi rapide que brutale. Mais à la mi-février, il intenta à son tour une poursuite au montant de 850 millions de dollars contre plusieurs administrateurs et conseillers de Hollinger International, alléguant que ces derniers avaient tenu à son endroit des propos diffamatoires et malveillants, faisant de lui un lépreux social et un objet de risée et de mépris. Deux semaines plus tard, un juge du Delaware bloquait ses tentatives de vendre Hollinger International aux jumeaux sir David et sir Frederick Barclay, deux magnats écossais de la presse. Malgré les objections de Black, Hollinger International conclut elle-même une entente, à l'été 2004, avec les frères Barclay, leur vendant le *Daily Telegraph* pour la somme de 665 millions de livres sterling, soit 1,21 milliard de dollars. En août 2004, le rapport du comité spécial accusa Black et Radler d'avoir instauré « une kleptocratie d'entreprise », alléguant qu'ils avaient comploté ensemble pour voler 400 millions de dollars à la société, afin de « satisfaire leur appétit vorace pour l'argent comptant ». Conseillé par Richard Breeden, le comité poursuivit son enquête, facturant au passage 57 millions de dollars à Hollinger International en frais et honoraires, entre 2004 et 2006. Le 15 novembre 2004, la SEC déposait des accusations au civil contre Black, Radler et Hollinger Inc. Le 18 août 2005, le procureur fédéral Patrick Fitzgerald déposa des accusations de fraude criminelle contre Radler, le holding privé Ravelston Corp. et l'avocat de Hollinger, Mark Kipnis.

Tant que Radler tenait sa langue, Black gardait bon espoir de pouvoir traverser l'épreuve. Après tout, Black avait invoqué le Ve amendement. Mais lorsque Radler commença à témoigner devant le comité spécial de Hollinger International et devant la SEC, il changea sa version de l'affaire, s'empêtrant nerveusement dans de nombreuses explications contradictoires. C'est ainsi qu'il se trouva coincé. En août 2005, Radler accepta de témoigner à charge en retour de l'immunité, plaidant coupable à un seul chef d'accusation pour fraude qui lui vaudrait 29 mois de prison.

Le 17 novembre 2005, les procureurs fédéraux de Chicago annoncèrent que Black, l'ancien dirigeant de Hollinger Jack Boultbee et deux anciens avocats de Hollinger, Mark Kipnis et Peter Atkinson, allaient faire face à tout un train de nouvelles accusations criminelles. Les procureurs alléguèrent que les quatre avaient conçu et mené un certain nombre de complots frauduleux, détournant de Hollinger International une somme de 51,8 millions de dollars en paiements de non-concurrence exempts d'impôt, dans le cadre de la vente par Hollinger International de journaux canadiens à CanWest Global, en 2000, ainsi qu'une somme additionnelle de 32 millions de dollars provenant d'autres transactions. Les procureurs alléguèrent en outre que Black avait manqué à son devoir de fiduciaire en facturant à la société des dépenses personnelles fastueuses, telles qu'une fête d'anniversaire pour son épouse et des vacances en Polynésie française. Selon l'agent Robert Grant du FBI, « les fraudes commises ont été à la fois flagrantes et récurrentes. Elles ont été commises dans les coulisses aussi bien que dans les salles du conseil d'administration, de Park Avenue aux îles du Pacifique Sud ». Black faisait également face à neuf chefs d'accusation pour fraude postale et électronique et pour entrave à la justice ainsi qu'à une ordonnance éventuelle, s'il était trouvé coupable, de rembourser 92 millions de dollars.

L'ironie de l'affaire est que la fortune personnelle de Black serait beaucoup plus considérable aujourd'hui si, depuis les années 1980, il n'avait pas ainsi soulagé ses entreprises de tous ces paiements faramineux, honoraires et dividendes spéciaux.

L'ancien rédacteur en chef du magazine *The Economist* Andrew Knight, qui avait aidé Black à prendre le contrôle du *Daily Telegraph* en 1986 (Knight avait été chef de la direction du journal jusqu'en 1989), a un jour déclaré : « On m'a dit qu'à ma dernière année à la barre, le *Telegraph* avait réalisé autant de profit qu'au cours des 100 années précédentes. Je me souviens d'avoir été présenté cet hiver-là à un groupe de banquiers d'affaires américains comme "l'homme qui a fait de Conrad Black un milliardaire[17]". »

Le *Chicago Sun-Times*, établi sur un terrain de première valeur au centre-ville de Chicago, représentait également un actif précieux. Black et Donald Trump avaient projeté de construire sur ce site le plus haut gratte-ciel du monde. Mais à la suite des attaques terroristes du 11 septembre 2001, ce projet avait dû être mis en veilleuse. En juin 2004, Trump racheta la part de Hollinger International dans le projet pour 73 millions de dollars, réduisant du coup à 92 le nombre initialement prévu de 150 étages. Le mois suivant, le *Sun-Times* était évalué à plus de 1 milliard de dollars, encore qu'une surenchère était susceptible d'augmenter bien davantage sa valeur.

Les frais de gestion controversés que Conrad Black puisait dans les comptes de Hollinger International n'ont jamais été liés à sa performance, réduisant ainsi sa motivation à faire augmenter le cours des

actions. Selon le chroniqueur économique du *Globe and Mail*, Eric Reguly, si les actions de Hollinger International avaient suivi l'indice Dow
Jones depuis son premier appel public à l'épargne en 1994, les 27,9 millions d'actions de catégorie A que détenait alors Black auraient atteint
une valeur de 865 millions de dollars, au lieu de rester légèrement sous la
barre des 350 millions. « Cela représente une différence de 515 millions
de dollars, soit deux fois et demie la valeur [...] de la totalité des sommes
payées en frais de gestion sur une période de sept ans[18]. »

En décembre 2006, selon la rumeur, il ne restait à Conrad Black
que 8 millions de dollars en fonds liquides. On disait que depuis 2004,
ses frais juridiques avaient dépassé le cap des 30 millions de dollars[19].
Deux de ses anciennes sociétés, Hollinger International et Hollinger
Inc., couvraient 75 % de ses frais juridiques dans le cas de la poursuite
criminelle à Chicago et 50 % en ce qui concernait diverses autres poursuites. Mais s'il devait être déclaré coupable, et une fois tous les processus
d'appel épuisés, Black aurait à rembourser ces sommes. Le reste de sa
fortune personnelle, disait-on, était soit hypothéqué, soit engagé ailleurs.
Black était-il techniquement fauché ?

Black traversa la bibliothèque de son manoir torontois pour venir
m'accueillir. Il avait l'air fripé, plus âgé que le souvenir que j'en avais,
et ses yeux étaient profondément cernés. Sa mise était négligée, ses vêtements froissés et mal assortis. Il me fit visiter les lieux d'un air absent,
me faisant passer par la bibliothèque dont les murs étaient couverts de
biographies en plusieurs volumes, reliés et classés par thèmes : Lawrence
d'Arabie, Henry Kissinger, Winston Churchill, Margaret Thatcher,
Richard Nixon, etc. Je fus surpris de n'y apercevoir aucun livre en langue
française. Cela ressemblait bien plus à la collection de « grands livres »
d'un homme d'affaires anglophone qu'à la bibliothèque d'un historien
qui avait rédigé des biographies acclamées et controversées de l'ancien
premier ministre du Québec Maurice Duplessis et de Franklin D.
Roosevelt.

Black m'invita à entrer dans son cabinet de travail et me montra de
superbes maquettes hors série de paquebots de ligne. Il fut étonné que
je sois en mesure d'identifier plusieurs d'entre eux et de raconter leur
histoire.

« S'agit-il du *Rex*? » demandai-je. Il dut comprendre l'homophone anglais *wrecks*, qui signifie « épaves ».

— Non, ce ne sont pas des épaves ; ce sont de vrais paquebots.

— Non, je veux dire le *Rex*, le paquebot italien des années 1930. Oui, c'est bien le *Rex*. Et cet autre doit être le *Conte di Savoia*. Et ce navire aux quatre cheminées, est-ce le M-M-M-M…

Il m'arrive parfois de bégayer lorsque je suis stressé.

— Oui, George, c'est bien cela, le *Mauretania* !

Werner proposa de nous prendre en photo devant une maquette du *Titanic*, mais je refusai en disant que cela risquait de nous porter malheur.

Sur le bureau de Black, il y avait un ordinateur ainsi qu'une pile de papiers et de lettres. Il me dit que je pouvais explorer les lieux pendant qu'il tapait un courriel (il tape à deux doigts). Au centre de la pièce, sur une table de la même taille que son bureau, s'alignaient les maquettes de 1,20 mètre des cuirassés *Warspite* et *Iowa* (BB61) et, perpendiculairement, un modèle de 1,50 ou 1,80 mètre du *Normandie*. Le long d'un mur où se trouvaient les maquettes du *Rex* et du *Conte di Savoia*, on pouvait aussi voir celle de l'*Empress of Britain*. Au mur opposé, il y avait celles du *France*, de l'*Île-de-France* et du *United States*. C'était là la plus belle collection de maquettes de paquebots que j'avais jamais vue de ma vie. Il me dit que son sous-sol était rempli de maquettes des principaux bâtiments de la Deuxième Guerre mondiale, c'est-à-dire tous les cuirassés et porte-avions japonais, italiens, allemands, britanniques, français et américains. Aimait-il naviguer ? « Pas vraiment, dit-il. J'aime simplement les bateaux. »

Puis nous retournâmes nous asseoir sur des divans au milieu de la bibliothèque, sous le plafond en voûte, pour entamer notre discussion. D'abord, la situation globale. Ma biographie de lui avait été publiée en 2004, mais mon éditeur avait aussitôt fait faillite. Le moment était sans doute propice à la publication d'une nouvelle édition entièrement remaniée, avec un autre éditeur. À mesure que la conversation progressait, je sentais qu'il avait désespérément besoin d'attention et de renforcement positif, espérant qu'une nouvelle édition de mon livre paraisse avant le début du procès à Chicago et puisse, de quelque façon, servir sa défense. Il m'assura de son « entière collaboration » —

des entretiens exclusifs à court terme – à la condition que je consacre un chapitre entier de mon nouveau livre à réfuter la récente biographie à scandale de Tom Bower, *Conrad and Lady Black*. « Il faudrait que ce soit un déboulonnage en règle de Bower. Presque chaque mot de son livre est faux[20]. » Il s'agissait là de sa part d'une évidente tentative de s'assurer mes services – de faire de moi son instrument – puisque je savais qu'il préparait déjà une poursuite en diffamation de 11 millions de dollars contre Bower. Je lui dis que mon rôle n'était ni de le défendre ni de le blâmer, mais plutôt de livrer un récit objectif. Je lui posai ensuite une série de questions d'ordre personnel, non pas à la manière d'un journaliste, mais plus comme un biographe, afin de comprendre comment il gérait la situation sur le plan humain.

Dès que j'avais entrepris cette biographie en 2002, il m'avait fallu déployer beaucoup d'efforts afin de maintenir avec lui une relation distante et formelle. Depuis lors, dans toutes nos rencontres, j'avais délibérément observé une attitude réservée. Mes questions demeuraient toujours circulaires. À l'occasion, je tirais parti de sa vanité pour m'approcher un peu plus, sonder ses défenses, lui rappeler que je n'étais pas son porte-parole, dévier de la trajectoire, lui arracher une réponse spontanée, réaffirmer mon indépendance avant de battre en retraite et d'attendre une nouvelle ouverture. Et comme il faisait maintenant face à des accusations au criminel, je voulais qu'il soit clair que dans tout ce que j'allais dire dans le cadre de la couverture médiatique du procès, j'allais me conformer au principe de la présomption d'innocence. Il ne me revenait pas de le juger, mais plutôt d'écrire un livre juste, en toute intégrité.

— Cela a dû être difficile, pour vous, de passer à travers cette période.

— C'était tout simplement affreux. J'ai appris à quel point les Américains sont endurcis, le système judiciaire corrompu, les médias vils et malveillants.

— On vous a jugé coupable jusqu'à preuve du contraire.

— Pire que cela. J'ai été soumis à des pressions extrêmes, harcelé presque quotidiennement par la Commission des valeurs mobilières de l'Ontario et l'Agence du revenu du Canada, mais finalement je m'en suis sorti. La saisie du produit de la vente de mon appartement à New York était grotesque.

— Cela ressemblait à un traquenard, cette façon dont le FBI est intervenu juste au moment où l'acheteur devait remettre ce chèque de 9,5 millions de dollars... Le FBI est toujours en possession de cet argent?

— En fait, on m'a volé cet argent.

— Comment votre épouse, Barbara, a-t-elle vécu toute cette période?

— Nous avons passé tous les deux des examens médicaux la semaine dernière et nous sommes en pleine forme. Si vous la voyiez, vous verriez qu'elle n'a pas vieilli ni changé d'un iota. Mais elle ne veut pas paraître en public. Elle sait que vous êtes là, George, mais elle préfère rester à l'étage, jusqu'à ce que vous soyez parti. Cela a été terrible pour elle.

— Et vos enfants, comment ont-ils pris cela?

— J'en discutais justement la semaine dernière avec Brian Mulroney et il m'a dit: «Conrad, nos enfants ne fondent pas leurs rapports avec nous sur ce qu'ils lisent dans les journaux.» C'est bien vrai. Mes enfants m'apportent énormément de soutien.

C'était du Conrad Black tout craché. Je venais à peine d'arriver qu'il lançait dans la conversation des noms de gens connus, afin de montrer qu'il était toujours en relation avec l'ancien premier ministre.

— Vous et Barbara êtes considérés comme des célébrités. Alors les normes du journalisme à potin s'appliquent aussi à vous. Quoi que vous fassiez – sortir de chez vous, traverser la rue –, cela devient un «événement» et la meute de journalistes se presse sur vous.

— En effet, c'est incroyable!

— Mais vous payez très cher votre statut de vedettes. Bien des médias profitent de l'occasion pour vous descendre. De toute manière, les journalistes ont tendance à être frustrés. Compte tenu des sommes d'argent que vous avez reçues et de toutes ces allégations qui pèsent contre vous, ils se font un malin plaisir de vous égratigner.

— Mais la situation a beaucoup changé depuis quelques mois, surtout au Canada. Le ton n'est plus le même. Les journalistes canadiens commencent à se rendre compte que je n'ai pas capitulé, que je ne me suis pas laissé intimider et que je n'ai pas été détruit. J'ai survécu, je me bats toujours, et voilà quelque chose que les médias respectent.

— L'un de vos principaux traits de caractère est bien la loyauté. Vous êtes loyal envers vos amis. Vous êtes loyal envers votre famille. Vous habitez même toujours la résidence de vos parents.

— J'y ai apporté beaucoup de changements depuis leur époque.

— Vous devez vous sentir trahi par David Radler. Il témoigne contre vous, après toutes ces années au cours desquelles vous avez été de proches associés, à bâtir Hollinger ensemble.

— Je ne le connais pas tant que ça. Je ne le fréquentais pas en société.

— Mais maintenant, Radler a conclu une entente avec la justice américaine. Il va faire un peu de prison, payer une amende et, en échange, il va vous incriminer. Et si, pendant toutes ces années, il avait été l'exécutant et vous l'homme derrière ces gestes? Et s'il savait qu'il commettait des gestes illégaux?

— Il ne m'a jamais dit qu'il commettait un crime. Chaque fois que je lui ai demandé si les transactions chez Hollinger étaient bien légales, il me répondait que tout était parfaitement dans l'ordre. L'issue de la cause dépend essentiellement de ce que Radler va dire. Son contre-interrogatoire durera trois semaines. C'est une personne nerveuse, agitée. Ils n'ont pas de cause contre moi.

— Les sommes d'argent qui vous ont été versées étaient énormes. Si ces paiements ont été approuvés par les membres du conseil, pourquoi ces derniers n'en sont-ils pas responsables, du moins en partie?

— Le système judiciaire aux États-Unis est profondément corrompu. Les médias ont travaillé main dans la main avec la SEC et le département de la Justice. Ils n'ont rien contre moi, et tout cela deviendra clair comme de l'eau de roche dès le début du procès, en mars 2007. Chaque paiement que j'ai reçu a été dûment autorisé.

— Vous devez éprouver du ressentiment envers les gens qui ont profité de vos bons offices dans le passé, mais qui ont fini par vous laisser tomber.

— Comme qui?

— Comme Rupert Murdoch. Comme Henry Kissinger. Il a intenté un procès contre vous, après tout.

— Je suis étonné de constater le nombre de personnes qui, en Angleterre, ont rompu tout contact avec moi. Quant à Murdoch, je l'ai

soutenu publiquement quand il a eu des problèmes et s'est presque retrouvé en faillite. Il n'avait pas besoin de m'attaquer comme il l'a fait
dans ses journaux, dans le *Times* de Londres et le *New York Post*. Dans
le cas d'Henry Kissinger, c'est différent. Avez-vous été en contact avec
lui depuis la sortie de votre livre ? Non ? Eh bien, Henry n'avait guère le
choix. Fondamentalement, on l'a tellement intimidé qu'il s'est senti dans
l'obligation de me poursuivre. Il agit simplement de la manière dont
Nixon m'a dit, un jour, qu'il avait l'habitude de se comporter : « Lorsque
quelqu'un était sous le feu d'attaques nourries, Kissinger prenait assez
de distance pour éviter d'être confondu avec la cible par les agresseurs
et d'être confondu avec les agresseurs par la cible, tout en attendant le
dénouement final, pour voir de quel côté le vent allait tourner. »

    — Mais vous êtes bien plus loyal envers les autres qu'on l'a été avec
vous.

    — Vous parlez de trahison. Bien sûr. Beaucoup d'autres, au Ca-
nada, me sont restés loyaux. Mais j'ai aidé énormément certaines personnes. Je leur ai permis de gagner beaucoup d'argent. Et elles se sont
retournées contre moi.

    — Avez-vous des amis intimes ?

    — J'en ai quelques-uns. Aucun de nous n'a beaucoup d'amis in-
times. Mes vrais amis me sont restés fidèles.

    — Avez-vous éprouvé de la tristesse pendant cette période ?

    — Bien sûr que je me suis senti triste. Cette période a été très, très
difficile. Diriger une société, en être le chef de la direction, acheter et
vendre des actifs, cela n'est rien en comparaison de survivre à une période comme celle-ci. Je suis réellement très fier de ce que j'ai réussi à
accomplir. J'ai réorganisé et stabilisé mes finances.

    Pendant qu'il m'expliquait cela, je me demandais s'il n'avait pas
discrètement vendu des actifs, tout en s'assurant que le public ne sache
pas que c'était bien lui le vendeur.

    — Compte tenu de tout ce que j'ai fait, poursuivit Black, j'ai
presque l'impression d'être un magicien. Il vaut mieux ne pas parler de
magie, mais je suis très fier de tout ce que j'ai fait.

    Je posai alors la vraie question, celle pour laquelle j'étais précisé-
ment venu le voir.

    — Qu'allez-vous faire, Conrad, si vous ne gagnez *pas* ce procès ?

— Je ne peux… Sa voix se brisa et il lui fallut un moment pour se ressaisir. Je ne peux concevoir le fait que je pourrais perdre. Je ne veux même pas y penser. Nous allons gagner ce procès.

— Mais si *vous* gagnez, le procureur fera sûrement appel. Par contre, si ce sont *eux* qui gagnent, je suis certain que vous ferez appel. Tout cela risque de durer bien longtemps.

Il ne me fit rire qu'une seule fois au cours de notre entretien, quand il me montra le manuscrit de sa biographie de Richard Nixon. « Écrire ce livre a dû être une bonne thérapie ! » lui dis-je. Il m'expliqua que cela lui avait en effet permis de canaliser son énergie dans une activité positive et que cela s'était avéré une bonne discipline. Il me demanda ensuite de lui fournir les grandes lignes de ce que je projetais de faire avec mon propre livre.

À ce stade, je comptais le remanier en entier et en faire une toute nouvelle édition. Je lui demandai s'il allait m'accorder quelques entretiens. Il me répondit que oui, à court terme, si je lui fournissais une garantie raisonnable que mon livre paraisse *avant* le début de son procès ! Mais le procès allait débuter dans un peu plus de trois mois ! Cela voulait dire que je devrais rédiger une nouvelle édition en l'espace de quelques semaines seulement ! De plus, je devais partir la semaine suivante pour le sud de l'Argentine, afin d'y réaliser un documentaire sur la Patagonie pour le compte de Radio-Canada. Je ne serais pas de retour avant la mi-janvier. Il était donc inconcevable que je puisse terminer un manuscrit entier pour le 31 janvier.

« Mais George, vous pourriez écrire 100 pages en une seule semaine », dit-il, sur un ton presque implorant. Il souhaitait que je prenne fait et cause en sa faveur en publiant un livre qu'il pourrait en quelque sorte utiliser pour soutenir sa défense à Chicago, dans trois mois.

Je lui dis que j'allais lui donner une réponse plus tard.

Exerçant un peu de pression sur moi, il ajouta que si je souhaitais faire paraître mon livre plus tard, il serait bien trop occupé pour m'accorder des entrevues en janvier ou en février, alors qu'il serait totalement absorbé par les préparatifs de son procès. Toutefois, si je souhaitais attendre après le procès, il m'accorderait quand même sa pleine collaboration.

— Mais ça ne peut marcher que si vous êtes acquitté, ne pus-je m'empêcher de penser en mon for intérieur. Car au moment d'annoncer le verdict, la juge pourrait bien demander au *marshal* de vous menotter et de vous conduire en détention sur-le-champ.

À la suite de sa négociation de plaidoyer, Radler allait être le principal témoin à charge de la poursuite au procès de *USA vs Conrad Black et al.*, fournissant un témoignage détaillé et accablant contre son ancien partenaire d'affaires. En reconnaissance de sa culpabilité, Radler et ses sociétés privées d'investissement convenaient de rembourser une somme totale de 71 millions de dollars, dont une partie serait versée à Hollinger International – connue désormais sous le nom de Chicago Sun-Times Group – et l'autre servirait à régler une poursuite au civil intentée par la SEC[21]. Une fraude très grave avait été commise. Mais Black était-il impliqué dans cette fraude et, si oui, dans quelle mesure? Voilà ce qui était en cause.

Si le jury de Chicago croyait le témoignage de Radler et trouvait Black coupable, ce dernier pourrait écoper d'une longue peine de prison, dans un pénitencier fédéral à sécurité moyenne aux États-Unis, aux côtés de tueurs, de terroristes et de trafiquants de drogue. Mais si Black était acquitté, Radler était susceptible d'être frappé d'une peine plus sévère et, dans ce cas, l'acquittement de Black consoliderait fortement la position de ses avocats, qui avaient entamé des poursuites contre ses adversaires au montant total de 1 milliard de dollars.

C'était tout ou rien. Le destin de Black allait se jouer sur un coup de dés.

The Canadian Press/AP/Jeff Roberson

CHAPITRE 2

La loi de Chicago

Le procès criminel de Conrad Black à Chicago s'ouvrit le 14 mars 2007, par une froide matinée. Black avait voulu que Chicago soit le lieu de son ultime triomphe américain, la ville où son contrôle du *Chicago Sun-Times* lui offrirait une plateforme politique et économique et où son association avec Donald Trump – le roi des retours fulgurants et vedette de la téléréalité – allait produire un hôtel luxueux et un centre de conférences de 92 étages au bord de la rivière Chicago. Mais Black avait perdu le contrôle du *Sun-Times* et Trump fonçait seul avec son projet, bâtissant des condos résidentiels à des prix unitaires allant de 580 000 à 9 millions de dollars.

En fait, Chicago était devenu pour Black et ses coaccusés – Peter Atkinson, Jack Boultbee et Mark Kipnis – le théâtre d'un insupportable supplice.

Les trains argentés de la ligne « L » circulaient bruyamment sur les rails surélevés tout au-dessus de la rue Van Buren. Sur un mur de briques délavé, une enseigne lumineuse affichait « Jésus notre sauveur ». Dans les ombres incertaines du demi-jour, des gens se traînaient les pieds, soufflant dans leurs mains pour les réchauffer, tenant fermement les sacs de plastique renfermant les seuls biens qu'ils possédaient en ce bas monde.

La veille au soir, de grands camions de télé des réseaux canadiens CTV et CBC et de plus petites fourgonnettes des réseaux américains ABC, CBS et NBC s'étaient installés dans South Plymouth Court, leurs toits couverts de soucoupes et d'antennes paraboliques. Au lever du jour, les journalistes de la télé diffusaient déjà en direct, à l'intention de téléspectateurs avides, des reportages sur le « procès du siècle pour un crime en col blanc ». Mais de quoi s'agissait-il ? D'une tragédie, d'une tragicomédie, d'un polar ? Où était-ce devenu un non-événement, dans la mesure où la confirmation de la culpabilité de Black paraissait dès lors une formalité ? Les journalistes de la presse écrite et des médias électroniques s'agglutinaient devant l'édifice fédéral Everett Dirksen, un gratte-ciel noir de 27 étages de verre et d'acier, conçu par le célèbre architecte Mies van der Rohe au milieu des années 1960, à l'angle de l'avenue Jackson et de la rue South Dearborn. Dans le matin naissant, un reporter de BBC Radio déployait brusquement son micro sous le nez des passants qui, pour la plupart, n'avaient jamais entendu parler de Black. Un seul d'entre eux affirma : « J'espère que sa peine sera très lourde. »

Plusieurs centaines de journalistes avaient sollicité une accréditation. Il fallait attendre en file pour présenter nos cartes de presse à des *marshals* fédéraux en uniformes bleus, pistolets Glock à la ceinture, et nous faire photographier. Épinglées au mur du bureau des *marshals*, des affiches sinistres décrivaient en détail les dix fugitifs les plus recherchés par le FBI. Nous savions que le nombre de places dans la salle d'audience 1241 était limité. Certains d'entre nous allaient devoir se contenter d'un siège dans l'une des deux salles de presse pleines à craquer. Grelottant sous les poussées du vent vif venant du lac, nous attendions l'arrivée de Conrad et Barbara Black vers 9 h, en provenance du Monadnock Building, un édifice centenaire où l'avocat américain de Black, Ed Genson, avait ses bureaux.

Il y avait quelque chose de sinistre et de fascinant tout à la fois dans la comparution de Conrad Black devant un tribunal criminel. Au mois de décembre précédent, il avait plaidé non coupable à 14 chefs d'accusation de fraude électronique et postale, de fraude fiscale, d'entrave à la justice et de racket. Si le jury le trouvait coupable, il risquait de passer le reste de sa vie en prison et de se voir confisquer quelque 92 millions de dollars de ses actifs. Et même s'il était acquitté, Black et plusieurs de ses coaccusés devraient quand même faire face à une poursuite civile de 542 millions de dollars intentée par Hollinger International – devenue depuis Sun-Times Media Group – et à une poursuite de Hollinger Inc. de Toronto, qui de son côté réclamait 700 millions de dollars, sans parler de plusieurs recours collectifs entrepris au nom des actionnaires. Notre travail consistait à rapporter les faits, tout en observant le principe de la présomption d'innocence.

Black avait été réduit au silence. Ayant perdu sa position de force dans l'industrie de la presse, il n'était plus en mesure de contrôler son message, lequel était désormais interprété par les médias du monde entier. À l'exception de Mark Steyn – un néoconservateur canadien qui était resté fidèle à Black et continuait de défendre son ancien patron dans les pages du *Maclean's* –, de Peter Worthington du *Toronto Sun* et de Steve Skurka, un criminaliste torontois qui tenait un blogue à partir de Chicago, les interprétations des médias allaient de la sévérité à la prudence.

Mon hypothèse de travail était que Black avait 50 % de chances d'être acquitté. Mais en réalité, le taux de réussite des procureurs fédéraux dans les procès criminels est de l'ordre de 95 %, ce qui conférait à Black une seule chance sur 20. Quand le public américain réclamait du sang, les procureurs étaient souvent en mesure de lui en fournir.

Au Canada, Black était une vedette, même si le nombre de ses admirateurs tendait à diminuer. En Grande-Bretagne, à titre de membre de la Chambre des lords, il était un législateur. Mais aux États-Unis, on l'accusait d'être un bandit de grand chemin. La juge de district Amy St. Eve lui avait interdit de se rendre à Londres sans sa permission écrite. À Chicago, Black n'était pas particulièrement bien connu, mais la caution de 21 millions de dollars qu'il avait dû payer et le fait qu'il ait déjà été propriétaire du *Sun-Times* en avaient fait sourciller plus d'un.

Pour sa défense, Black avait choisi l'avocat américain Ed Genson, un célèbre criminaliste de 65 ans, aux cheveux gris-roux bouclés, portant des lunettes épaisses et arborant généralement une barbe de cinq jours. Genson avait contracté la poliomyélite durant son enfance et se déplaçait en fauteuil roulant. Il était un brillant stratège qui avait défendu des clients de renom, même s'il y avait des années qu'il avait gagné son dernier procès. Il avait récemment représenté le lobbyiste Larry Warner, qui avait été reconnu coupable, en compagnie de l'ancien gouverneur de l'Illinois, George Ryan, de fraude et d'extorsion. Il avait également défendu l'adjoint de Ryan, Scott Fawell, condamné à son tour pour corruption.

Comme avocat canadien, Black avait jeté son dévolu sur Eddie Greenspan, un homme corpulent et voûté de 59 ans, aux cheveux épais et gris et aux sourcils noirs, dont la tête joufflue était posée sur ses épaules comme celle d'une tortue géante émergeant de sa carapace. Il fulminait plus qu'il ne parlait. Greenspan était l'un des criminalistes les plus combatifs de Toronto et il plaidait pour la toute première fois dans un procès aux États-Unis. Il rêvait de gagner cette cause historique dans la ville de Clarence Darrow[1]. Mais pour ce faire, il devrait persuader les 12 membres du jury que Black méritait d'être acquitté.

Le soir avant que le procès débute, un très indiscret agent de relations publiques de l'hôtel Palmer House m'avait dit que Black allait loger au Ritz-Carlton, un peu plus au nord de la ville. Comme j'étais le seul journaliste à le savoir, je pris un taxi dont le chauffeur faillit renverser plusieurs piétons, avant de m'engueuler parce qu'il voulait que j'ajoute 25 ¢ à son pourboire. Je montai à la réception, au 12e étage de l'hôtel, puis sollicitai l'autorisation de prendre quelques photos d'une jolie fontaine ornée de deux hérons métalliques peints en vert, avant de demander si je pouvais laisser un message à l'intention d'un client.

— À quel nom, monsieur?

— Black.

— Prénom?

— Conrad.

Le gérant se pointa alors au comptoir, le temps de me dire qu'il n'y avait aucun client de ce nom inscrit à l'hôtel. Pas question de laisser de message. Mais au moment de sortir, j'aperçus une limousine noire étincelante, suivie d'une fourgonnette de sécurité allongée. Barbara en sortit. Elle portait d'énormes verres fumés et, comme toujours, elle était tout habillée de noir. Depuis la dernière fois que je l'avais vue, son visage avait vieilli et semblait légèrement bouffi. Puis ce fut le tour d'Alana – la fille de Black issue de son premier mariage –, une magnifique jeune femme, mince, avec de longs cheveux bruns en frange bordant un visage racé. Enfin, Black lui-même apparut, en costume gris, ses cheveux argentés bien coiffés. Je traînai devant l'entrée, attendant que nos regards se croisent. Je ne voulais pas envahir son intimité. Il avait l'air préoccupé, le teint blafard.

— Qu'est-ce que vous faites ici? demanda-t-il, de son habituel ton perplexe.

— Oh! je cherche quelqu'un qui aurait le goût de prendre un verre avec moi. Et je voulais vous faire savoir que je ne suis pas comme tous les autres.

En fait, je voulais lui rappeler que j'étais à Chicago pour couvrir son procès et que j'espérais bien qu'il m'accorde un entretien.

— Je sais que vous n'êtes pas comme les autres, George.

Je bavardai quelque temps avec Alana, fis savoir à Black que je n'allais divulguer à personne l'endroit où il logeait avec sa famille – ils avaient quand même droit à leur intimité –, puis je hélai un taxi pour rentrer à mon hôtel.

Finalement, Genson et Greenspan servirent d'appâts. En traversant la rue depuis l'édifice Monadnock, ils furent littéralement cernés par une forêt de caméras de télé, de micros et de perches. Pendant ce temps, les Black se frayèrent discrètement un chemin jusqu'à l'édifice Everett Dirksen par une entrée souterraine.

La séance commença à 9 h 30. La juge St. Eve, une femme menue de 41 ans aux cheveux châtain-roux mi-longs avec la raie au milieu et qui portait des boucles d'oreilles en perle, entra dans la salle d'audience et prit son siège en étendant sa toge. Sur le revers de son col, elle portait une épinglette à la bannière étoilée. Elle ne faisait que 1,52 mètre et paraissait encore plus petite sous l'immense emblème rouille et argent du district nord de l'Illinois arborant un aigle à tête blanche. La salle d'audience elle-même faisait environ 30 mètres sur 25. Les greffiers étaient assis à une table, faisant face à la juge. À une autre table se trouvait Eric Sussman, le procureur fédéral adjoint, un homme de 37 ans qui avait gagné des procès contre les Gangster Disciples, un gang de rue majoritairement afro-américain de Chicago, ainsi qu'un autre contre un ancien détective de la police qui avait dirigé un réseau de vol de bijoux. Sussman était un homme sec aux cheveux bruns taillés en brosse, le visage maigre et inexpressif, les lèvres pincées. Il portait un costume foncé, une chemise blanche et une cravate rayée et donnait l'impression d'être un mormon en mission. À la même table se trouvait le procureur adjoint Jeff Cramer, qui avait l'expérience des poursuites dans des cas de fraude en col blanc à New York. À une autre table se trouvaient Genson, Greenspan et Black lui-même et, à une troisième, les autres coaccusés et leurs avocats. À l'extrémité de la salle, il y avait des sièges réservés aux portraitistes (il était interdit de prendre des photos dans la salle d'audience), de même qu'au grand public et aux médias. Barbara et Alana avaient pris place au premier rang, dans la section réservée aux familles des accusés.

Au cours des deux jours suivants, la juge St. Eve interrogea les candidats jurés afin de sonder leurs dispositions à l'égard des lois fiscales, de l'application de la loi et de certains autres sujets et de déterminer s'ils avaient quelque parti pris ou empêchement susceptible de les disqualifier de la fonction de juré. « Si vous n'êtes pas à l'aise avec mes questions, leur dit-elle d'un ton rassurant, faites-le-moi simplement savoir. »

Les procès au criminel ont quelque chose d'à la fois majestueux, terrifiant, théâtral et rituel, en partie parce que le verdict repose sur un mince échantillon de la population, sélectionné au hasard. Les jurés potentiels au procès de Black étaient des gens ordinaires. Ils avaient été choisis de façon aléatoire et leur vie personnelle, faite de lutte et d'efforts pour s'en sortir, était celle de l'Américain moyen. Black écoutait en silence. C'était le genre de personnes qu'il s'était fait un point d'honneur d'ignorer, tout au long de sa vie. Et maintenant, son destin était entre leurs mains.

Les jurés n'allaient recevoir que 40 $ par jour, plus une allocation de 48 ¢ le mille pour leur automobile, pendant les trois mois qu'allait durer le procès. Les employeurs de certains candidats jurés étaient disposés à les soutenir afin qu'ils remplissent leur devoir de citoyen. Mais d'autres exprimèrent leur crainte de perdre leur emploi s'ils étaient choisis, même si leur patron n'avait aucun droit de les congédier pour une telle raison. D'autres encore craignaient de ne plus être couverts par leur police d'assurance-maladie, qui était leur seule source d'indemnité en cas de maladie. Une femme corpulente fit valoir qu'il lui était impossible de demeurer une longue période de temps sans manger. Un apprenti mécanicien signala que plusieurs de ses amis avaient été arrêtés dans des bagarres de bar et s'inquiétait de ce que le temps consacré au procès retarde l'obtention de son permis de mécanicien, plaçant ainsi sa jeune famille dans une situation précaire.

Les revenus de ces candidats jurés et les sommes d'argent que Black était accusé d'avoir détournées étaient sans commune mesure. « Si l'on vous présentait la preuve que certains des accusés ont gagné des dizaines de millions de dollars, disait la juge, penseriez-vous qu'ils ont fait quelque chose de mal ? »

— Oui, répondit une étudiante d'origine asiatique qui ne réussissait à joindre les deux bouts qu'en donnant des cours particuliers. Car, à moins d'être Donald Trump, je pense que personne aux États-Unis ne devrait gagner des sommes pareilles.

— Avez-vous déjà été accusé ou arrêté, demanda la juge à plusieurs reprises ? Parmi vos amis, y en a-t-il qui ont été accusés ou arrêtés ?

Le nombre de candidats jurés qui avaient vu la criminalité de près était étonnamment élevé : certains avaient été plaignants dans des poursuites en recours collectif d'actionnaires ; d'autres avaient été témoins d'attaques à main armée, victimes d'arnaqueurs ou avaient perdu des sommes d'argent dans des propriétés à temps partagé ; d'autres encore avaient été victimes de vol d'identité, avaient été cambriolés ou avaient perdu des membres de leur famille dans un crime violent. Un autre candidat juré, qui s'était fait tirer dessus sans raison, avait vu sa plainte à la police simplement ignorée. C'était là une mosaïque d'épreuves, mais aussi de vertus civiques. Je pouvais facilement concevoir de rencontrer ces candidats jurés au magasin du coin.

— Est-ce que vous êtes susceptible d'éprouver quelque parti pris vous venant de vos expériences personnelles ou professionnelles ? demandait également la juge. Êtes-vous capable de faire preuve d'objectivité devant les preuves qui seront produites devant le tribunal ? Est-ce que vous comprenez que le gouvernement doit être en mesure de prouver ce qu'il reproche aux accusés et que le seul fait d'être inculpé au criminel n'implique pas nécessairement qu'on soit coupable ? Chacun est innocent jusqu'à preuve du contraire. Les accusés n'ont pas à témoigner si tel est leur choix et leur décision de ne pas témoigner ne doit pas être utilisée contre eux.

La juge St. Eve demanda de façon répétée aux jurés potentiels s'ils étaient familiers avec cette cause. Du même coup, elle leur enjoignait de ne pas faire de recherches personnelles sur le Web ou regarder les reportages télévisés concernant Black et ses coaccusés. « Êtes-vous capable de ne pas tenir compte de ce que vous lisez dans le journal ? Car il ne s'agit pas là de preuve. Notre objectif ultime est de constituer un jury juste et impartial pour entendre cette cause. Si vous êtes choisi pour faire partie du jury, il sera de votre devoir de respecter à la lettre les directives que je vous donnerai. Cela soulève-t-il un problème pour vous ? »

Elle leur rappela que le jugement serait basé sur les preuves présentées devant le tribunal, et rien d'autre. « L'accusé n'est pas obligé par la loi de prouver son innocence, souligna-t-elle. Les accusés qui sont devant vous aujourd'hui sont considérés comme innocents. C'est le gouvernement qui doit prouver hors de tout doute raisonnable qu'ils ont commis un crime. Au moment où débute le procès, tous les témoins sont égaux. En temps opportun, je vous donnerai des directives au sujet des facteurs qui peuvent vous aider à déterminer si les témoins vous ont dit ou non la vérité. »

L'un des candidats jurés, diplômé en criminologie, estimait que les accusés « avaient probablement volé l'argent ». Un autre frissonnait en songeant à l'ampleur des sommes en jeu. Un autre déclara ne pas croire en la présomption d'innocence.

« Êtes-vous sûr d'être en mesure de comprendre les enjeux ? » demanda la juge à un autre candidat. Pendant le procès, on allait évoquer des considérations financières, comptables et juridiques complexes, sans parler de comptes rendus très contradictoires de ce qui s'était produit lorsque quelque 60 millions de dollars avaient été versés à Black et à plusieurs de ses associés.

— Je vais comprendre si ça ressemble à ce que je vois à la télé !

— Rien de ce qui se passe dans cette cour, rétorqua la juge, ne ressemble à ce que vous voyez à la télé !

Ce commentaire suscita un large sourire au visage d'Eric Sussman. Il savait bien à quel point les Américains aiment la télé. Leur vision du système judiciaire est façonnée par des séries comme *La firme de Boston* et *America's Funniest Police Videos*. Les gens aiment les personnages tout d'une pièce, les intrigues simples, quelques scènes d'action et de scandale et des dénouements pleins de surprise. Selon TV-Free, une organisation américaine établie à Washington, les Américains regardent la télévision en moyenne 28 heures par semaine. La télévision conditionne leurs pensées, leurs émotions, leurs espoirs et leurs craintes. Sous l'influence de la télé, même les quotidiens les plus sérieux publient des chroniques mondaines de type tabloïd qui mettent en évidence l'image des gens riches et célèbres et non leurs actes. Au point où la télévision était maintenant en train de «tabloïser» la justice. Même Sussman, Cramer et les deux autres procureurs dans ce procès avaient accepté de poser en héros de la télé pour l'agence Reuters, plus tôt en mars. La légende de cette photo à sensation, sur un fond noir théâtral, aurait pu être: «Ne ratez pas la nouvelle série-choc du printemps: *La loi de Chicago.*»

Au cours de ma carrière de journaliste, j'ai écrit sur une foule de sujets: disparitions, réfugiés, otages, terroristes, tribus autochtones, nomades du désert, esclaves, chefs spirituels, scientifiques récipiendaires du prix Nobel, inventeurs... Mais le procès de Chicago fut pour moi une couverture difficile. Comme les autres journalistes qui couvraient l'événement, je me trouvais plongé dans un labyrinthe d'intrigues, pris dans le tourbillon d'un vortex. Nous étions ballottés entre la crainte, la colère, l'ennui et même le vertige, essayant de suivre l'affaire à mesure que les preuves s'accumulaient.

À mon arrivée à Chicago, je m'attendais à voir s'affronter devant le tribunal deux parties adverses, dont les intérêts étaient clairement définis et se déployaient dans un constant va-et-vient juridique. C'est ainsi que fonctionne un système judiciaire par définition antagoniste. Mais je dus rapidement reconnaître qu'il s'y trouvait au moins six groupes d'intérêts distincts. D'abord la poursuite, qui cherchait par tous les moyens à obtenir une condamnation. Deuxièmement la défense, qui présentait Black et ses coaccusés comme les victimes d'un vaste complot gouvernemental basé sur le mensonge, la duperie et la manipulation. Selon ses avocats, Black était injustement accusé; il était le «faux coupable». Quant à Radler, qui avait reconnu sa culpabilité à une accusation de fraude, lui seul méritait la prison. Troisièmement, il y avait la juge elle-même, une ancienne procureure fédérale, qui était là pour veiller à la qualité de la preuve et intervenir sur les points de droit. Mais les juges cherchent aussi à consolider le pouvoir du gouvernement pour lequel ils travaillent. Quatrièmement, il y avait les jurés. Étaient-ils vraiment compétents pour juger de questions de droit? Étaient-ils également en mesure d'appréhender les faits? Ils devaient se faire une idée objective des preuves amenées devant le tribunal. Mais ils étaient là aussi pour endiguer le pouvoir de la juge. Étant donné leur connaissance limitée du monde des affaires, étaient-ils qualifiés pour siéger sur un jury dans une cause de fraude d'entreprise? D'autres jurés auraient-ils dû être sélectionnés à leur place?

En cinquième lieu, il y avait les médias, qui avaient pendu les accusés en effigie chaque jour de la semaine, avant même que ne débute le procès, qui avaient manifestement des préjugés et qui ne semblaient pas faire la distinction entre un récit journalistique aguichant et les preuves présentées devant le tribunal. Bien des journalistes autour de moi semblaient moins soucieux de rapporter ce qui se passait que de prédire ce qui avait des chances de se produire le lendemain. Ils brossaient leurs portraits en emmêlant les questions d'intérêt humain, les rumeurs, le drame et la couleur locale.

Enfin, il y avait un sixième groupe d'intérêts qui n'était pas directement représenté au tribunal, du moins pas physiquement. C'était un groupe d'experts en gouvernance d'entreprise, mené par Richard Breeden, l'ancien président de la SEC qui avait été nommé par Black au comité spécial de Hollinger International et avait provoqué sa chute. Plusieurs des allégations de Breeden relatives à des malversations à grande échelle étaient très graves. Mais les sommes que Black et certains de ses collègues auraient détournées avaient fondu comme neige au soleil, passant de quelque 1,25 milliard de dollars au début de 2004 à 60 millions de dollars au moment du procès de Chicago. Les deux années de recherches menées par Breeden avaient coûté 57 millions de dollars à la compagnie, dont Black soupçonnait que 25 millions de dollars étaient allés directement dans les poches de Breeden. Pour justifier les honoraires faramineux qu'il avait touchés, Breeden devait constituer le dossier le plus incriminant possible. Il avait lancé un fonds spéculatif d'un milliard de dollars sur la gouvernance d'entreprise.

En fait, au début du procès, quelque 500 millions de dollars avaient déjà été engloutis dans les enquêtes chez Hollinger International et Hollinger Inc., le règlement des réclamations d'assurance des avocats et administrateurs et d'autres dépenses. C'est comme si tout cet argent avait été réuni en un immense tas et qu'on y avait mis le feu. Un autre milliard de dollars de valeur en actions s'était volatilisé, probablement pour toujours.

Les experts en gouvernance d'entreprise avaient bien raison de dénoncer les pratiques manipulatrices et malhonnêtes de certains dirigeants qu'ils souhaitaient voir exclus de l'entreprise. Mais les enquêtes sur la gouvernance d'entreprise n'impliquaient-elles pas aussi des techniques de manipulation, telles que les fuites sélectives d'information préjudiciable, l'intimidation des administrateurs en vue de les soumettre et la demande d'honoraires hors de proportion pour enquêter et rassembler des preuves?

La juge St. Eve sélectionna finalement 12 jurés et 6 substituts. Qui étaient ces gens qu'il nous était interdit d'identifier publiquement? J'en suis venu à connaître le nom de certains d'entre eux. Tina Kadisak était une jeune femme très corpulente, aux cheveux teints en blond, qui faisait souvent des bulles avec sa gomme à mâcher, l'air absent. Monica Prince était une Noire dans la jeune cinquantaine, aux tempes grises. Elle travaillait pour une entreprise canadienne et avait affirmé qu'elle resterait objective. Sandra Grubar était directrice d'une entreprise d'emballage de Chicago (elle avait dû démissionner un mois plus tard, afin de prendre soin de son père âgé de 89 ans). Barbara Carroll était une dame noire dans la cinquantaine, qui portait des verres et avait un joli sourire. Il lui arrivait souvent de somnoler pendant les audiences. Jonathan Keag allait agir à titre de président du jury.

Après la sélection des jurés, le *Chicago Tribune* déposa une demande d'injonction afin de connaître leurs noms. Le quotidien soutenait que la sélection des membres du jury s'était déroulée dans le plus grand secret et violait ainsi le Ier Amendement de la Constitution américaine qui garantit la liberté de presse. Les avocats de Conrad Black ne souhaitaient pas que les noms des membres du jury soient divulgués et la juge St. Eve répondit par écrit la semaine suivante. « Dans un certain nombre de procès, par exemple, on fait droit aux requêtes de la presse en dévoilant les noms des jurés après que le verdict eut été rendu, ce qui reflète implicitement la pratique voulant qu'on ne les rende pas publics pendant la tenue d'un procès », écrivit-elle. Il était important de protéger la confidentialité des travaux du jury, afin que les jurés puissent débattre en toute liberté. « Le seul aspect public de la fonction d'un jury, fit-elle valoir, c'est l'objectif ultime: le verdict. » En fait, elle confirmait le principe du VIe Amendement, qui garantit le droit à un procès équitable.

Le week-end suivant, la SEC annonça qu'elle avait conclu une entente avec David Radler, en vertu de laquelle celui-ci avait accepté de verser une amende de 28,7 millions de dollars[2]. Selon Linda Chatman Thompson, directrice de la division de l'application des sanctions de la SEC, « Radler et d'autres ont détourné des millions de dollars des coffres de Hollinger International et ont émis à l'endroit des actionnaires plusieurs fausses déclarations […]. Les sanctions sévères prévues dans ce règlement, y compris l'une des plus importantes pénalités civiles imposées ces dernières années contre un délinquant, reflètent notre ferme détermination d'agir avec force contre les dirigeants d'entreprise qui fraudent ceux qu'ils sont censés servir, soit les actionnaires ».

Cette amende soulignait la gravité des accusations qui pesaient contre Black et ses coaccusés. Mais le moment choisi pour faire cette annonce – quelques jours seulement avant l'ouverture du procès criminel – provoqua une avalanche de requêtes de la part des avocats de la défense, qui estimaient qu'elle pouvait être préjudiciable à leurs clients. La juge St. Eve suspendit la séance jusqu'au lendemain.

Je songeais à ma première rencontre avec Conrad Black, en avril 2002, pour discuter de mon projet de biographie. À l'époque, obtenir un rendez-vous avec lui nécessitait plusieurs mois de négociations transatlantiques. Le plus souvent, il était à Londres ou dans son luxueux appartement de New York, ou encore dans sa villa de Palm Beach, plus rarement à Toronto. J'avais fini par obtenir un rendez-vous à sa résidence londonienne.

Il n'est pas nécessairement facile de trouver Cottesmore Gardens à Londres. Ce petit quartier discret – une enclave ultra-huppée où le prix des maisons avoisine généralement les 10 millions de livres sterling – est niché près de l'Oratoire de Brompton, dans le chic West End, dans l'arrondissement Kensington et Chelsea. En Angleterre, la pluie tombe souvent sans prévenir. Je me trouvai donc sans parapluie, marchant dans la rue vêtu d'un complet trempé. Une élégante Bentley verte aux vitres teintées passait lentement dans la rue lorsque je sonnai à la porte, tenant dans ma main comme une fleur fanée la confirmation de mon rendez-vous envoyée par courriel.

« Conrad Black – je veux dire Lord Black – vous recevra », m'informa le jeune majordome, qui ressemblait plus à un agent des services secrets israéliens qu'au valet tremblant auquel je m'attendais. Cet impair était pardonnable, car à ce moment-là, à peine six mois s'étaient écoulés depuis que Black avait reçu son titre de noblesse. À l'intérieur, j'aperçus un portrait nostalgique signé Gainsborough (probablement un jeune aristocrate du XVIIIe siècle souffrant de tuberculose), une réplique en format réduit d'un bronze de sir Winston Churchill signée Ivor Roberts-Jones, une salle à manger magnifique en contrebas et une table ronde en marbre sur laquelle étaient savamment disposés des livres de Margaret Thatcher, de Henry Kissinger et d'autres héros politiques.

Au bout de quelques minutes, une bonne en uniforme m'escorta à l'étage, au salon qui s'étendait sur toute la longueur de la résidence (en réalité deux résidences adjacentes) et était meublé de fauteuils et de divans de style Empire. Puis, au terme d'une longue attente, apparut l'épouse de Black, Barbara Amiel, vêtue d'une robe noire à décolleté plongeant et portant des chaussures Manolo Blahnik en peau de léopard. Elle m'offrit un scotch. J'en acceptai un double. Me fondant sur son autobiographie et ses nombreuses chroniques, je l'avais imaginée comme une reine de glace à la plume acide ; sa pratique du journalisme se réduisait à l'occasion à des coups de gueule sur des sujets qu'elle maîtrisait mal. Mais en personne, elle projetait plutôt l'image d'une femme de pouvoir. Trop intelligente pour être le « trophée » de qui que ce soit, elle jouissait depuis longtemps d'une certaine célébrité. Black était son quatrième mari. À l'époque, ils formaient l'un des couples les plus puissants de Londres.

Malgré ses 60 et quelques années, elle avait plutôt l'air d'en avoir 30. Avec ses cheveux noirs et son petit nez retroussé, elle représentait une sorte de croisement entre une jeune Jackie Kennedy et une femme fatale d'Hollywood. Même si dans les années 1980, un magazine canadien l'avait désignée comme étant la plus belle femme au pays, je trouvai que ses yeux projetaient une dureté plutôt désagréable. Mais derrière ce visage connu, il y avait une femme qui avait beaucoup souffert. Barbara Amiel luttait depuis longtemps contre la maladie. Selon le journaliste Anthony Holden, « le seul nuage à l'horizon [de Conrad et de Barbara] est qu'elle avait développé une maladie auto-immune rare, la dermatomyosite ». « Cela ressemble au lupus, avait expliqué Black, mais en moins grave. C'est le contraire du sida. Au lieu d'être sans système immunitaire, votre système immunitaire est tellement agressif qu'il s'attaque aux cellules saines. » Tous les deux ou trois mois, elle doit « s'éclipser pendant trois à quatre jours afin de suivre un traitement[3] ».

À l'extrémité du salon où j'étais assis se trouvait un piano à queue. Je remarquai également une autre allusion au pouvoir : un portrait à l'huile de Napoléon, qui avait un jour déclaré : « La gloire est éphémère, mais l'obscurité est éternelle. »

Invariablement, Conrad Black faisait attendre ses visiteurs. Cela s'avéra le début d'une sorte de relation entre lui et moi. Au fil de mes rencontres, j'allais devoir patienter ainsi de très longs moments dans des décors luxueux. Quant à Black, il allait alterner constamment entre la courtoisie et les menaces voilées, mentionnant au passage qu'il était justement en train de préparer ou qu'il venait de déposer une poursuite en diffamation contre certains biographes ou journalistes.

Il était important pour les Black de faire parler d'eux, d'être vus dans les milieux riches et influents. À Cottesmore Gardens, les meubles, les œuvres d'art et les livres étaient des illustrations soigneusement choisies des idées politiques et des valeurs de Black. C'était le lieu d'une sorte de théâtre de la célébrité où peu de choses arrivaient par hasard et où tout était conçu dans le but de faire un effet. Au début des années 1980, Black avait demandé à Andy Warhol de faire son portrait, non pas une fois, mais bien à quatre reprises. Il aimait s'accorder un nombre incalculable de trophées. Mais dans ce cas précis, il s'agissait assurément d'un bon investissement.

C'est dans cette somptueuse résidence que Conrad et Barbara organisaient leur fameuse fête estivale annuelle, qui constituait l'un des principaux événements du calendrier social du *jet-set* londonien. Ainsi, en juin 2000, ils avaient accueilli dans leurs six salles de réception des gens comme le prince Andrew, le prince Michael de Kent, le roi de Grèce en exil Constantin II (ancien médaillé d'or aux Jeux olympiques) ainsi que de ravissantes jeunes actrices et tout un assortiment de milliardaires, d'aristocrates, d'historiens et de dirigeants de journaux conservateurs. Mais compte tenu du sionisme chrétien de Black, il fut quand même étonnant qu'on y retrouve aussi un vieux commandant de char nazi de la Deuxième Division Panzer.

Installé dans le grand salon, armé d'une longue liste de questions touchant la gouvernance d'entreprise, les paiements faramineux qu'il s'accordait et ses prétentions d'avoir redressé des entreprises (au prix de dizaines de milliers d'emplois), je me demandai comment il trouvait le temps de rédiger une imposante biographie de Franklin Delano Roosevelt.

La question était de savoir si Black allait m'accorder des entrevues officielles et me révéler, en fait, des choses significatives. La réponse à cette question était cruciale, puisque le moment de mes recherches allait coïncider avec une période sombre dans la carrière de Black. Avec le recul, il est clair qu'au moment précis de cette première rencontre, le pouvoir financier de Black était à son apogée, tout juste avant qu'il commence à connaître des revers de fortune. Il était donc important pour moi d'établir clairement mon indépendance.

Il apparut enfin, s'excusant de son retard. Même si je l'avais déjà rencontré auparavant, son personnage plus grand que nature le précédait et je fus étonné de rencontrer un homme qui n'était ni très grand ni à ce point pugnace.

Black était un dur, alors je devais l'être aussi à mon tour, comme une main de fer dans un gant de velours. J'avais entendu dire qu'il était un admirateur passionné de Napoléon. Mais quand je lui lançai que Bonaparte était un mégalomane qui avait déclenché des guerres qui avaient fait des centaines de milliers de morts – uniquement pour sa propre gloire –, qu'il avait usurpé et d'une certaine manière confisqué la Révolution française, Black répondit : « Oui, je suis d'accord avec ce que vous dites. Je pense qu'il était un grand général, mais qu'il n'était pas un homme particulièrement admirable. »

Il me regardait d'un air circonspect, tout en demeurant courtois. Black me demanda pourquoi je voulais écrire un livre sur lui et en quoi il serait différent de sa propre autobiographie. C'était là une question bizarre. Comment ma perception de lui pouvait-elle correspondre à l'idée qu'il se faisait de sa propre personne ? Je pris un instant de recul, le temps de prendre la mesure de l'homme.

« En publiant vos mémoires à l'âge de 49 ans, lui dis-je, vous vous êtes montré très ambitieux. Mais vous avez condensé beaucoup d'informations dans un nombre de pages somme toute restreint. Et vous nommez tellement de personnes dans votre livre que le lecteur s'y égare parfois. » Je lui dis qu'après en avoir terminé la lecture, je ne comprenais toujours pas qui il était réellement, comment il avait fait pour obtenir autant de succès, quelle influence il exerçait par la voie de ses journaux et quelle relation il entretenait avec le Canada.

«Vous semblez inutilement agressif et polémique lorsque vous exprimez vos opinions, lui fis-je remarquer, et cela incite les lecteurs à porter plus attention à votre ton qu'à la substance de vos idées, qui sont pourtant dignes d'intérêt.»

De toute évidence, Black avait apprécié ce commentaire. «Qu'allons-nous faire pour nous assurer de l'exactitude de ce que vous allez livrer dans votre ouvrage?» demanda-t-il.

Je pensai alors que je disposais d'environ une minute pour m'assurer le contrôle de mon projet de livre. Je n'étais qu'un novice en la matière, alors que Black était lui-même un remarquable biographe et connaissait sans doute chaque piège du métier d'écrivain. Je lui dis qu'il y avait toute une gamme de possibilités, «allant du récit biographique élogieux, comme celui que Joe Haines a consacré à son patron Robert Maxwell, jusqu'à la biographie négative et destructrice». Black dit qu'il avait connu Haines et pensait que ce dernier avait détruit sa propre crédibilité en écrivant un ouvrage aussi flatteur sur Maxwell, dont Black lui-même appréciait la personnalité colorée et divertissante, tout en reconnaissant que c'était une fieffée canaille.

Au cours de cette première rencontre, j'avais pris un malin plaisir à évoquer Maxwell, sachant pertinemment qu'à l'occasion, on le comparait à Black dans la presse britannique. Tous deux étaient des étrangers qui avaient mis le grappin sur des quotidiens londoniens; tous deux étaient des personnages plus grands que nature. Mais Maxwell s'était avéré un escroc alors que Black, de son côté, même s'il avait souvent commis des gestes controversés, avait toujours réussi à s'en sortir.

«Je ne crois pas que cela vaudrait la peine pour vous d'autoriser ou de chercher à contrôler mon livre, dis-je à Black. Bien au contraire, il serait préférable qu'il soit indépendant et critique, et que je le rédige d'un point de vue d'historien plutôt que de journaliste.»

Black exprima son accord, tout en me priant de ne pas déformer ses propos. Il me demanda les noms de quatre personnes à titre de référence ainsi qu'une copie de ma thèse de doctorat en histoire, de manière à pouvoir se faire une idée de moi. Notre prochaine rencontre aurait lieu dans les bureaux new-yorkais de Hollinger International.

Tout au long de mes recherches, Black ne fut pas le seul à exercer des pressions afin de me faire travailler à son avantage. Andrew Knight, le patron de presse britannique qui avait aidé Black à acheter le *Daily Telegraph* en 1985, m'avait accordé une entrevue intéressante puis, craignant une poursuite, avait insisté pour que j'adoucisse certains de ses commentaires.

Un samedi matin, au début de 2004, je reçus un appel inattendu à ma résidence, à Montréal. « Bonjour, ici Ken Thomson. » Je me grattai la tête, me demandant qui cela pouvait bien être. « Ken Thomson. Vous m'avez interviewé pour votre livre sur Conrad Black. »

Je me ressaisis aussitôt. Il s'agissait de Kenneth Roy Thomson — Lord Thomson of Fleet, deuxième du nom —, propriétaire d'un empire mondial de presse, dont la fortune personnelle s'élevait à quelque 21 milliards de dollars !

— Oui, monsieur Thomson. Que puis-je faire pour vous ?

— Les choses se gâtent pour Conrad. Tout cela est bien malheureux et je ne suis pas à l'aise avec l'idée que vous me citiez dans votre livre. Je voudrais que vous ignoriez ce que je vous ai dit dans cet entretien. Maintenant que Conrad est assailli de toutes parts par des poursuites judiciaires, les lecteurs de votre livre pourraient penser que je me moque de lui.

Je pensai en particulier à une partie de cette entrevue, réalisée en juin 2003, qui m'apparut soudain prémonitoire. Thomson m'avait dit que Black était « remarquable non seulement par la profondeur et l'ampleur de son intelligence, mais aussi par son ambition monumentale à jouer un rôle politique et historique important sur la scène mondiale. Grâce à son contrôle du *Daily Telegraph* et du *Sunday Telegraph*, il dispose d'une plateforme médiatique de premier ordre, ce qui fait de lui une personnalité politique et d'affaires bien connue en Grande-Bretagne et en Europe.

« Son contrôle du *Chicago Sun-Times* lui offre une bonne base aux États-Unis, poursuivait-il, alors que l'acquisition stratégique du *Jerusalem Post* lui offre une présence modeste mais significative au Moyen-Orient. S'il n'était qu'un propriétaire passif, la position de Conrad Black ne serait pas particulièrement remarquable. Ce qui fait de lui une personnalité d'envergure internationale, c'est bien cette ambition — qu'il n'a guère cherché à cacher — de devenir un leader sur la scène planétaire. La question de savoir si sa marque dans l'histoire de la presse mondiale fera l'objet d'un chapitre ou d'une note de bas de page ne se pose pas pour l'instant. »

Je demandai à Thomson de m'en dire un peu plus sur les raisons qui expliquaient son inconfort à l'égard de cette affirmation. Pendant qu'il parlait, je commençai à pianoter sur ma calculatrice, essayant d'établir combien valait le temps qu'il me consacrait au téléphone. « Hmmm.... 21 milliards, à un taux d'intérêt de 5 %, divisés par 365 jours, puis par 24 heures, cela donne environ 120 000 $! »

« Mais monsieur Thomson, vous avez bien lu la transcription de l'entrevue, vous l'avez authentifiée et signée avant de me la retourner ! C'est comme un contrat. Que diriez-vous plutôt si j'indiquais clairement dans mon livre que l'entrevue a eu lieu en juin 2003 ? De cette manière, les lecteurs sauront que vous avez commenté la situation de Conrad Black bien avant que ses ennuis ne débutent. »

Il réfléchit un moment. « Cela me convient parfaitement. Venez me voir la prochaine fois que vous serez à Toronto. »

Plusieurs mois passèrent avant que je donne suite à cette invitation. Lorsque je rendis visite à Ken Thomson en septembre 2004, il m'avait donné rendez-vous au neuvième étage de l'édifice La Baie, à l'angle de Queen et Bay, tout à côté de ses bureaux du centre-ville de Toronto, pour m'y montrer sa collection d'œuvres d'art. Au moment de prendre l'escalier mécanique sous l'atrium, je fis la rencontre d'une belle jeune femme aux cheveux blonds courts, juchée sur des talons aiguilles. Piquée par la curiosité, elle venait de quitter un événement de bienfaisance pour monter voir la Galerie Thomson.

Nous déambulâmes en silence au milieu de centaines de peintures et de croquis, nous arrêtant devant les glaciers arctiques de Lawren Harris, un bison au pied des montagnes signé Paul Kane, des scènes de fermes du Québec d'antan de Cornelius Krieghoff et des tableaux du Groupe des Sept montrant des conifères ployant sous une neige fraîchement tombée.

Puis Ken Thomson se présenta. Il était assez grand, bien qu'un peu voûté maintenant qu'il avait passé 80 ans, et nous regardait d'un air complice, les yeux rieurs, un sourire amusé aux lèvres. Il dévisagea la jeune femme, la complimentant sur sa magnifique posture. « Marilyn, mon épouse, ne cesse de me dire de me tenir droit, dit-il, posant les yeux sur sa poitrine. Vous avez tellement un bon maintien ! »

Se tournant vers moi, Thomson lança : « Les choses finiront très mal pour Conrad. Il a sorti trop d'argent de la caisse de l'entreprise. Il est devenu avide et il devra payer pour ça. Moi, j'en suis arrivé à un point où je me rends compte qu'on a juste besoin de trois choses dans la vie : trois bons repas par jour, une famille autour de soi et une bonne réputation. Je ne suis pas une personne religieuse, vous savez, mais je crois qu'on finit par recevoir ce qu'on mérite. George, vous avez choisi un sujet très négatif ; vous devriez utiliser vos talents d'écriture pour faire quelque chose de plus utile dans la vie ! »

Au cours de mon séjour suivant à Toronto, Ken Thomson m'avait fait visiter ses bureaux. À ma grande surprise, plusieurs de ses jeunes adjointes portaient des jeans et – plus étrange encore – des chiens erraient librement dans les couloirs. Dans notre correspondance et nos conversations, Thomson faisait preuve d'un désir presque maniaque de protéger son intimité et sa réputation. Il connaissait Black depuis des décennies. Ils fréquentaient en bonne partie les mêmes milieux. Ils étaient sans doute les deux derniers barons de la presse au Canada. Mais à bien des égards, Ken Thomson était aux antipodes de Black ; il avait su bâtir une valeur durable, qu'il avait transmise à son fils, et il évitait toute forme de publicité. Il est décédé d'une crise cardiaque dans son bureau de Toronto, le 12 juin 2006.

Le matin du 20 mars 2007, un silence nerveux régnait dans la salle d'audience 1241 du palais de justice de Chicago, au moment où étaient présentées les plaidoiries d'ouverture. Le procureur adjoint Jeff Cramer prit la parole. Il exposa sa cause à grands traits, identifiant clairement les méchants et leurs victimes. Black était le méchant numéro un. La stratégie du procureur consistait à présenter les choses simplement, tout en créant dans l'esprit des jurés des images saisissantes.

« Vous êtes ici, dans cette salle, en compagnie de quatre hommes qui ont volé 60 millions de dollars, commença Cramer. Quatre hommes qui ont trahi la confiance de milliers d'actionnaires. Quatre hommes qui ont décidé entre eux que leurs salaires à six ou sept chiffres n'étaient tout simplement pas suffisants.

« Les voleurs de banque portent des masques et se servent d'un revolver. Les cambrioleurs ont des habits sombres et utilisent des barres de fer. Mais ces quatre messieurs – trois avocats et un comptable – portent la cravate et le complet-veston. Ces quatre hommes, voyez-vous, étaient les hauts dirigeants de Hollinger International, une entreprise de presse dont le siège social se trouve ici même à Chicago.

« En 1998, les actionnaires attendaient de ces quatre hommes qu'ils vendent des centaines de journaux régionaux – des journaux de petites communautés locales – au Canada et aux États-Unis.

« Mais ce que ces actionnaires ne savaient pas, c'est que ces quatre hommes empochaient secrètement une partie de l'argent provenant de la vente de ces journaux ; de l'argent qui aurait dû revenir aux actionnaires.

« Et ces quatre hommes ont dissimulé leur crime en falsifiant des documents, de manière à créer l'impression que chaque transaction était tout à fait normale. Ce n'était pas le cas. C'était du vol. C'était de la fraude. C'était un crime…

« Ils avaient décidé de se concentrer sur les journaux à grand tirage. Conrad Black ne s'intéressait pas aux petits journaux locaux, comme celui de Jamestown, dans le Dakota du Nord, une ville qui compte à peu près 10 000 habitants. Ce n'était pas le genre de marché que Conrad Black visait. Ce qu'il voulait, c'était influencer les événements internationaux ; pas simplement écrire à leur sujet, mais influencer les événements à l'échelle de la planète.

« Mais ce qui s'est passé, pendant qu'ils vendaient des centaines et des centaines de ces journaux au Canada et aux États-Unis, c'est que ces quatre hommes étaient littéralement en train de s'épuiser à la tâche, parce que leur salaire était basé sur la gestion de quelque 400 journaux, en plus des grands quotidiens, comme je l'ai souligné.

« Alors ils ont décidé qu'une partie de cet argent leur revenait ; de l'argent qui appartenait aux actionnaires. N'oubliez pas que Hollinger International est une entreprise cotée en Bourse. Au milieu des années 1990, l'entreprise avait fait un appel public à l'épargne. Donc, elle appartenait aux actionnaires.

« Alors ils ont décidé qu'ils prélèveraient une partie de chaque produit de leurs ventes et le mettraient dans leur poche. Et ils ont inventé ensemble une combine. Et la combine consistait à se servir d'un instrument appelé "entente de non-concurrence".

« Dans une entente de non-concurrence, vous avez un acheteur et un vendeur d'actif, cet actif pouvant être un bien ou une compagnie. Et si vous décidez d'acheter une compagnie, la dernière chose que vous souhaitez, c'est que la personne qui vous la vend en fonde une autre semblable et devienne votre concurrent. Par exemple, si vous achetez un commerce, vous ne voulez pas que ceux qui vous l'ont vendu s'installent dans le local d'à côté pour se relancer en affaires le lendemain. Alors vous concluez ce qu'on appelle une entente de non-concurrence…

« Mesdames et messieurs, vous avez devant vous certains des hommes d'affaires les plus habiles que vous aurez jamais devant vous. Ce sont les hommes d'affaires les plus astucieux que vous aurez jamais devant les yeux. Ils savaient que ce n'était pas leur argent. C'était l'argent des actionnaires.

« Rappelez-vous que lorsqu'ils ont vendu des parts de l'entreprise au public, l'entreprise est devenue celle des actionnaires. Une dame qui a placé des actions de Hollinger International dans son régime de retraite. C'est elle, la propriétaire de la compagnie. Un homme qui a acheté des actions de Hollinger International pour les placer dans un régime d'épargne-études. Voilà un autre propriétaire de l'entreprise. Ce n'est pas "leur" entreprise [dit-il en pointant les coaccusés].

« Et vous verrez, mesdames et messieurs, qu'ils n'en ont pris que des petits morceaux. Ils n'en ont pris que des parts minuscules. Mais nous parlons ici de transactions qui valaient des centaines de millions de dollars. Une de ces ventes à elle seule était de l'ordre de plusieurs milliards de dollars.

« Je vous dirai ceci : si vous prenez une petite part d'une transaction dans laquelle des centaines de millions et des milliards de dollars sont en jeu, vous pouvez arriver à 60 millions en un rien de temps. Et c'est ce qu'ils ont fait.

« Quel est le problème ? Pourquoi ne pouvez-vous pas prendre 60 millions de dollars d'une entreprise pour laquelle vous travaillez ? Mesdames et messieurs, à part l'évidence que c'était un vol, ces coaccusés avaient également un devoir à remplir. Ils avaient une obligation envers les actionnaires. Au cours du procès, vous entendrez parler du

"devoir de fiduciaire". Le devoir de fiduciaire signifie que les administrateurs et les dirigeants ont un devoir à l'égard des actionnaires de Hollinger International. De manière générale, ils doivent servir le meilleur
intérêt de l'entreprise et des actionnaires. Ils ne doivent rien faire qui
puisse nuire à l'entreprise ou à ses actionnaires. Tel est leur devoir envers
les actionnaires.

« Et ce devoir, c'est le fil conducteur qui reliera tous les éléments
de ce procès. Le devoir de fiduciaire. Mesdames et messieurs, vous verrez qu'à maintes reprises, ces quatre hommes ont manqué à ce devoir.
Les actionnaires ont le droit de s'attendre à ce que les dirigeants – ces
coaccusés – ne leur mentent pas. Ils ont le droit de s'attendre à ce que ces
hommes soient honnêtes avec eux. Ils ont au moins le droit de s'attendre
à ce qu'on ne leur mente pas. Au moins cela. »

Ensuite, c'est l'avocat de la défense, Ed Genson, qui se leva péniblement pour faire sa déclaration d'ouverture, sa voix retentissant de
passion et de rage. « Conrad Black n'est coupable d'aucun, je dis bien
aucun, de ces chefs d'accusation. Il est innocent. Et quand toutes les
preuves seront apportées ici, vous verrez qu'il est innocent de tout méfait. Hollinger n'était pas une entreprise en difficulté. C'est Conrad
Black qui l'a bâtie. Et cette entreprise a fait de l'argent pour ses actionnaires. C'est une entreprise qui a été attaquée et est devenue la proie de
gens qui, eux, n'avaient rien bâti et qui ont persuadé d'autres personnes
engagées dans ce qu'on appelle la gouvernance d'entreprise de leur
venir en aide. Cette entreprise, bâtie à partir de rien, est devenue l'une
des plus importantes entreprises de presse au monde. Ni Conrad Black
ni personne d'autre présent dans ce tribunal n'a fait quoi que ce soit de
criminel. Les livres de l'entreprise n'ont pas été modifiés. Il n'y a jamais
eu d'actifs fictifs. Hollinger publiait certains des meilleurs quotidiens
au monde.

« Personne n'a jamais trafiqué les états financiers. Les comptes de
l'entreprise étaient vérifiés par la meilleure firme comptable au monde.
Il n'y a jamais rien eu de magique dans la comptabilité de Hollinger.

« Vous devez comprendre – certains jurés l'ont mentionné dans leur
questionnaire – que Hollinger n'était pas Enron. Ce n'était pas World-
Com. Ce n'était pas une affaire qui sombrait, qui possédait des filiales
sans valeur. Hollinger a développé, fabriqué et vendu de vrais produits.

Il n'y a jamais eu de fraude comptable, aucune faillite, aucune perte d'emplois.

« Voilà bien une entreprise saine et prospère qui valait plusieurs milliards de dollars et qui produisait certains des meilleurs journaux au monde. C'était une entreprise saine et prospère jusqu'à ce qu'on l'arrache des mains de Conrad Black.

« Il ne s'agit pas ici d'un vol qui aurait été commis par Conrad Black ; il s'agit plutôt d'un vol dont il a été la victime !

« Le gouvernement vous parle d'actionnaires publics et nous partageons ces préoccupations. Mais celui qui détenait le plus d'actions de Hollinger, c'était Conrad Black lui-même ; il était véritablement l'un des propriétaires. Il l'était tout autant que n'importe lequel des actionnaires publics ; il était le plus important actionnaire de Hollinger.

« Il ne se volait pas lui-même. C'est l'entreprise qui lui a été volée. Des gens sont arrivés et ont tenté de trouver des indices de responsabilité criminelle et ont prétendu en avoir trouvé, alors qu'il n'y en avait aucun. Et ces gens se servent aujourd'hui du procureur fédéral des États-Unis pour justifier leur prise de contrôle de l'entreprise.

« Comme c'est pratique courante dans l'industrie, Conrad Black a été payé pour la valeur qu'il a créée ; pour avoir bien géré l'entreprise et pour la façon éclairée dont il a vendu des actifs. Et nous allons démontrer qu'il a vendu ces actifs de manière avisée.

« Le gouvernement prétend que certains paiements de non-concurrence qui ont été versés en toute légalité à Conrad Black et à d'autres par les acheteurs de certains journaux de Hollinger n'auraient pas dû être versés à Conrad Black. C'est ce qu'ils disent.

« En fait, nous parlons d'un paiement fait à Conrad Black dans une transaction à laquelle il a participé directement et qui a permis à Hollinger de réaliser un immense profit.

« Vous allez entendre des témoins à charge, des hommes brillants et accomplis, qui prétendent aujourd'hui qu'ils ont été piégés pour faire ce qu'ils ont fait, alors qu'en réalité, ils ont agi de leur propre gré et en toute connaissance de cause.

« Vous allez aussi entendre parler d'ententes conclues avec le gouvernement, d'accusations réduites et de recommandations d'indulgence de la part du gouvernement envers David Radler, l'associé de Conrad Black pendant plus de 30 ans.

« Dans le seul but de se protéger, Radler se présentera devant ce tribunal et vous racontera des mensonges sur Conrad Black. Il vous mentira au sujet d'événements que Conrad Black ignorait et il inventera des histoires à propos de Conrad.

« Vous vous rendrez compte que chacun des chefs d'accusation retenus par le gouvernement tourne autour d'une seule transaction : une transaction exécutée par David Radler et qui, à partir du moment où Radler a enregistré son plaidoyer de culpabilité, est devenue comme par magie une affaire manigancée par Black.

« Vous entendrez le gouvernement jouer avec les mots pour chercher à établir une responsabilité criminelle, alors qu'aucun geste criminel n'a été commis.

« Vous entendrez parler de faits qui n'ont pas été mentionnés dans la plaidoirie d'ouverture, mais que moi-même je me propose de souligner, car il s'agit de faits qui démontrent que Conrad Black n'a pas violé la loi.

« Il n'est pas facile de décrire Conrad Black, car il est impossible d'évoquer la vie entière d'un homme en 15 ou 20 minutes. La vie est beaucoup trop complexe pour cela.

« Et comme vous pourrez le constater, c'est tout particulièrement vrai de Conrad Black. M. Cramer, le procureur adjoint, a abordé la question dans sa déclaration d'ouverture. Il a parlé du fait que Conrad Black était devenu – peut-être pas tant aux États-Unis qu'en Grande-Bretagne, en Europe et au Canada – un homme très, très célèbre ; une personnalité politique ; un homme [...] qui a écrit des livres ; un homme qui a écrit des éditoriaux ; un homme qui passe à la télévision et défend les valeurs auxquelles il croit.

« Et même si M. Cramer veut faire de cela une question d'ego, c'est un homme qui a transmis un message, le même depuis des années, aussi bien au Canada que partout ailleurs où il a dirigé des journaux.

« Conrad Black est un maître du verbe. En ce qui me concerne, il a un penchant un peu trop prononcé pour les fleurs de rhétorique. Et j'aurais préféré qu'il nous fasse grâce de ses digressions. Mais ces choses qu'il a dites et qui ont été relevées ici par le procureur ne l'ont été que pour tenter de vous détourner des faits. Ce sont là des choses qui ne concernent en rien ce qu'il a ou n'a pas fait. Il s'agit d'une attitude dont on veut se moquer et qu'on veut critiquer.

« Et j'accepte cette attitude. Mais ce n'est pas la raison pour laquelle nous sommes ici. Ce pour quoi nous sommes ici, c'est pour déterminer si, en fait, Conrad a violé la loi. Et la conclusion à tirer de tout cela sera bien évidemment que non ! »

Il était difficile d'évaluer la situation de Black. Était-il un « pillard » en col blanc, comme la presse l'a si souvent représenté ? Était-il une sorte de Thomas Crowne, cette fripouille de grande classe du grand écran ? Ou était-il plutôt le pilote d'un avion de ligne détourné par le comité spécial nommé par Hollinger International (une entreprise que Black aurait dû, en des circonstances normales, continuer de diriger), et ensuite par le département de la Justice des États-Unis ? La difficulté tenait au fait qu'il fallait démêler les différents chefs d'accusation, dont certains étaient de l'ordre de la conjecture, car le gouvernement voulait ratisser aussi large que possible. La poursuite était déterminée, coûte que coûte, à obtenir un verdict de culpabilité.

Dans les semaines qui suivirent, les travaux qui se déroulaient dans la salle d'audience 1241 furent plutôt calmes. Il y eut bien sûr des es-carmouches et des conciliabules inopinés entre la juge et les avocats, pendant que les preuves étaient tour à tour présentées et contredites. Les journalistes éprouvaient souvent de la frustration, du fait que les enjeux ne semblaient pas nets, et finissaient par s'interviewer les uns les autres. Beaucoup de temps passa avant qu'on puisse commencer à y voir clair.

CP Photo

CHAPITRE 3

Des mots percutants et des déclarations bien senties

Situé en plein centre de Montréal, l'hôpital Royal Victoria est un édifice lugubre en pierre grise, de style seigneurial écossais, qui s'étend sur le versant sud du mont Royal. De temps à autre, on aperçoit des faisans et des ratons laveurs sur le terrain de stationnement, pendant que de jeunes amoureux montent vers le parc boisé aménagé au XIXᵉ siècle par l'architecte paysagiste renommé Frederick Olmsted, célèbre pour l'aménagement de Central Park à New York. L'hôpital fut fondé en 1893 par deux des plus puissants magnats des affaires au Canada, les cousins écossais Donald Smith, Lord Strathcona et Mount Royal, et George Stephen, Lord Mount Stephen.

C'est ici que le 25 août 1944 naquit Conrad Black, fils de George Montegu Black, un dirigeant d'entreprise alors en pleine ascension, et Betty Riley Black, descendante d'une des grandes familles de l'establishment canadien. George Black avait été sous-ministre adjoint à la Défense nationale aérienne, au salaire annuel d'un dollar par année, avant de prendre la direction, à Montréal, d'une usine de fabrication d'hélices d'avion, où les femmes composaient la plus grande partie de la main-d'œuvre. Le père de George Black avait été président de plusieurs brasseries de l'Ouest canadien, tandis que Betty Riley Black, originaire de Winnipeg, était la petite-fille de Thomas Riley, l'un des fondateurs de la compagnie d'assurances Great-West, qui détenait également certains intérêts dans le *Daily Telegraph* de Londres. Depuis, chaque génération de Riley a produit plusieurs présidents du conseil, chefs de la direction et administrateurs d'entreprise. Le père de Betty a longtemps été associé au vicomte Rothermere, s'occupant de ses quelque 51 placements d'affaires dans l'Ouest canadien[1].

Bien que Conrad n'ait vécu qu'une seule année de sa petite enfance à Montréal avant que sa famille ne déménage à Toronto, il retourna au Québec dès l'âge adulte pour y vivre pendant huit ans, la période la plus créative de son existence.

Le cofondateur du Royal Victoria, Lord Strathcona, était un personnage déterminé, qui marqua une transition importante dans l'histoire canadienne. Les aristocrates britanniques avaient longtemps été des figures de proue du pouvoir politique au Canada. Ils symbolisaient la royauté, la structure sociale britannique et la nature héréditaire de l'aristocratie. Ils débarquaient au Canada pour y vivre quelques années à titre de gouverneur ou de commandant militaire. Ils amenaient avec eux le système de valeurs anglo-protestantes fondé sur la hiérarchie sociale qu'ils dominaient sous le couvert discret d'une supériorité morale tacite : dignité face à l'adversité, indépendance, pragmatisme ainsi qu'un mépris pour toute sexualité déclarée et expression d'émotion. La fusion du système de valeurs anglo-protestantes et d'un ordre hiérarchique vertical pouvait se traduire par une attitude faite d'hypocrisie satisfaite et d'une bonne dose de snobisme, comme si les dirigeants cupides et agressifs de la société jouissaient de droits divins et n'avaient pratiquement de comptes à rendre à personne.

À la fin du XIXe siècle, la structure de la société britannique et canadienne avait changé. Les immigrants industriels tels que Lord Strathcona, qui avait débarqué en Amérique du Nord en 1838, profitèrent du pouvoir que les colonisateurs britanniques et les commandants militaires avaient acquis avant eux. Ce sont les industriels qui étaient les bâtisseurs d'empire. Leur pouvoir économique leur permettait d'influencer les gouvernements, de financer des régiments en vue de conquêtes impériales et, si nécessaire, de verser de l'argent sonnant aux partis politiques pour obtenir des titres de noblesse.

La nouvelle bourgeoisie d'affaires de Montréal, très largement écossaise, fit fortune dans la forêt, les mines, les chemins de fer et le secteur financier, en tirant profit des vastes ressources inexploitées et de la population rurale de l'arrière-pays. Ces industriels étaient en quête de légitimité et d'approbation de la part des modèles britanniques dont ils s'inspiraient. Un titre de noblesse et un blason personnel devenaient l'ultime consécration pour ces industriels coloniaux laborieux. À leurs yeux, cela justifiait l'extrême dureté dont ils faisaient preuve pour acquérir des fortunes personnelles dans l'industrie et le commerce.

Strathcona avait passé de longues années au Labrador pour le compte de la Compagnie de la Baie d'Hudson avant de participer à la construction du chemin de fer du Canadien Pacifique, dont il enfonça le dernier tire-fond en 1885. Avec son cousin Mount Stephen et trois associés, il manipula les actions de la compagnie ferroviaire, accumulant au cours d'une décennie l'équivalent de 800 millions en dollars d'aujourd'hui. Et il ne s'agissait là que d'un de leurs placements parmi d'autres.

« Évidemment, le délit d'initié n'était ni interdit ni même désapprouvé à l'époque, m'a expliqué le journaliste et historien Peter C. Newman. En fait, on peut dire que ces gens-là l'ont inventé, du moins au Canada. »

Strathcona fut le requin d'industrie par excellence. Plusieurs magnats d'affaires du xxe siècle aspiraient à lui ressembler.

Dans les années 1940, Montréal était encore la capitale financière et industrielle du Canada. Mais la bourgeoisie d'affaires écossaise, qui vivait pratiquement en garnison, entourée de Canadiens français dont le statut socio-économique était bien inférieur au sien, commençait à perdre son emprise sur les principales entreprises du pays. Toronto et Winnipeg drainaient les capitaux vers l'Ouest et l'élite écossaise de Montréal perdait son ascendant. Néanmoins, la nouvelle bourgeoisie d'affaires de l'Ontario et de Winnipeg partageait certaines valeurs sociales et aspirations de la bourgeoisie écossaise de Montréal. Elle adulait l'aristocratie britannique et se faisait construire de somptueuses demeures de style néogeorgien qui rivalisaient avec les domaines terriens de Grande-Bretagne. Elle embauchait des maîtres d'hôtel européens, collectionnait les Rolls-Royce et élevait des pur-sang.

En 1944, George Black attira l'attention de Edward Plunket (E. P.) Taylor, le plus important magnat au Canada, qui était la personnification même de l'anglophile canadien. Toujours coiffé de son haut-de-forme, il ressemblait à l'oncle Pennybags, la mascotte du jeu de Monopoly. Taylor vivait à Windfield, un domaine de 25 acres dans le district de Bridle

Path, à Toronto. De là, il dirigeait un empire industriel : il éleva Northern Dancer, le plus grand étalon du xxe siècle, et recevait régulièrement chez lui des membres de la famille royale britannique.

En 1945, Taylor mit sur pied la société de portefeuille Argus Corp, en compagnie de ses partenaires minoritaires, le colonel W. Eric Phillips et Wallace McCutcheon. Il nomma George Black président de Canadian Breweries Ltd, une filiale d'Argus, qui deviendra l'une des plus grandes brasseries du monde. Au départ, George Black gagne un salaire annuel de 15 000 $.

Lorsque George Black et son épouse déménagèrent à Toronto avec leurs deux fils, ils semblèrent bien s'intégrer au milieu distingué de l'élite d'affaires torontoise. Ils aménagèrent rapidement à Bridle Path pour se rapprocher des Taylor.

George Black était un homme intelligent, doté d'une très forte personnalité. Il était direct, franc et ne mâchait pas ses mots. Se rappelant la décision qu'il avait prise un jour d'utiliser des bouteilles non consignées dans une de ses filiales, une grande brasserie américaine, il avait dit : « Mon Dieu, il y avait de la bière, du sang et des tessons de bouteille partout dans des milliers de magasins... Ce fut naturellement un désastre monumental, un bordel de proportion impériale, comme la charge de la Brigade légère. » Comme il estimait que sa principale brasserie concurrente, Labatt, était un adversaire machiavélique, il trouvait normal d'adopter à son tour des tactiques machiavéliques. Il s'habitua à réduire les coûts au moyen de licenciements massifs : « J'ai viré tellement de gens dans ma vie que j'en ai fait une forme d'art. Je peux le faire sans amertume. » Il trouvait difficile de transiger avec les syndicats des brasseries : « Si vous ne pouvez pas leur faire peur à l'occasion, ces gens-là vont vous mettre en pièces[2]. »

D'après un portrait de lui paru dans le magazine *Saturday Night*, George Black était « un homme de grande taille (1,90 m) avec des cheveux légèrement grisonnants, bien vêtu (préférant les costumes sombres et les cravates conventionnelles), dirigeant les affaires de l'entreprise à partir d'un grand bureau moderne dans un édifice impressionnant du centre-ville de Toronto. Sur son bureau bien ordonné de chêne massif chaulé, il y a une hélice miniature, qu'il tient parfois en équilibre entre ses doigts lorsqu'il prend une décision. Tous les faits et les aspects de chaque problème sont analysés minutieusement avant d'en venir à une décision. Rien n'est improvisé ni précipité. » Ce portrait décrivait également les habitudes plutôt indisciplinées de George Black : « Son horaire de travail n'a pas de limites fixes. Il peut discuter des orientations générales de l'entreprise en prenant un verre en fin de soirée avec M. Taylor. On peut le trouver le matin chez lui à Todmorden, en Ontario, en train d'examiner les rapports de vente et les états financiers. Lors d'un déjeuner du samedi avec des associés d'affaires, la conversation peut porter aussi bien sur la construction d'une nouvelle usine au Massachusetts ou d'une salle municipale à Toronto que sur les résultats de la campagne de financement d'un hôpital ou la politique d'immigration du Canada[3]. »

George Black était un être singulier. Il y avait dans sa nature profonde quelque chose comme du frémissement, l'agitation d'un homme qui se voulait dur, mais n'avait pas réussi à l'être. Le cousin germain de Conrad, David Culver, se souvient de George Black comme d'un « génie mathématique, un oiseau de nuit qui aimait jouer au black-jack jusqu'au petit matin[4] ». Et Conrad le décrivait en 1993 comme un homme complexe et raffiné, distant et fantasque, « svelte, cultivé, spirituel, énigmatique et mélancolique vers la fin de sa vie[5] ». Il était très habile aux jeux de mots et avait pris des habitudes d'une excentricité attachante, comme de chauffer la piscine extérieure à 29 °C jusqu'au début de décembre, en dépit des tempêtes de neige occasionnelles.

Les Black étaient riches. Le père de Conrad géra pour lui un fonds en fidéicommis d'une valeur d'un demi-million de dollars (2,85 millions en dollars de 2007) jusqu'en 1969, lorsqu'il atteint l'âge de 25 ans. En 1976, Conrad hérita d'une somme supplémentaire de 7 millions de dollars (plus de 25,5 millions en dollars de 2007).

C'est peut-être en raison de cette personnalité singulière, combinée à son caractère rude, que George Black ne réussit jamais à percer dans l'establishment canadien. Il n'en fit jamais vraiment partie. D'abord, il n'était pas un lèche-cul. C'était un homme fier, passionné, qui aimait certaines personnes, mais détestait la plupart des gens, particulièrement ceux qu'il considérait comme prétentieux. Il ne dégageait pas cette supériorité entendue, cette dignité, ce pragmatisme et ce charme social auxquels les membres de l'establishment s'attendaient. À mesure que les affaires de l'empire Argus progressaient dans les années 1950, des clans se formèrent naturellement. George Black se rangea du côté de Bud McDougald, un investisseur millionnaire qui manœuvrait pour évincer E. P. Taylor. Black se vit par la suite refuser une promotion dans l'empire Argus, ce qui équivalait à un congédiement. Même s'il n'avait que 48 ans, il était devenu fatigué de jouer le jeu. Il estimait avoir fait suffisamment d'argent et se retira des affaires pour de bon en 1958, passant les 18 dernières années de sa vie à gérer sa fortune, boire à l'excès et passer ses nuits à lire et à broyer du noir.

Conrad s'identifiait étroitement à son père et il était résolu à redresser les torts qu'il avait subis. Cela peut expliquer la façon dont il vira les anciens associés de George Black lorsqu'il prit le contrôle d'Argus à la fin des années 1970.

Se remémorant sa mère avec tendresse, Conrad dit que Betty Riley Black était « une personne naturelle, chaleureuse et tout à fait vertueuse », une championne de patinage artistique dont les performances et les prouesses athlétiques s'inscrivaient dans la tradition familiale des Riley.

Jeune garçon, Conrad ressemblait davantage à son père sur le plan physique et émotif, tandis que son frère aîné, Montegu, présentait les qualités athlétiques et le charme de leur mère : le *Daily Telegraph* écrivit que « Monte s'était distingué au cricket, au football et au hockey et avait conçu pour les bateaux un intérêt qui dura tout le reste de sa vie, après avoir reçu pour son 11e anniversaire, le 6 août 1951, une barque à bricoler qu'il mit à l'eau dans la piscine de E. P. Taylor[6]. »

Selon Jeremy Riley, doublement cousin germain de Conrad (la mère de Jeremy était la sœur du père de Conrad et le père de Jeremy était le frère de la mère de Conrad), « Montegu était une personne extrêmement athlétique, qui se présentait bien et avec qui il était facile de s'entendre. Conrad a mis plus de temps à se développer. Dans sa jeunesse, il avait un côté un peu brusque[7]. »

Jeremy Riley affirme que Conrad se sentait perdu et peu sûr de lui au sein de la tribu Riley, cette grande famille indépendante dont les membres étaient séduisants, athlétiques et en compétition constante les uns avec les autres. Conrad le studieux était l'étranger solitaire, moins performant que ses cousins turbulents et sûrs d'eux-mêmes qui excellaient sans effort apparent à tous les sports. Jean, la jolie épouse canadienne-française de Jeremy, qui était la petite-fille du premier ministre Louis Saint-Laurent, développa une certaine affinité avec Conrad puisqu'elle se sentait également isolée et même subversive dans la grande famille Riley. « Chez les Riley, il y a une formidable tradition de réussite en affaires, dans les services et les sports ; c'est une famille très compétitive, confia-t-elle. Ils sont tous beaux, intelligents et bons athlètes. La plupart d'entre eux ont très bien réussi dans leurs entreprises, que ce soit en affaires ou dans la profession d'ingénieur. C'est une famille nombreuse. Conrad et son frère avaient beaucoup de cousins. Se retrouvant dans cet environnement très tribal, n'étant pas du tout lui-même athlétique, il sentait qu'il n'entrait pas dans un moule très bien établi. Il a passé sa vie entière à tenter de répondre à ces insécurités[8]. »

Pour compenser cette inaptitude qu'il ressentait par rapport à ses cousins, Conrad se concentra sur les activités intellectuelles, le rapprochant de son père qui lui enseigna l'économie, la géométrie et bien d'autres sujets. Mais cela pourrait bien l'avoir éloigné davantage du reste de la famille. Le père et le fils mettaient souvent leur mémoire à l'épreuve, se mettant l'un l'autre au défi de citer des extraits d'œuvres littéraires ou de trouver la réponse à des questions très spécialisées comme le tonnage des cuirassés et des paquebots britanniques.

Ron, le frère aîné de Jeremy Riley, se souvient, lorsqu'il était à l'université, d'avoir visité George Black en 1952 : « J'avais fait le tour de toutes les fêtes des confréries de Toronto. Oncle George m'avait attendu et m'avait offert un verre. Sur sa petite table de service, il pouvait préparer plus de boissons alcoolisées que personne d'autre au monde. Il voulait savoir comment expliquer le théorème de Pythagore à un enfant de huit ans. Conrad avait beaucoup en commun avec son père. Ils discutaient souvent tard dans la nuit des affaires du monde. Les habiletés verbales de Conrad lui viennent beaucoup de son père[9]. »

Conrad, comme son père, était très fantasque et ses parents en étaient affligés. David Culver se souvient : « Au début des années 1950, ses parents en avaient parlé à ma mère dans notre maison de Montréal et lui avaient dit : "Nous avons un enfant étrange ; nous ne savons pas quoi faire de lui." »

George Black avait toujours été monarchiste et aimait rappeler comment, à l'âge de huit ans, en 1919, il avait serré la main du prince de Galles. En octobre 1951, la jeune famille avait assisté devant l'Hôpital Sunnybrook à Toronto au cortège de la princesse Elisabeth, qui effectuait une visite royale au Canada. Lorsque le père de la reine, George VI, mourut, George Black réserva des places de première classe pour la famille sur le plus gros et le plus luxueux des paquebots, le *Queen Elizabeth*, pour aller assister au couronnement de la jeune reine. La croisière et le séjour en Grande-Bretagne, de mars à juin 1953, allaient s'avérer l'une des expériences déterminantes de la jeunesse de Conrad Black. Il n'est pas étonnant qu'il se soit entouré de modèles réduits de paquebots dans son bureau du 26 Park Lane Circle.

Pendant que des remorqueurs tiraient le géant de 83 600 tonnes, ses deux cheminées crachant de la fumée, dans le fleuve Hudson, longeant le West Side de New York dans le flamboiement de serpentins multicolores, le garçon de huit ans savait à quel point il voulait faire partie de cette nouvelle ligue internationale. Le *Queen Elizabeth* avait échappé aux attaques des sous-marins allemands durant la guerre alors qu'il servait au transport des troupes. Après la guerre, il prit les couleurs rouge, blanc et noir de la Cunard Line. Une affiche publicitaire de 1953 montre le *Queen Elizabeth* la nuit, tout illuminé, voguant dans une mer d'étoiles sous la Voie lactée. Il symbolisait la puissance britannique, sa ténacité et, avant tout, son charme romantique. À bord, tout était fait impeccablement, avec style et raffinement. Le paquebot offrait des cabines de luxe, dont quelques-unes étaient dotées d'un piano à queue ; des salles à manger présentant de nouveaux menus imprimés tous les jours ; des cinémas ; des théâtres ; des boutiques ; des salons de coiffure ; des piscines ; des jeux de palets et une bibliothèque.

On peut imaginer le jeune Conrad Black sur le *Queen Elizabeth* à partir d'une scène du film *Les hommes préfèrent les blondes*, comédie de 1953 qui mettait en vedette Marilyn Monroe et Jane Russell jouant deux plantureuses chanteuses de cabaret à bord d'un transatlantique. Marylin Monroe joue la croqueuse de diamants qui cherche à s'asseoir à une table de la salle à manger voisine de celle de Henry Spofford III. Mais le riche héritier, joué par George « Foghorn » Winslow, se révèle être un jeune garçon de sept ans, vêtu d'un costume et d'une cravate – à peu près du même âge que Conrad. Henry Spofford III est à la fois grave et grandiloquent. Il amuse les adultes à sa table avec ses plaisanteries. Conrad devait lui ressembler.

Pendant que les garçons Black couraient en tous sens sur le navire, ils furent emballés par la structure verticale du commandement, l'animation de cette ville flottante, le vrombissement incessant des moteurs qui poussaient ce géant à travers les flots agités de l'océan. Pendant que des serveurs en livrée offraient le thé à leurs parents sur le pont promenade, les garçons s'amusaient à collectionner des copies de la liste des passagers de première classe, du quotidien et du journal de bord du navire ainsi que des cartes postales et des brochures.

L'arrivée en Grande-Bretagne avait été encore plus passionnante. La jeune famille était descendue au Claridge, le célèbre hôtel de Londres, et le jour du couronnement les Black avaient pris place avec quelque 105 000 autres personnes assises dans des gradins installés le long du parcours de huit kilomètres, alors que par ailleurs une foule de plus de 750 000 personnes assistaient debout à l'événement. Les Black virent Sa Majesté défiler devant eux dans un carrosse doré bicentenaire, tiré par huit chevaux blancs, à la tête d'un cortège de trois kilomètres qui comprenait 15 800 membres des forces terrestres, aériennes et navales, 15 000 policiers et 10 000 autres militaires. Sir Winston Churchill circulait dans son propre carrosse. Trente-huit officiers de la Gendarmerie royale du Canada, montés sur des chevaux de bataille noirs, escortaient le premier ministre Louis Saint-Laurent. Dans l'abbaye de Westminster, il n'y avait que 8000 places. Même les membres de la haute noblesse de Grande-Bretagne avaient dû se soumettre à un tirage au sort pour déterminer lesquels d'entre eux pourraient assister à la cérémonie.

Conrad Black était ébloui par le faste, les uniformes, la grâce et la dignité mesurée du cortège ; par la façon dont la Grande-Bretagne s'était relevée des affres de la guerre pour reprendre son destin de nation victorieuse à la tête d'un empire mondial, composé d'États du Commonwealth et de colonies. Cette expérience lui avait montré concrètement ce à quoi aspirait la classe d'affaires du Canada : un rang aristocratique dans un pays qui occupait le haut de l'échelle mondiale et, de ce fait, une place grandiose, rituelle et presque mythique dans l'histoire. Tous les yeux étaient braqués sur la reine.

Encore plus extraordinaire fut le voyage du retour, qui commença par la revue navale du couronnement de la reine à Spithead, près de Portsmouth. Il y avait là, à perte de vue, une flotte de cuirassés, de porte-avions, de croiseurs, de contre-torpilleurs et de yachts, qui tiraient des salves en l'honneur de la jeune souveraine. Le *Queen Elizabeth* et les autres paquebots nolisés pour l'occasion s'étaient engagés à travers la flotte dans leur propre voie, toutes sirènes hurlantes. Il y avait eu un défilé aérien de plus de 300 avions et, la nuit venue, sur le pont du cuirassé *HMS Vanguard*, la reine avait allumé la première des 2500 fusées d'un feu d'artifice qui avait illuminé la flotte entière et la plage environnante. Comme bien des Canadiens anglais de l'époque, George et Betty Black considéraient le couronnement et la revue navale comme une confirmation de leur propre engagement à l'égard de la monarchie constitutionnelle du Canada ainsi qu'une réaffirmation de la continuité historique que la famille royale assurait. En tant que membres de la classe d'affaires canadienne, ils s'identifiaient également aux valeurs d'une société dont l'ordre hiérarchique était vertical.

Mais leur fils y avait vu quelque chose d'encore plus grandiose. Il n'avait jamais été témoin d'une telle manifestation de puissance. Cela avait enflammé son imagination et contribué à déclencher sa propre quête juvénile de pouvoir et de grandeur, à sa façon à lui. Trente-huit ans plus tard, lorsqu'il devint baron et accéda à la Chambre des lords à Westminster, accompagné d'une ancienne première ministre et d'un ancien secrétaire à la Défense, il est bien possible qu'il ait rempli là une promesse secrète qu'il s'était faite à l'âge de huit ans, en 1953.

À peine quelques mois plus tôt, en novembre 1952, une jeune fille de 11 ans voyageait avec sa mère et son beau-père sur un autre navire, voguant sur l'Atlantique en direction de l'ouest, de l'Angleterre vers le Canada. Rien n'indiquait que Barbara Amiel allait devenir l'épouse d'un multimillionnaire et baronne par alliance. Bien au contraire, elle souffrait de l'humiliante pauvreté de sa famille, de sa propre insécurité et de ses manières dégingandées d'émigrée juive.

La motivation des idéologies véhémentes et des extravagances de Barbara Amiel est profondément enracinée dans ses jeunes années. Dans *Confessions*, elle raconte son enfance indigente à Watford, en Angleterre. Parmi les membres de sa famille, il y avait des sionistes et des communistes bourgeois, confortablement installés dans la banlieue de Londres. Son père avait atteint le rang de colonel dans la huitième armée du général

Montgomery durant la campagne d'Afrique du Nord, au cours de la Seconde Guerre mondiale. «C'est le East End qui a façonné plusieurs des attitudes de ma famille – et plus tard les miennes –, a écrit Barbara Amiel. Dans ce quartier juif surpeuplé de Londres, les nouveaux arrivants russes et polonais travaillaient, discutaient et se disputaient une parcelle d'Angleterre, apportant avec eux leurs idées et idéaux socialistes du *Bund*, cette organisation politico-religieuse formée dans le pays d'origine comme un début de résistance contre les régimes autoritaires sous lesquels ils vivaient[10]. »

Il y avait tout un monde entre cet univers et celui des quartiers de Londres que les Black avaient visités en 1953.

Au début, Barbara ne remettait pas en cause le socialisme – cela allait venir plus tard –, mais dans la vie intellectuelle des Amiel, le modèle d'une idéologie globale complète pouvant donner une réponse à toutes questions était déjà là. Lorsqu'elle abandonna le socialisme de sa jeunesse, un vide idéologique s'était créé, que le néoconservatisme de l'âge adulte est venu combler. Après le divorce de ses parents, Barbara Amiel déménagea avec sa mère et son beau-père à Hamilton, en Ontario, au début de 1953.

Hamilton était un centre manufacturier composé d'aciéries, d'usines d'appareils électroniques et de montage d'automobiles, avec des cheminées crachant leur fumée et des voies de chemin de fer qui se rendaient jusqu'aux rives du lac Ontario, où des vraquiers apportaient des boulettes et du concentré de minerai de fer en provenance de la région du lac Supérieur et repartaient avec des plaques et des barres d'acier. Son beau-père fut embauché aux fours à creuset ouvert de l'aciérie Stelco, bravant des chaleurs de 54 °C provoquées par les courants de gaz enflammé et revenant à la maison encrassé et épuisé. Le travail le faisait suer au point qu'il devait prendre des comprimés de sel. La situation financière de la famille demeurait sombre.

Elle se rappelle que le réfrigérateur était toujours vide. «Nous en étions réduits à un seul vrai repas par jour, surtout des pommes de terre, sans possibilité de nous resservir. À sept heures du soir, lorsque le repas était terminé, ma sœur et moi rêvions aux repas sans fin que nous prendrions quand nous serions riches. » Mais en plus de l'anxiété liée au prochain repas, il y avait celle d'être isolée, de n'avoir aucune importance aux yeux des autres : «Depuis ma tendre enfance, la crainte des pièces vides fut une sorte de problème pour moi. À l'adolescence, alors que j'étais très souvent seule, je restais à l'extérieur de la maison ou de l'édifice, même pendant un après-midi ensoleillé, jusqu'à ce qu'il y ait quelqu'un là. Autrement, je pouvais me retrouver au milieu de la pièce, figée, trempée par ma propre urine pendant des heures, trop effrayée pour pleurer, trop effrayée pour bouger[11]. »

Mais Barbara avait une qualité qui allait l'aider à surmonter les obstacles : l'énergie. Le 12 février 1955, le *Hamilton Spectator* rapportait dans ses pages jeunesse que Barbara Amiel, âgée de 14 ans, avait remporté le premier prix d'un concours de rédaction (il y avait neuf finalistes). Elle allait être gérante de la salle de cinéma durant une journée. Sur la photo qui accompagne l'article, on la voit à côté du projectionniste du Century Theatre, William Thornberry, mince et vêtue d'un chandail blanc et d'une jupe à carreaux. Son nez proéminent lui conférait une ressemblance avec l'acteur Karl Malden. Son menton aussi était très saillant et traduisait un air déterminé. Plus tard, se moquant d'elle-même, elle affirma que dans une autre photo parue dans le journal, on la voyait « sourire frénétiquement, assise dans le bureau du gérant du cinéma ». Le film à l'affiche ce jour-là était *La veuve noire*, présenté comme « un drame électrisant à propos d'une femme prédatrice », mettant en vedette Ginger Rogers, dans le rôle d'une garce de Broadway, et George Raft, le détective à la voix graveleuse.

Barbara échangea son prix – 26 entrées pour des spectacles pour enfants du samedi matin – contre 13 billets pour des films pour adulte, ce qui la rendit populaire auprès des jeunes de son âge. C'était l'année de *La fureur de vivre*, avec James Dean, et du film d'Hitchcock *La main au collet*, avec Cary Grant et Grace Kelly. Il y avait quelque chose dans ces films qui plaisait à la jeune Barbara. Le cinéma alimentait ses rêves. Grace Kelly était une reine de glace qui avait finalement épousé un vrai prince, mais Ava Gardner ressemblait davantage à la femme que Barbara souhaitait devenir : elle avait les cheveux brun foncé, le visage d'un ange et le corps voluptueux d'une déesse ; elle était envoûtante, provocante et tout en se promenant naïvement pieds nus, elle était sensuellement séduisante ; elle jouait bien les femmes fatales, entraînant ses amants dans des situations impossibles et sans issue.

Barbara Amiel gagnait de l'argent en travaillant dans une pharmacie, dans une boutique de vêtements pour dames et dans une conserverie.

En fréquentant des « mauvaises » filles, elle apprit vite les choses de la vie et se rendit compte que son intelligence insolente et sa judéité embarrassée la distinguaient des autres jeunes. Elle fut atterrée lorsqu'elle apprit, en 1956, que son père s'était suicidé en Angleterre ; cette tragédie familiale continuera de la hanter dans les années à venir.

Barbara déménagea à Grantham, au nord de St. Catharines, une ville de construction navale le long du canal Welland, entre le lac Ontario et le lac Érié, afin de s'éloigner de sa mère et de son beau-père. À l'âge de 17 ans, elle vivait dans une maison de pension avec « une femme, sa fille et une autre pensionnaire ». Dans ce foyer mal famé, elle s'aperçut que les trois femmes étaient des prostituées, travaillant dans un bar d'où elles ramenaient des marins et des ouvriers du chantier naval pour des fins de « divertissement ». Elle dut s'acheter des bouchons d'oreilles pour ne pas entendre le bruit des ébats sexuels effrénés dans les chambres voisines, de façon à pouvoir se concentrer sur ses études au St. Catharines Collegiate.

En 1958, Barbara Amiel était directrice de la rédaction de *Vox*, l'album de fin d'année de l'école. Dans son éditorial, elle rendit hommage au directeur, mais critiqua l'école pour avoir imposé une année scolaire de 10 mois : « … il y a déjà un fort pourcentage d'étudiants qui trouvent des emplois d'été dans des hôtels près de chez eux, ce qui est un problème en apparence mineur. Mais il ne faut pas faire l'erreur de voir ce problème avec la lorgnette de ceux qui jouissent de la sécurité financière. Un emploi d'été peut permettre d'accéder au collège, de résoudre des difficultés familiales et d'acquérir la dose nécessaire de responsabilité et, souvent en plus, une inestimable leçon de vie. »

Ce commentaire était compréhensible puisqu'elle travaillait à temps partiel dans des boutiques de vêtements pour dames depuis l'âge de 14 ans et qu'elle en avait appris un bout sur la vie. Elle obtint son diplôme secondaire l'année suivante. Son visage a quelque peu changé sur sa photo de finissante : à 18 ans, son nez ne paraissait plus si proéminent. Quelqu'un y avait écrit une description familière et taquine de sa personnalité et de ses projets d'avenir. « Barbara Amiel : dramatique et déboussolée, voilà Barb. En bref, un peu cinglée. Membre de l'association d'étudiantes Thêta Kappa, du Sénat et du Forum, Barb a été responsable l'an dernier de la feuille à scandale (*Vox*) et a poursuivi son bon travail (?) au Collegiate Corner. Favorisant la bonne camaraderie (particulièrement les week-ends), Barb a choisi la sociologie à l'Université de Toronto pour se spécialiser dans les relations de masses ! »

Conrad Black eut une jeunesse turbulente, mais d'une turbulence différente de celle de Barbara. Ils vivaient dans deux mondes à part.

De retour à Toronto, il ne fut pas facile de se réajuster à la vie, après la croisière du couronnement sur le *Queen Elizabeth*. George et Betty Black étaient inquiets parce que leur fils brillant et précoce était un élève médiocre au Upper Canada College (UCC), l'une des écoles les plus sélectes au pays.

William Dendy a décrit avec nostalgie l'architecture néoromane du collège, « construit sur des fondations de grès de Credit Valley, avec des murs en brique rouge ornés de panneaux de terre cuite et de cordons... La tour centrale, d'une hauteur de 50 mètres, comme le clocher d'une église au-dessus des arbres environnants, est devenue le symbole du collège, un rappel constant aux étudiants, ainsi qu'à la ville au bas de la colline, de l'importance du collège et de l'influence des anciens élèves qui y ont été formés[12]. »

Mais Black ne pouvait pas être d'accord. Il étudiait à l'UCC depuis 1951 et haïssait l'endroit. Après avoir mangé seul ses céréales au petit déjeuner tout en lisant le *Globe and Mail*, le jeune Conrad parcourait quotidiennement les six kilomètres le menant à l'école dans une voiture conduite par un chauffeur. Regardant par la fenêtre, il trouvait déprimant le parcours qui séparait Bridle Path de Toronto. Cette ville était moins attrayante que Montréal ou New York, où la famille passait souvent les vacances. « C'était de belles villes, et elles le sont toujours. Toronto est maintenant une ville assez jolie, mais elle ne l'était pas à l'époque, dit-il. Les fils électriques et téléphoniques n'avaient pas encore été enfouis et vous aviez donc partout ces horribles poteaux de téléphone avec leurs masses de fils suspendus entre eux ; cela n'avait rien d'esthétique. »

« Ce dont je me souviens de Conrad à l'époque, dit John Fraser, son camarade de classe à l'UCC, c'est qu'il était prisonnier, un adulte en pleine maturité dans un corps d'enfant. Il était responsable ; son frère était plus âgé, mais beaucoup moins mûr[13]. »

Fraser se souvient que Conrad comparait l'UCC à un camp de prisonniers. Un jour, il aperçut des professeurs qui observaient, depuis leurs fenêtres, une bagarre dans la cour de récréation.

— Regarde-les, dit Black à Fraser. Ça ne te donne pas le goût de vomir ?

Fraser, regardant les deux garçons se battre, se tourna vers son ami d'un air narquois.

— Non, je n'ai pas envie de vomir, dit Fraser, qui trouvait la bagarre exaltante.

— Non, pas ces idiots, rétorqua Black avec un mépris total. Regarde vers les fenêtres. Nos Gauleiters se régalent du spectacle. Nous ne sommes que des marionnettes.

Selon Fraser, Black avait raison. « La plupart des professeurs observaient la bagarre avec une satisfaction évidente. Je suppose qu'ils pensaient que ça faisait sortir la vapeur. Conrad attribuait des motivations plus sombres à leur "voyeurisme". »

— Cet endroit est un camp de concentration, dit Black. Mais la plupart des détenus n'en sont pas conscients[14].

« C'était la façon dont Conrad parlait à l'époque, dit Fraser. C'était la façon dont il parlait quand il avait 10 ans. Des mots percutants et des déclarations bien senties. »

Black était habité par une rage visible. Son ami de longue date Peter White dit que « lorsqu'il était enfant, il creusait des trous dans les murs à coups de pied, lançait des couteaux et autres choses du genre lorsqu'il était fâché[15] ».

Il ressentait une « profonde révulsion » durant ses années à l'UCC, en raison de la violence endémique, des insultes et des humiliations qu'on lui faisait subir. Le maître, investi d'un pouvoir absolu, pouvait prendre à partie des élèves et les frapper pour des raisons arbitraires et souvent inventées. La classe entière était entraînée dans une relation perverse et sadique avec le professeur, qui demandait aux garçons de voter pour déterminer si une correction devait être administrée. Les jours d'école étaient ponctués du sifflement des verges, baguettes, badines, fouets, cravaches ou cannes à pêche dont se servaient les professeurs pour casser par la force brute le caractère de leurs étudiants.

Dans son autobiographie, Conrad Black a dénoncé le « système pénal de l'école, de même que les nombreux sadiques, les quelques homosexuels aux caresses intempestives et les innombrables crétins prétentieux qui avaient de toute évidence échoué dans le vrai monde ». Au début, dit-il, il fut « légèrement pervers, irrévérencieux par intermittence et généralement malchanceux », mais de sceptique, il devint par la suite « rebelle et insurgé ; un anarchiste ».

Conrad fut frappé à coups de baguette à maintes reprises, entre autres par un professeur « qui s'y appliqua avec tant de vigueur que ses prothèses auditives tombèrent de ses oreilles éléphantesques et, rouge de colère, il me lança un regard noir, comme un fugitif extraterrestre incroyablement âgé et dément[16] ».

La vie cloîtrée qu'il menait chez lui en banlieue aggravait le malaise du jeune Black. Se remémorant ses jeunes années à Bridle Path, qui « à l'époque était à la campagne », Black dit qu'« il n'y avait pratiquement personne de mon âge habitant là ; c'était donc un environnement pas très conventionnel. Et c'était avant que nous ayons cette pléthore de chaînes de télévision ou que nous ayons même besoin d'un téléviseur. Alors je lisais beaucoup, comparativement aux gens de mon âge, je suppose ».

Il avait un compagnon d'enfance, un garçon plus âgé qui s'appelait Norman Elder, un voisin immédiat qui venait parfois feuilleter le *Who's Who* avec Conrad. Les deux rêvaient de gloire et de fortune. Elder était aussi allé à l'UCC, était doué pour les sports et voulait devenir explorateur. Dans une entrevue accordée en 1982, Elder s'était rappelé son amitié d'enfance avec Conrad : « J'appelais George Black et je lui disais : "Je serai là dans une dizaine de minutes." Lorsque j'arrivais au bout de 15 minutes, on me disait : "Vous êtes en retard de 5 minutes et 30 secondes[17]." »

Comme en témoignent les événements tragiques qui ont marqué la fin de sa vie, Elder souffrait de tendances perverses. En 1997, il avait plaidé coupable à des accusations d'attentat à la pudeur sur 10 adolescents au cours d'une période de 20 ans. Sa maison victorienne d'un million de dollars située sur Bedford Road à Toronto était pleine d'objets bizarres, collectionnés au cours de ses voyages autour du monde, dont un python de cinq mètres et un assortiment de lézards, des piranhas, un boa constrictor, un énorme cochon qui dormait sous son lit et une tortue géante qu'il aimait promener dans la rue. Il hébergeait en outre des sans-abri. Lorsque je composai le numéro d'Elder au début de 2004, un jeune homme qui s'identifia comme « John » me répondit. Il m'apprit qu'Elder s'était pendu au mois d'octobre précédent. « Il en avait assez, il était prêt à rejoindre son Créateur. C'était un homme bon. Il était difficile pour

Norman et Conrad de rester en contact, Norman étant en prison et tout ça. Ils s'étaient perdus de vue au cours des 15 dernières années... Une fois, Norman et moi sommes allés en voiture chez Conrad, sur Bridle Path. Une énorme clôture, plus de 2 mètres de hauteur, 30 centimètres d'épaisseur, avec d'énormes piliers en pierre à peu près tous les 10 mètres. La clôture a dû coûter aussi cher que la maison. C'est un homme bon, pas du tout ce qu'on en dit dans la presse. »

Selon John Fraser : « Norman Elder est mort, ça c'est certain. Et il y avait sept voitures de police devant la maison de l'enfer : c'était un *mauvais* endroit, reconnu comme tel depuis des années. Je ne sais pas s'il s'est pendu, mais il est mort dans des circonstances étranges. On n'envoie pas sept voitures de police pour rien. »

Depuis l'âge de 10 ans, Black veillait tard la nuit, lisant des biographies des géants de l'histoire politique et militaire, tels que de Gaulle, Roosevelt, Churchill et Napoléon. Il était captivé par leur personnalité, leurs espoirs et leurs peines, par leurs victoires, leurs défaites et leurs retours en gloire. Il discutait régulièrement des drames du pouvoir avec son père, qui encourageait la passion du garçon pour l'histoire et mettait sa mémoire des faits à l'épreuve. George Black stimulait également le penchant de son fils pour la stratégie en jouant aux échecs avec lui. Ils discutaient souvent de stratégie et Conrad considérait Roosevelt comme étant « extrêmement secret, retors, impénétrable et intrigant, travaillant toujours à un plan que personne ne pouvait deviner ». Il allait au-delà du masque extérieur du leadership pour étudier les fripouilles colorées de l'intérieur.

On le traitait comme un jeune adulte à la maison, mais à l'école il était le garçon délinquant qu'il fallait corriger. Le contraste était trop tranché pour lui. Plusieurs garçons développèrent des stratégies de survie : en devenant le chouchou du professeur, en s'arrangeant pour ne pas se faire attraper ou en gardant le dos collé au mur. Mais Black s'attaquait de front à l'autorité. Fraser avait remarqué qu'il aimait repousser les limites, créer un tollé, puis profiter de la confusion qui s'ensuivait. Il affirmait sa personnalité, et sa façon d'exprimer son mépris à l'égard du système était de se faire prendre et d'être puni.

Conrad était inventif dans ses méfaits : un jour, il avait crocheté la serrure du préfet de discipline et mêlé les dossiers de façon que les élèves devant être punis soient exonérés et qu'un camarade peu amical soit puni. Pire encore, il était entré par effraction dans le bureau central de l'école pour copier les dossiers scolaires des étudiants et voler les questions de l'examen final, qu'il avait discrètement vendues (pour 1400 $, soit 10 200 $ en dollars courants) aux élèves plus faibles. Il se fit prendre et fut expulsé du collège le 9 juin 1959. George Black intervint auprès du directeur et plaida sans succès en faveur de son fils de 14 ans, affirmant qu'il ne faisait que manifester un don précoce pour le capitalisme.

« En trois jours, Conrad passa du statut de héros à celui de paria, dit Fraser. Il n'est pas vrai [comme certains l'ont prétendu plus tard] qu'il fut brûlé en effigie devant sa maison. Mais quelques étudiants ont dû s'y présenter pour l'invectiver. Il dut être traumatisé par l'expulsion, après avoir été le héros de l'heure pendant quelques jours. Je ne savais pas qu'il y avait des examens à vendre et j'avais obtenu un sept en physique pour le prouver. »

Black demeura ami avec Fraser et le nomma rédacteur en chef du magazine *Saturday Night* à la fin des années 1980.

Fraser dit qu'au UCC, « Conrad voulait qu'ils sachent qu'il était là et qu'il protestait… Le scénario qui consiste à pousser les choses à la limite et à défier les gens est toujours actuel ».

En fait, Black était un rebelle, mais il voulait être un rebelle de l'establishment. Il ressentait déjà une nostalgie excentrique et passionnée, basée sur ses lectures intensives, envers les valeurs et les institutions qui étaient en déclin et en voie de disparition. Il avait un attachement ardent et mythique aux héros du passé, ce qui le rendait étranger à la réalité de son époque. Ces éclats publics étaient toujours spontanés, mais l'indignation qu'ils provoquaient semblait le raviver encore plus.

Plus récemment, il y a un parallèle évident à établir entre l'épisode de l'UCC et le mépris que Black a démontré envers les actionnaires de Hollinger International, ce qui entraîna sa démission et l'exposa au ridicule dans les médias. Il avait eu tort de voler les questions d'examen, mais pour lui cela était directement proportionnel à la violence et aux mauvais traitements qu'il subissait à l'école. Ils l'avaient agressé et ils devaient en subir les conséquences. Mais lui aussi en avait payé le prix avec son expulsion, l'humiliation publique et la déception causée à ses parents. Après son expulsion de l'UCC, le père de Black l'envoya au Trinity College School, où on lui donna le surnom de « China Black ». Mais le 22 mars 1960, les autorités de l'école demandèrent qu'il soit renvoyé après qu'il eut lancé à un professeur un bouchon de radiateur rempli d'encre. Il réussit à rester comme étudiant « extra-muros » et termina sa 12e année à Thornton Hall, une école spécialisée.

« Je me souviens clairement d'un jour en septembre 1960, raconte Brian Stewart, un camarade de classe à Thornton Hall. J'avais aperçu un jeune homme maigre fumant une cigarette et quelqu'un a dit que "ce gars-là avait eu des ennuis à Upper Canada par rapport à des papiers volés". J'avais entendu dire que Conrad s'y connaissait en histoire de France, ce qui m'intéressait. Rapidement, nous avons réalisé que nous avions beaucoup en commun : la Seconde Guerre mondiale, la guerre d'Algérie, la politique américaine. Je n'avais jamais rencontré quelqu'un qui avait autant de centres d'intérêt. Nous sommes vite devenus de bons amis[18]. »

Stewart, qui est devenu plus tard l'un des meilleurs journalistes au Canada, était un collègue à la mesure de Black sur le plan intellectuel. « Même à 16 ou 17 ans, le monde de Conrad était planétaire. Cela était très rare à Toronto dans les années 1950. Il s'est toujours senti emprisonné dans son âge et à Toronto et dans un monde qui était trop étroit pour lui... Conrad était un libéral et croyait fermement en FDR. Le nom de Roosevelt surgissait souvent dans nos conversations à l'époque, même dans les années 1950. Il connaissait tout à son sujet. Il croyait que Roosevelt avait sauvé les États-Unis durant la Grande Dépression. »

C'est l'admiration de Black pour Roosevelt qui enrageait tellement son père. « Je vais briser tous les disques, le menaçait-il. M'entends-tu, merde ? »

En 1960, Conrad avait préféré Kennedy à Nixon. « Il voyait Kennedy comme un changement bienvenu après le leadership peu inspirant de Eisenhower, hésitant, sans éclat ni dynamisme, dit Stewart. Il n'y avait pas de rêve aux États-Unis. Conrad considérait que Kennedy pouvait lancer aux Américains le défi dont ils avaient besoin. Et durant la crise des missiles à Cuba, Kennedy avait fait preuve d'un véritable leadership. Les jeunes se tenaient beaucoup plus au courant de l'actualité que maintenant. Conrad se situait à gauche du centre du Parti démocrate. »

Black s'intéressait naturellement aux filles. Mais il était maladroit lorsqu'il était question de rendez-vous : il avait passé des années dans des écoles privées pour garçons et ne connaissait pas grand-chose aux femmes. Selon Brian Stewart, Black avait le béguin pour Caroline Dale Harris, une séduisante beauté de Toronto, « qui avait brisé bien des cœurs » et fini par épouser un joueur de tennis professionnel français. Stewart dit qu'après l'avoir poursuivie sans succès de ses avances, Black s'était tourné vers une autre jolie fille : Lynn Sifton « de la célèbre et très riche famille Sifton, passionnée de chevaux ». Les Sifton formaient l'une des premières familles de l'establishment, issue de sir Clifford Sifton, qui avait fondé en 1899 l'empire de presse familial. Lynn Sifton fréquenta par la suite Hal Jackman, un associé d'affaires de Black dans les années 1970 et 1980 (les relations entre Jackman et Black se refroidirent dans les années 1990). À la fin de son adolescence, Black aimait bien faire des voyages occasionnels à Montréal, aux États-Unis et en Europe, où il était libéré de sa réputation et de son milieu torontois, ainsi que de la pruderie de la vie dans la « Ville Reine » au début des années 1960.

En 1959, Barbara Amiel s'inscrivit à l'Université de Toronto pour une licence en philosophie et lettres anglaises. Le journaliste Larry Zolf, qui était l'un de ses collègues, se souvient d'elle comme étant, à l'époque, « à gauche, une trotskyste brillante. Elle était ravissante, avec un nez aquilin. Elle s'était fait refaire le nez… Elle était charmante, loyale envers ses amis[19]. »

Pendant son séjour à l'Université de Toronto, Amiel avait épousé Gary Smith, dont le père, avant que les communistes ne prennent le pouvoir à Cuba, avait construit l'hôtel et le casino Riviera, en partenariat avec le mafioso notoire Meyer Lansky. Celui-ci, qui avait personnelle-ment écarté ses rivaux à coups de barre de fer, s'était construit une or-ganisation criminelle basée sur le trafic illicite d'alcool, le jeu, la fraude fiscale et la violence. Il était entouré de Bugsy Siegel, Lucky Luciano et autres tueurs. Il passa les dernières années de sa vie à tenter d'échapper aux conséquences de ses actes en s'offrant une nouvelle vie en Israël ou au Paraguay. Selon son biographe, Robert Lacey : « Meyer Lansky savait qu'il avait quelque chose à cacher. Il avait violé la loi. Il avait frayé avec des assassins et profité de la crainte que leur violence engendrait, sciemment, délibérément et pour son profit personnel[20]. » Le mariage de Gary Smith et de Barbara Amiel ne dura que neuf mois.

Pour une raison ou pour une autre, Barbara Amiel se vantera plus tard des relations familiales de son premier mari, cela lui donnant plus de notoriété. « Je ne suis jamais allée à Cuba, écrivit-elle en 1997 dans une de ses chroniques les plus étranges du *Daily Telegraph*. La famille canadienne de mon premier mari avait construit un casino à La Havane avant l'arrivée de Castro. C'était grand et luxueux, le genre d'endroit pour passer une lune de miel extravagante. J'ai vu des photos de journaux montrant ma belle-mère, une blonde extrêmement séduisante, vêtue de manteaux de fourrure et couverte de bijoux, envoyant la main comme Eva Peron. Je pouvais pratiquement sentir son parfum. Au moment de mon mariage, le Havana Riviera avait été exproprié par Castro et logeait un quelconque ministère. J'ai honte de dire qu'à cette époquelà, je ne me préoccupais guère de l'éthique du vol politique, particulièrement lorsqu'il s'agissait du vol de casinos financés en partie par le mafioso Meyer Lansky. Au début de la vingtaine, ma notion des droits de propriété et de leur relation avec la liberté était incertaine. » Barbara Amiel avait consacré le reste de sa chronique du *Daily Telegraph* aux excès communistes de Castro[21].

Pendant ses années à l'Université de Toronto, Barbara Amiel était devenue dépendante de la codéine lorsqu'elle avait découvert comment cela la soulageait instantanément d'une fatigue musculaire débilitante. La drogue devint vite pour elle un moyen d'évasion et elle avalait jusqu'à 20 pilules à la fois. « Il était mieux pour moi de ne pas porter de vernis à ongles ou de rouge à lèvres afin que la teinte bleue distinctive de l'intoxication à la phénacétine ne se voie pas rapidement. » Après la codéine, ce fut la dépendance à l'antidépresseur Elavil et, lorsqu'elle découvrit avec humiliation qu'elle était incapable de s'en passer, elle chercha de l'aide auprès de la Fondation de recherche sur l'alcoolisme et la toxicomanie de Toronto. Le traitement réussit, quoique, des années plus tard, ses dépenses outrancières aient été apparentées à une nouvelle forme de dépendance. *Le Monde* décrivit les dépenses extravagantes de Barbara Amiel comme de « la boulimie dépensière », un besoin morbide de dépenser.

Barbara Amiel eut sa première expérience réelle du communisme en 1962, lorsqu'elle assista au Festival mondial de la jeunesse, un événement de propagande soviétique visant les jeunes. « Je n'ai pas d'excuse, mais j'éprouve une certaine honte », écrira-t-elle plus tard à propos de ce séjour de trois semaines en Allemagne de l'Est, en Pologne et en URSS. L'Europe de l'Est, cette zone grise, morne et hautement polluée, n'avait rien pour lui plaire. Elle avait été troublée par le manque de liberté et de spontanéité qu'elle avait perçu chez les gens de ces pays avec lesquels elle avait tenté de parler, de même que par les jeunes communistes occidentaux qui s'accrochaient aveuglément à leur idéologie en dépit de ce qu'ils voyaient. Barbara Amiel n'oubliera jamais les jeunes Allemandes de l'Est qui s'agglutinaient autour d'elle dans le vestiaire d'une école à Dresde, cherchant désespérément à lui acheter du rouge à lèvres, de la poudre pour le visage ou tout ce qu'elle était disposée à vendre; non plus que la fois où on lui avait tapé sur l'épaule en lui murmurant «Verboten... ça ne se fait pas... pas ici», lorsqu'elle avait commencé à danser le twist sur le plancher de danse d'une école et que les étudiants s'éloignaient nerveusement d'elle; ou encore «les inévitables "nous applaudissons, vous applaudissez" (la forme socialiste d'applaudissements) sur la plateforme au terme de toute manifestation publique[22]».

Barbara Amiel est une intellectuelle romantique, dont la tendance messianique prend racine dans le judaïsme de ses parents. Elle s'est comparée, du moins implicitement, à George Orwell, Malcolm Muggeridge, Arthur Koestler et Albert Camus qui, après avoir vu le communisme de près, l'ont condamné. En outre, elle a écrit: «Je suis une juive errante. Je garde toujours ma brosse à dents à portée de la main. Mon allégeance ne va pas à une parcelle de terre ou à un affleurement de pierres particulier. Mon allégeance va aux idées et surtout à l'extraordinaire idée de la liberté individuelle. Cette idée fait toujours partie du paysage américain, que j'ai appris à aimer. Je ne désire pas partir. Mais ma valise est toujours prête. Je ne me sens liée à aucun pays ni à aucune volonté populaire plus qu'à ma propre conscience. Je partirais d'ici aussi facilement que je l'aurais fait en Allemagne lorsque les gens ont porté Hitler au pouvoir[23].» Par ces déclarations romantiques, Barbara Amiel se présente comme une femme de conscience prête à accepter la coupe amère de l'exil.

Au cours des années 1960, elle a travaillé comme recherchiste à la CBC. Patrick Watson, qui était alors l'un des journalistes canadiens les plus distingués de la télévision (et qui allait devenir président de la CBC), se souvient que «Barbara était très maigre. Elle venait à bicyclette là où nous produisions *This Hour Has Seven Days*, à l'angle de Maitland et Jarvis à Toronto. Elle était très séduisante, très mince et spectaculairement plate de poitrine[24]. »

En 1964, Barbara travaillait comme script-assistante à la CBC lorsqu'elle avorta, enceinte de cinq mois. « Le médecin portait un tablier en caoutchouc noir et la douleur était atroce, a-t-elle écrit. Plus tard, admise à l'hôpital pour hémorragie, on m'a dit que j'avais évité de ne plus être en mesure d'avoir d'enfants grâce aux doses massives d'antibiotiques que le médecin avait pris soin de prescrire. » Elle trouvait même à ce moment-là que l'avortement était immoral et allait plus tard le décrire comme un « meurtre[25] ». L'expérience avait accentué sa fragilité.

À la fin des années 1950 et au début des années 1960, dans le sillage des Marilyn Monroe et Ava Gardner, de nouvelles vedettes à la moue sensuelle, telles que Brigitte Bardot et Honor Blackman, incarnèrent l'image à la mode de la féminité. Mais ces stars au visage parfait, aux formes voluptueuses mises en valeur dans des tenues de cuir ajustées, exerçaient une énorme pression sur des millions de femmes « normales » qui recherchaient la perfection. Par ailleurs, ces déesses du sexe pouvaient spontanément faire l'amour à l'écran sans jamais courir le risque de tomber enceintes. Elles étaient des objets de fantasme. Quelques années plus tard, Barbara se fit remarquer dans la haute société par ses allures de beauté fatale, avec son petit nez retroussé et ses robes Chanel aux décolletés plongeants. Elle avait construit pour les autres ce personnage plein d'assurance, mais à l'intérieur d'elle-même, elle demeurait toujours cette femme intense, peu sûre d'elle-même, encline aux accès de rage et à l'autodérision pour attirer l'attention.

En septembre 1962, Black s'inscrivit à l'Université Carleton d'Ottawa, où il passa le plus clair de son temps à faire la fête, tel un jeune prince Hal. Il trouvait aussi le temps de jouer aux cartes avec les sénateurs et députés, se tenant au fait des cancans politiques de la capitale. Le Canada avait alors un premier ministre progressiste-conservateur, un politicien de l'Ouest éloquent et quelque peu paranoïaque, John Diefenbaker.

« M. Diefenbaker était un homme intéressant sur le plan personnel, a déjà dit Black. Plusieurs de ses discours comme premier ministre étaient intéressants et bien tournés. Ceux qui s'en moquent comme d'un personnage ridicule sont, je crois, injustes. Mais je ne crois pas qu'il ait laissé d'héritage en tant que premier ministre. »

Selon Black, Diefenbaker a contribué de façon importante à l'avancement des droits de la personne en « levant les derniers obstacles qui nuisaient à… je crois qu'il les appelait les "Canadiens à trait d'union"… qui n'étaient ni d'origine britannique ni d'origine française. En outre, c'était une personnalité, un personnage coloré au Parlement… durant 40 ans. Il n'était pas vraiment un chef de gouvernement sérieux et bien sûr, sa large majorité de 1958 s'est désintégrée en un seul mandat et il ne fut pas un premier ministre efficace ».

Malgré son intérêt pour la politique, Black ne s'appliquait pas à ses études à l'automne 1962. Selon sa professeure d'histoire Naomi Griffiths : « Je donnais les cours de première année à Carleton et lorsque les étudiants échouaient à Noël, je leur écrivais une lettre. J'ai envoyé une de ces lettres à Conrad, lui disant qu'il avait le choix : se retirer et récupérer son argent ou venir me voir pour discuter de ce qu'on pourrait faire. Le cours, intitulé "Des singes aux atomes et des atomes aux singes", couvrait l'histoire entière de la civilisation occidentale. Il s'en est sorti : il avait 18 ans, il était maigre comme un clou et désespérément malheureux… parce qu'il avait quitté Upper Canada College dans des circonstances troublantes. Il était venu à Ottawa déterminé à affirmer sa personnalité et il avait passé trois mois à essayer de connaître des gens[26]. »

Pendant que Black était à Carleton, le lauréat du prix Nobel et ancien président de l'Assemblée générale des Nations Unies, Lester Pearson, revint au pays pour prendre la direction du Parti libéral fédéral et défaire Diefenbaker en 1963. Pearson avait maintenu le statut du Canada en tant que conciliateur durant la guerre froide entre les États-Unis et l'Union soviétique. Peut-être en raison de son humilité et de ses manières autocritiques, Pearson a parfois été catalogué comme un idéaliste alors qu'en fait, il fut sans doute le représentant le plus remarquable de la tradition internationaliste canadienne. Il fut également un fervent défenseur du multilatéralisme en plus d'être, à l'occasion, critique à l'endroit des États-Unis. En 1970, Pearson m'avait dit que les Nations Unies « avaient fait certaines choses très importantes en matière de sécurité, parce qu'elles ont, je crois, à une ou deux occasions, empêché que de petites guerres ne dégénèrent en grandes guerres. Et qui sait ? En étant là et en intervenant, cette organisation a peut-être sauvé le monde d'une guerre mondiale[27] ».

Black se sentait à l'étroit au Canada et il était impatient d'explorer le vaste monde. Au cours d'un de leurs voyages en Europe, Brian Stewart avait noté à quel point Black était « fasciné » par les journaux : la sensation, la texture, les titres, l'espace publicitaire. Et au-dessus des journaux, contrôlant les leviers du pouvoir, il y avait un baron de presse plus grand que nature. Voyageant en Espagne au début des années 1960, Black avait dévoré la biographie de William Randolph Hearst. Stewart avait alors constaté la fascination de Black pour Hearst, le modèle du chef-d'œuvre d'Orson Welles, *Citizen Kane*. « Il parlait constamment de Hearst et le citait sans cesse », dit Stewart. Hearst avait tourné le dos aux intérêts miniers de son père pour prendre le contrôle d'un modeste journal de San Francisco, à partir duquel il allait bâtir un groupe de presse national, le plus puissant de son époque. Hearst a redéfini les journaux au début du XXe siècle et les a utilisés de façon méthodique, machiavélique, pour satisfaire son avidité, son ambition et sa fureur. Narcissique et malveillant, magnat de la presse et requin de la finance, il écrasait les gens qui osaient lui barrer la route. C'était un aristocrate américain avec un ranch californien aussi vaste que le Rhode Island. Mais l'empire de presse qu'il avait construit s'est écroulé de son vivant.

Curieusement, Black s'est quelquefois comparé directement au personnage de Citizen Kane et, donc, indirectement à Hearst. Était-il à la recherche d'une fiction grandiose, d'une figure mythique qu'il aurait pu utiliser pour définir la personnalité instable qui était la sienne ? Il voulait construire une image qui lui appartiendrait en propre.

L'intérêt de Black et de Stewart pour la politique commença à rapporter des dividendes en 1964, à la suite d'une rencontre fortuite dans un restaurant chinois d'Ottawa entre Black et Peter White, un brillant Québécois, bilingue, qui travaillait pour le ministre libéral Maurice Sauvé. White était originaire de Montréal et avait un vaste réseau de contacts au Québec. Plusieurs de ses contemporains de langue anglaise regardaient avec dédain le Québec français, le considérant comme un trou perdu.

White parlait un français impeccable. Son apparence de hibou savant (due principalement à l'épaisse monture de ses lunettes) était trompeuse : il était avant tout un animal politique. White et Black devinrent de bons amis et le jeune adjoint ministériel invita Black et Stewart à se joindre à un groupe interparlementaire pour assister au congrès du Parti démocrate à Atlantic City. Depuis l'assassinat de John F. Kennedy en novembre 1963, un Texan fort en gueule, Lyndon Johnson, était président des États-Unis et avait accepté la nomination de son parti pour affronter le candidat républicain Barry Goldwater.

« Nous étions des passionnés de l'actualité américaine, à l'époque de Bobby Kennedy et des premières émeutes raciales à Philadelphie, se rappelle Stewart. Martin Luther King avait obtenu le prix Nobel de la paix, plus tard cette année-là. Nous étions fascinés par la "grande société", par la vision de Lyndon B. Johnson. Conrad était un partisan passionné du Parti démocrate : réforme de l'aide sociale, refinancement des municipalités, encouragement de la réussite scolaire. La période allant de Kennedy aux premières années de Johnson, juste avant le Vietnam, était remplie d'espoir. »

La campagne électorale de 1964 fut le point culminant d'un changement dans la politique américaine, aussi prodigieux que les causeries au coin du feu de FDR. La politique était devenue un théâtre qui se jouait désormais à la télévision. C'était une campagne de journalistes. « Les politiciens sont toujours allés là où les foules se rassemblent, écrit David Halberstam. Et en 1963, les foules se réunissaient tous les soirs dans leur propre salon. D'une certaine façon, le changement ne fut pas si évident, ni pour les politiciens ni pour le public, parce que l'élection de 1964 l'avait occulté ; ce fut une campagne sans subtilité, sans intimité. Il était tellement clair que Johnson allait avaler Goldwater tout rond. Mais ce qui était évident pour les journalistes de la presse écrite, en 1964, c'est que l'organisation de l'horaire avait changé. Les campagnes étaient menées de façon différente maintenant : il n'était plus question des heures de tombée des grands journaux de la côte Est, mais plutôt de l'heure des bulletins de nouvelles à la télévision. Il fallait dorénavant être télégénique[28]. »

Black adorait la bannière étoilée, les banderoles, les foules, les insignes des partis, la grandeur de tout cela, la sensation qu'il s'agissait de quelque chose de vraiment important : un grand parti politique au sein de la plus grande nation sur Terre choisissant sa destinée.

Johnson avait prononcé l'un des pires discours de sa campagne, mais cela importait peu. « En tant que président des États-Unis et de commandant en chef des forces armées, avait-il dit, je m'adresse à vous ce soir pour vous parler de la force de votre pays et je vous dis qu'elle est plus grande que celle de n'importe quel adversaire. Je vous assure qu'elle est plus grande que la force combinée de toutes les nations, de toutes les guerres, de toute l'histoire de cette planète. Et je vous affirme que notre supériorité ne cesse de croître. »

Il n'y avait eu aucune mention du Vietnam et LBJ enflamma l'assistance. Robert Kennedy avait obtenu une ovation de 22 minutes. Après la tragédie de l'assassinat de son frère à Dallas, moins d'une année plus tôt, cela ressemblait pour plusieurs à un nouveau départ. Mais Black et Stewart vécurent aussi l'horreur du désespoir racial lorsque, au cours du même voyage, ils se rendirent à Philadelphie et furent témoins d'une émeute. « Plusieurs pâtés de maisons furent incendiés, écrivit plus tard Black. D'autres furent saccagés ; des centaines de personnes furent blessées ; des groupes de Noirs en colère rôdaient dans les rues. Une brique apparemment lancée du haut d'un immeuble manqua de peu notre pare-brise. Il n'était pas nécessaire d'être devin pour prédire que la violence dans les quartiers noirs des villes américaines irait en s'aggravant[29]. »

La contradiction était apparente pour Black. D'un côté, un grand personnage puissant prêt à transformer la société et, de l'autre, des masses incontrôlables qui méprisaient cette grandeur et rejetaient les rêves exaltés d'un leader qu'elles jugeaient illégitime. Cette contradiction, il la percevra encore au cours du débat passionné sur le nationalisme québécois à la fin des années 1960 et elle l'amènera finalement à s'éloigner de la gauche pour se situer dans ce qu'il appellera le « conservatisme intégral ».

Au printemps de 1965, Peter White et Conrad Black partagèrent un appartement durant trois mois à Ottawa. « Conrad était un noctambule, se souvient White. Alors que je travaillais le jour, je devais me coucher pour me lever et arriver au bureau à 9 h, mais Conrad n'avait pas ce genre d'obligations. Il allait boire avec ses copains de Carleton et revenait à 3 ou 4 h du matin, puis restait debout jusqu'à 5 ou 6 h, avant de se coucher pour dormir une bonne partie de la journée. Son père George avait un rythme de vie similaire à Park Lane Circle. George était alors à la retraite et veillait toute la nuit, buvant du scotch ou autre chose, regardant la télévision jusqu'à la fin des émissions de toutes les stations, espérant, avec un peu de chance, tomber sur un film de Groucho Marx avant la fermeture de la dernière station. Il téléphonait ensuite à Conrad. Je ne dirais pas qu'il était ivre, mais il avait consommé un certain nombre de verres et il voulait avoir une longue conversation avec son jeune fils de 19 ans. Conrad savait que cela allait se produire toutes les nuits. Il avait le choix entre aller se coucher pour être réveillé par son père à 3 ou 4 h du matin et attendre son appel. Dans un état semi-comateux, j'entendais toujours les commentaires de Conrad lors de ses appels. Les deux avaient une relation très étroite et ils discutaient des événements du monde entier, de tout ce qui s'était passé la veille. De toute évidence, George était très fier de Conrad et Conrad essayait de combler les attentes de son père, qui avaient été probablement sérieusement déçues par ses performances scolaires. »

Après avoir terminé ses études à Carleton en 1965, Black s'inscrivit à la Osgoode Hall Law School, mais décrocha. White se souvient que son ami « s'était planté à sa première année de droit et je pense qu'il n'avait pas apprécié la façon dont il avait été traité par Osgoode Hall, de sorte qu'il n'était pas enclin à y retourner à genoux pour demander d'y être réadmis. Et il m'a dit un jour qu'il en avait assez de ce pays, qu'il ne pouvait plus supporter les hivers canadiens, qui étaient trop froids et désagréables, que Osgoode Hall avait osé le recaler et qu'il partirait pour aller à l'Université Tulane à La Nouvelle-Orléans, la ville la plus au sud des États-Unis, où au moins il faisait chaud et où il ferait ce qu'il voudrait. Je lui avais dit : "Ne fais pas le con, il ne faut pas partir en peur seulement parce que tu as coulé ton année." J'avais précédemment coulé une année à McGill et je savais quel genre de réaction cela suscitait et je lui ai dit : "Pourquoi tu n'interrompais pas tes études pendant un an ?" »

En 1966, Conrad Black suivit les conseils de White. Se remémorant ses années de jeunesse, il se rendit compte qu'il était tenu en échec par ses propres actions. « Je tournais en rond comme un dilettante, me ravivant par procuration grâce à la lecture de la vie des grands hommes », écrivit-il plus tard. Il accepta l'invitation de White de s'installer à la maison de campagne des White à Knowlton, dans les Cantons-de-l'Est. Ce voyage représenta le nouveau départ dont Black avait tant besoin. Au Québec, il restera un rebelle romantique et un intellectuel morose, mais finalement il allait trouver sa voie.

The Canadian Press/The Globe and Mail/Tibor Kolley

CHAPITRE 4

Le rédempteur des géants déchus

Sur la rive nord du lac Brome, à une heure de route à l'est de Montréal, derrière une clôture de pieux blancs, se cache un refuge discret : un chalet en bardeaux de bois bleu pâle, ombragé par des pins et des érables luxuriants, une étable et un enclos où l'on peut quelquefois apercevoir un fringant pur-sang alezan et, au bord de l'eau, un hangar à bateau transformé en logis. Pendant l'été, le lac Brome ressemble le plus souvent à un saphir étincelant niché dans la forêt verdoyante et parfumée des Cantons-de-l'Est. Entraînées par une brise légère venant du mont Sutton, plus au sud, ses vagues chargées d'écume, à la crête dorée, s'échouent sur la berge.

Mais le Québec est le théâtre de changements de saisons spectaculaires et, quand l'été s'achève, de violentes tempêtes automnales dépouillent les arbres de leurs feuilles écarlates et remuent le fond boueux du lac, envoyant des lames furieuses rouler jusqu'à la rive. Et en hiver, tel un géant à l'agonie, le lac hurle et gémit en se recouvrant peu à peu d'une épaisse couche de glace, qui retiendra les eaux prisonnières bien après l'arrivée du printemps.

Cette propriété avait appartenu à Jonathan Robinson, député à l'Assemblée législative du Québec et ministre des Mines dans le gouvernement du premier ministre Maurice Duplessis. La réalisation politique la plus importante de Robinson fut sans aucun doute l'ouverture des territoires du Nord québécois à l'exploitation minière, dégageant ainsi l'accès à un riche filon pour Hollinger Mines, l'entreprise à l'origine de l'empire médiatique de Conrad Black. Robinson mourut subitement en octobre 1948 et tous les membres du cabinet provincial se rendirent à ses funérailles, amerrissant en hydravion sur le lac Brome. Peu après, la famille White fit l'acquisition de la propriété.

C'est à partir de cette nouvelle base d'opération que Peter White, en 1961, entreprit la transformation d'un journal local destiné aux propriétaires de résidences d'été – le *Eastern Townships Advertiser* – en un hebdomadaire prospère. La publication s'appellera ultérieurement le *Knowlton Advertiser*. La propriété – en association avec White – de cette publication et d'un second journal, *L'Avenir de Brome-Missisquoi*, fut la première aventure de Conrad Black dans le domaine de la presse écrite. « Le coût du placement était minime, écrit Black, se résumant à un solde de vente déterminé par le bénéfice à venir, soit moins de 500 $. Peter et moi ne nous sommes jamais tout à fait entendus sur ce montant, mais je réglai l'affaire en m'appropriant un tapis de la cabane qu'il me louait[1]. »

Décrivant la fusion de Hollinger et de Sterling Newspapers, en 1986, Black prétend que « nous avons démarré il y a près de 20 ans, avec 18 000 $ provenant du *Knowlton Advertiser* (entreprise dans laquelle j'avais acquis une participation de 50 % en 1967, pour 500 $ moins un tapis bon marché, mon seul et unique investissement dans Sterling ou Hollinger). » Heward Grafftey, qui était député progressiste-conservateur de Brome à l'époque, fréquentait assidûment le jeune Black et affirme que « sa tentative de se présenter en une espèce d'Horatio Alger dont l'ascension aurait fait suite à de maigres débuts à l'hebdomadaire *Knowlton Advertiser*, qu'il avait lancé avec le concours de Peter White, ne cadrait pas avec la réalité. Au début de la vingtaine, Black arrivait chez nous au volant d'une Cadillac noire. Il était manifestement très bien nanti et hérita peu après de plusieurs millions, au décès de son père, George Black. » Et Ron Riley, le cousin de Black, affirme que l'idée selon laquelle « il débuta en affaires avec un investissement de 500 $ est un peu exagérée. En fait, il avait au départ une participation minoritaire de 20 % dans Argus Corp.[2]. » S'il est vrai qu'il détenait 20 % des actions, ce fut seulement à partir du décès de son père, en 1976.

Quoi qu'il en soit, au fil des multiples versions de l'histoire, cet investissement initial de 500 $ finit par se ramener à un simple billet de 1 $. En janvier 2002, lorsque Montegu, le frère de Black, mourut d'un cancer du foie, l'avis de décès, paru dans le *Daily Telegraph*, prétendait que «Conrad Black avait payé son ami Peter White 1 $ pour obtenir la moitié des intérêts d'un hebdomadaire du Québec rural en décrépitude, le *Knowlton Advertiser*. Conrad en assura la gestion, rédigeant lui-même la plupart des articles, recueillant les paiements de publicité et livrant lui-même un grand nombre de copies.»

Conrad Black vécut au Québec de 1966 à 1974. Ces huit années furent déterminantes, sans doute les plus importantes de sa vie, car c'est au Québec qu'il affirma et, peut-être même, réinventa sa personnalité.

Il devint homme de lettres, historien, rédacteur en chef et éditeur de journaux, en même temps qu'un virtuose du réseautage politique et un conservateur passionné et irréductible. Il survécut de justesse à un accident de voiture, événement qui le confirma dans sa conviction qu'il avait une destinée à accomplir. C'est également au Québec que Black s'engagea sur «le chemin de Rome» pour finalement se convertir au catholicisme en 1986. Il obtint un diplôme en droit de l'Université Laval, à Québec, en 1970, et compléta une maîtrise en histoire à l'Université McGill, à Montréal, en 1973. Black aimait bien l'idée de la *bonne entente* visant à rapprocher les Canadiens anglais et français ; aussi s'appliqua-t-il à acquérir la maîtrise du français. Pour lui, le Québec était une société étrangère et son insatiable curiosité fut bientôt éveillée par les codes tacites des Canadiens français, leurs espoirs et leurs peines, leurs vertus et leurs zones d'ombre. Il excellait à faire rire les jolies francophones et même les Montréalaises anglophones semblaient ignorer ou prêter peu d'intérêt à ses liens avec l'establishment torontois. Jean Riley, l'épouse de Jeremy Riley, le cousin de Black, pense que Conrad, pour la première fois de sa vie, avait le sentiment d'être libre.

«J'avais lu assidûment les journaux du Québec durant mon séjour à Ottawa, écrivit Black plus tard. La politique québécoise et la qualité du personnel politique québécois étaient supérieures à celles du reste du pays. J'étais rentré d'Europe avec l'idée de me relancer et je découvris que mon ancien colocataire, Peter White, était maintenant l'adjoint du premier ministre Daniel Johnson. Je l'appelai pour lui dire que si je devais vivre au Canada, mon choix se fixerait sur le Québec. Il n'était pas trop tôt pour faire appel à l'inclination légendaire de l'Union nationale pour le patronage. Le Québec était la seule région du Canada qui semblait engagée dans une mission ou, en tout cas, un but. À l'époque de Lesage et de Johnson, avant que le nationalisme ne tourne au séparatisme, il le poursuivait avec panache[3]. »

White offrit donc à Black sa première occasion d'affaires. Si le *Eastern Townships Advertiser* n'était pas un journal d'envergure, c'était tout de même un journal: il offrait à Black la tribune parfaite pour exprimer ses idées. White était branché sur l'establishment de l'Union nationale. En 1961, dans l'un de ses premiers éditoriaux, intitulé « French spoken here[4] », White avait écrit: « *Nos hommages aux Canadiens français, à l'occasion de leur fête nationale[5]*. Autrement dit, nous croyons que le "vrai Canadien" sera le Canadien qui perçoit les avantages d'un pays constitué de deux nations, tel le Canada; le Canadien qui est fier d'avoir à apprendre deux langues, plutôt que de s'en excuser. Lorsque cette fierté d'être différent deviendra une force authentique, nous n'aurons plus à nous poser de questions auxquelles nous ne pourrons jamais répondre. » Cette ouverture juvénile à l'égard de la dualité linguistique du Canada était un trait typique du journal.

Quand il arriva à Knowlton en 1966, Black était déterminé à ne se fier qu'à lui-même et à assurer sa subsistance. La transition entre le statut de fils à papa et celui de jeune homme autonome, se passant du confort élémentaire, fut difficile. Son premier chez-lui, hors de la maison familiale, fut ce modeste hangar à bateau sur la propriété des White, au bord du lac Brome.

« J'essayais de me convaincre de la salubrité de l'hiver canadien qui entrait en rafales dans ma petite cabane », dit Black. Son camarade de collège, Brian Stewart, lui rendait souvent visite. « Conrad vivait dans un minuscule chalet d'une seule pièce et son budget était d'environ 50 $ par semaine. Il me disait qu'il voulait vivre de l'argent qu'il gagnait en travaillant pour l'*Advertiser*. Il se nourrissait de conserves, dévorait des livres jusqu'à 3, 4 ou 5 h du matin, oubliant souvent de déjeuner ou de dîner. »

White se souvient que Black « avait trouvé une pioche quelque part sur la propriété et sortait chaque matin pour briser la glace qui s'était formée devant son petit chalet. Un peu comme le roi Canute, il s'imaginait pouvoir empêcher le lac de geler. Il apprit beaucoup. Il n'avait pas beaucoup de sens pratique. Il avait grandi entouré de serviteurs. À son arrivée, il ne savait même pas se servir d'un ouvre-boîte. Il a fallu que nous lui fassions une démonstration et il dut également apprendre qu'il est impossible d'accomplir quoi que ce soit à moins de respecter un horaire régulier et de poursuivre ses activités avec assiduité, ce qui n'était pas du tout dans ses habitudes. »

Black essayait d'affirmer sa personnalité et d'intégrer ses expériences et ses impulsions à un système cohérent de valeurs. À la recherche de modèles, il lisait avidement. Il dévorait les livres de Joseph Conrad, dont *Jeunesse*, le récit tragique d'un drame en haute mer, à la fin du xixe siècle; puis *La folie Almayer*, l'histoire d'un marchand hollandais maudissant son rival musulman plus prospère, installé de l'autre côté du détroit de Malacca (Black y voyait un parallèle entre lui et John Bassett, riche propriétaire de la *Gazette* de Montréal, qui habitait sur l'autre rive du lac Brome). Il lisait aussi les deux volumes de la biographie de Lord Strathcona and Mount Royal, publiés en 1915, récit romantique et fort peu critique de la vie du marchand de fourrures écossais et requin de la finance.

Le lac Brome fournissait à Black un décor qui correspondait à la riche imagerie de ses lectures. Il pouvait imaginer les grands voiliers évoqués par Joseph Conrad flottant silencieusement sur la surface lumineuse et brillante, ou, en hiver, le traîneau à chiens de Lord Strathcona lancé à toute vitesse sur l'aveuglante surface glacée. Le penchant de Black pour l'allégorie agissait aussi à un niveau personnel.

Selon Stewart, « Strathcona avait subi de longs et mornes hivers solitaires et Conrad s'identifiait à cette solitude. Il était attiré par la personnalité des êtres en situation d'isolement. Depuis l'achat du *Knowlton Advertiser*, il n'a jamais cessé de vivre au cœur de la controverse. Il se voyait comme un guerrier solitaire. » La carrière de Strathcona présente des points communs avec celle de Black. L'Écossais avait vécu dans un poste de traite du Labrador bloqué par la neige, était devenu l'un des parlementaires les plus en vue au Canada et un magnat de l'industrie des chemins de fer, avait levé un régiment lors de la guerre des Boers, avant de servir en tant que haut-commissaire du Canada à Londres. « Cet homme avait passé 30 ans à la baie d'Hudson, dit Black. C'était un homme incroyablement tenace qui vécut jusqu'à l'âge de

95 ans et fut, à sa manière, l'un des fondateurs du chemin de fer du Canadien Pacifique. Il est certainement l'un des grands personnages de l'histoire canadienne. »

Son travail au journal amena bientôt Black à bien comprendre la politique locale. Comme le souligne Stewart, « il connaissait tous les conseillers municipaux de Knowlton, absorbait toutes les nouvelles locales. Il avait une mémoire phénoménale. Il la devait à son père qui l'avait fait jouer à des jeux intellectuels, comme les échecs ou la mémorisation de noms et de dates. » Black se lia d'amitié avec le fils de feu Jonathan Robinson, également nommé Jonathan – un prêtre catholique collet monté, secrétaire du cardinal Paul-Émile Léger, archevêque de Montréal – et Heward Grafftey, le député conservateur local, auquel il accorda son appui pour un temps.

Le journal publiait des réclames de Clairol, qui possédait une usine dans le voisinage, des articles sur le patrimoine loyaliste de la région (après avoir fui la révolution américaine, les loyalistes avaient fondé les Cantons-de-l'Est au XVIIIe siècle) ainsi que des articles sur la pollution de l'eau et la nécessité d'examiner des projets de station de ski et de centres touristiques dans la région. Le journal rapportait également que des ours noirs avaient été aperçus dans les environs. Black, qui se considérait comme un citoyen du monde, devait vraisemblablement être frustré d'avoir à écrire des éditoriaux consacrés à l'administration de la décharge publique de Knowlton ou à vanter les mérites de « l'imagination et de l'altruisme » manifestés par le Club Lions de Knowlton.

Même si son frère Monte travaillait à plein temps comme analyste pour une firme de courtage de Montréal, il était titulaire de la rubrique financière de l'*Advertiser* et écrivait pour le journal des articles et des essais sur les affaires. Chez lui, en Ontario, l'indocile Black s'était complu dans une certaine débauche convenant à sa réputation de rebelle incompris. Mais à Knowlton, il opta pour une vie plus disciplinée et sut en tirer parti. Au début de l'année 1967, il fréquenta, pendant un certain temps, Wilda Lossing, une jeune Montréalaise pleine de vie qui travaillait à la bibliothèque Redpath de l'Université McGill. Plus tard, elle sortit avec Brian Stewart, l'ami de Conrad (et connut une fin tragique, il y a quelques années).

Les années québécoises de Black coïncidèrent avec un tournant de l'histoire canadienne. Au cours des années 1960, pendant que ce qui avait jadis constitué l'oligarchique élite commerciale anglo-écossaise sombrait dans l'inertie, les Québécois francophones se débarrassaient de leur statut de minorité servile. Des sociétés d'État, telles qu'Hydro-Québec, et une nouvelle bourgeoisie politique et financière franco-phone sûre de ses moyens se hissèrent à des postes de commande. L'Exposition universelle de 1967 – un événement magique et magnifi-quement bien organisé – se tint à Montréal en commémoration du centenaire du Canada comme Confédération affranchie de l'autorité coloniale britannique. Essentiellement, Expo 67 fut une célébration de la maturité des Canadiens français : ils épatèrent le monde avec leur exubérance, leur talent et leur savoir-faire. En six mois seulement, Montréal attira plus de 50 millions de visiteurs, plus que l'exposition universelle de New York qui, au début de la décennie, avait pourtant duré deux ans. Black essaya bien de sortir avec les jolies hôtesses fran-cophones qui peuplaient le site spectaculaire de l'exposition, au milieu du fleuve, mais généralement sans succès.

Pendant cette période de contestation populaire et de rivali-tés ethniques, Montréal vivait une situation politique angoissante. Depuis 1963, plusieurs attentats terroristes et des vols de banque commis à des fins politiques avaient mis un frein à sa sérénité.

En politique, deux voies s'ouvraient aux Québécois francophones. L'une menait à Ottawa, où le lieutenant québécois du premier ministre Pearson, Pierre Trudeau, et certains autres jeunes politiciens progres-sistes québécois faisaient campagne pour l'établissement d'un bilin-guisme officiel au sein des institutions gouvernementales et pour l'avènement d'un État providence, tout en ne ratant pas une occasion de flanquer une raclée au nationalisme québécois. L'autre voie menait à Québec, où une succession de premiers ministres nationalistes, tels que Jean Lesage du Parti libéral du Québec, Daniel Johnson de l'Union nationale et, plus tard, Robert Bourassa du Parti libéral du Québec, et René Lévesque, du Parti québécois se faisaient les défenseurs d'une nation française, îlot noyé dans un océan nord-américain anglophone. Les Québécois explorèrent prudemment ces deux options, sans jamais réellement s'engager ni dans une voie ni dans l'autre et sans jamais (tout à fait) opter pour l'indépendance du Québec.

Entre 1960 et 1990, leur ambivalence à fleur de peau eut un effet inattendu : elle leur conféra un pouvoir politique disproportionné, la question du Québec monopolisant régulièrement la scène politique canadienne.

« L'agitation politique du Québec dans les années 1960 incita Conrad à développer une mentalité permanente de garnison, affirme Brian Stewart. Il croyait passionnément en l'Amérique de Roosevelt et de Johnson. Puis, au même moment, il fut témoin de l'animosité tumultueuse du Québec et de son dénigrement du Canada anglais. Il se forgea alors sa propre opinion sur les risques liés au désordre social et à la gauche libérale. Il devint un conservateur extrêmement émotif. Il voyait les manifestations, les protestations antiaméricaines, la consommation de marijuana et les jurons et il ne voulait pas être associé à cela. »

En 1964, Stewart et Black assistèrent aux émeutes raciales de Philadelphie et en furent consternés. Mais cet incident n'avait pas remis en cause l'attachement de Black aux valeurs libérales. En juillet 1967, lors de la visite à Montréal du président français Charles de Gaulle, Black fut à nouveau le témoin de l'indiscipline des masses. Il était dans le square en face de l'hôtel de ville, pendant qu'une foule tapageuse de nationalistes québécois acclamait le premier ministre Johnson et le président en visite. De Gaulle s'approcha alors du microphone, tendit les bras vers la foule comme s'il pouvait la toucher et – avec une dignité souveraine et un sanglot étouffé dans la voix – cria : « Vive Montréal… vive le Québec… vive le Québec libre ! » Ce fut un moment déterminant de l'histoire politique du Québec, qui accorda de la crédibilité à la lutte pour la libération nationale et renforça la détermination des Québécois francophones de ne plus jamais être traités comme des citoyens de deuxième classe. (Le discours du président fit également éclater l'indignation de nombreux Canadiens – anglophones et francophones – dont les pères, frères, fils et maris avaient versé leur sang sur le sol français, au cours de deux guerres mondiales.)

Le 28 juillet 1967 – en dépit du discours provocateur que de Gaulle avait prononcé à Montréal –, Black rédigea un éditorial exprimant son inébranlable admiration pour le président. Fidèle à lui-même, il réussit à idéaliser le rôle historique joué par de Gaulle, tout en accablant de mépris les nationalistes québécois qui l'avaient acclamé.

Black dépeignit de Gaulle comme un héros de guerre solitaire, un homme d'une foi indomptable, qui avait incarné l'âme de sa nation et planifié son retour triomphal. Puis il passa alors à l'attaque. « Voulant servir ce qu'il percevait comme les intérêts supérieurs de la France, il s'est souvent abaissé à user de sordides expédients, comme il en a encore fait la preuve récemment, écrivit-il. Apparemment, il croit que le Canada français gravitera autour de l'Europe et que le Canada anglais s'intégrera uniquement dans l'orbite des États-Unis ; et qu'en conséquence le Canada est une sorte d'anomalie qui devrait être traitée avec une indifférence bienveillante, alors que le nationalisme québécois doit être ouvertement encouragé. Donc, sa performance à l'hôtel de ville de Montréal, devant une populace miteuse de séparatistes gueulards [...] était, à coup sûr, une des impolitesses les plus monstrueuses dans l'histoire de la diplomatie.

« Les objectifs du président de Gaulle à l'égard du démembrement du Canada – qu'il avait poursuivis malgré le fait qu'il était ici à l'occasion d'une visite d'État commémorant le centenaire de la Confédération – accommodèrent le désir évident du premier ministre Johnson de rappeler aux Canadiens anglais que la crise constitutionnelle poursuivait son cours. La remarquable réprimande formulée par [le premier ministre] Pearson démontra non seulement que le général pouvait commettre des impairs, mais aussi que le Canada avait été le théâtre et la cible d'une bévue particulièrement grossière, au cours de cette année remplie de surprises. »

Le soir suivant la publication de cet éditorial, Brian Stewart dit à Conrad Black que la moitié des pays du monde, y compris les États-Unis et la Grande-Bretagne, enviait au Canada sa capacité de mettre de Gaulle dans l'embarras. Quant à Black, il sentit qu'il s'agissait d'un tournant dans sa vie. « Il me vint enfin à l'esprit que je m'étais rebellé plutôt bêtement et sans discernement et que je m'étais comporté comme un révolutionnaire de salon, une créature politique qui me répugnait de plus en plus, à mesure que se poursuivait la guerre du Vietnam. Je compris qu'il y avait des occupations plus nobles et plus utiles que d'invoquer de grands noms comme celui de de Gaulle pour lutter contre la fausse discipline de l'establishment canadien, qui n'était, après tout, pas si intimidant ni sinistre, et auquel, pour des raisons tactiques du moins, il valait mieux se joindre que de lui résister[6]. »

Donc, qu'allait faire Black? «En fait, il n'avait pas encore pris de décision, se rappelle Peter White. Il pensait qu'il devrait peut-être poursuivre l'étude du droit. S'il était rentré à Osgoode Hall, il aurait dû le faire avec la queue entre les pattes et n'y était pas disposé. Il caressait le projet d'aller aux États-Unis ou ailleurs. Je lui dis donc: "Voici ce que tu dois faire: tu vis au Québec depuis un an, tu as beaucoup appris sur cette province, tu t'intéresses à la politique locale: pourquoi ne vas-tu pas à Laval pour y obtenir un diplôme de droit?" Il répondit: "Parfait, voilà ce que je vais faire." »

La date limite pour le dépôt des demandes était passée, mais White usa de son influence sur Louis Marceau, le doyen. «Je lui dis: "Louis, il y a un jeune homme très brillant qui désirerait s'inscrire, et je vous recommande de l'accepter. Même si c'est une candidature tardive, êtes-vous en mesure de faire une exception?" C'est ainsi qu'il fut accepté. »

Le 15 septembre 1967, le nom de Black apparut pour la dernière fois dans le *Eastern Townships Advertiser* en tant qu'éditeur et rédacteur en chef et il se retrouva bientôt à Québec, perfectionnant son français, étudiant le droit et sortant, le soir, avec ses camarades d'études Jonathan Birks et Daniel Colson, avec qui il se lia d'amitié pour la vie.

Selon Jonathan Birks – héritier d'une fortune liée à une chaîne de bijouteries –, l'appartement de Conrad «était bourré de journaux empilés. Sur le mur, une photographie en noir et blanc de de Gaulle était suspendue. À le regarder, on remarquait qu'il était totalement absorbé par sa lecture. On aurait pu faire tirer des canons qu'il ne les aurait pas entendus. Nous mangions à un casse-croûte près de mon appartement, rue Mayrand, où notre repas préféré était constitué de laits frappés au chocolat et de sandwiches au bacon et aux œufs. Il portait parfois un pyjama jaune vif et des pantoufles rouges et, un jour, il m'ouvrit la porte en tenant une tasse de café à la main. Il m'expliqua qu'il prenait d'abord des céréales dans cette tasse, laissant toujours un fond de lait pour son café par la suite [...] Si mon téléphone sonnait après 23 h, c'était Conrad. Quand il préparait un examen, il pouvait travailler toute la nuit sans s'arrêter[7]. »

Colson se rappelle qu'à Laval, Black était un étudiant brillant doté d'un sens de l'humour malicieux qui animait fêtes et beuveries et qui adorait croiser le fer avec les nationalistes québécois. « Je vivais, comme la plupart des étudiants, dans les vieux quartiers de Québec, dans des logements pouvant être qualifiés d'historiques. Conrad habitait plus près de l'université, dans un très confortable appartement au dernier étage d'un immeuble moderne, avec vue sur le fleuve Saint-Laurent. Il était, je crois, la seule personne de l'école de droit qui se promenait en ville au volant d'une Cadillac, alors que tous les autres étudiants conduisaient des bagnoles vieilles de 10 ans ou faisaient du pouce pour se rendre en classe. » (Black soutient qu'il circulait en Buick.) Dans le cadre d'un de leurs cours, Colson et Black collaborèrent à la rédaction d'un travail sur l'efficacité des versements de péréquation aux États-Unis et au Canada. Les recherches de Conrad étaient tellement fouillées et bien documentées que le professeur, pensant qu'il s'agissait de plagiat, les avait convoqués à son bureau.

« Il ne savait pas à qui il avait affaire jusqu'à ce qu'il ait la chance de s'asseoir en compagnie de Conrad et de se laisser facilement impressionner par ses connaissances encyclopédiques sur le système gouvernemental et politique aux États-Unis, relate Colson. L'incident fut clos et ce travail nous mérita plutôt une bonne note[8]. »

Plus tard, Colson se joignit au prestigieux cabinet d'avocats Stikeman Elliott. Dès 1990, il consacra la majeure partie de son temps à des négociations pour le compte de Black, qui le nomma par la suite vice-président du Telegraph Group.

Black aimait bien sortir avec des jeunes femmes francophones de Québec et de Montréal. De 1972 à 1975, il eut une relation régulière avec Monique Benoît, une traductrice. Ils passèrent trois ans ensemble (elle avait conservé son propre appartement) et demeurèrent en bons termes par la suite. À la fin des années 1970, elle traduisit en français la première édition de la biographie de Black sur Duplessis.

À la fin de mars 1968 – pendant sa première année de droit à Laval –, Black fut consterné lorsque Lyndon Johnson annonça qu'il ne solliciterait pas un autre mandat. « J'eus l'affreuse impression que non seulement les communistes avaient gagné, mais aussi les judas de la gauche radicale qui avaient sapé le libéralisme américain, élevé Hô Chi Minh sur un piédestal, exalté les Viêt-congs et rabaissé la tradition martiale et les intérêts stratégiques des États-Unis. Tout ce à quoi je croyais en politique, dont le libéralisme traditionnel empreint de tolérance, était profané par des lâches et des fumistes[9]. »

Black traversa alors une période de transformation, délaissant graduellement son libéralisme modéré des années 1960 pour son conservatisme agressif des années 1970 et cette transformation s'opéra sur plusieurs plans.

Après sa première année à Laval, il fit un voyage en Argentine, où il fut fasciné autant par le charme des femmes de Buenos Aires que par la politique nationale. Il rédigea, pour la *Gazette* de Montréal, un article sur le général Juan Carlos Onganía, dictateur puritain et pompeux, qui fut déposé en 1970 par ses généraux et honteusement poussé dans un taxi, sans même avoir en poche assez d'argent pour payer la course.

Le journaliste de télévision Larry Zolf rencontra Black à la fin des années 1960 : il s'en souvient comme d'un adorateur de héros. « Je crois encore voir Conrad Black aujourd'hui. Il portait un ensemble de cowboy qui faisait très Bay Street. Il avait d'énormes favoris et était chaussé d'une luxueuse paire de bottes en veau fabriquées à Los Angeles. Il arborait aussi la coupe de cheveux en brosse la plus raide qu'on puisse trouver à l'est des monts Kootenay [...] Black et moi avions dîné ensemble, pour la première fois, au Wellington's [un restaurant de Toronto]. Il commença aussitôt à parler abondamment de ses héros : Maurice Duplessis, Benjamin Disraeli, Napoléon et, bien entendu, Wellington. Non seulement Black chantait les louanges de ses héros, mais il lança aussi une sorte de jeu de citations dont la règle consistait à verser 10 $ pour chaque citation non identifiée. Je devais 50 $ à Black quand je lui affirmai que je connaissais une citation qu'il ne pourrait jamais retracer et que nous en serions quitte ou double. Il accepta. Je déclamai : "À celui qui a soupé à la table des travailleurs, il convient de maudire avec une belle ferveur et une impartialité à toute épreuve non seulement les travailleurs, mais aussi leurs adversaires, quand les deux parties s'enlacent dans une étreinte mortelle." Black mit moins de 10 secondes à répondre : "John L. Lewis,

chef des travailleurs miniers et fondateur de la CIO." La citation prove-
nait d'un discours prononcé le jour de la fête du Travail, avait précisé
Black. Lewis attaquait Roosevelt qui avait dénoncé les travailleurs et la
direction à la suite des grèves sur le tas en 1937. Je devais donc 100 $ à
Black. Mais il renonça à cette dette[10]. »

À l'été de 1968, Black et White tentèrent de se porter acquéreurs du
Sherbrooke Record, qui appartenait à John Bassett. Ils y parvinrent
finalement en juillet 1969, versant 18 000 $ pour ce journal déficitaire de
l'ancienne ville industrielle délabrée des Cantons-de-l'Est. Ils s'associè-
rent à un des amis de White, David Radler, qui assura la gestion de
l'opération. Le fait qu'ils réussirent à faire un succès de ce petit journal
régional, malgré un marché vieillissant et en rapide déclin (depuis des
décennies, la population anglophone des Cantons-de-l'Est diminuait
plus rapidement que la population francophone), témoigne clairement
de leur sens des affaires. Brian Stewart se rappelle : « J'adorais mon travail
à la *Gazette* de Montréal, où je couvrais les actualités municipales. Black,
White et Radler achetèrent le *Sherbrooke Record* en 1969, et je me souviens que Conrad me demanda si je souhaiterais diriger le journal. Je lui
répondis : "Non, je suis bien là où je suis et, de toute manière, je ne
connais rien aux affaires." La perspective de me retrouver à Sherbrooke
ne me souriait guère. Mon père, qui était président de Simpsons (un
grand magasin de Montréal), pensait que Conrad était absolument
brillant et qu'il deviendrait un homme d'affaires prospère et il me
conseilla d'y penser à deux fois avant de lui dire non. Mais je n'étais pas
prêt à m'établir et je n'attachais pas beaucoup d'importance à l'argent. »

David Radler était un petit homme qui se dandinait comme un
pingouin, s'étouffait quelquefois en parlant et était doté d'une imposante
chevelure noire en bataille. Il n'était pas issu du même milieu social que
Black. Enfant, il se rappelait avoir mangé des hot-dogs au parc Jarry, en
regardant les matches des Royaux de Montréal, la seule équipe professionnelle de baseball qui acceptait de faire jouer la légende noire américaine Jackie Robinson. Son père était un restaurateur juif de Montréal
qui finit par devenir directeur de l'hôtel Fontainebleau, à Miami, où fut
tournée une scène du thriller de James Bond, *Goldfinger*. Radler était
une espèce de machine à calculer très fière de son style de gestion grippe-
sou : dès son arrivée au *Record*, il compta les pupitres et commença

aussitôt à renvoyer quelques-uns des 32 employés. À l'époque, Charles Catchpaugh travaillait pour le *Record* et il eut souvent des prises de bec avec son nouveau patron. « J'avais l'habitude de dire à David Radler qu'il pourrait vendre sa mère pour vingt-cinq cents[11]. » Radler sabra les dépenses et augmenta les profits. Des années plus tard, un journaliste lui rendant visite dans ses bureaux de Vancouver faisait remarquer : « le lunch pris sur son bureau parsemé de papiers – seule une calculatrice constamment en service émergeait du désordre – consista en deux hot-dogs avec de la limonade pour lui et deux sandwiches en carton pour ses visiteurs, achetés par sa secrétaire à la cafétéria du sous-sol d'Eaton, pour moins de 5 \$. » Un rédacteur confia au journaliste : Radler « est tellement serré qu'il en grince[12] ».

À la fin des années 1960 et au début des années 1970, Black et Stewart avaient un cercle d'amis montréalais qui comprenait Nick Auf der Maur, un journaliste ébouriffé d'origine suisse catholique, un radical qui buvait beaucoup, fumait comme une cheminée et avait du flair pour les histoires à scandale et les articles d'intérêt humain. Auf der Maur régalait ses amis de ses récits : les coups de poing qu'il avait échangés avec Jack Kerouac, au milieu des années 1960, la fois où il avait pincé les fesses du danseur de ballet russe Rudolf Noureïev ou encore sa rencontre avec le dictateur « dément » de la Libye, Mouammar Kadhafi. Nick Auf der Maur passait plusieurs après-midi dans des bars montréalais, au Boiler Room, au Grumpy's ou encore au Sir Winston Churchill Pub. Compte tenu de l'environnement, il était quelquefois confus à propos des détails, mais il arrivait quand même à enquêter sur des histoires à sensations de gangsters irlando-canadiens ou de politiciens municipaux corrompus.

Auf der Maur plaisait à Black parce qu'il était un bohème, un conteur amusant et un radical avec un grand cœur assorti d'un esprit acéré, capable de lui expliquer les profonds bouleversements culturels en cours, comme la révolution sexuelle représentée par des films populaires tels que *Je suis curieuse : bleu* et *Jours tranquilles à Clichy*. Les spectateurs étaient les témoins silencieux de relations sexuelles erratiques, dans des films dénués de sens et avec peu ou pas d'intrigues : comparativement aux auditoires des films romantiques des années 1950, les spectateurs de la fin des années 1960 se transformaient en voyeurs, regardant simplement d'autres personnes défier les conventions. Auf der Maur aimait raconter des blagues salaces sur le sexe, la drogue et le rock and roll, ce qui ne ressemblait en rien aux propos habituels des anciens camarades de Black, dans les écoles privées de Toronto. Black déclara plus tard : « En compagnie de Nick, je me sentais toujours jeune[13]. » Ce ne fut pas un accident si Melissa – la fille que Nick eut avec son épouse, Linda Gaboriau – devint l'une des meilleures bassistes rock de la planète. Il avait des contacts au sein d'un milieu créatif et subversif, si différent du cercle d'éleveurs de chevaux de Toronto.

C'est aussi par l'intermédiaire de Nick que Conrad rencontra le bouillant syndicaliste Michel Chartrand ainsi que le poète séparatiste Gérald Godin.

Black devint éditeur du *Record*, mais ne prit pas la direction des opérations. Il était plutôt un homme d'idées. Moins d'un mois après avoir repris le *Record*, il écrivit un article de 5893 mots intitulé « A Year After Chicago : Homage to LBJ » (Un an après Chicago : Hommage à Lyndon B. Johnson), qu'il publia à l'occasion du 65e anniversaire de l'ancien président.

Cet article demeure encore aujourd'hui le texte le plus important et le plus révélateur que Black ait jamais rédigé, puisqu'il représentait son rejet définitif du libéralisme et son identification au pouvoir présidentiel. La légende au bas de la photo de Lyndon B. Johnson qui accompagnait l'article – laquelle avait sans aucun doute été approuvée ou écrite par Black – disait simplement : « Un grand homme très vilipendé ». L'article faisait penser à la première phase d'une tragédie, telle que décrite par le critique littéraire Northrop Frye, celle où « un cerf solitaire est injustement dévoré par une meute de loups[14] ». LBJ était le héros vertueux dont la mémoire méritait d'être honorée et la réputation restaurée. Ainsi, Black s'inventait un nouveau rôle : rédempteur des géants déchus. Je me demande s'il a pensé qu'il serait lui-même, un jour, un géant déchu priant pour sa rédemption.

Le sujet sous-jacent de l'article était que Black s'affirmait comme propriétaire de journal et historien et non pas seulement comme journaliste. L'article mettait en lumière les grandes réalisations de la longue carrière de Johnson, y compris sa campagne pour venir en aide à « la Grande-Bretagne en guerre et en faveur de la conscription en temps de paix en 1940 et 1941 ainsi que son appui aux vastes programmes d'aide à l'étranger, après la guerre, à commencer par le plan Marshall ». Black accordait aussi à Johnson le mérite d'avoir orchestré « la chute du très désagréable sénateur Joseph R. McCarthy... le démantèlement, en 1954, de sa commission de chasse aux sorcières » et l'adoption de la législation la plus importante en matière de droits civils depuis 80 ans.

« Aucun président ne prêta serment qui fut aussi qualifié et expérimenté – et aucun ne le fit dans des circonstances plus tragiques – que Lyndon B. Johnson, installé à la hâte dans ses fonctions à l'aéroport de Dallas, le 22 novembre 1963 à la suite de l'assassinat de son populaire et talentueux prédécesseur », écrivait Black. Se rappelant sans doute le congrès du Parti démocrate à Atlantic City – auquel il avait assisté en 1964 avec Brian Stewart –, Black faisait l'éloge du programme de la « grande société » de Johnson, cette « attaque concertée contre toutes les sources de la misère des défavorisés en Amérique » qui se comparait au New Deal de Roosevelt. « Et lorsque l'émotivité qui l'entoure actuellement commencera à diminuer, Lyndon B. Johnson prendra sa place aux côtés de FDR dans le panthéon des grands réformateurs américains. »

Le ton de l'article tourna à la diatribe lorsqu'il aborda la question du Vietnam, condamnant « le ton hystérique et apocalyptique de ces gens mal informés qui entonnent l'insipide refrain du génocide, des criminels de guerre, etc. La guerre n'a jamais représenté plus de 15 % des dépenses gouvernementales. La perte de 34 000 hommes en 7 ans constitue évidemment une tragédie incommensurable, même dans un pays qui perd 50 000 de ses citoyens dans des accidents de la route chaque année. » Installé dans son bureau d'un journal des lointains Cantons-de-l'Est, il était facile pour lui de faire de telles affirmations. Black ne prenait aucun risque. Il concédait que Johnson avait commis une erreur « en envoyant 540 000 soldats au combat à l'étranger sans l'autorisation formelle du Congrès. Il aurait pu obtenir cette autorisation en février 1965, et presque à l'unanimité ; un homme aussi expérimenté que Johnson aurait dû savoir qu'il lui fallait une justification plus solide que la résolution du golfe du Tonkin, qui lui demandait seulement de prendre tous les moyens nécessaires pour défendre les intérêts américains. »

En même temps qu'il traitait toute une série de critiques libéraux du président de plaignards et de pleurnichards – et le rival démocrate de Johnson, Robert Kennedy, de jeune séducteur –, Black se lança dans une attaque au vitriol contre tous ceux qui osaient s'opposer à la guerre. « La campagne de diffamation puérile montée contre le président a atteint un paroxysme dégoûtant au mois d'août dernier à Chicago, écrivit-il. Le président se trouvait au Texas, pour y célébrer son anniversaire, mais cela n'a pas empêché des milliers de jeunes de faire une procession autour de Grant Park en scandant des obscénités extrêmes à son endroit et en offrant finalement du gâteau d'anniversaire à un cochon pour souligner l'événement. Johnson dit seulement que s'il était jeune, il aurait pro-bablement le goût de protester lui aussi ; un homme moins patient et dévoué que lui, alors qu'il entendait à répétition le slogan *"Hey, hey, LBJ, how many kids have you killed today?"* (Hé, hé, LBJ, combien d'enfants as-tu tués aujourd'hui ?) aurait été tenté de répondre : "Hélas ! Aucun." »

« L'abdication de Johnson, concluait Black sur un ton solennel, comme celle de Cincinnatus, constitue un exemple classique d'abandon volontaire d'un immense pouvoir. C'est un geste hautement spectacu-laire, aussi bien dans une perspective historique que théâtrale. Chacun savait que c'était un titan qui disparaissait et qu'on ne reverrait jamais son pareil. Tout comme les services qu'il a rendus à la nation et ses oreilles qui ont fait le bonheur des caricaturistes, les talents de Johnson, son ego, sa compassion, sa détermination et sa capacité de travail étaient remar-quables. »

L'abdication de Johnson marqua la fin du libéralisme de Black, en même temps que la fin du libéralisme aux États-Unis.

« Le libéralisme américain a été injustement blâmé pour la guerre du Vietnam, la révolte des jeunes et les émeutes raciales, m'avait confié en 2004 le défunt lauréat du prix Pulitzer et biographe de Kennedy, l'his-torien Arthur M. Schlesinger. C'était une période très dure, marquée par les assassinats de John F. Kennedy à Dallas, puis de Robert F. Kennedy en 1968. Et depuis ce temps-là, le libéralisme américain n'a pas regagné le terrain perdu. Jimmy Carter était un homme de droite opposé au New Deal, alors que Bill Clinton, qui, lui, aurait été en faveur du New Deal, s'est beaucoup nui en raison de son comportement personnel. »

Black n'avait pas beaucoup d'estime pour la plupart des journalistes et pensait que le *Record* devait s'en passer autant que possible. En 1969, épaulé par Radler et White, il exprima cette opinion dans un mémoire adressé au Comité spécial du Sénat sur les moyens de communication de masse. Présenté par Black, le mémoire se plaignait du fait qu'il n'existait pas suffisamment de garanties que les journalistes, «investis de l'autorité que leur confère la signature du moindre entrefilet, aient les qualités intellectuelles et psychologiques requises pour exercer cette fonction. Mon expérience avec les journalistes m'autorise à dire qu'un très grand nombre d'entre eux sont ignorants, paresseux, dogmatiques, intellectuellement malhonnêtes et mal encadrés. La profession est sérieusement encombrée de jeunes esprits corrosifs qui substituent l'"engagement" au discernement et, dans une moindre mesure, de vieux scribouillards qui peinent dans les miasmes de la décrépitude. L'alcoolisme est endémique dans les deux groupes[15]. »

Au cours de cette présentation, Black déplora la concentration excessive de la propriété des médias au Canada, de même que l'antiaméricanisme et la mentalité gauchiste de nombreux journalistes, confirmant son spectaculaire et persistant processus personnel de virage à droite.

Black remarqua que la communauté anglophone de Montréal avait perdu de sa créativité et se pliait graduellement au rôle symbolique qui lui avait été conféré par le nationalisme québécois: une minorité privilégiée vivant dans le passé. Il accorda plus d'importance à un magnat francophone en pleine ascension, Paul Desmarais, issu de Sudbury, une ville minière du nord de l'Ontario. Desmarais s'était lancé en affaires en redressant une entreprise de transport par autobus à Sudbury: pour préserver sa solvabilité, il avait dû, à un certain moment, payer ses employés en billets d'autobus. Desmarais arriva à surmonter sa timidité maladive au point de ravir Power Corporation et de la transformer en prestigieux conglomérat ayant son siège social à Montréal et détenant des intérêts dans l'industrie du papier et du verre, dans des journaux tels que *La Presse*, dans l'élevage de moutons en Australie ainsi que dans Canada Steamship Lines.

Desmarais représentait une nouvelle génération de magnats d'affaires au Canada. Il possédait une salle de projection privée dans sa fastueuse résidence du chemin Ramezay, à Westmount, où il pouvait visionner dans l'intimité et inlassablement son film préféré, *Le Parrain*. Il se plaisait à dire à ses amis qu'il leur ferait des offres qu'ils ne pourraient pas refuser, tout comme Don Corleone incarné par Marlon Brando. Desmarais aimait à s'entourer d'intellectuels : dans sa Mercedes 600 noire, il descendait souvent jusqu'au Club Mont-Royal pour aller boire du Moët & Chandon avec Roger Lemelin, romancier québécois et éditeur de *La Presse*. Mais il n'était pas un intellectuel : sa bibliothèque contenait seulement une poignée de volumes, dont *Comment se faire des amis pour réussir dans la vie* de Dale Carnegie, de même que des biographies de Napoléon et de Roy Thomson. Plutôt que lire des livres, il décryptait les gens. Il les laissait parler pour mieux les jauger. Il y avait quelque chose de troublant et de grandiose chez ce Franco-Ontarien à la taille imposante, avec son nez aquilin et ses longs silences intermittents. Au début des années 1970, tout en conduisant dans les collines ondulantes de Charlevoix, au Québec, écoutant une cassette huit-pistes du *Tannhäuser* de Wagner et grignotant du fromage en grains, il aimait à discourir sur l'importance d'établir de grandes dynasties d'affaires et sur son rêve d'avoir un jour des échanges commerciaux avec la Chine de Mao. À la manière de Roy Thomson, il espérait devenir un magnat et un homme d'État d'envergure internationale. Même s'il avait déjà mis la main sur les actions minoritaires de E. P. Taylor dans Argus Corp., ces parts ne comportaient aucun droit de vote. Au début des années 1970, Desmarais était un chef d'entreprise encore exclu des rangs de l'establishment canadien.

Toujours au début des années 1970, financés par des prêts bancaires de l'ordre de 6,7 millions de dollars, Black, Radler et leurs associés firent l'acquisition de 21 journaux du Canada rural, allant du *Alaska Highway News*, en Colombie-Britannique, au *Journal-Pioneer* de Summerside, à l'Île-du-Prince-Édouard. Ce noyau de propriétés devint la Sterling Newspapers et, en mai 1972, ils offrirent de la vendre à Paul Desmarais, de Power Corporation. Ils en demandaient 6 millions de dollars, mais Desmarais refusa d'aller au-delà de 2,5 millions de dollars.

Black et ses associés gardèrent donc le contrôle de Sterling et, dans le but de rentabiliser les journaux, menèrent une stratégie draconienne de réduction des coûts. Comme éditeur du *Sherbrooke Record*, Black réduisit à un minimum son équipe d'éditorialistes. Rédacteur en chef du journal en 1973-1974, Alex Radmanovitch se souvient qu'il parlait à Black au téléphone régulièrement. « Je dirigeais le journal. Il ne fut jamais arrogant à mon égard et m'a toujours traité avec le plus grand respect. Il avait toujours l'air très sincère. Sortir le journal tous les jours n'était pas une tâche facile. J'avais sous mes ordres un journaliste à temps plein, un reporter local et une responsable des chroniques féminines, qui s'occupait aussi de la mise en pages. Je pensais que je pouvais faire moi-même un peu de mise en pages, afin de libérer cette personne pour sa tâche de journaliste. Conrad m'appela pour me dire : "Vous venez de me démontrer que je n'ai pas besoin d'une responsable des pages féminines." Donc, en raison de mon efficacité, je dus congédier la responsable des pages féminines [...] Conrad est une personne très distante. Il n'a rien à foutre de vous. Il vit dans sa bulle, voilà comment il mène sa vie[16]. »

En mars 1970, vers la fin de ses études à l'Université Laval, Black entra dans une période de détresse sur les plans physique et mental. « Je commençais à éprouver d'inquiétants symptômes de tension, écrivit-il. Je souffrais d'indigestions, d'attaques de claustrophobie dans les restaurants, les avions et autres endroits clos. J'avais le sommeil nerveux, je me réveillais en nage et je faisais même de l'hyperventilation, ce qui était tout à fait nouveau pour moi, de façon de plus en plus fréquente. » Son père lui organisa un rendez-vous avec le chef du service de psychiatrie de l'Institut de psychiatrie Clarke de Toronto. Grâce à la psychanalyse, il se rendit compte qu'il souffrait de « la terreur étouffante, paralysante et diffuse d'une véritable crise d'angoisse[17] ». Ces symptômes font partie d'un trouble anxieux connu sous le terme de « crise de panique », se définissant comme « un court laps de temps pendant lequel surgissent soudainement une intense appréhension, de la peur ou de la terreur, souvent associées à la crainte d'une mort imminente. Ces attaques se caractérisent par des symptômes tels que souffle court, palpitations, douleurs ou inconfort au niveau de la poitrine, sensations de suffocation ou d'étouffement et peur de "devenir fou" ou de perdre le contrôle[18] ».

Le souvenir qu'en garde Brian Stewart est quelque peu différent. Black lui avait rendu visite à la salle de rédaction de la *Gazette* de Montréal pour lui annoncer qu'il souffrait d'une grave dépression.

Ces attaques amenèrent Black à s'engager dans une recherche d'ordre spirituel. Dans son autobiographie, il écrit qu'« un sentiment religieux latent s'éveilla, sans toutefois aller jusqu'à la ferveur et à la piété, et encore moins à la sainteté ». Au cours de ses « moments de nervosité les plus difficiles », dit-il, ses prières silencieuses et désespérées l'« incitèrent à lire des ouvrages de théologie, notamment l'œuvre magistralement élégante et éclairante du cardinal Newman[19] ».

Black trouva l'expérience de la psychanalyse si fascinante que, pendant un certain temps, il envisagea de devenir psychiatre. Il a pu simplement avoir été submergé par la pression d'un trop grand nombre d'expériences simultanées : survivre à un grave accident de la route, faire renaître un journal pour lequel il avait pris des risques financiers considérables, obtenir un diplôme de droit dans une langue qu'il ne maîtrisait pas encore parfaitement, voir son héros Lyndon Johnson céder aux pacifistes, se demander comment la fédération canadienne allait survivre à la vague de protestations et d'attentats qui déferlait au Québec.

Grâce à son article flatteur sur Lyndon B. Johnson, Black réussit à obtenir une brève rencontre avec l'ancien président, contact qui lui permit d'organiser un voyage au Vietnam en septembre 1970. Il voulait être un témoin direct de la guerre, dans cette contrée que Graham Greene avait décrite comme « l'or des rizières sous le plat soleil déclinant ; les grêles armatures où pendent les filets de pêcheurs qui volettent au-dessus des champs comme des moustiques, les tasses de thé [...] les chapeaux en forme de bernicles portés par les filles qui réparaient la route, là où une mine avait sauté ; l'or, le vert tendre et les robes multicolores du Sud [20][...] »

Ce fut un décor différent qui accueillit le propriétaire de journaux de 26 ans à son arrivée dans un Saigon aux charmes défraîchis d'ancienne colonie française, humide et épuisé par les batailles, perpétuellement envahi par le bruit des hélicoptères le survolant et les commérages stridents de correspondants de guerre imbibés d'alcool. Black prétendait qu'il était en « mission d'enquête » et invoqua sa position d'éditeur de journaux proaméricains pour lui ouvrir des portes. Décrochant une sorte de reportage exclusif, il obtint une longue entrevue avec le président sud-vietnamien Nguyên Van Thieu[21], qui lui prédit que les pourparlers de paix de Paris allaient échouer et que, avant trois ans, la guerre serait réduite à une série d'escarmouches frontalières mineures ; la réunification du Nord et du Sud ne constituait, pour lui, qu'une possibilité à long terme. Le président remit aussi en question la décision américaine de cesser les bombardements au Nord.

« Thieu se dit d'accord avec des experts tels que le général William C. Westmoreland, l'ancien commandant en chef des forces américaines au Vietnam, selon qui le Vietnam du Nord était sur le bord d'un effondrement général, en avril 1968, au moment où le président de l'époque, Johnson, avait fait partiellement cesser les bombardements, écrivit Black. Il a dit qu'il s'opposait à cet arrêt des bombardements ainsi qu'à toute autre concession inconditionnelle à l'endroit du Nord, à moins que cela ne puisse aboutir rapidement à la paix. Mais Thieu a aussi exprimé sa gratitude et son admiration envers Johnson, qui a dans une large mesure sauvegardé la liberté du Vietnam. »

Pour la première fois de sa vie, Black se trouvait dans une position d'initié de la politique. Thieu, par exemple, lui révéla que le président Kennedy avait soutenu l'assassinat de Ngô Dinh Diêm, un scénario auquel beaucoup de gens croyaient sans jamais en avoir reçu la confirmation officielle. Bien des années plus tard, Henry Kissinger écrivit que le coup d'État des États-Unis contre Diêm, en 1963, avait affaibli le Vietnam du Sud tout en renforçant le Nord communiste[22]. L'étroite association de Black avec les Américains néoconservateurs, à compter de 1980, fut la conséquence logique des visions politiques qu'il avait développées en observant des événements déterminants aux États-Unis et au Vietnam, au cours des deux décennies précédentes.

L'une des découvertes les plus importantes de ses voyages fut celle des femmes étrangères. « J'ai trouvé Hong Kong fantastique. Les femmes, occidentalisées par leurs vêtements, leurs manières et leur bilinguisme, étaient ravissantes. Je n'en avais jamais vu de plus belles, sauf à Buenos Aires et à Budapest[23]. » Pendant son périple en Asie du Sud-Est, Black apprit qu'à Montréal, le Front de libération du Québec (FLQ) venait d'enlever l'attaché commercial britannique, James R. Cross – qu'il détenait en otage –, ainsi que le ministre québécois du Travail, Pierre Laporte. Le 15 octobre 1970, le gouvernement du Québec demanda à l'armée canadienne d'aider la police locale. Le lendemain, le premier ministre Pierre Trudeau déclara la province dans un état « d'insurrection appréhendée » et imposa la Loi des mesures de guerre. Adoptée en 1914, cette loi suspendait toute une série de libertés civiles et donnait au cabinet fédéral le pouvoir immédiat de bâillonner les médias, d'arrêter, de placer en détention ou de déporter des individus et de confisquer des biens. Le lendemain, le FLQ tua Pierre Laporte et abandonna son corps dans le coffre arrière d'une voiture, près de Montréal.

Pendant ce qui sera connu par la suite comme la crise d'octobre, des centaines de personnes furent arrêtées et incarcérées, dont certains amis de Black. Nick Auf der Maur était l'un d'eux. À l'instar de la plupart des personnes arrêtées, il fut relâché sans qu'aucune accusation soit portée contre lui. À l'époque, les Canadiens soutenèrent massivement les décisions de Trudeau. Mais beaucoup de nationalistes québécois et de défenseurs des libertés civiles, un peu partout au Canada, jugèrent sa réaction excessive.

Dans plusieurs brasseries et bars montréalais, on pouvait toujours compter sur un séparatiste enflammé pour faire « une sortie aussi haute en couleur qu'incohérente », écrivit Black qui rédigeait alors pour le *Record* des éditoriaux appuyant fermement Trudeau. Comme beaucoup de Québécois, il fut profondément troublé par cette crise potentiellement explosive, alors que tous ces étudiants et syndicalistes – qu'il appelait « la populace » – manifestaient en faveur du FLQ.

Au début de novembre 1970, John Turner, alors ministre fédéral de la Justice, m'avait confié que les Montréalais avaient vécu « dans un climat de peur » pendant les jours qui avaient précédé la proclamation de la Loi des mesures de guerre : les gens craignaient que la société ne soit pas en mesure d'assurer elle-même sa protection. Il m'avait aussi affirmé que le gouvernement était conscient du risque que Cross et Laporte soient assassinés. « Mais si nous avions échangé M. Cross et M. Laporte contre des criminels [...] où cela se serait-il arrêté ? Nous libérons 27 de ce que le FLQ appelle des prisonniers politiques, mais que je préfère quant à moi appeler des criminels, les échangeant contre M. Laporte et M. Cross, et que se serait-il passé par la suite ? Encore d'autres crimes, encore d'autres échanges, jusqu'au jour où le gouvernement librement élu par le peuple aurait fini par perdre le contrôle de la situation. C'était un test. Nous avons été le premier gouvernement au monde à tenir son bout et à dire : non. Et pour cette raison, les Canadiens ont, je crois, mérité l'admiration du gouvernement britannique, qui est resté en communication étroite avec nous[24]. » Cross fut finalement relâché contre des sauf-conduits pour Cuba délivrés à plusieurs membres du FLQ.

Avant le début des années 1970, Paul Desmarais avait caressé l'idée de faire construire un immeuble à bureaux de 100 étages, sur le site de son terminus d'autobus, au-dessus de la station de métro Berri-de-Montigny. En partie à cause de la crise d'octobre, il avait abandonné son projet : le FLQ avait inscrit son nom sur une liste de personnes à enlever. Par la suite – et pendant des années –, un constable obèse de la ville de Montréal, du nom de Roma, installé dans une voiture banalisée en haut du chemin Ramezay, surveilla les allées et venues de tous ceux qui se présentaient dans les parages, afin d'assurer la sécurité de Desmarais.

Un an après la crise d'octobre, Black, remis du choc, se sentit en mesure d'intégrer sa personnalité et son système de valeurs. Il décida de devenir un entrepreneur audacieux et, si possible, un homme important, même si sa structure de pensée le maintenait attaché aux modèles religieux et politiques du passé, à des valeurs et à des institutions sociales en déclin et sur le point de disparaître.

Peter White affirme qu'il fut toujours très conscient du fait que Black « est attiré par des gens qu'il considère importants et intéressants [...] Alors, j'ai inventé le mot *magnophile* [...] Conrad était un *magnophile* et il le demeure aujourd'hui... C'est quelqu'un qui scrute les qualités de leadership des gens et c'est bien ce qu'il faisait. »

La famille de Black n'était pas religieuse. Dans les années 1950 – comme beaucoup de protestants de leur classe –, les Black et les Riley considéraient la foi religieuse comme une extravagance personnelle, assimilable à d'inconvenantes démonstrations publiques d'émotion. Au cours des années 1960, à Métis, sur la côte gaspésienne, Black discuta souvent de religion avec l'épouse canadienne-française de son cousin, Jean Riley, qui considérait que son propre rapport au catholicisme était d'ordre spirituel, alors que Black était plus intéressé par l'histoire.

Au Québec, Black réalisa que l'Église catholique continuait de jouer un rôle politique important dans la province, avec des individus comme Pierre Trudeau, au centre gauche, et comme Daniel Johnson père, à droite, mêlant leur philosophie sociale et politique à leur foi catholique, sans toutefois prendre les enseignements de l'Église au pied de la lettre, et tout en maintenant un équilibre entre la rigueur intellectuelle et la joie de vivre. Plusieurs nationalistes conservateurs du Québec étaient également catholiques romains : ils préconisaient des réformes progressives, n'étaient pas spécialement anglophobes ni portés sur la violence et dégageaient une séduisante aura d'ancien régime. Black trouvait grisante cette combinaison de politique et de religion d'ancien régime. Il commença à courtiser ceux qui épousaient son propre radicalisme.

À maintes reprises au cours de sa vie, Black développa des relations quasi filiales avec des hommes plus âgés que lui, du Canadien anglais Bud McDougald à l'Américain Richard Nixon ou encore au Britannique Lord Weidenfeld, se frottant à la grandeur et à l'expérience de ses maîtres, espérant s'investir en quelque sorte de leurs qualités. Ces hommes pouvaient lui ouvrir leur univers mythique personnel et partager leurs expériences, leurs intuitions et la grandeur passée de leurs jeunes années. C'était comme s'il lançait des cailloux dans l'eau et regrettait que les ondulations disparaissent. Sans qu'il en soit peut-être conscient, ces hommes lui servaient de pères.

Il expérimenta sa première relation filiale avec le cardinal Paul-Émile Léger, archevêque catholique de Montréal. Black fut présenté au cardinal Léger par le secrétaire du prélat, le père Robinson, fils de Jonathan Robinson. Pour Black, Léger « était un homme d'une présence formidable, soigné, de taille moyenne, ses cheveux argentés rejetés vers l'arrière sous sa barrette, profond, sombre, le regard oblique et brillant typique des Canadiens français, reflétant fidèlement l'activité originale et puissante de son esprit. Son trait dominant, qu'il conserva jusqu'à sa mort, était son verbe riche et mélodieux qui lui conférait, du moins en français, une éloquence presque infaillible[25] ».

La carrière de Léger s'étendit sur plusieurs décennies, depuis ses origines modestes à Valleyfield, où il aspirait à devenir mécanicien de locomotive avant d'entrer dans les ordres. Avant la Seconde Guerre mondiale, il fut missionnaire durant plusieurs années au Japon et, finalement, après la guerre, il fut nommé directeur du Collège pontifical canadien à Rome, où il devint le confident du pape Pie XII. Rentré au Canada en 1950, il prit la relève du progressiste Mgr Joseph Charbonneau en tant qu'archevêque de Montréal. Trois ans plus tard, Léger fut élevé au rang de cardinal. À son retour de Rome, quand il arriva à la gare Windsor de Montréal, Léger lança d'une voix exaltée à l'immense foule venue l'accueillir : « Montréal, ô ma ville, tu as voulu te faire belle pour recevoir ton prince[26] ! » Par la suite, Léger regretta ce bizarre élan triomphaliste.

Black était parfaitement au fait que le Vatican était un État souverain gouverné par le pape, une monarchie absolue élective. Le Collège des cardinaux constituait le Sénat du Vatican et chaque cardinal était un prince, exerçant le droit de voter pour un candidat à la papauté durant le conclave. On raconte qu'en 1964, Léger avait failli être élu pape. Le cardinal offrait à Black une connaissance des dessous de la monarchie la plus secrète du monde. Ses récits procuraient à Black un goût enivrant du pouvoir. C'était donc cela, un faiseur de rois.

L'avènement de la Révolution tranquille, cette période de laïcisation intense de la société québécoise, combinée aux longues absences du cardinal pendant le Concile du Vatican au début des années 1960, amoindrit son emprise sur l'archevêché. Au moment où Black le rencontra, Léger luttait pour se définir un nouveau rôle. Il mit sur pied un organisme de charité pour les pauvres de Montréal qui ne fut jamais, de son vivant, très bien géré. Un groupe d'amis fit l'acquisition d'une demeure pour Léger, au 3165 de la place de Ramezay, à Westmount. C'était un édifice de briques blanches peu attrayant, en forme de boîte à chaussures, avec un garage à trois places. La demeure du financier Paul Desmarais était située à deux pas. Ces deux propriétés avaient déjà appartenu à la tante de Black, Margaret Riley. Un an plus tard, Léger quitta cette demeure et Montréal en direction du Cameroun où, installé dans une caravane délabrée, il s'occupa des lépreux et des orphelins. Son adaptation fut pénible, autant pour lui que pour les évêques et les prêtres de l'endroit, qui ne savaient trop comment se comporter devant ce missionnaire qui jouissait d'un accès direct au pape.

Brian Stewart se souvient de ce que Black lui disait du cardinal, à l'époque : « Voilà un prince de l'Église imbu de grandeur et d'histoire, mais aussi un homme qui a pris la part des pauvres et des opprimés en vivant parmi des lépreux, en Afrique. »

D'après la biographe de Léger, Micheline Lachance : « [le cardinal] a passé sa vie déchiré entre l'humilité et l'éclat de la richesse. Comme un prêtre me l'a déjà dit, il aurait tant voulu être humble. Le cardinal Léger aimait fréquenter les gens riches et influents. Il m'avait parlé de Black. Leur relation avait un caractère filial, mais il trouvait qu'à plusieurs égards Black avait mal jugé Duplessis. Il considérait Black comme une jeune personne intéressante, sans plus[27]. »

Mais Black continua de cultiver cette relation, se rendant au Cameroun en 1971 pour s'entretenir avec Léger en préparation de son ouvrage sur Duplessis, mais aussi pour lui offrir de lancer une campagne de financement et de rédiger un document pour sa mise en candidature pour le prix Nobel de la paix. (Pure coïncidence, l'intellectuel catholique anglais Malcolm Muggeridge, un autre modèle de Black, développait alors des relations de prestige similaires avec mère Teresa, à Calcutta.) « Grâce à vos bonnes œuvres et à votre personnalité remarquable, votre indubitable génie et vos extraordinaires réalisations, vous avez obtenu l'affection de toute une communauté d'esprit dans le monde entier, écrivit Black au cardinal après sa visite au Cameroun. Malheureusement, c'est le seul actif que votre organisation possède et c'est avec un inexprimable mais néanmoins réel chagrin que j'ai remarqué à quel point cette immense structure [l'œuvre de bienfaisance du cardinal] est devenue instable et même précaire. Je vous enjoins de mettre en place des réformes fondamentales [...] afin d'assurer la poursuite de vos admirables activités et pour que vous soyez en mesure de continuer de jouir d'une bonne réputation massive, spontanée et grandement méritée. »

Black offrait une expertise financière et des contacts impressionnants, mais seulement une contribution de 500 $.

Dans la même lettre, Black proposait d'utiliser l'œuvre de bienfaisance de Léger pour acquérir le quotidien *Le Droit*. En dépit de « la scandaleuse campagne dont vous avez été l'objet et du fossé qui vous sépare, à bien des égards, de plusieurs membres du clergé québécois, écrivait Black, est-ce que vous seriez intéressé à acheter le journal *Le Droit* d'Ottawa ? *Le Droit* a une histoire admirable de défense des intérêts des Franco-Ontariens. Ce journal, dont le tirage est supérieur à celui du *Devoir*, appartient présentement aux Pères Oblats. Nous pourrions l'acquérir, peut-être au nom de l'une de nos compagnies d'édition francophones de la Côte-Nord et du cardinal Léger et de ses Œuvres. L'argent transiterait par votre organisation et nous vous attribuerions un pourcentage. Il n'y aurait ni capital engagé ni risque encouru de votre part. Il va de soi que nous maintiendrions la raison d'être et la bonne réputation du journal, y installant une administration certainement plus efficace que celle mise en place par les propriétaires actuels. (J'ai soigneusement examiné la situation financière.) L'avantage qui en découlerait pour vous serait de mettre fin aux rumeurs qui circulent présentement au sujet de la situation financière de votre organisation, lesquelles ont été répandues, comme vous le savez, par un certain nombre de calomniateurs. De plus, ceux qui, en votre absence, se comportent comme des adversaires seraient sans aucun doute impressionnés de voir un journal connu et influent transmis à un groupe dont ferait partie Votre Éminence. »

Le scénario aurait pu offrir à Black des avantages fiscaux et le levier nécessaire pour soutirer *Le Droit* aux Oblats, tout en résolvant les problèmes financiers de l'œuvre de bienfaisance du cardinal Léger. Mais celui-ci n'y donna pas suite. Il poursuivit son œuvre de missionnaire pendant de longues années et Black demeura membre du conseil d'administration des œuvres de bienfaisance du cardinal, à Montréal.

Au lendemain de la crise d'octobre, Black commençait à se faire une image élitiste de l'Église catholique, de ses princes, de ses papes et de sa grandeur historique, comme si Rome était soudain devenue la police d'assurance de la civilisation occidentale, comme si un retour à la foi pouvait protéger le Québec des conflits linguistiques et économiques qui s'y déroulaient, tout en sauvegardant un peu de ses anciennes caractéristiques antimodernistes. Black étudiait aussi l'histoire du Québec, à la recherche d'une formule qui permettrait le développement de la société de manière mesurée et constructive, tout en protégeant l'ordre et la règle de droit.

Plus ses intérêts financiers gagnaient en importance, plus Black se sentait à l'étroit au Québec. La *bonne entente* ne pourrait peut-être jamais se réaliser. Au début des années 1970, pour reprendre l'expression de René Lévesque, les anglophones et les francophones du Québec ressemblaient à « deux scorpions dans la même bouteille ». Des dizaines de milliers de Québécois anglophones quittaient la province, alors que Montréal, jadis la capitale financière de la moitié du continent, sombrait dans une crise fiscale et cédait de plus en plus à la névrose et au nombrilisme, incitant les investisseurs à la fuir ou à l'éviter.

« Je crois que l'ambivalence ressentie par les Québécois francophones à l'égard de leur statut politique a coûté très cher à la ville, dit Black. Autrefois, c'était une ville élégante, qui réunissait de manière intéressante un continent majoritairement anglophone et la culture francophone d'outre-mer, même si la variante québécoise ne ressemble pas tout à fait à celle de la France […] La ville avait du panache et arrivait sans la moindre gêne à mélanger ces différents éléments… Montréal ressemble aujourd'hui à une femme qui a perdu de son charme ; on voit bien qu'elle en a eu, qu'elle a dû être une femme superbe et qu'elle en garde des traces, mais ses vêtements datent d'il y a 20 ans, elle manque de ressources [...] Il y a une certaine tension entre francophones et anglophones. Les anglophones représentent, en général, les vestiges d'une communauté plus puissante, aujourd'hui disparue, tandis que les Canadiens français sont allés aussi loin qu'ils l'ont pu, en menaçant de constituer leur propre pays, ce qu'ils ne feront jamais. Ce scénario est devenu très, très lassant. Comme une pièce qui a tenu l'affiche trop longtemps. Une pièce qui est devenue usée jusqu'à la corde et dépassée. »

En mai 1971, Naomi Griffiths, ancienne professeure d'histoire de Black à l'Université Carleton, lui parla d'un séminaire d'histoire consacré à Maurice Duplessis, chef de l'Union nationale et premier ministre du Québec de 1936 à 1939 et de 1944 à 1959. Il y avait quelque chose de paradoxal à propos de ce politicien québécois conservateur énormément honni : il fit construire plus d'écoles et d'universités que tout autre premier ministre du Québec avant lui, tout en prétendant ne jamais lire ; il courtisa les magnats industriels du Canada anglais et des États-Unis, tout en s'identifiant aux pauvres et aux opprimés, au point de leur offrir de l'argent tiré de son propre coffre-fort, et il développa un vaste réseau de patronage et d'influence.

Pour Black, un conservateur à contre-courant, Duplessis possédait l'avantage supplémentaire d'avoir été une fripouille haute en couleur, le défenseur d'une vision corporatiste de la société et un champion des droits collectifs et, enfin, un homme qui n'était pas exempt d'une certaine brutalité politique. En écrivant sur Duplessis, Black retournait à l'un de ses rôles préférés : le rédempteur de géants déchus.

Duplessis fut l'un des personnages les plus controversés de l'histoire du Québec. Son nom fut associé à *la grande noirceur*[28], une époque de pouvoir autocratique qui fut suivie – selon l'interprétation généralement admise au Québec – de la Révolution tranquille et de la rapide laïcisation et démocratisation de la société. Cette période débuta en 1960 et fut largement tributaire des efforts héroïques de fédéralistes, tels que Pierre Elliott Trudeau et Gérard Pelletier, et de nationalistes québécois tels que Jean Lesage et René Lévesque.

Trudeau était un drôle de pistolet : narcissique aux multiples visages et très articulé, il devint l'ennemi juré du nationalisme québécois. Il y avait quelque chose du dilettante bourgeois chez cet homme qui vécut avec sa mère jusqu'à la quarantaine, tout en étant un fervent amateur de femmes beaucoup plus jeunes que lui et peut-être – mais on se bornait à le chuchoter – d'hommes. Peu de gens savaient qu'il avait succombé à des fantaisies fascistes de pouvoir absolu au cours de la Seconde Guerre mondiale, imaginant même – avec ses riches camarades d'Outremont – un coup d'État qui aurait fait de lui le Mussolini du Nouveau Monde[29]. Cette conspiration n'eut aucune suite, mais plusieurs de ses attaques ultérieures contre le nationalisme québécois – qu'il associait aux idéologies d'extrême droite – pouvaient vraisemblablement être des projections des penchants fascistes de sa jeunesse. Pendant les années 1950 – alors qu'il était à la barre de la très influente revue *Cité libre* –, Trudeau s'était converti à une forme de démocratie libérale inspirée des idées de Jefferson. Les Canadiens anglais l'adoraient et il fut, de 1968 à 1972, l'objet de la Trudeaumanie, un culte virtuel de personnalité à consonance fasciste. Mais qui, à part le complexe Trudeau, aurait pu être l'incarnation d'une mosaïque de diversité telle que le Canada? Il avait du flair, il était sexy et c'était un chef audacieux et fougueux, capable de remettre le Québec à sa place.

À partir de mai 1971, Black développa une nouvelle relation filiale, cette fois-ci avec Robert Rumilly, un historien vieillissant d'origine française, populaire quoique controversé, qui avait bien connu Duplessis et qui était en train de rédiger sa biographie. Cette relation avait, à bien des égards, de quoi surprendre. Black était un admirateur de Franklin Roosevelt et de Charles de Gaulle, des institutions parlementaires et de l'État de droit. Rumilly était un antisémite extrémiste, un fervent admirateur du fascisme français, un Janus intellectuel qui copiait-collait ses chroniques d'histoire québécoise (écrites le plus souvent pour le compte de municipalités et d'organisations nationalistes et basées sur le contenu de coupures d'articles de journaux) tout en poursuivant son engagement de toujours – en privé et parfois en public – envers ses amis fascistes.

C'était une fort étrange compagnie pour Conrad Black, dont la famille avait été résolument du côté des alliés pendant la Seconde Guerre mondiale. Un de ses oncles maternels avait perdu la vie au cours d'une bataille en Italie, alors que son père avait joué un rôle significatif dans l'effort de guerre, à la fois comme haut fonctionnaire du gouvernement et président d'une entreprise montréalaise qui fabriquait des hélices d'avions. Lors des cérémonies du couronnement de 1953, l'unique but de la revue navale Spithead – à laquelle Black, enfant, avait assisté – avait été de démontrer au monde le triomphe de la Grande-Bretagne sur les forces destructrices d'Hitler, de Mussolini et du militarisme japonais.

Nul n'ignorait le soutien que Rumilly avait toujours accordé au fascisme. Rumilly était un vieil homme maigre et amer dont les yeux méchants cherchaient à percer d'épaisses lunettes. À partir de 1944, il fut le principal organisateur d'un réseau d'exfiltration de Vichy vers le Québec, lequel permettait aux fugitifs de Vichy de fuir la France libérée, où ils risquaient des poursuites judiciaires et une éventuelle exécution pour trahison et crimes de guerre. Parfois, le Vatican leur fournissait de faux papiers et les déguisait en prêtres catholiques pour faciliter leur passage vers l'Argentine, le Brésil ou l'Espagne... partout où des régimes amis d'extrême droite étaient disposés à les accueillir.

Ainsi, grâce à l'intervention active de Rumilly, Jacques de Bernonville – membre de la Cagoule, groupe terroriste français d'extrême droite des années 1930 et associé intime de l'abominable Klaus Barbie, qui, pendant la guerre, écrasa la résistance à Lyon – put se réfugier dans la province ultra-conservatrice gouvernée par Duplessis avec d'autres criminels de guerre de Vichy. Rumilly était chef de la propagande pour les fugitifs fascistes et pour Duplessis. Dans le fonds Rumilly, conservé aux Archives nationales du Québec à Montréal, une lettre envoyée par Bernonville à Rumilly en 1968 montre à quel point, deux décennies plus tard, ils étaient demeurés de proches alliés sur le plan idéologique : « Il est terrible de penser que l'Histoire sera écrite uniquement par nos ennemis. Et la légende est toujours plus forte que la vérité. » Bernonville – qui s'était joint volontairement aux Waffen SS durant la guerre – avait mené, pour le compte du gouvernement de Vichy, un vaste recensement des Juifs et de leurs biens et il fut condamné à mort par contumace pour avoir organisé le massacre de combattants de la Résistance, pour torture et autres crimes de guerre. En 1972, il fut assassiné par un assaillant inconnu, à Rio de Janeiro.

Selon Naomi Griffiths, l'ancien professeur de Black, « certaines personnes sont séduites par le rêve d'un ordre politique dominé par un grand chef qui agit au nom d'une seule idéologie, mais Conrad est trop intelligent pour de telles pacotilles ». Mais le très pratique Black, en dépit de ses positions idéologiques très différentes, voulait comprendre les bases historiques du nationalisme conservateur au Québec.

Et qui aurait été plus en mesure que Rumilly de l'aider à trouver des réponses? Black se rappelle avoir promené Rumilly à travers le Québec rural dans sa Cadillac Eldorado pendant un an pour y rencontrer des «survivants du Québec traditionnel», de l'archevêque Georges Cabana au père Georges-Henri Lévesque, érudit dominicain et antiduplessiste. Ces rencontres donnèrent au jeune patricien torontois de 27 ans, devenu érudit à son tour, une idée de cette époque révolue pendant laquelle la société québécoise était dominée par trois institutions: le gouvernement provincial francophone, l'Église catholique ultraconservatrice et le *old boy's network* (réseau informel d'anciens camarades de collège privé, tous issus de familles aisées, dont les activités consistent à boire ensemble, à s'entraider et à se protéger) – massivement anglophone –, qui tenait fermement en main les intérêts financiers de la province. Le régime de Duplessis reposait sur deux communautés: les évêques catholiques ultramontains, qui lui offraient la légitimité dont il avait tant besoin par le contrôle étroit qu'ils exerçaient sur la presque totalité de la société québécoise, et les magnats industriels anglophones, qui fournissaient l'argent nécessaire au fonctionnement du système de patronage. Black apprit à connaître ces deux communautés qui s'étaient gravement compromises en s'associant à Duplessis et qui avaient dû renoncer à leur suprématie après sa mort subite, en 1959.

Après sa première rencontre avec Rumilly, en mai 1971, Black lui envoya un message courtois – rédigé en français – qui est aujourd'hui classé parmi les documents du fonds Rumilly, aux Archives nationales du Québec, à l'instar de la vaste correspondance de Rumilly avec des politiciens importants, des littérateurs et des confrères aux idées de droite ou fascistes. Parmi les dossiers se trouve même une lettre d'une association française cherchant à défendre la mémoire du dirigeant de Vichy tombé en disgrâce, le maréchal Philippe Pétain. Aussi loin que dans les années 1970, Rumilly n'arrivait donc pas à tourner la page.

Dans sa lettre à Rumilly, Black écrivit: «Permettez que je vous remercie profondément, encore une fois, de votre hospitalité, aide et sages conseils. C'est avec un plaisir considérable que j'attends notre prochaine rencontre.» Plus tard, cette année-là, convaincu qu'il détenait un filon important, Black s'inscrivit au programme de maîtrise en histoire à l'Université McGill, à Montréal. Ce programme d'études de deux ans exigeait l'élaboration d'une thèse. Il commença la rédaction d'une biographie politique révisionniste de

Duplessis, cette expérience lui permettant, de surcroît, de remettre en question et d'approfondir son nouvel attachement au conservatisme.

Ce projet le mit en profond désaccord avec son vieil ami Nick Auf der Maur, né de parents catholiques, pour qui « Duplessis était le symbole d'une société réactionnaire, isolée et dominée par l'Église », dans laquelle « les intellectuels étaient dans l'opposition ».

La thèse devint plus tard un livre qui connut deux éditions. Au Québec, il fut considéré comme une nouveauté puisqu'il avait été écrit par un Torontois (traduit en français par son ancienne petite amie, Monique Benoît).

Basé sur un nombre incalculable d'entrevues avec des témoins de l'époque, de même que sur une recherche détaillée dans les sources publiées et inédites, le livre de Black, une chronique de type journalistique, résultait d'un bon coup de négociations : il fut en effet le premier anglophone à se ménager l'accès – étroitement contrôlé – aux archives de Duplessis. Black ne cacha pas que sa recherche avait été essentiellement basée sur les documents de Duplessis et sur l'histoire du Québec de son ami Rumilly. Black avait formé une sorte d'alliance intellectuelle avec Rumilly, profitant de ses suggestions, de ses souvenirs et de ses contacts avec des Québécois du troisième âge. À la toute première page de la première édition de *Duplessis*, publiée en 1977, Black remerciait son « ami » Rumilly de son aide et écrivait : « Le fait d'avoir bien connu cet historien prolifique et ce compagnon intéressant demeurera pour moi une source de grand plaisir[30]. »

À McGill, Black choisit Laurier LaPierre – ancien professeur au Upper Canada College – comme directeur de thèse. Ce choix semble bizarre, puisque Black écrivit plus tard, dans ses mémoires, que LaPierre battait souvent les étudiants à coups de canne et était : « l'un des plus ardents tortionnaires de l'époque [...] Longtemps après, quand nous nous affrontâmes dans des débats amicaux à la radio de Montréal et qu'il parraina ma thèse à McGill, et plus tard encore quand il confessa publiquement ses tendances homosexuelles, il devint possible d'imaginer les mécanismes psychologiques et socioéconomiques qui poussaient ce jeune socialiste canadien-français sans le sou à s'en prendre si violemment aux douillets arrière-trains des fils de l'élite anglophone[31]. »

En 1971, LaPierre faisait autorité en matière d'histoire politique du Canada français, mais il était loin de partager l'horizon idéologique de

Black : LaPierre était proche de Pierre Trudeau. Comme il était présentateur à la télévision, sa présence aux réunions du département d'histoire de McGill était sporadique et il ne consacrait pas autant de temps qu'il aurait dû à son travail académique. Black et LaPierre se rencontraient régulièrement au pavillon Leacock, sur le campus, un bunker de béton mal aéré, qui sentait le moisi et qui abritait les bureaux et les salles de classe du département d'histoire. LaPierre – qui fut par la suite sénateur libéral à Ottawa – supervisa les recherches et la rédaction de la thèse de maîtrise de Black et fut impressionné par sa capacité de charmer et de cajoler Auréa Cloutier, l'ancienne secrétaire de Duplessis, la convainquant de lui permettre l'accès à ses archives privées.

Brian Mulroney se souvient d'être tombé sur Black dans un restaurant de Québec, pendant que ce dernier effectuait ses recherches en vue de sa thèse : « Et puis j'ai vu Conrad assis là, dans un coin du restaurant, avec une dame. Je suis allé le saluer […] et je lui ai demandé qui était cette dame. Elle était l'une des secrétaires ou adjointes de Duplessis [vraisemblablement Auréa Cloutier]. C'était un samedi soir, à Québec, au Continental – ou dans un autre restaurant –, et Conrad soupait avec elle, tout en lui soutirant des renseignements utiles. Voilà comment il a procédé. Il a travaillé très dur. Ce fut une grande réalisation[32]. »

Black accumula une quantité impressionnante de documentation, qu'il stocka dans son appartement montréalais. Au début des années 1970, Henry Aubin, auteur et journaliste à la *Gazette* de Montréal, rendit visite à Black à l'appartement 1802 de l'édifice Port-Royal, rue Sherbrooke, dans un immeuble qui appartenait au Vatican, à quelques minutes de marche du campus de McGill. Un monceau de documents sur Duplessis était empilé sur la table de la salle à manger de Black. « Son appartement somptueux, révélant son éclectisme, était orné de nombreuses œuvres d'art, dit Aubin. Du côté donnant sur le mont Royal, il y avait une statue classique [un buste], tout était d'un goût impeccable. Il y avait des plantes, des choses partout, c'était baroque : son livre sur Duplessis est baroque aussi[33]. »

White croit aujourd'hui que Black analysa Duplessis – le maître – en tant que modèle pouvant lui apprendre à manipuler le pouvoir, comme il avait appris les affaires de son mentor, Bud McDougald, le président d'Argus Corp. White décrit ainsi McDougald : « [Il] avait une façon très machiavélique et byzantine de tout contrôler à partir du centre de sa toile d'araignée et, en ce sens, il ressemblait beaucoup à Duplessis : ils avaient tous deux l'habitude de manipuler les gens moins rusés qu'eux, de les dresser l'un contre l'autre, puis d'intervenir pour soutenir l'un ou l'autre [...] Bien évidemment, Conrad apprit cette façon de régner de Duplessis et de McDougald[34]. » Pour Black, Duplessis appartenait à cette élite de chefs qui manœuvraient au-delà des conventions sociales et de la loi. Black écrivit : « Duplessis a aussi laissé en héritage sa personnalité. Comme le maréchal Pétain, il a fait don à l'État de sa personne et de sa personnalité, qui sont restées légendaires[35]. »

Black se devait de demeurer en bons termes avec Rumilly, puisqu'ils travaillaient parallèlement à une biographie de Duplessis. La biographie en deux volumes de Rumilly parut en 1973. C'était un ouvrage d'inspiration fasciste qui faisait l'éloge du mouvement régionaliste mené par Mistral en Provence, de Charles Maurras, du maréchal Pétain et du dictateur portugais Antonio Salazar. Ce livre transpose l'idéologie française de droite au Québec, consacre des centaines de pages au mouvement isolationniste et anticonscription au Québec pendant la Seconde Guerre mondiale, mais n'offre que quelques phrases, généralement sarcastiques, sur l'effort de guerre des alliés et la « propagande » qui avaient permis d'écraser les nazis et les fascistes. La biographie dénigre les Juifs, les francs-maçons et autres groupes d'individus supposément rejetés par la société, dépeints par Rumilly comme autant de conspirateurs cherchant à contourner les règles dans le but de détruire le foyer, la foi et la patrie.

La perspective de Black était différente. De l'avis de Pierre Godin, historien et biographe québécois renommé, Black et Rumilly avaient des opinions divergentes au sujet de Duplessis. « Rumilly a dû voir en Duplessis, dans sa façon de gérer la province, l'image du père, l'incarnation de l'idéal du chef fasciste. Or Duplessis lui-même n'était pas fasciste. C'était un homme autoritaire, néoconservateur et corporatiste. Mais quand Duplessis avait perdu les élections en 1939, il avait accepté la volonté du peuple. Black, de son côté, devait trouver qu'il se situait sur la même longueur d'onde que Duplessis. C'était un néoconservateur, il appartenait au même horizon idéologique que lui. Black devait être en accord avec la vision conservatrice duplessiste du rôle de l'État et du gouvernement[36]. »

Le portrait que Black dresse de la société québécoise demeure essentiellement fidèle au modèle corporatiste en vigueur au Québec, à une époque où les chefs politiques de toutes tendances chantaient les louanges de Mussolini, de Franco et de Salazar et à la manière dont ils divisaient la société en catégories distinctes pouvant être facilement manipulées. Black brosse, en quelques coups de pinceau sommaires, une synthèse habile de l'histoire québécoise de la fin des années 1930 : « Tradition-nellement, toutes les décisions étaient prises par l'Église et surtout par l'archevêché de Québec, par les financiers anglophones et par le gouver-nement », qui jouait un rôle similaire à celui des groupes d'affaires dans les provinces anglophones. « Le premier ministre du Québec occupait une position unique en tant que chef séculier de la nation canadienne-française. Ce triumvirat – composé de l'État, de l'Église et du commerce – était secondé par les caisses populaires et les leaders des unions de culti-vateurs, les chambres de commerce et les groupes catholiques, paroissiaux, coopératifs et ouvriers. C'est dans ce petit monde confortable et haute-ment organisé que fit irruption, de façon fort peu discrète, le mouvement ouvrier séculier qui, par la véhémence de ses revendications, prit la place des syndicats catholiques tout comme, au Ve siècle, les Huns avaient re-poussé les autres barbares moins féroces qu'eux[37] ! »

Dans *Duplessis*, Black évoque les principaux acteurs de la scène poli-tique québécoise : les politiciens verbeux, ambigus et inventifs ; les austères prélats ultramontains ; les industriels mâchonnant leur cigare, toujours à l'af-fût de la meilleure affaire ; les femmes sensuelles et faciles, attirées par le pouvoir comme des mites par la flamme, leurs corps souples émergeant de leurs robes de soie pour s'accrocher à des politiciens épuisés ; les journalistes faciles à corrompre avec des enveloppes pleines d'argent, des offres d'accès ou de modestes contrats de relations publiques ; enfin, les fiers-à-bras brutaux, prêts à brandir un pistolet ou un bâton de baseball pour intimider les élec-teurs ou les grévistes. Certains de ces casseurs kidnappèrent même des candi-dats de l'opposition pour le compte de Duplessis. Mais même si les chefs d'entreprises anglophones graissaient abondamment les rouages du système de patronage de Duplessis, l'électorat anglophone de la classe moyenne et de la haute bourgeoisie cessa, après 1936, de voter pour son parti. Un tel clivage avait rarement été observé dans la société anglophone. Chez les Québécois francophones, par contre, la lente électrification des campagnes signifia que, jusqu'à la fin des années 1940 et au début des années 1950, les électeurs des régions rurales ne savaient pas beaucoup plus du monde ambiant que ce que leur en disaient les curés de leurs paroisses. De plus, le gouvernement provincial contrôlait presque tous les quotidiens québécois, à l'exception du *Devoir*.

Black traitait le patronage de façon partisane, ridiculisant le patronage patricien des libéraux tout en justifiant celui de l'Union nationale, le présentant comme un instrument d'influence légitime et utile. Il raconta comment l'industriel montréalais J. W. McConnell fit livrer à Duplessis des boîtes de carton remplies d'argent sonnant – 50 000 $ en 1952 et 100 000 $ trois ans plus tard – qui ne représentaient qu'une partie d'une somme totale estimée à 100 millions (en dollars de 1950) que Duplessis encaissa sous forme de pots-de-vin, de dons politiques, de cadeaux et d'œuvres d'art, au cours de son long règne au Québec. (En dollars de 2007, les dons reçus par Duplessis se chiffreraient à plus de 790 millions de dollars.) Sa collection d'art, évaluée à 15 millions en dollars d'aujourd'hui, a été léguée à un musée de Québec. Black décrit ces tableaux comme à peine plus intéressants que ceux que l'on s'attendait à trouver « dans les bonnes demeures bourgeoises du Québec dans les années 1940 ou 1950 [....] Il n'était pas un homme particulièrement doté d'un bon goût artistique... il n'était pas très original[38] ». Les médias et autres critiques, y compris le clergé catholique progressiste de l'époque, considéraient le patronage de Duplessis comme une subversion immorale de la démocratie. À eux seuls, les dons de McConnell équivalaient à 60 fois le salaire annuel moyen des Québécois, en 1955 : 2500 $.

Dans *Duplessis*, Black omet d'analyser l'idéologie corporatiste – pour ne pas dire franchement fasciste et le plus souvent inspirée des fondements abominables de l'antisémitisme – à laquelle adhéraient plusieurs politiciens québécois en vue. Il omet également de signaler des événements significatifs ayant précédé la Révolution tranquille, comme la parution, en 1948, du *Refus global* du peintre Paul-Émile Borduas, qui rejetait le statut postcolonial des Québécois écrasés par des prêtres en « soutanes restés les seuls dépositaires de la foi, du savoir, de la vérité et de la richesse nationale », et de l'ouvrage *Les insolences du frère Untel*, décrivant la tyrannie de l'Église basée sur le paternalisme et l'esclavage moral, de même que la paralysie intellectuelle des Canadiens français, peu éduqués, incapables de s'exprimer et traditionnellement craintifs. En écrivant sur Duplessis, Black avait une motivation très différente de celle de Rumilly. L'un et l'autre voulaient le réhabiliter, mais Black espérait que la restauration de sa réputation servirait à reconstruire l'Union nationale en tant que solution de rechange au nationalisme croissant des deux principaux partis au Québec : les libéraux de Robert Bourassa et le Parti québécois de l'indépendantiste René Lévesque.

En dépit du fascisme et de l'antisémitisme de Rumilly, LaPierre – qui le rencontra plusieurs fois au cours des années suivantes – souligna qu'il était tout de même « un grand historien populaire qui a largement utilisé les coupures de journaux provinciaux et locaux conservés dans les séminaires. Il fut le premier à établir un registre de notre vie politique et sociale et, jusqu'à un certain point, de notre vie religieuse. Il en a fait un récit intéressant ; il était un bon raconteur ».

Black pensait, pour sa part, que Duplessis « était un personnage colossal de l'histoire québécoise et canadienne, quasi universellement méprisé à l'époque où je me suis penché sur lui. Et pourtant, son succès avait été retentissant. Le premier ministre Daniel Johnson [père], que j'avais rencontré et pour lequel j'éprouvais un grand respect, parlait de Duplessis avec une énorme déférence. Et c'est ce qui m'avait donné à penser que, sans doute, l'histoire n'avait pas rendu justice à cet homme... Je m'intéressai donc à ce chapitre qui n'avait pas été écrit de façon adéquate ».

En contestant l'interprétation « héroïque » de la Révolution tranquille, Black chercha à rétablir la réputation de Duplessis en démontrant qu'il avait exercé son pouvoir de façon magistrale et édifié les bases de la modernisation et de l'industrialisation du Québec. Parmi les caractéristiques du leadership que Black dit admirer le plus chez les politiciens et chez les ecclésiastiques se trouvent : « la capacité de garder la tête froide, l'aptitude à se sortir ingénieusement des situations difficiles – ou à en tirer le maximum –, le courage, la capacité d'inspirer ses semblables [...] Toutes ces caractéristiques sont liées au pouvoir et j'admire chacune d'entre elles. »

« En tout respect, une grande partie de la soi-disant Révolution tranquille a résidé dans la laïcisation de l'enseignement, les mêmes individus enseignant le même programme aux mêmes étudiants dans les mêmes écoles. Ils se sont sécularisés [les religieuses et les prêtres], ce qui a coûté une fortune à la province. Par la suite, les impôts ont augmenté, le déficit a commencé à s'accumuler et tout a basculé. Je crois donc que Duplessis est responsable, pour une bonne part, de la Révolution tranquille, le reste ne constituant essentiellement qu'une fraude, rien de bien plaisant[39]. » (Black veut dire qu'il attribue à Duplessis la responsabilité des réalisations positives de la Révolution tranquille, la partie avec laquelle il n'avait rien à voir ne méritant même pas qu'on s'en souvienne.)

La relation de Black et de Rumilly ne pouvait pas vraiment durer : leurs motivations étaient trop différentes. Le sentiment véritable de Rumilly à l'égard de Duplessis est exprimé dans une lettre que l'historien écrivit, le 14 décembre 1971, au criminel de guerre de Vichy Jacques de Bernonville, qui vivait alors à Rio de Janeiro : « Mon cher ami, je suis heureux de vous savoir, enfin, en un lieu qui doit être agréable et vous convenir. Ce que vous me dites de "l'ex-patrie" [la France] ne me surprend pas. N'avez-vous pas commis une imprudence ? [Bernonville, au risque d'être arrêté, s'était rendu incognito en France pour rencontrer sa famille.] En ce qui concerne votre requête, je me suis adjoint, pour travailler sur ce dossier, un très respecté juge de mes amis. Nous sommes allés d'une personne à l'autre, sans résultat. Je travaille incroyablement fort, comme si le travail était un virus, et j'en tire beaucoup de satisfaction. Avec d'ailleurs un certain succès, comme en fait foi la haine des gauchistes. Je suis à corriger les épreuves du troisième volume de mon histoire de Montréal. Il y aura un quatrième et, peut-être, un cinquième volume et je travaille aussi à une histoire monumentale de Maurice Duplessis et de son époque, avec l'aide des archives de Duplessis que sa famille – qui ne fait confiance à personne d'autre qu'à moi – m'a transmises. Les choses vont tellement mal que les gens commencent à dire : "Voilà un homme comme Duplessis" – dont la réputation est celle d'un quasi-dictateur – "voilà le genre d'homme qu'il nous faut". Les séparatistes, influencés par l'esprit révolutionnaire, font fuir les capitaux. L'une après l'autre, discrètement, les grandes sociétés transfèrent leur siège social à Toronto. Nous sommes toujours en bonne santé. Vos amis survivants vous saluent[40]. » Un extrait de cette lettre fut reproduit dans un journal de Rio, après l'assassinat de Bernonville, en 1972, et fut retenu comme preuve au cours du procès sans issue qui s'ensuivit. À l'époque, Black n'avait rien su du contenu de cette lettre.

Lorsque Black quitta le Québec en 1974, il resta en contact avec Rumilly, partageant parfois avec lui une interprétation plutôt angoissée de la

situation au Québec. Dans une lettre datée du 27 février 1976, Black écrit:
«Je ne veux pas pour un instant vous donner l'impression erronée que j'ai
perdu mon affection personnelle pour le Québec. Loin de là. Mais il faut
être réaliste: ces 16 ans de tergiversations ont fait énormément de tort au
Québec que nous avons tous deux connu et aimé. Espérons que les 16 pro-
chaines années seront plus fructueuses, car si la tendance actuelle se main-
tient, le Québec ne connaîtra que le chaos, le fanatisme et les cauchemars
accumulés que vous avez décrits dans votre mince volume, *Quel monde.*»

Cette déclaration de Black était étonnante, puisque *Quel monde*,
un opuscule publié en 1965, constitue l'un des pamphlets de Rumilly les
plus haineux et les plus racistes: «La civilisation est l'œuvre de la race
blanche et les autres races appliquent leurs plus grands efforts à l'imiter
[…] Le racisme consiste essentiellement en un refus du métissage. C'est
le désir – normal – d'une race de conserver ses traits originaux, son génie
propre. Le sentiment de race est plus profond et plus puissant que le
sentiment national. Abandonnez deux Blancs, appartenant à des nations
ennemies, au milieu des Jaunes et des Noirs, et vous les verrez immédiatement se sentir solidaires et fraternels. Il existe bien une hiérarchie des
races et il est normal que la race blanche se préserve. Le constater, en
tenir compte, n'implique aucune animosité, et même nul mépris pour
les races de couleur.»

Black flattait-il Rumilly au sujet de la diatribe de *Quel monde*
comme s'il s'agissait du prix à payer pour maintenir leur relation?

En juin 1976, trois mois avant la publication de son livre, Black perdait ses parents – après qu'ils eurent subi tous deux un long et douloureux
déclin physique – à dix jours d'intervalle. Au mois de septembre, Black
envoya de Paris une carte postale à Rumilly: «En raison des problèmes
et même de l'anxiété occasionnés par ces événements, j'ai décidé de partir à l'étranger pour quelques semaines. Mon livre sera publié dans trois
semaines. J'espère que tout va bien pour vous. J'attends avec impatience
notre prochaine rencontre, après une longue séparation, si je puis me
permettre d'utiliser ce mot à regret. Avec meilleurs vœux et mon amitié
indéfectible, Conrad Black.»

Mais lorsque le livre fut publié, Rumilly désapprouva le portrait
que Black traçait de Duplessis et mit brusquement fin à leur relation.
Le livre était généralement positif, mais ses conclusions n'étaient pas

particulièrement tendres : « Maurice Duplessis était un personnage paradoxal, à la fois sociable et solitaire, généreux et cruel, magnanime et rancunier ; défenseur fanatique du Parlement, des tribunaux et de la loi, il les manipulait pourtant sans vergogne pour en arriver à ses propres fins. Lecteur avide, il se passionnait pour les biographies politiques et dévorait des ouvrages volumineux sur la théologie et la loi, mais aimait prétendre qu'il n'avait pas lu un seul livre depuis sa sortie de l'université. Duplessis garda son mystère, même pour ses plus proches collaborateurs [...] Sa maîtrise de la procédure, son caractère batailleur, son esprit vif et sa mémoire prodigieuse le rendaient extraordinairement efficace[41]. »

Cette liste des caractères négatifs de Duplessis fut probablement intolérable pour Rumilly, qui, après tout, était directement issu de la tradition maurrassienne de propagande de droite et d'obéissance absolue et inconditionnelle à un seul chef tout-puissant.

Rumilly était peut-être aussi irrité que Black ait osé décrire cette infirmité du grand chef, l'hypospadias, une malformation du pénis qui situe le méat urinaire sur le côté de la verge et non pas à son extrémité.

« Je n'appellerais pas cela une malformation, m'a expliqué Black. Il s'agit plutôt d'une condition qui afflige beaucoup d'hommes. Je crois qu'en pourcentage, l'incidence n'est pas très élevée, autour de 1 %. Mais il ne s'agissait pas d'un cas grave ; j'en ai seulement mentionné les possibles conséquences psychologiques et je mets en doute le jugement de ceux qui furent choqués par cette révélation. Le sujet fut traité avec délicatesse, à la toute fin du récit, et j'ai seulement dit que cela avait pu entraîner des conséquences sur le plan psychologique. Je l'ai mentionné dans le but de faire un exposé complet du sujet[42]. »

Déçu par la réaction de Rumilly à son livre, Black réprimanda son vieil ami dans une lettre virulente datée du 17 décembre 1976 : « Dans le cours normal de ma carrière, je suis habitué aux déceptions, aux désertions et même à la diffamation. Mais je ne me serais jamais imaginé que mon vieil allié dans la cause de refaire justice à la réputation de Maurice Duplessis pourrait se rendre coupable d'une telle injustice à mon endroit. Au cours d'un bref passage à Montréal, cette semaine, je me suis défendu vigoureusement contre l'accusation lancée par les journalistes d'avoir blanchi la carrière et la personnalité de Duplessis [...] C'est en toute conscience que j'ai rempli fidèlement mon devoir de présenter les faits historiques tels qu'ils se sont produits et, ce faisant, d'avoir combattu et même converti plusieurs de ceux qui avaient souillé le nom de Duplessis. Votre exemplaire du livre [...] est trop volumineux pour être posté et vous sera donc livré par la compagnie T. Eaton, dont je suis membre du conseil d'administration. J'aurais espéré vous le remettre en mains propres au Canadian Club. Vous me devez une explication. En attendant, je me considère toujours bien disposé envers vous, conscient de la cause qui nous a unis depuis presque six ans, jusqu'à la semaine dernière. »

La rupture avec Rumilly fut sans doute pénible pour Black, mais la relation filiale qu'il avait développée avait été circonstancielle, voire opportuniste : elle n'avait aucune chance de se prolonger dès le moment où leurs intérêts respectifs ont divergé. Rumilly ne semble pas avoir gardé copie de sa réponse à la lettre de Black. Mais il garda la dernière lettre de Black, datée du 5 janvier 1977, dans laquelle celui-ci disait : « Je me considère toujours comme "un admirateur et un champion de Duplessis", comme vous l'avez déjà indiqué. En lisant mon livre, vous en arriverez sans aucun doute à la même conclusion. Il m'est désagréable d'être accusé par vous de faire preuve d'hostilité envers Duplessis et d'être accusé en même temps, par les adversaires de Duplessis, d'avoir cherché à le blanchir et, pratiquement, à le béatifier. »

À partir du début des années 1970, Black avait de bonnes raisons de retourner souvent à Toronto : ses parents n'allaient pas bien et plusieurs grandes entreprises montréalaises avaient transféré leur siège social à Toronto. Black envisageait maintenant l'étape suivante de sa vie. « Au printemps 1971, le légendaire Lord Thomson of Fleet, dont j'avais fait la connaissance à une réunion de la Presse Canadienne, me livra ses "règles d'or", à commencer par sa politique selon laquelle toute rénovation immobilière devait recevoir son approbation personnelle et si on proposait pour l'éditeur un bureau plus grand que la salle des toilettes pour hommes, il congédiait l'éditeur[43]. » À bien des égards, Black modela sa future carrière sur celle de Roy Thomson, propriétaire d'une station de radio en Ontario, qui avait pris le contrôle du *Scotsman* et du *Times* de Londres avant de diversifier ses activités dans le pétrole en mer du Nord et dans l'industrie touristique, pour finalement siéger à la Chambre des lords.

En 1974, Black prit finalement la décision de quitter le Québec. Au cours de ses adieux, sur les ondes d'une station de radio commerciale, il se lança dans une attaque personnelle véhémente contre tout ce qu'il en était venu à détester au Québec.

Comme le souligne Brian Stewart: «Quand il a quitté le Québec en claquant la porte, Conrad se sentait personnellement rejeté. Il était venu de Toronto, avait étudié à Laval, avait appris le français, faisait autorité en matière de politique dans un Québec où il avait exploité des entreprises. Son sentiment était que toute bonne action mérite sa récompense. Et que s'il s'agissait là de l'attitude normale des Québécois, il ne pourrait jamais se faire accepter. Il admirait les anciens bâtisseurs du Montréal anglophone, mais estimait que ses nouveaux leaders avaient pris la route de l'apaisement, ce qui ne pouvait que nourrir les demandes des séparatistes.»

Black se sentait trahi par la province qui lui avait offert un nouveau départ dans la vie, mais après huit ans, il était devenu trop grand pour le rôle qu'il s'y était inventé. Peut-être les Québécois refusaient-ils simplement de lire le scénario radicalement conservateur que Black avait écrit pour eux: ils ne voulaient pas réélire la corporatiste Union nationale, retourner massivement à la messe dans les paroisses rurales et laisser le triumvirat d'ancien régime – politiciens francophones, ecclésiastiques catholiques et magnats anglophones – diriger la province.

De sa nouvelle résidence de Toronto, Black continuait à vouloir appliquer les leçons du passé pour résoudre les problèmes du présent. Dans les cas de Lyndon B. Johnson et de Duplessis, il avait joué le rédempteur de géants déchus. Il avait tenté de devenir un faiseur de rois, comme le cardinal Léger. Il cherchait maintenant à devenir un travailleur de l'ombre, un être machiavélique dont la connaissance pragmatique du pouvoir lui permettait d'en tirer les ficelles depuis les coulisses. Il voulait remplacer la menace du nouveau nationalisme séparatiste subversif du Québec par le confort du vieux nationalisme conservateur. Il essaya d'inciter Pierre Desmarais II, homme d'affaires prospère et président de la Communauté urbaine de Montréal, à poser sa candidature à la direction de l'Union nationale. Mais Desmarais refusa pour des raisons familiales, même si Black et lui devinrent par la suite associés lorsque Desmarais dirigea UniMédia, le groupe de presse francophone de Black.

Au milieu de 1976, en deuil de ses parents et de son amitié avec Rumilly, maintenant bien installé à Toronto, Black suivait de très près les

changements politiques radicaux qui avaient cours au Québec. Le Parti
québécois menait dans les sondages et promettait, une fois élu, de tenir
un référendum sur l'indépendance du Québec. Mais si Black s'affairait
à promouvoir l'Union nationale, ses critiques considéraient que de diviser le vote fédéraliste (entre les libéraux et l'Union nationale) serait une
grave erreur. « Si nous tournons le dos au Parti libéral, proclama avec
rage l'important homme d'affaires Charles Bronfman, nous commettons
un suicide. Ce serait pire qu'un désastre, ce serait un geste criminel. Nous
nous enfoncerions nous-mêmes des lances et des poignards dans le dos.
L'élection est elle-même un référendum [sur la séparation]... L'enjeu du
référendum est de savoir si nous resterons en vie ou si nous mourrons
[...] car les [péquistes] sont des salauds qui cherchent à nous tuer. »

Le 15 novembre 1976, le Parti québécois, dirigé par René Lévesque,
remporta une forte majorité à l'Assemblée nationale. Quelques mois plus
tard, la loi 101 – historique et controversée – était déposée et adoptée.

« Je crois que l'adoption de cette loi fut l'événement le plus important de l'histoire du Québec, me confia par la suite Camille Laurin,
l'architecte de la loi. Ce fut un phénomène naturel, après tout, car
en 1976 il y avait une nation française au Québec, dont l'existence se
mesurait par le nombre, la force de sa culture et sa volonté de maintenir
son identité linguistique et culturelle. » Par contre, avait-il poursuivi, des
obstacles considérables barraient la route au rêve francophone, parmi
lesquels « l'omniprésence de l'anglais » comme langue de la science, de
la technologie et des affaires. Mais il y avait aussi les chiffres. Les Québécois francophones constituaient une petite île au milieu d'un océan de
250 millions d'Américains et de 20 millions de Canadiens anglais[44].

Connue aussi sous le nom de Charte de la langue française, la
loi 101 visait à protéger et à promouvoir la langue française au Québec
en exigeant que toutes les activités des entreprises ayant 50 employés et
plus soient menées exclusivement en français, en interdisant l'utilisation
de toute langue autre que le français comme langue d'affichage des en-
seignes commerciales et des panneaux routiers et en décrétant que les
enfants de la majorité francophone et ceux des immigrants ne pouvaient
plus fréquenter l'école publique primaire ou secondaire anglophone
(même si un apprentissage de la langue anglaise demeurait obligatoire
dans le système d'éducation francophone).

« Je crois que le gouvernement du Québec avait le droit d'agir ainsi, ajoutait Laurin. Cette loi était le fruit de réflexions profondes et je pense que c'est probablement pour cette raison qu'elle fut si bien acceptée, à l'époque, par les francophones du Québec et que cette approbation s'est maintenue depuis. »

Même si Black considérait les résultats électoraux comme un désastre, il était déterminé, à partir de sa base torontoise, à rebâtir l'Union nationale. Mais son rêve s'évanouit rapidement, pour ne jamais plus refaire surface. Le temps qu'il avait consacré à Duplessis était officiellement terminé, mais au moins possédait-il un stock impressionnant de copies de son livre, lequel était susceptible d'impressionner ses puissants amis. Ainsi Henry Kissinger m'a-t-il fièrement montré, un jour, un exemplaire de *Duplessis* dédicacé par l'auteur, dans la bibliothèque de son bureau de Park Avenue à New York. « Voici le livre de mon ami Conrad sur Duplessis », m'avait-il dit, sans préciser s'il avait lu chacune de ses 680 pages.

Mettant Duplessis, ses années québécoises et la littérature derrière lui, Black se lança dans l'édification d'un véritable empire financier à Toronto. L'écrivain Henry Aubin se souvient d'avoir rencontré Black par hasard à Montréal, au milieu des années 1970 : « Nous avions quitté l'édifice ensemble pour prendre un taxi. Pendant le trajet, je lui avais demandé ce qu'il voulait faire de sa vie, car il était clair qu'il avait énormément de potentiel.

— Je veux faire de l'argent, avait répondu Black. Avec de l'argent, j'arriverai à faire tellement plus... »

Black était descendu devant une succursale bancaire, à l'angle des rues Peel et Dorchester. Il avait expliqué à Aubin qu'il allait rencontrer son avocat, Brian Mulroney, qui deviendrait, moins d'une décennie plus tard, premier ministre du Canada.

CP Photo

CHAPITRE 5

Machiavélique, homme
des coulisses, faiseur de rois

Pendant la nuit du 24 juillet 1974, franchissant la ligne de partage af-
fective séparant le Québec de l'Ontario, la rutilante Cadillac Eldorado
noire de Conrad Black filait dans l'obscurité sur l'autoroute 401 : il ren-
trait chez lui à Toronto. Il avait maintenant 29 ans. Son régime québécois de laits frappés au chocolat et de sandwiches au bacon et aux œufs
avait fait de lui un homme corpulent, engoncé dans ses costumes trois-
pièces à fines rayures. Il tenait le volant de ses longs doigts boudinés en
méditant sur l'avenir. Le trajet était long et monotone.

Tant d'événements s'étaient produits en huit ans. Son séjour au
Québec avait été un intermède, une étape sécurisante pendant laquelle
le jeune Torontois avait pu faire ses preuves, domestiquer ses démons et
ses insécurités, se réaliser au niveau professionnel et intellectuel, loin des
regards indiscrets de la faune de sa ville natale. Il avait voulu émerger de
l'ombre mélancolique de son père, remettre les choses en place pour la
famille Black et s'affirmer en tant qu'individu.

Mais ses réalisations ne le satisfaisaient pas vraiment. Il laissait aux
autres le soin de s'émerveiller devant son diplôme de droit de l'Université Laval, sa capacité de converser en français, sa maîtrise en histoire
de l'Université McGill, son groupe de journaux en pleine ascension et
son réseau impressionnant de contacts politiques, tant à Québec qu'à
Ottawa. Sa cicatrice au front (séquelle de son accident de voiture) et son
habitude de marteler l'air de ses doigts lui donnaient une allure coriace.

Son statut social et sa fortune montante l'aidaient à maintenir une distance.

Black avait développé de nouveaux besoins affectifs au cours des huit dernières années et ces besoins le perturbaient quelquefois. Comme ses crises de panique. « Les épisodes d'angoisse devinrent bien moins fréquents et moins intenses, jusqu'à disparaître après une crise survenue en 1973 », affirme-t-il[1]. Selon son camarade de l'Université Laval Jonathan Birks, Black détestait prendre l'avion et souffrait d'abondants saignements de nez pendant les longs vols (ce que nie Black). Il ne pouvait pas être seulement lui-même, simplement Conrad. Il y avait quelque chose de vorace en lui, la poursuite d'une seule cause, un appétit qui ne pouvait pas être rassasié, un vide qui ne pouvait pas être comblé. Incontestablement, l'étiquette de « magnophile » que lui avait attribuée Peter White était pertinente : au premier signe de grandeur qu'il percevait chez un individu, il établissait une stratégie pour s'approprier une partie de cette grandeur. Dans ses moments de solitude, en capturant des symboles de grandeur et en fusionnant avec eux, il avait commencé à tisser un récit dont la trame le magnifiait personnellement. Selon Machiavel, il valait mieux, pour un prince, être craint qu'aimé. Et Black avait manifestement l'intention d'être un leader : un leader craint, à défaut d'être aimé.

Complètement absorbé par ses réflexions, il heurta l'arrière de la voiture qui le précédait sur la 401, mais sans grands dommages.

C'est au Québec que Conrad Black avait développé l'habitude de s'accrocher à des hommes plus âgés que lui, les flattant et les enjôlant tant et si bien qu'ils finissaient par accepter d'être ses mentors et de se confier à lui. Ces relations lui permettaient de pénétrer l'univers personnel de ces aînés aux riches souvenirs historiques. D'une façon ou d'une autre, il faisait siennes leurs mémoires, comme si le film de leur vie était projeté sur un écran géant. Il faisait les cent pas devant leur écran, croyant avoir un rendez-vous spécial avec leur destin historique.

Ces relations stimulaient l'appétit de Black pour le grandiose. Dans son monde intérieur solitaire et à moitié imaginaire, Black se réjouissait des rôles qu'il s'était inventés. Il était un entrepreneur intellectuel omnivore. Il était un rebelle romantique qui n'avait jamais connu d'échec. Il avait délaissé son libéralisme généreux du début des années 1960 pour devenir un conservateur émotif, un combattant bouillant de rage, à la frustration et à l'agressivité cycliques, qui brandissait son épée à la face du monde. Il était un témoin oculaire de la grandeur historique et il connaissait les vices privés qui se cachaient derrière les vertus publiques du pouvoir. Il les connaissait, simplement, parce qu'il avait étudié l'art du pouvoir. La fin justifiait les moyens. Les dirigeants se situaient un cran au-dessus du peuple. Les dirigeants avaient des personnalités riches et colorées et vivaient une existence passionnante dans la magnificence prodiguée par la richesse et le pouvoir. Les gens normaux n'étaient que des personnages de dessins animés en deux dimensions, se déclinant dans toute la gamme des gris. Ils étaient lourdauds, vulgaires et n'existaient que pour être manipulés.

Le départ de Black de Montréal avait été conforme au modèle de chacun de ses départs. Dans un accès de rage, il avait claqué la porte sur Montréal qui refusait d'être ce qu'il avait voulu qu'elle soit. Mais dans son for intérieur, il savait bien que ses intérêts économiques étaient désormais à Toronto, qui avait remplacé Montréal comme capitale financière du Canada.

Pendant qu'ils étaient témoins du déclin physique de leurs parents, Conrad et son frère Monte s'étaient demandé comment maintenir la position familiale dans Argus, une entreprise qui serait bientôt plongée dans une lutte pour la succession. À la même époque, Black avait renoué avec les vieilles familles de l'establishment torontois : les Eaton, les Bassett et les Weston. Il n'était plus ce garçon connu pour avoir été expulsé à deux reprises de collèges privés exclusifs et il n'avait pas besoin du cocon protecteur du *old boy's network*. Il était une force de la nature dont les yeux perçants oscillaient de droite à gauche pendant qu'il analysait, évaluait, jaugeait les gens. Au contraire, son athlétique frère Monte, le cigare aux lèvres, affichait un air jovial, un teint frais et une allure sereine.

Black avait redécouvert les riches amis triés sur le volet de sa jeunesse, tout en recherchant la compagnie de journalistes radicaux tels que Larry Zolf : des hommes aux idées bien arrêtées et enclins à la controverse, avec qui il était agréable de se mesurer de temps à autre. Il avait besoin de ces échanges intellectuels pour rompre avec l'univers de l'austère élite financière de Toronto.

Il était proche de ses parents, mais il ne voulait pas ressembler à ces fils de millionnaires, pauvres petits gosses de riches qui dépendaient de versements de fonds réguliers, qui se sentaient coupables de posséder toute cette fortune imméritée et qui cachaient la futilité de leur existence derrière une façade d'extravagance. Il avait trop souvent vu des familles aux origines humbles retourner à leur point de départ en trois générations : les enfants grandissaient en finissant progressivement de dilapider ce qui restait de la fortune familiale dont la seconde génération avait hérité et dont – oisive, improductive et dépensière – elle n'avait pratiquement rien laissé pour la génération suivante.

Black avait développé une éthique personnelle du travail. Son intérêt le portait plutôt vers les puissants bâtisseurs de fortune tels que l'ancien associé de son père, Bud McDougald, un cerveau canadien méconnu de la finance. Il y avait dans le visage de McDougald quelque chose de sombre et de voilé, comme si ce vieil homme voûté avait porté un masque. Black décrivait McDougald comme un homme « soigné, élégant, drôle, malin, félin, presque totalement dépourvu d'instruction, fier de son ignorance, un conteur amusant, qui ne buvait jamais d'alcool et n'avait pas d'enfants[2] ».

Le 30 mai 1969, à Toronto, Black avait assisté à la réunion qui avait présidé à la formation de Ravelston Corporation, le holding qui aurait désormais le contrôle d'Argus. Deux ans plus tard, McDougald l'avait soutenu dans une tentative avortée de prendre le contrôle du *Toronto Telegram*, que ses propriétaires, la famille Bassett, décidèrent plutôt de liquider.

McDougald était le principal actionnaire d'Argus Corporation, dont le siège social était établi au 10 Toronto Street, dans un édifice construit en 1852 pour héberger un bureau de poste et devenu par la suite une succursale de la Banque du Canada. En 1959, Argus avait fait l'acquisition de cet édifice néoclassique aux colonnes stoïques et aux poignées de porte en cuivre poli, le redécorant dans le style d'une banque commerciale londonienne du XIXe siècle. À l'intérieur étaient suspendus des tableaux sans originalité représentant des paysages maritimes hollandais du XVIIIe siècle (avant que Black n'y installe un gigantesque portrait pop art le représentant et portant la signature d'Andy Warhol). Des cordeaux en velours précédaient un escalier en spirale menant aux bureaux de la direction. Des planchers de marbre, des moulures géorgiennes ainsi qu'un portrait signé du roi George VI, dans un cadre d'argent étincelant, complétaient la décoration.

À l'ombre des tours de verre, d'acier et de béton de Toronto, Argus gérait son attrayant portefeuille d'investissements stables. En 1970, ils comprenaient 13,4 % de BC Forest Products, 24,8 % de Dominion (une chaîne d'alimentation), 16,9 % de Domtar (pâtes et papiers), 20,3 % de Hollinger Gold Mines, 15,7 % du fabricant de machinerie agricole Massey Ferguson et 48 % de Standard Broadcasting. Mise à part la vente de sa participation dans BC Forest Products, ces pourcentages demeurèrent pratiquement inchangés jusqu'en 1976. Même s'il ne s'agissait là que de participations minoritaires, Bud McDougald réussissait, grâce à sa puissante personnalité (et à quelques manipulations stratégiques), à contrôler la destinée de toutes ces entreprises, qui constituaient à leur tour une source permanente de dividendes pour les partenaires d'Argus, dont McDougald lui-même, George Black, E. P. Taylor, le général Bruce Matthews, le colonel Maxwell Meighen et Alex Barron.

Peter C. Newman fut sans doute le premier journaliste à obtenir une entrevue avec McDougald, à Green Meadows, son magnifique domaine de la banlieue torontoise de Willowdale. « Je me souviens de la première fois où j'ai visité sa résidence : il m'avait fait faire le tour de son garage à 35 places. Il possédait même une voiture entièrement faite de bois de tulipier, fabriquée pour le roi Alphonse XIII d'Espagne. Beaucoup de gens croient qu'il m'est facile d'obtenir des entrevues avec ces gens, mais ce n'est pas le cas [...] Je l'ai appelé, je lui ai écrit, je lui ai demandé de m'accorder une entrevue et il m'a répondu qu'il ne parlait pas aux journalistes. Point final. C'était la vérité. Même s'il était un homme d'affaires extrêmement puissant à l'époque, aucune coupure de journal basée sur une rencontre avec un journaliste n'existait à son sujet. Il contrôlait des entreprises valant environ 1 milliard de dollars. Donc, j'allai déjeuner avec ses amis. Je les avais retracés et leur avais dit que j'étais en train d'écrire un livre sur l'establishment. Que je voulais obtenir une entrevue avec Bud McDougald, mais qu'il refusait de me parler. Que j'allais quand même écrire mon livre et que j'allais décrire son empire de 10 milliards de dollars. Quelquefois, je parlais d'un empire de 100 milliards, ce qui les rendait évidemment très nerveux. Je savais que, tout de suite après le repas, ils allaient appeler McDougald pour le prévenir qu'un fou prétendait qu'il valait plus de 100 milliards de dollars et qu'il avait intérêt à s'en occuper.

« Ç'a marché. Il avait fini par accepter de me recevoir et de m'accorder une vraie entrevue ou, plutôt, plusieurs entrevues. Il n'avait jamais parlé à un journaliste auparavant, si bien qu'il répondait à mes questions à la manière d'un politicien qui peut parler sans fin pour ne rien dire. Une de mes citations préférées de McDougald est sa réponse à ma question sur son niveau de scolarité : "Eh bien, j'ai quitté l'école à 14 ans. Je l'ai regretté toute ma vie." J'imaginais tout ce qui lui avait manqué, les informations importantes, les livres importants... Mais il avait poursuivi : "Oui, je l'ai regretté toute ma vie. J'aurais dû partir à 12 ans[3]." »

McDougald adorait Londres : il s'y déplaçait en Rolls Royce Phantom VI, y résidait dans sa suite privée permanente du Claridge et y visitait les ducs et les marquis de son cercle d'amis. Il aimait mentionner que le Turf – un club privé où il avait l'habitude de déjeuner – comptait 16 ducs sur la liste de ses membres. Il faisait l'élevage de chevaux pur-sang dans des écuries privées qu'il possédait dans les Cotswolds, ces collines ondulant entre Londres et Oxford. Il possédait également une hacienda au 640 South Ocean Boulevard, à Palm Beach, sur une étroite bande de terrain de la Côte d'Or de la Floride, quartiers d'hiver exclusifs des milliardaires américains. Ce manoir comptait 18 salles de bains et avait appartenu à la légendaire famille DuPont. Bud aimait ce sentiment d'appartenance. Il aimait les cocktails au bord de la mer où il pouvait rencontrer les grands banquiers accompagnés d'épouses resplendissantes et – la plupart du temps – beaucoup plus jeunes qu'eux ; les palais méditerranéens d'un blanc étincelant coiffés de leurs toits de tuiles et situés sur des terrains immenses ; les collections d'art privées et les armées de serviteurs en livrée ; les jardins impeccablement manucurés de palmiers royaux, d'hibiscus rouges, de chèvrefeuilles corail et de tournesols des dunes plantés autour de piscines turquoise aux eaux clapotantes.

« J'ai grandi à une époque où il n'y avait aucun impôt sur les gains de capitaux, déclara McDougald au cours d'une entrevue remontant aux années 1970. Il n'y avait pas toute cette horrible inflation. Il n'y avait pas toutes ces autres choses, ces ingérences. J'ai grandi dans un monde libre[4]. » Au milieu des années 1970, McDougald valait 250 millions de dollars (988 millions en dollars de 2007).

McDougald et ses associés dominaient l'establishment canadien. Si le grand public savait alors peu de chose de leurs intérêts financiers, il connaissait néanmoins leur train de vie. C'étaient des messieurs en haut-de-forme et redingote dont les épouses ridées fumaient comme des cheminées. Leurs chauffeurs les menaient en Rolls-Royce noires (qu'ils prêtaient à l'occasion à des personnages royaux en visite) et ils fuyaient l'hiver canadien pour aller se balader pieds nus dans le sable de leurs paradis tropicaux exclusifs.

Une importante valeur cachée était immobilisée dans Argus, qui contrôlait un capital de 4 milliards de dollars. Au moment du retour de Conrad Black à Toronto, en 1974, beaucoup de financiers connus espéraient déjà en prendre le contrôle, dont le Torontois Hal Jackman et le Montréalais Paul Desmarais. Jackman était un patricien, héritier de l'Empire Insurance Company, du réseau ferroviaire Algoma Central ainsi que d'une flotte de vraquiers sur les Grands Lacs.

« L'avenir d'Argus se résumait à une course entre l'érosion naturelle de l'entreprise et la mort de McDougald, écrivit Black. Si le croque-mort précédait le liquidateur, nous aurions une chance, peut-être une bonne chance. [...] Mon père était trop coupé du milieu des affaires et trop handicapé pour y jouer un grand rôle et brasser de grosses affaires. Il ne connaissait pas la nouvelle génération d'étoiles de la finance. Les conseils financiers qu'il recevait n'étaient pas les mieux avisés[5]. »

Black développa une relation filiale avec McDougald, qui le considérait comme un successeur potentiel. Prenant mentalement des notes, Conrad écoutait très attentivement les histoires sans fin de Bud sur l'édification de son empire. À titre d'homme d'affaires, il s'identifiait beaucoup plus à McDougald qu'à son propre père. Et Bud, qui n'avait pas d'enfants, disait quelquefois à la blague que Conrad lui tenait lieu de fils.

McDougald était machiavélique et il avait du flair. Plus tard, au cours d'une entrevue avec l'animatrice de CBC Adrienne Clarkson, Black dit de McDougald qu'il « avait tendance à diviser le monde entre amis et adversaires. C'était un homme qui témoignait une fidélité à toute épreuve à ses amis, mais qui était dépourvu de tout sentiment à l'égard de ses opposants. Il était profondément convaincu et de la pertinence et de la justesse de ces valeurs qu'il cherchait à maintenir et qu'il incarnait personnellement. C'est ce qui faisait sa force, dans une large mesure. C'était une personne qui avait de la classe, qui étalait sans honte sa propre réussite, sa vision de la société et sa façon d'orchestrer les événements[6] ».

En 1975, McDougald et les Black unirent leurs efforts pour bloquer une tentative de prise de contrôle d'Argus par Desmarais – qui avait racheté la part d'un des fondateurs du groupe, E. P. Taylor, et possédait ainsi un nombre important d'actions privilégiées, assorties cependant d'un très faible droit de vote – au coût de 150 millions de dollars. Desmarais essuya un échec. Black dit plus tard : « McDougald était flagorneur, snob, sectaire, un anachronisme élégant et un réactionnaire illettré, mais il était aussi coriace, déterminé, astucieux et plus habile en public que Desmarais, un homme charmant, dynamique beaucoup plus inventif que McDougald en affaires, mais timide et gêné par un léger bégaiement[7]. »

Le Premier de l'an 1976, de Hamilton aux Bermudes, Black envoya ses salutations à Robert Rumilly. « Je viens de passer deux semaines aux Bermudes avec ma famille. Nous sommes ici à l'abri du désagréable climat canadien, dont nous avons été informés par les journaux. J'aimerais vous souhaiter une bonne année et j'espère être de retour à Montréal sous peu. Je vous appellerai et je suis impatient de vous voir à nouveau. Donc, l'année de la publication de mon livre [sur Duplessis] est enfin arrivée. Mes meilleurs vœux à vous ainsi qu'à Mme Rumilly. »

Michael Meighen – dont Black avait soutenu la candidature comme candidat progressiste-conservateur fédéral au Québec – passait également ses vacances de Noël aux Bermudes avec sa famille. « Ils [les Black] étaient descendus au Hamilton Princess, tandis que nous étions au Coral Beach », se rappelle-t-il. Il avait remarqué que Betty Black était physiquement ravagée, la peau jaunie par sa maladie[8].

Dans une lettre envoyée de Toronto, le 27 février 1976, Black confia à Rumilly : « Mes deux parents sont gravement malades : ma mère est atteinte d'un cancer quasiment généralisé et mon père souffre de malaises respiratoires et d'arthrite. Ma mère ne va pas se rétablir, malgré le courage incroyable dont elle fait preuve dans les circonstances. Mon père va mieux, mais sa condition n'en est pas moins très précaire. Cet état de choses, en plus de nous attrister profondément, nous impose, à mon frère et à moi, la lourde obligation de remanier la succession et de nous partager les valeurs de telle façon que l'héritage soit divisé de façon équitable. Ce qui est particulièrement important à cet égard, c'est notre bloc stratégique dans Argus Corporation : 230 000 actions communes [ordinaires] et 561 000 actions privilégiées [de catégorie C], de loin la plus importante part personnelle ou familiale détenue dans cette compagnie.

« Mon frère et moi nous sommes portés acquéreurs de la majorité – en fait, de la quasi-totalité – des actions de la maison Draper Dobie, au moment où elles atteignaient un tournant de leur valeur en Bourse. Quant aux journaux, c'est avec une certaine fierté que je vous annonce que notre profit net, pour les six derniers mois de 1975, a été de 679 884 $. Ce qui nous place en sixième position dans cette industrie au Canada, après Thomson, Southam, F.P., le *Toronto Star* et Power Corporation, mais devant Péladeau (Quebecor).

« C'est vous dire, Monsieur Rumilly, que j'ai été très occupé et que j'ai voulu attendre le moment propice pour répondre de façon réfléchie à vos lettres, en vous accordant, à vous et à notre cause commune, toute mon attention. Ce sont uniquement les circonstances que je viens d'évoquer qui m'ont retenu hors du Québec. Le voyage aux Bermudes, par exemple, n'avait pas d'autre objet que de stabiliser la santé chancelante de mes parents. »

La mère de Conrad, Betty Black, décéda le 19 juin 1976. Conrad écrivit plus tard que la santé de son père « ne lui a pas permis d'assister aux funérailles. Il a vu l'enterrement à travers des verres fumés, comme un chef de la mafia, de la banquette arrière de sa voiture conduite par son aide catalan ». Black soulignait qu'il était « extrêmement inquiet de la santé physique et psychologique [de son père]. Les tendances de mon père à la mélancolie et à la solitude se sont accentuées, de même que son sentiment d'impuissance face à son immobilité et à sa faible vue[9] ». À peine quelques jours plus tard, Monte, le frère de Conrad, eut le sentiment que leur père avait perdu la volonté de vivre. Même s'il souffrait d'un gros rhume, Black rendit visite à son père pour essayer de lui remonter le moral. Le père et le fils parlèrent longuement.

George Black exprima son exaspération à l'égard de la futilité de l'existence. « La vie, c'est l'enfer », dit-il, et il exhorta son fils à toujours se souvenir que « la plupart des gens sont des salauds et que tout ce qu'on vit, c'est de la merde ». Depuis la serre, Conrad regarda son père gravir l'escalier circulaire du hall d'entrée. « Il avait une formule qu'il avait cultivée pendant des années lorsqu'il se couchait très tard. Il déclamait *Ozymandias* de Shelley à raison d'un vers par marche. Il ne le faisait pas dans le jour, mais je l'avais soutenu plusieurs fois pour l'aider à monter. C'est ce à quoi je pensais lorsqu'un craquement terrible me fit sursauter. Je vis mon père chuter par-dessus la rampe et s'écraser au sol trois mètres plus bas[10]. » Black se souvenait que son père, quand il était revenu à lui, avait déclaré avoir perdu l'équilibre en grimpant les marches et ne plus avoir le goût de vivre.

Plus tard, à l'Hôpital général de Scarborough, ils eurent « une brève conversation, un dernier effort pour combler le fossé des ans et des émotions qui sépare un homme de son fils ». Après le décès de son père, « le rapport du coroner, obligatoire en cas de mort accidentelle, faisait état "d'un accident survenu dans la maison" qui aurait pu, a-t-on dit en privé, avoir été causé par une crise d'arthrite au genou qui l'aurait fait basculer par-dessus la rampe de l'escalier. De toute évidence, je préférerais cette explication à celle du suicide. Papa avait dépéri lentement, presque aussi cruellement que maman, mais son état n'avait pas été diagnostiqué aussi clairement[11] ».

Les derniers vers du poème de Shelley sont émouvants : « Mon nom est Ozymandias, roi des rois : / Contemplez mon œuvre, ô tout-puissants, et désespérez ! / Il ne reste rien à côté. Autour de la ruine / De ce colossal débris, sans limites et nus / Les sables étendent au loin leur niveau solitaire. »

Ce type de poème rythmique et mélancolique aurait bien pu être récité par un homme qui n'appartenait plus à la terre et qui tentait, une dernière fois, de se moquer de la vanité du monde. Conrad avait voulu consoler un homme qui avait simplement perdu le goût de vivre, mais il avait, en fait, été le témoin de la dernière scène amère de la tragédie personnelle de son père. Les rapports des coroners peuvent laisser bien des questions en suspens. En relatant le décès de son père, Conrad Black avait laissé entrevoir la possibilité que celui-ci ait pu s'infliger délibérément cette blessure fatale. Avec une franchise qui n'était pas dans ses habitudes, Conrad Black avait publiquement ouvert la porte à cette éventualité, pour la refermer aussitôt.

Dans *Conrad Black par Conrad Black*, il a écrit : « Mon père aimait citer l'aphorisme français selon lequel la vie mène "au suicide ou au pied de la croix". L'alternative n'est pas si tranchée, mais je pense que lui et ceux de mes connaissances qui ont évité tout effort intellectuel sérieux pour se réconcilier avec les cruelles limitations de la vie en ont payé le prix en souffrances morales[12]. » En profonde dépression au moment où son épouse agonisait, George Black avait refusé de consulter un psychologue, comme son fils l'avait supplié de le faire. Black en était sans doute arrivé à la conclusion que de solides bases spirituelles auraient atténué les « conflits moraux » de son père et lui auraient permis d'affronter le décès de sa femme.

Selon le milliardaire montréalais Stephen Jarislowsky – président d'une des plus importantes firmes canadiennes de conseillers en investissements, Jarislowsky Fraser Limitée, et ancien membre du conseil d'administration de Southam et du *Telegraph* –, Conrad Black, de son côté, souffrait depuis longtemps de troubles maniacodépressifs, mais réussissait bien à le cacher. « Demandez à David Radler, m'avait dit un jour Jarislowsky, il peut vous en dire un bout à ce sujet. »

La mort presque simultanée de ses parents lui porta un dur coup. Black se rappela le voyage familial sur le *Queen Elizabeth* quand lui et son frère étaient jeunes garçons. Ce voyage était une mine de souvenirs heureux de l'époque où son père chevauchait encore le sommet de la vague du monde des affaires. Mais même le *Queen Elizabeth* était disparu, détruit par le feu à Hong Kong en 1972. L'épave avait servi de décor peu crédible au quartier général du MI6 dans le film de James Bond *L'homme au pistolet d'or* pour ensuite finir à la casse.

Au fil du temps, le souvenir du voyage à bord du *Queen Elizabeth* devint le symbole d'un élément vital que Black avait perdu : cette innocence qui avait précédé la souffrance et l'accablement de la maturité, exactement comme ce vieux traîneau de bois, dans *Citizen Kane*, symbolisait l'innocence disparue des jeunes années du magnat fictif. Pendant toute la durée du film, des journalistes cherchent à comprendre le sens du dernier mot prononcé par Kane avant sa mort : « *Rosebud* ». Dans la scène finale, lorsque le traîneau est jeté au feu, la réponse apparaît soudain : l'inscription *Rosebud* cloque, noircit, puis disparaît.

Tout était vanité. Conrad avait le sentiment que son père avait été humilié, manipulé et flanqué à la porte par la vieille garde qui lui avait refusé la place qui lui revenait de droit au sein de l'establishment. Et il était bien décidé à venger ces injustices et à redresser la situation. S'il était trop tard pour assurer la rédemption de son père, il pouvait du moins honorer sa mémoire et se substituer à lui pour achever son œuvre.

Les frères Black organisèrent de spectaculaires funérailles dignes de l'establishment à l'église anglicane Grace, de Toronto : Bud McDougald était à la tête des porteurs et les divers rôles officiels avaient été répartis entre une foule de magnats. Dans les dynasties familiales, les funérailles marquent la passation des pouvoirs à la génération suivante et il allait de soi que les frères Black soient nommés au conseil d'administration d'Argus, pour pourvoir au poste vacant laissé par leur père. Pendant que le triste prêtre anglican discourait d'une voix monocorde, Black se remémorait le spectacle amer des dernières années de son père, cet homme chaleureux qui, après avoir été trahi, s'était replié sur lui-même ; un homme dont la vive intelligence avait été émoussée par la souffrance et la mélancolie.

À la même époque, Black découvrit l'ouvrage du penseur allemand conservateur Oswald Spengler, *Le déclin de l'Occident*, une œuvre ténébreuse et monumentale de cinq volumes en version française et publiée pendant la Première Guerre mondiale. Black s'identifiait à l'approche mélancolique de Spengler à l'égard du conservatisme et à sa façon d'aller au-delà de la chronologie pour dégager des constantes et des analogies plus générales et une vérité qui était plus poétique que factuelle. Il partageait la conviction narcissique de Spengler voulant que le déclin des civilisations pouvait être inversé par l'apparition de personnages historiques isolés, déterminés à se hisser au pouvoir et à la réalisation de leur destinée. Pour Black, il s'agissait là d'une explication valide du courage qu'il admirait depuis longtemps chez des hommes comme de Gaulle et Churchill.

Black appréciait surtout l'approche de Spengler à l'égard du caractère militaire des empires de presse : « La campagne de presse semble être la prolongation (ou la préparation) de la guerre sous une autre forme, et au cours du XIXe siècle, la stratégie de combats d'avant-poste, de manœuvres simulées, d'attaques imprévues et d'offensives ouvertes, s'est tellement développée qu'on pouvait perdre une guerre avant d'avoir tiré le premier coup de canon, parce que, entre-temps, la presse l'avait gagnée. [...] Ce que la presse veut, c'est la vérité. Ses dirigeants produisent, transforment, permutent les vérités. Une campagne de presse de trois semaines et la vérité sera admise par tous[13]. »

De plus, Spengler affirmait qu'une brillante intelligence pouvait être aussi efficace que toute machine militaire : « La politique et le commerce sous une forme développée (l'art de réaliser sur l'adversaire des succès matériels au moyen d'une supériorité spirituelle) sont des substituts de la guerre par d'autres moyens[14]. »

Black joignit au pessimisme apocalyptique de Spengler une approche darwinienne de l'entreprise : « La règle darwinienne voulant que les mieux adaptés aient plus de succès que les investisseurs moins intelligents existe, dit-il, car en définitive, les investisseurs plus astucieux savent identifier le moment propice pour acheter et vendre, ils ont un meilleur instinct de la qualité d'un investissement et savent où ils doivent placer leur argent[15]. »

Mais le triomphe seul ne suffisait pas à Black. Il voulait aussi expliquer à qui voulait bien l'entendre les raisons de son triomphe. Il s'appropria la mélancolie de Spengler et sa grandiose fixation sur les personnalités historiques importantes, y ajouta la stratégie de Machiavel et y joignit la conviction de Darwin à l'égard du triomphe inévitable des forts sur les faibles. Mais il y avait plus. À la fin des années 1970, blaguant avec Peter C. Newman, Conrad Black avait dit : « Hal Jackman et moi sommes d'accord sur le fait que nous sommes fondamentalement plus nietzschéens qu'hégéliens[16]. » Nietzsche croyait que les surhommes, qui se démarquaient nettement des autres humains par leur prodigieuse intelligence et leur volonté, planaient au-dessus de la société : ils étaient amoraux tout simplement parce que les règles normales de conduite ne s'appliquaient pas à eux. Ce pot-pourri d'idées justifiait tous les gestes que Black jugerait nécessaire de faire pour accéder à la victoire.

Peu de temps avant son décès, en 1978, Bud McDougald avait suggéré à Conrad et Monte Black d'occuper, à l'avenir, la vice-présidence d'Argus. Mais, le 15 mars, au cours des funérailles de McDougald, célébrées en la cathédrale catholique St. Michael's de Toronto, une conspiration de palais s'était tramée chez les plus anciens partenaires d'Argus, qui étaient déterminés à écarter les frères Black de tout rôle dans la gestion de l'entreprise.

Dans le but de réunir du matériel pour un documentaire qui devait être présenté par Patrick Watson sur les ondes de CBC, une équipe de télévision était aussi présente aux funérailles. Au moment où des visages pâles comme la mort marchaient solennellement à côté du cercueil, la séquence télévisée des funérailles fit entendre une musique qui rappelait vaguement le thème du film *Le parrain* : un violoncelle gémissant, accompagné d'un clavecin et du tintement d'un glas. Il y eut alors un plan fixe de Black au milieu de la foule, réfléchissant peut-être à la perte du substitut de père que représentait McDougald à ses yeux.

« Quelles que soient la purification et l'expiation que le Seigneur exige de Bud, dit l'officiant à la voix douce, puissions-nous tous, mes frères et sœurs, demander avec confiance à Jésus Notre Seigneur de le délivrer et de le laisser entrer librement au royaume des Cieux. »

Comme l'affirmait Michael Gerard, le réalisateur de ce documentaire, « la mort de Bud McDougald précipita la lutte de pouvoir en cours chez Argus. Black avait toujours eu la mauvaise habitude de se présenter en retard aux réunions. Il arriva aussi en retard à une réunion d'une importance capitale chez Argus [neuf jours après les funérailles de McDougald], pour s'apercevoir que tous les postes clés avaient déjà été attribués[17] ». En fait, Matthews, Meighen et leur associé, Alex Barron, avaient décidé de se partager le contrôle d'Argus. « Ils voulaient monopoliser tous les postes de direction, assumer la présidence de toutes les filiales et empocher tous les émoluments qui s'y rattachaient, avait expliqué Black à Watson. Cela ne nous est pas trop resté en travers de la gorge, du moment que nous en tirions une certaine reconnaissance[18]. »

Gerard et son équipe eurent la chance d'assister à l'un des transferts de pouvoir les plus hauts en couleur et les plus comiques de l'histoire du monde des affaires au Canada. « Le hasard a fait que nous étions sur place au moment où Black prit le contrôle d'Argus, expliqua-t-il. Nous avions découvert que ces figures de l'establishment étaient toujours vierges. Ces gens avaient tendance à ne pas se méfier de nous et à être plutôt honnêtes à notre égard ; ils n'avaient pas de formation dans les médias. Le colonel Meighen et les autres, la vieille garde de l'entreprise, affirmaient que Black était jeune et qu'il se "ruait sur les défenses". Conrad demeurait hautain – tel est son style –, mais à l'époque, il l'était probablement beaucoup moins. Il commençait tout juste à s'accoutumer à son rôle de prince magnat. À cette époque, il montait encore lui-même ses emplettes dans des sacs en plastique jusqu'à son bureau. »

En évaluant ses options, Black remarqua une clause peu connue de l'entente originale de Ravelston selon laquelle trois associés pouvaient se regrouper pour en forcer un quatrième à leur vendre ses actions. Compte tenu du fait que le testament de Bud McDougald autorisait sa veuve, Maude Smith McDougald (surnommée Jim), à disposer de ses actions 60 jours après son décès et qu'elle possédait avec sa sœur, Doris Smith Phillips – veuve depuis 14 ans –, 47,3 % des actions de Ravelston, Black réalisa qu'il n'avait qu'à faire une offre acceptable pour s'emparer de leurs parts, ajouter celles-ci aux 22 % détenus par Western Dominion – le holding des familles Black et Riley – et délivrer un avis de transfert obligatoire au colonel Meighen en vue de l'acquisition des 26,5 % détenus par ce dernier. Black concède aujourd'hui qu'il « est très difficile de gagner devant le tribunal de l'opinion publique, quand des veuves septuagénaires fraîchement endeuillées » racontent leur version de l'histoire.

La prise de contrôle discrète de Crown Trust – la société de fiducie qui gérait le portefeuille des deux veuves – faisait également partie de sa stratégie : elle lui donnait la possibilité d'entreprendre une action préemptive, pour le cas où les deux femmes auraient changé d'avis.

Comme Maude McDougald l'expliqua à Patrick Watson : « Exactement 60 jours après les funérailles, nous sommes arrivées [à Palm Beach] et, la première chose que nous avons sue, c'est que l'avocat [de Black] Lou Guolla, un très bon avocat, [était venu nous rencontrer.] Il a dit : "J'ai ces papiers que j'aimerais que vous signiez. C'est ce que Bud aurait voulu et c'est bien ce que je vous conseille de faire." Je lui ai répondu : "Eh bien, Lou, vous ne diriez pas ça si vous n'étiez pas certain que c'est la bonne chose à faire." Et il a sorti toute une liasse de documents, et comme de sombres idiotes, des cervelles d'oiseau, ma sœur et moi avons apposé signature sur signature, sans lire quoi que ce soit. » Pour de nombreux téléspectateurs, ce récit était une histoire typique, un conte moral mettant en scène un jeune capitaliste impitoyable arnaquant deux veuves sans défense. Le récit « Black à l'assaut des veuves » s'ajouta à la sombre légende de Conrad Black. À l'écran, entourée d'une troupe de serviteurs en livrée répondant au moindre de ses caprices, Mme McDougald semblait angoissée, confuse, incapable de s'exprimer. On pouvait en déduire qu'ayant vécu sous la coupe d'un mari autoritaire et manipulateur, elle était incapable de prendre ses propres décisions. Maude McDougald confia à

Watson: « Nous avons été stupides, vraiment. Nous ne pouvons blâmer personne d'autre que nous d'avoir été aussi stupides. »

Mais beaucoup de questions étaient demeurées sans réponse. Une femme qui a hérité de l'équivalent de plusieurs centaines de millions de dollars était-elle à ce point sans défense ? Les deux sœurs (dont l'une était certainement en deuil, alors que ce n'était pas le cas de l'autre) ne recevaient-elles pas de conseils avisés et n'étaient-elles pas responsables de ce qu'elles avaient signé ? N'auraient-elles pas vendu de toute manière à quelqu'un d'autre ? Le prix offert par Conrad Black pour leurs actions était-il adéquat ? Pour Ron Riley – qui était membre du conseil d'administration de Western Dominion et aida son cousin Conrad dans les négociations pour l'acquisition des actions de McDougald et de Phillips –, le prix offert de 18 millions de dollars (56,1 millions en dollars de 2007) était tout à fait correct pour l'époque.

Peu de temps après, Maude McDougald et Doris Phillips changèrent d'avis : elles renoncèrent à leur entente avec Black et allièrent leur destin à celui d'un autre investisseur, John Prusac. Après que l'entreprise eut vécu trois mois d'une acrimonieuse guerre intestine – entièrement filmée par les caméras de Michael Gerard –, il apparut que les deux veuves avaient tenté de déjouer les manœuvres de Black et avaient échoué. « Finalement, Con Black et les autres ont pris le contrôle absolu », admit Mme McDougald dans un extrait d'entrevue plutôt incohérent (« au lieu de cela… nous aurions pris le contrôle, ma sœur… les actions avec droit de vote… »), Patrick Watson l'encourageant tant bien que mal à former des phrases complètes.

« Selon elle, se rappelle Gerard, son avocat – qui était également l'avocat de Conrad – lui avait passé une liasse entière de documents à signer, dont une entente augmentant le bloc de votes de Black. Elle en était très mécontente. Deux individus avaient tenté de l'aider : le général Matthews ainsi qu'un homme œuvrant dans le secteur immobilier [John Prusac]. Comme un roseau pliant sous la volonté de chacun, elle se débattait, impuissante. Elle affirma qu'elle n'avait pas lu ce qu'elle avait signé, mais on ne pouvait pas en conclure que Conrad l'avait arnaquée. Nous faisions un reportage sur un groupe de gens ; nous avons seulement montré comment elle se sentait. Nous n'avons pas tenté de la juger. »

Au départ, le documentaire télévisé devait être un film sur Argus et Conrad devait y jouer un rôle relativement obscur. Les millions de téléspectateurs qui regardèrent cette version avant la lettre d'une émission de téléréalité se demandaient quel serait le prochain membre du conseil d'administration qui serait éliminé. À la fin, lorsque les vénérables membres de la vieille garde eurent été foutus à la porte, il resta Black, le jeune prétendant, l'improbable survivant. C'était un hommage à sa ténacité et à la stratégie qu'il avait déployée dans la salle du conseil d'administration.

Black apparaissait à l'écran, président des conseils d'administration, gloussant de plaisir à ses propres bons mots sur Charles de Gaulle et reconstituant des batailles napoléoniennes avec la collection de petits soldats de Hal Jackman.

Aujourd'hui membre du Sénat canadien, Michael Meighen se rappelle Black : « J'ai croisé Conrad Black au moment où il a pris le contrôle d'Argus Corporation dans laquelle mon oncle Max avait été l'un des partenaires de Phillips et de McDougald. Conrad devint alors *persona non grata* dans notre famille. On avait le sentiment qu'il avait profité des veuves, qu'il les avait embobinées. Max trouvait que Black était allé trop loin. Quant à mon père, il trouvait que Black n'avait pas joué franc jeu avec les veuves. » Malgré cette rupture, Michael Meighen et Black demeurèrent amis.

Avant le mois de juillet 1978, Black avait pris le contrôle d'Argus Corporation, expulsé ses anciens opposants de l'étage de la direction (ou, plus précisément, de Toronto Street), et fondé son propre empire financier. En apprenant que Black avait gagné contre les veuves, Hal Jackman lui affirma qu'il se comparait au « jeune Bolingbroke qui, dans le premier acte de *Richard II*, arrive avec 20 000 soldats pour reprendre les terres de son père et dans le dernier acte est couronné roi d'Angleterre. Félicitations ! C'était du grand théâtre ![19] »

À l'été 1978, Conrad Black, solidement installé à la présidence d'Argus – son frère Monte était président de Ravelston, alors que Nelson Davis et Hal Jackman détenaient chacun 16 % des actions de Ravelston et Ron Riley un autre 10 % –, avait accru sa fortune personnelle de façon exponentielle et était devenu une figure dominante de la capitale financière du Canada.

Le contrôle d'Argus conféra à Conrad un immense pouvoir financier. On racontait qu'il valait alors 50 millions de dollars (156 millions en dollars de 2007). Il vivait dans la résidence géorgienne de ses parents – dans le quartier de Bridle Path – avec son garage abritant sept voitures, dont deux Rolls Royce. À 33 ans, il était devenu une célébrité et cherchait à épater la galerie. Un journaliste du *Toronto Star* nota : « Présentement, Black prend un malin plaisir à se dépeindre comme un rapace de la vieille école, à l'image du magnat Hearst. » L'article le décrivait comme le célibataire le plus convoité du Canada, l'un des hommes les plus riches de la planète (une grossière exagération), un magnat de la presse cérébral, combatif, à la mémoire photographique, le biographe à contre-courant de Maurice Duplessis. « Aucune fonction politique ne m'intéresse sauf celle de premier ministre, disait Black. Je suis un homme riche et je n'ai pas honte de ma richesse. Pourquoi éprouverais-je de la honte ? J'ai gagné honnêtement mon argent. »

« Il faut dire de Conrad, fit remarquer à l'époque son compagnon de bar montréalais Nick Auf der Maur, qu'il aurait pu être un gamin dorloté, choyé, qui vit de ses rentes et s'amuse à démolir des voitures. Mais il est différent. Il est plus discipliné[20]. »

Au-delà des fanfaronnades publiques, Black n'en venait pas moins de déjouer la vieille garde d'Argus et de venger son père. Mais il était toujours insatisfait.

Au cours des mois précédant la prise de contrôle d'Argus, Conrad Black était engagé dans une liaison avec Shirley Gail Walters, secrétaire de direction de la Western Dominion et proche collègue. Shirley était une charmante Montréalaise catholique de 27 ans, divorcée, grande et mince, aux cheveux bruns courts et aux yeux bleus. Elle était plus terre à terre que Conrad. Elle avait grandi dans un de ces duplex recouverts de briques et de planches de Saint-Laurent, une banlieue de la classe moyenne. Elle avait obtenu un diplôme de l'école secondaire Malcolm Campbell, où elle s'était inscrite à des cours supplémentaires en administration. Elle avait travaillé pour une firme de courtiers en valeurs mobilières de Montréal, avant d'être mutée à ses bureaux torontois à l'âge de 21 ans. Shirley n'était pas une héritière et n'avait rien à voir avec l'univers des éleveurs de chevaux de l'establishment. C'était une femme bien ancrée dans la réalité, une femme d'intérieur qui s'avéra être un contrepoids positif à la nature parfois excessive de Black.

Conrad a raconté que leur première sortie remontait à mai 1978 : ce soir-là, dans la voiture, la radio diffusait un discours prononcé par le premier ministre du Québec René Lévesque devant le New York Council on Foreign Relations. Shirley était une femme simple, pas très compliquée et d'agréable compagnie, qui ne manifestait absolument aucun intérêt pour la haute société. Elle était enceinte lorsqu'ils se marièrent à l'église Grace, le 14 juillet, quelques semaines à peine après le coup d'État d'Argus.

« À la veille de ses noces, Conrad Black avait été nommé président d'Argus, rapporta un journaliste. Walters portait une jupe en crêpe de soie blanc cassé, qui tombait sous le genou, et un corsage à encolure ronde et à manches longues taillé dans le même tissu, écrivit un autre. La première partie de la réception a eu lieu sur la terrasse de la résidence de Black, qui domine des jardins luxuriants impeccablement manucurés ainsi qu'une piscine. Du steak tartare, des crevettes, du pâté et du homard furent servis comme hors-d'œuvre, arrosés de champagne[21]. » Le service de traiteurs du luxueux restaurant torontois Winston's avait été chargé du dîner : des côtelettes d'agneau, de la salade et des légumes, suivis bien sûr du traditionnel gâteau de mariage.

La noce ne fut pas un événement mondain. Un nombre restreint de personnes savait que Shirley attendait un enfant. En août, les jeunes mariés passèrent leur lune de miel à Nantucket. Pour la première fois, l'hiver suivant, ils quittèrent les neiges de l'Ontario pour Palm Beach.

Au cours des années, Black avait entretenu beaucoup de relations amoureuses, de Caroline Dale Harris à Lynn Sifton, de Wilda Lossing à Monique Benoît. Au cours de ses voyages à l'étranger, il découvrit que les femmes de Hong Kong, de Buenos Aires et de Budapest étaient singulièrement attirantes. Comme il prenait la peine de mentionner cette comparaison inusitée, il avait dû effectuer lui-même une enquête sur le terrain. Ces diverses relations et passades amoureuses avaient plusieurs visages : béguin, amour non réciproque, fréquentation de « filles de bonne famille » à Toronto, suivie de rébellion et d'engouement pour des bohèmes montréalaises, aventures à l'étranger et maintien d'un compagnonnage intellectuel survivant à une mutuelle attirance sexuelle passée.

Mais Black n'en était pas moins un monogame en série, destiné ultimement au mariage. Il cherchait à suivre l'exemple de ses parents, si proches qu'un intervalle de moins de deux semaines avait séparé leur mort. En tant que jeune magnat prenant Toronto d'assaut, Black attirait beaucoup de femmes : de pulpeuses croqueuses de diamants habillées de façon irrésistible, des admiratrices politiques, des femmes de l'establishment que sa réussite inclinait au pardon de ses péchés de jeunesse et des snobs ravissantes et provocantes, prêtes à s'introduire dans la vie d'un magnat qui voulait bien leur laisser le soin de dépenser un peu de son argent. C'était devenu si facile, trop facile.

Avec le temps, il avait acquis de l'expérience et de l'assurance et connaissait la différence entre une passade et une femme plus sérieuse. Il était attiré par Shirley. Plus encore, il pensait qu'elle était faite pour lui. Mais il s'empêtrait quand il tentait d'expliquer leur relation. Il confia un jour à un ami : « Il y a un certain parallèle entre ma carrière romantique et celle de Duplessis. J'ai eu bon nombre d'aventures d'un soir et plusieurs liaisons assez sérieuses, mais jusqu'à ma rencontre avec Shirley, aucune n'avait de potentiel matrimonial[22]. »

En fait, il n'y avait *aucun* parallèle à établir entre la carrière romantique de Black et celle de l'ancien premier ministre du Québec. Duplessis était un solitaire ; il souffrait d'une malformation du pénis qui l'avait sans doute empêché d'avoir des relations sexuelles ; et, par ailleurs, tout en maintenant officiellement une religiosité assez superficielle, il n'avait jamais montré aucun intérêt pour le mariage.

Conrad et Shirley Black eurent trois enfants : Jonathan, né en 1979, Alana, née en 1982, et James, né en 1986. En 2007, ils assistèrent tous les trois, fidèlement et presque quotidiennement, au procès criminel de Black à Chicago.

Le 24 août 1978, la Presse Canadienne annonçait : « Trois associés investissent 20 000 $ puis vendent au prix de 20 millions de dollars ». Il était compréhensible que Conrad n'envisage pas de véritable lune de miel avec sa jeune épouse puisque David Radler, Peter White et lui-même étaient alors en train de conclure la vente de leur groupe de presse à Maclean-Hunter. Radler avait expliqué fièrement à la Presse Canadienne : « Quand nous l'avons acheté, en juin 1969, le *Sherbrooke Daily Record* perdait de l'argent au rythme de 100 000 $ par année.

Quatre mois plus tard, nous réalisions des profits et, depuis, tout s'est très bien passé pour nous. Et nous n'y avons jamais investi un sou de plus. Tous les achats que nous avons faits dans l'Ouest l'ont été avec des prêts bancaires et des billets à ordre. »

Le mariage de Black le rapprocha davantage du catholicisme. En 1978, il fit la rencontre du cardinal Gerald Emmett Carter, archevêque de Toronto, et les deux hommes devinrent bientôt de bons amis. À la différence de l'imprévisible cardinal Léger et de son attitude ambivalente à l'égard de l'argent, Carter était un homme du monde astucieux, très à l'aise en compagnie des gens riches et célèbres. Il aimait établir des réseaux de contacts, célébrer les mariages extravagants des célébrités de Toronto (tout en déléguant à ses acolytes la tâche moins glorieuse d'offrir des conseils conjugaux ou de préparer des annulations de mariage). Carter était aussi un ardent défenseur du droit à une éducation catholique en Ontario et investissait énormément de temps et d'énergie dans l'amélioration des relations interraciales.

« Malgré nos différences d'âge, de profession et de formation, ou peut-être en partie à cause d'elles, écrivit Black en 1993, nos relations sont intimes et sans rancune. La culture du cardinal, qui s'étend des coutumes populaires irlandaises à la théologie thomiste, est inépuisable et son humour est vif et bon enfant. C'est l'une des rares personnes que j'aie connues qui réunissent avec bonheur une grande connaissance des choses du monde et une sincérité idéaliste. Il est toujours optimiste, sans arrogance, serein au seuil de la vieillesse et de la mort[23]. »

Au point culminant de la guerre froide, la relation filiale de Black et de Carter apporta au futur converti une connaissance intime de la politique interne du Vatican.

Comme archevêque de Cracovie, le polonais charismatique Karol Wojtyla, intense et très cérébral, avait tenu tête au communisme soviétique. En 1978, lorsqu'il devint le premier non-Italien en quatre siècles à occuper le Saint-Siège, il s'avéra l'un des piliers de la résistance à l'Union soviétique, mobilisant des millions de Polonais dans une opposition pacifique à Moscou qui fut, ultimement, couronnée de succès.

Dans sa chapelle privée de Castel Gandolfo – la résidence d'été du pape bâtie à l'origine par l'empereur romain Domitien –, le pape Jean-Paul II s'agenouillait devant son prie-Dieu. Il y avait chez lui quelque chose de la grandeur et de la dignité historiques que Black admirait depuis longtemps. Au-dessus de l'autel se trouvait une icône de la Vierge noire de Czestochowa que le pape regardait souvent pendant qu'il priait. Les fenêtres donnaient sur le Lago di Albano, qui se colorait des premiers rayons rosés de l'aube. De part et d'autre de l'autel, on voyait des vases en forme de colonnes sculptés dans du granit gris et le sol était constitué de larges blocs de marbre rouge et blanc. L'autel lui-même était de marbre, avec des incrustations en forme de calice. Le pape était vêtu de blanc des pieds à la tête et son visage était enfoui au creux de ses mains. Il semblait s'abandonner totalement à Dieu. Il semblait aussi souffrir, comme si tout le poids du monde et des propres imperfections de l'Église pesaient sur ses épaules.

Jean Paul II avait précisément le genre de grandeur spirituelle qu'admirait Black : une foi qui peut déplacer les montagnes, un dessein unique et un sens magistral de la *realpolitik*. Joseph Staline avait, un jour, tourné le Vatican en ridicule en s'informant du nombre de divisions dont disposait le pape. Le pape slave avait démontré que le Vatican avait beaucoup plus que des divisions. Black était fasciné par le charisme et le courage de ce pape, qui pouvait attirer par millions des foules en Europe de l'Est et les faire entrer dans des transes de chants et de prières. Par ailleurs, le pape condamnait l'Occident pour son matérialisme et ses mœurs sexuelles relâchées. Il était une nouvelle force vitale au service du conservatisme.

Machiavel avait dédié son célèbre ouvrage, *Le prince*, à Laurent de Médicis, le neveu de deux papes. Il était déchiré entre le mépris et l'admiration pour l'Église. Son livre avait révolutionné la pensée stratégique, et même le Vatican avait adapté Machiavel à ses propres besoins. Le Vatican était, indubitablement, l'entreprise la plus puissante de la planète. Responsable de ses finances, l'APSA (Administration du Patrimoine du Siège apostolique) détenait des investissements importants dans plusieurs sociétés industrielles telles que IBM, General Motors, General Electric et plusieurs autres multinationales du complexe militaro-industriel. Ces entreprises produisaient du matériel informatique et des logiciels destinés au Pentagone, des missiles nucléaires, des satellites-espions et toute une gamme d'armes contemporaines. La plupart des catholiques ignoraient les ramifications du portefeuille du Vatican ; le cardinal Carter en connaissait les dessous et Black en était fasciné.

En juin 1979, au cours d'une cérémonie de collation des grades à l'Université McMaster, Black proclama la renaissance de la droite. Dans un discours ampoulé truffé de références historiques, il exprima sa répugnance pour « les mouvements contestataires et la contre-culture, exprimés lors des protestations contre la guerre au Vietnam, dans la résurgence du socialisme chez les étudiants et dans les attaques contre l'establishment ». Le capitalisme avait, il est vrai, conduit à un consumérisme compulsif et tape-à-l'œil, accru les attentes matérielles, créé des inégalités sociales et provoqué de l'agitation politique. « Mais tout cela a changé depuis l'émergence d'une droite renaissante et intellectuelle [...] qui réaffirme l'importance du propriétaire dans le monde canadien des affaires[24]. »

Le temps d'un retour d'horloge était maintenant venu : il fallait réduire la taille du gouvernement et maximiser les libertés individuelles. Laisser les forces du marché désigner les gagnants et les perdants. Black poussait son image de mauvais garçon à un niveau supérieur et – à l'instar des magnats de la fin du XIXᵉ siècle et du début du XXᵉ, du baron Strathcona à William Randolph Hearst – il trouvait enfin une tribune pour proclamer sa vision néoconservatrice du propriétaire qui a investi du capital, qui a pris des risques et a droit à ses privilèges. Il réunissait dans une sorte d'idéologie personnelle à la fois radicale, conservatrice et intéressée les pratiques financières rusées de Bud McDougald et de la vieille garde d'Argus et les combinait à ce qu'il avait tiré de son étude méticuleuse de Duplessis.

Les grandes lignes de la personnalité de Conrad étaient dessinées depuis longtemps. Selon ses cousins et amis d'enfance, il avait été un garçon turbulent dont le processus de maturation avait été particulièrement difficile, comme en faisait foi son expulsion de deux collèges privés. Pendant ses années au Québec, il avait tenté de soutenir simultanément de nombreux centres d'intérêt, allant de l'histoire au droit et des journaux aux affaires, tout en faisant du charme aux beautés francophones de Montréal.

Nous devenons ce que nous sommes. Les aspects de la personnalité de Conrad étaient visibles dès son plus jeune âge : sur le plan
intellectuel et émotif, il se sentait plus vieux que son âge chronolo-
gique ; il cherchait à sauver les géants déchus, tels que son père ; il
portait un regard acide et inquisiteur sur les failles du monde et exprimait des jugements à l'emporte-pièce ; il essayait, de façon compulsive,
de se découvrir des liens avec les personnalités historiques internationales, de Napoléon à Franklin Roosevelt ; il jouait avec les mots,
allant jusqu'à suggérer fortement qu'il représentait le surhomme nietzschéen, le survivant le plus adapté de l'évolution darwinienne, le maître
machiavélique maniant habilement le pouvoir, ou encore ce catholique
grandiloquent en mesure de philosopher sur notre époque. Sa personnalité avait également une autre facette, qui ternissait l'éclat de ses
réalisations plus substantielles, comme une lune sombre obscurcissant
peu à peu l'éclat du soleil : cette irrésistible tendance autodestructrice à
humilier, à tout ramener à un niveau personnel, à se venger.

Depuis sa tendre enfance, Black avait eu pleinement conscience
de l'importance d'appartenir à un réseau. Les membres de la famille de
sa mère, les Riley, étaient beaux, sûrs d'eux, athlétiques et compétitifs :
une tribu industrielle avec son propre langage codé et ses conventions
sociales. « Con », comme l'appelait sa famille, expulsé de deux collèges
privés exclusifs, n'avait pas sa place dans ce milieu. Il était impossible
de l'imaginer se présentant aux réunions des anciens du collège et,
tout en prenant un verre avec ses camarades, se remémorer avec nostalgie le sadisme de leurs professeurs et tel ou tel petit morveux, tout
en prêtant oreille aux appels insistants en faveur de donations au profit
de l'école. Conrad voulait établir un réseau dans un univers plus vaste
que celui de ses anciens confrères de classe. Selon Jean Lafferty Riley
– épouse de son cousin germain maternel et paternel Jeremy –, Black
n'avait pas l'esprit de clocher qui caractérisait beaucoup de Torontois à
l'époque. Dès son arrivée au Québec, il avait été fasciné de découvrir
des réseaux sociaux bien stratifiés dans lesquels il pouvait s'immiscer
à ses propres conditions. Il y établit les bases de son propre réseau en
développant des amitiés et des associations durables avec Peter White,
Daniel Colson et David Radler. Black était dans une large mesure le
leader du groupe, celui qui élaborait la vision et les idées et nouait les

contacts tandis que les autres exécutaient ses plans et attendaient sa prochaine inspiration.

Pendant ses années au Québec, Black surmonta sa timidité naturelle, se transformant à l'occasion en un extraverti assoiffé de stimulation sociale, un homme qui devenait facilement le centre d'attention grâce à sa mémoire, à son sens de la répartie et à son penchant pour l'extravagance et la provocation. Sous le vernis social, cependant, Black recherchait l'approbation d'hommes accomplis qui dirigeaient leurs propres réseaux, qu'ils soient commerciaux, politiques ou ecclésiastiques. Black n'hésitait pas à approcher ces vénérables figures paternelles et à s'engager dans des conversations complexes à propos de leurs opinions, sans doute dans le but de se ménager une entrée facile dans leur monde. Certains de ces personnages – Bud McDougald, Robert Rumilly, le cardinal Léger, Hal Jackman, le cardinal Carter, Henry Kissinger – devinrent, pour un temps, les mentors de Black, sans doute attirés par son intelligence insolente et son habileté à s'approprier les idées des autres pour ensuite les reformuler dans son propre langage exubérant.

À la fin des années 1970, après qu'il eut pris le contrôle d'Argus Corp., Black tissa un réseau impressionnant de relations à Toronto. Le contenu de son autobiographie – datant de 1993 – évoque un nombre vertigineux de célébrités côtoyées au cours de ces années, depuis le président de Fiat, Gianni Agnelli, jusqu'au banquier américain David Rockefeller. Après quelques faux départs, Black avait désormais l'aplomb nécessaire pour prendre la place qui lui revenait au sein de l'establishment canadien. Au cours des années suivantes, il nommera un nombre extraordinaire de personnalités n'appartenant pas à l'univers de la finance comme membres du conseil des sociétés qu'il contrôlait : des ministres à la retraite, des généraux, des juges, des cardinaux et des ambassadeurs, et au moins un ancien directeur des services de renseignement. Black s'entourait de gens qui avaient exercé leur autorité et pouvaient lui offrir à la fois une connaissance des affaires et une intelligence de l'histoire. Stephen Jarislowsky et Hal Jackman – des intimes de Black durant les années 1970 et 1980, qui ont siégé à plusieurs conseils d'administration d'Argus et de Hollinger – critiquent Black aujourd'hui pour ces nominations de personnalités en vue.

Peter C. Newman explique ainsi l'importance du réseautage dans la vie de Black : « L'ascendant de Conrad Black au sein de l'establishment canadien s'explique en partie par son intime compréhension de ce qui se passe au Canada et ailleurs dans le monde. Contrairement à un establishment canadien largement déconnecté de la réalité, Conrad étudie avec avidité les forces qui renforcent et affaiblissent l'autorité des institutions. [...] Après avoir analysé et documenté les techniques de manipulation du défunt Maurice Duplessis, Black comprend le pouvoir et la façon de le conserver [...]. Il est proche des autorités à Washington, où il connaît intimement deux anciens directeurs de la Central Intelligence Agency ainsi que Thomas O. Enders, l'ancien ambassadeur américain à Ottawa et [...] secrétaire d'État adjoint aux affaires interaméricaines. Il connaissait autrefois le défunt ambassadeur extraordinaire David Bruce. Il entretient des rapports amicaux avec Henry Kissinger, Malcolm Muggeridge, Andrew Knight (directeur du magazine *The Economist*), Marietta Tree (souvent appelée la teneuse de salon de l'aile libérale du Parti démocrate) et Léopold Rothschild. Son mentor financier est sir Sigmund Warburg. Chez nous [au Canada], il est en contact régulier avec des sommités d'Ottawa telles que le greffier du Conseil privé, Michael Pitfield, et le ministre de l'Énergie, Marc Lalonde, tous deux lui rendant visite à l'occasion à Palm Beach[25]. »

Comme résident hivernal de Palm Beach – où il possédait une villa d'une valeur de 35 millions de dollars sur Ocean Boulevard –, Black dépensa une fortune à essayer de rivaliser avec Donald Trump (dont le superbe palace valait 125 millions de dollars), le chanteur pop Rod Stewart aussi bien qu'avec les Ford, les Pitt et autres vieilles familles fortunées. Cette enclave pour milliardaires – avec ses charmantes haciendas aux toits de tuiles, ses piscines turquoise et ses jardins d'eucalyptus – a été décrite comme « le carré de sable des Américains richissimes [...] le dernier endroit en Amérique où la célébrité, en elle-même, ne vaut rien [...] Tout ce qui compte, c'est l'argent, l'argent et toujours plus d'argent[26]. » L'une des marques de commerce de Palm Beach est bien la consommation ostentatoire. « Je me sens comme un peintre de la cour vivant à Versailles », disait Tania Vartan, une artiste spécialisée dans les trompe-l'œil, qui avait peint à la main le papier peint de la salle à manger de la villa de bord de mer de Conrad Black. « Les gens adorent la décoration, ici. Chaque résidence est plus belle que l'autre. C'est un monde enchanté, un microcosme de gens hautement civilisés qui ne veulent s'entourer que d'objets magnifiques dans un environnement magnifique. Ils ont déjà tout l'argent qu'ils veulent. Ce sont des consommateurs. Ils sont comme les Médicis. Oui, c'est quelquefois suffocant. Il faut avoir un bon sens de l'humour. Et de l'ironie[27]. »

Dans un article intitulé *La distinction de l'excès*, les lecteurs du *New York Times Magazine* eurent droit à une visite en coulisse faite par Thierry Despont, l'architecte du *jet-set*, qui avait construit les somptueuses maisons de Bill Gates dans l'État de Washington, de Conrad Black à Toronto, et du milliardaire du vêtement Sidney Kimmel à Palm Beach, dont la longue allée était constituée de 500 000 cailloux disposés à la main menant à « un immense palais en calcaire[28] ».

Telle était l'essence même du réseautage de Black : étudier la nature du pouvoir, utiliser sa position dans le monde des affaires pour accéder à de l'information et à des conseils privilégiés et divertir ses invités dans ses résidences de Londres et de Palm Beach, où il avait développé un réseau informel de membres du *jet-set* international. D'autres réseaux se formèrent à partir des conférences de Bilderberg et de ses contacts avec des intellectuels catholiques, des politiciens conservateurs canadiens et britanniques et des Américains néoconservateurs et républicains.

Grâce au reportage à succès de Peter C. Newman, les Canadiens commencèrent à réaliser qu'une mystérieuse classe de millionnaires et de milliardaires exerçait une influence considérable sur la politique et les activités financières du pays. Le public voulait en savoir davantage sur cette classe dirigeante qui, bien qu'elle ait été largement invisible, avait toujours existé.

Entre-temps, Black se livra à une évaluation de l'état pitoyable des holdings d'Argus Corp. Son approche visait à servir tout d'abord les intérêts d'Argus et ensuite les intérêts des entreprises dans lesquelles Argus avait investi. Ces intérêts n'étaient pas toujours compatibles. Massey Ferguson était la fierté de l'industrie canadienne, une entreprise légendaire qui avait exporté de la machinerie agricole partout dans le monde et fabriqué des pièces d'avions pendant la Seconde Guerre mondiale. Mais à la fin de l'exercice financier se terminant le 31 octobre 1978, elle affichait une perte de 257 millions de dollars, la plus importante dans l'histoire des entreprises canadiennes : le tiers des effectifs mondiaux fut licencié et ses actifs furent réduits de 600 millions de dollars (à la suite de la vente d'opérations non rentables). Les problèmes de Massey Ferguson étaient extrêmement compliqués. Au fil des ans, les dirigeants d'Argus n'avaient pas manifesté beaucoup d'intérêt à l'égard des défis que la compagnie avait à relever. Les principaux clients de Massey Ferguson – les agriculteurs – n'avaient plus les moyens de renouveler leur équipement à cause de la hausse constante des taux d'intérêt, des mauvaises conditions météorologiques et de rendements agricoles désastreux. Black avait acquis une solide notoriété en prenant le contrôle d'Argus à un si jeune âge. Mais « ses idées sur ce qu'il était possible d'accomplir prenaient racine dans sa propre expérience de la petite entreprise », selon Peter Cook, un journaliste qui devint, en 1985, le rédacteur des chroniques de Black dans le magazine *Report on Business*[29].

Quand Black prit la présidence de Massey, il s'amusa à expliquer ses nouvelles idées et stratégies aux journalistes. Mais ses déclarations publiques, à teneur plus philosophique que financière, eurent peu d'effets positifs sur la confiance des investisseurs.

La nouvelle stratégie mena à un mince bénéfice d'exploitation à la fin de 1979. Mais au début de 1980, la compagnie subit un revers de fortune catastrophique. Les marchés céréaliers s'effondrèrent, les prix du pétrole bondirent, le cours du dollar chuta sur le marché des devises étrangères, l'inflation monta en flèche et les taux d'intérêt entreprirent leur inexorable remontée. La dette à court terme de Massey était devenue impossible à gérer. L'entreprise faisait face à la possibilité très réelle d'une faillite. Les choses s'étaient détériorées à un point tel que pour survivre, Massey avait besoin d'une injection de capitaux et ces nouveaux fonds devaient être garantis par le gouvernement fédéral. Cela posait un sérieux problème à Black. Comment pouvait-il tendre la main au gouvernement fédéral au nom de l'une des plus célèbres multinationales canadiennes, après avoir exprimé publiquement et en de multiples occasions son mépris pour l'état interventionniste de Pierre Trudeau ?

L'année suivante, Black transféra soudainement le bloc d'actions qu'Argus détenait dans Massey (d'une valeur de 30 millions de dollars, ou 70 millions en dollars de 2007) dans le régime de retraite de Massey, ce qui eut pour effet de rendre l'entreprise en difficulté plus facilement éligible à une aide gouvernementale. Ce geste signifiait aussi qu'Argus abandonnait l'entreprise déficitaire.

« Pour que Black – qui s'était lui-même désigné porte-parole de la libre entreprise – se retire de Massey, il fallait que quelque chose de très fondamental n'ait pas marché, écrivit Peter Cook. Après tout, il déclarait ainsi qu'une importante entreprise canadienne, avec 133 ans d'histoire derrière elle, se porterait mieux en se jetant dans les bras des gouvernements et des banques qu'en continuant de profiter de la participation soutenue de son plus important actionnaire privé. D'un point de vue tactique, il a peut-être agi dans son meilleur intérêt et dans celui de ses amis qui dirigeaient désormais le holding rebaptisé "Hollinger Argus". Mais le précédent créé par le fait de reconnaître la défaite et de laisser les autres résoudre les problèmes ne rendit service à personne[30]. »

Le geste de Black fut condamné sévèrement par la presse financière au Canada. Mais Argus ne détenait qu'un intérêt minoritaire dans Massey et on ne pouvait tenir Black responsable de la détérioration désastreuse des affaires de Massey. Malgré des ventes annuelles impressionnantes de 3 milliards de dollars, l'entreprise était mal gérée depuis des années et les prédécesseurs de Black chez Argus n'avaient montré aucun intérêt particulier envers cette entreprise. De toute manière, Black n'était pas la bonne personne pour négocier de l'aide gouvernementale.

Le traitement que Black avait réservé aux veuves lors de la prise de contrôle d'Argus avait fait jaser. Maintenant, il démantelait Argus, laissant tomber une compagnie aussi importante aux yeux des Canadiens que l'était General Motors pour les Américains. Quelles qu'aient pu être les justifications idéologiques de ses actes, il fut considéré par plusieurs comme un homme d'affaires centré sur lui-même et manipulateur, qui ne voulait rendre de comptes à personne et qui ne se reconnaissait pas de responsabilité particulière envers ses employés.

Après le transfert des actions d'Argus dans le régime de retraite de Massey, Black manifesta de plus en plus d'intérêt pour une pétrolière de Calgary, la Norcen Energy Resources, qui lui servit de base pour prospecter des occasions d'investissement aux États-Unis.

Il aimait les palaces en bordure de mer de Palm Beach, l'ordre social, les ragots et les femmes à la beauté extravagante qui portaient des verres fumés Ray-Ban et des bikinis minuscules. Palm Beach fournissait à Black un cadre idyllique pour le développement de son réseau américain de contacts. Il y rencontra Ronald Reagan pour la première fois lorsqu'il y prononça un discours devant un auditoire de richissimes et ardents républicains. Black écrivit: «La soirée s'est terminée par le plus prétentieux défilé de voitures qu'il m'ait été donné de voir à la porte de l'hôtel Breakers. Il y en avait à perte de vue: des Mercedes-Benz 600 et 900, des Rolls Royce Phantom, Silver Cloud, Corniche, Shadow et Spur, plusieurs allongées ou transformées en berlines à capote rabattable témoignant de l'ingéniosité de leur propriétaire à trouver des façons de dépenser 100 000 $ de plus sur une voiture qui en valait déjà 200 000[31]. »

Black voyait Ronald Reagan comme un homme qui «savait d'instinct ce que voulait la population et comment tourner l'opinion publique en sa faveur. Après le Vietnam, le Watergate et les inepties du régime Carter, la présidence devait retrouver sa capacité de diriger et d'inspirer. Les États-Unis, qui avaient subi la perte d'influence la plus vertigineuse de toutes les grandes puissances depuis la chute de la France, devaient retrouver leur place légitime à la tête des nations occidentales[32] ». Ce fut le début d'une longue amitié.

Black noua aussi des liens avec Henry Kissinger, qui partageait sa passion pour l'histoire et sa sympathie à l'égard de Richard M. Nixon. Pour bien des gens, Nixon était Tricky Dick (Dick le rusé), un sinistre dissimulateur paranoïaque qui avait délibérément enfreint la loi. (Pendant la course à l'élection présidentielle de 1972, le Committee to Reelect the President travailla très dur à maintenir Nixon au pouvoir. Comme on le constata plus tard, l'acronyme du comité – CREEP[33] – était un choix ironique, compte tenu du rôle qu'il joua pendant le scandale du Watergate.) Mais Black avait toujours cru que Nixon avait des vertus cachées qui auraient pu le racheter, si elles avaient été étalées au grand jour. Kissinger, ancien secrétaire d'État et conseiller à la sécurité nationale de Nixon et de Ford, dit qu'il a souvent partagé avec Black sa connaissance des coulisses des affaires internationales. Black, qui cultiva plus tard l'amitié de Nixon, écrivit que l'ancien président était «un homme d'une durabilité à toute épreuve, étonnamment intelligent, extrêmement fin dans son analyse des affaires internationales et de la politique intérieure, "l'âme sereine, toute passion consommée", et en particulier un homme prévenant, courtois, naturel, spirituel, agréable et assurément généreux[34] ». En mars 2007, Black publia une biographie de Richard Nixon, *The Invincible Quest*.

Renommé pour sa susceptibilité, Kissinger était cependant sans pitié à l'égard des autres. Petit homme avide aux cheveux bouclés, il avait fui l'Allemagne nazie en 1938 à cause de ses origines juives. Il n'avait jamais réussi à se départir de son accent allemand. À New York, il avait suivi des cours du soir tout en travaillant durant le jour pour un fabricant de blaireaux. Après la guerre, il avait aidé l'armée américaine à démasquer d'anciens agents de la Gestapo allemande. À Harvard, il avait rédigé une brillante thèse de doctorat dans laquelle il exprimait son admiration pour le prince Metternich – qui fut, au début du XIXe siècle, le maître autrichien de la *realpolitik* –, bien que cette thèse ait été, de toute évidence, retouchée par un éditeur qui avait une meilleure maîtrise de l'anglais que l'auteur lui-même. Henry Kissinger aspirait à jouer un rôle similaire au XXe siècle. Il utilisait la puissance de son intellect et une brutalité à l'état pur pour compenser sa minuscule stature. Au cours des années 1960, il s'imposa comme stratège de la guerre froide et conseiller de Nelson Rockefeller. Il formait un couple assez improbable avec sa compagne Jill St. John, une magnifique actrice rousse – mensurations 90-56-89 et quotient intellectuel de 162 – qui avait joué dans un James Bond (elle avait eu un rôle d'écervelée dans le film *Les diamants sont éternels*). Kissinger lui aurait dit: « Tu ne crois pas que le poufoir est l'ultime aphrodisiaque? Attends de me foir tout nu! » Kissinger était un virtuose de la manipulation, aussi habile à organiser des coups d'État en Amérique du Sud qu'à promouvoir la détente avec la Chine et l'Union soviétique, tout en envoyant des B-52 au-dessus du Cambodge. Il a laissé dans son sillage une longue route pavée de cadavres.

En 1957, Kissinger avait publié une étude historique du travail diplomatique de Metternich de 1812 à 1822: A *World Restored* constituait l'une des analyses les plus poussées de la stratégie politique et du réseautage jamais effectuées. Kissinger soulignait la capacité de Metternich de combiner l'intuition psychologique, le conservatisme et le tact pour dominer toutes les négociations auxquelles il participait, grâce à « une faculté presque terrifiante d'en imposer personnellement à ses adversaires et à son art de définir un cadre moral qui faisait apparaître les concessions non pas comme des capitulations, mais bien plutôt comme des sacrifices pour une cause commune ». Par ailleurs, écrivait Kissinger, « la performance de Metternich était si agile qu'on oubliait qu'elle était basée sur le savoir-faire diplomatique et que les problèmes fondamentaux demeuraient sans solution, qu'il s'agissait en fait de manipulation et non de création[35] ».

Dans *A World Restored*, Kissinger cite un passage d'un écrit de Metternich dans lequel ce dernier se compara à des araignées au centre de leur toile, si « belle à voir, ingénieusement tissée et capable de résister aux brises légères, sans toutefois pouvoir braver les rafales ». D'après Kissinger, « cet aphorisme ironique et saugrenu reflète l'essence même du "système Metternich" : sa stratégie consistait à pousser l'adversaire à se prendre lui-même à ses propres filets, à contrecarrer ses déplacements avec des liens invisibles et dépendait du mythe voulant que les "règles du jeu" empêchent son opposant de se débarrasser de la toile dans un accès d'impatience. Grâce à ces tactiques, Metternich a connu d'énormes réussites[36] ». Mais il n'en restait pas moins qu'un gros coup de vent pouvait balayer la toile d'araignée.

« Le soir avant qu'il quitte son poste, m'a confié Kissinger dans son bureau de Park Avenue, j'avais rencontré Nixon. Et je lui avais dit : "L'Histoire vous traitera avec plus de considération que ne l'ont fait vos contemporains." Et il m'a répondu : "Cela dépend de celui qui écrira l'Histoire." Et je crois qu'il touchait là un point important. J'ai dépassé cette étape de ma vie où je pouvais influencer le jugement de l'Histoire [...]. Tant de choses dépendent des circonstances de l'époque. Pour ma part, j'ai tenté de laisser au jugement de la postérité un témoignage aussi précis que possible, appuyé sur une solide base documentaire. Vous savez, j'ai laissé toutes les notes prises lors des négociations que j'ai menées et lors de toutes les réunions du personnel que j'ai dirigées. Vous ne pouvez pas trafiquer des documents comme ceux-là. Vous ne pouvez pas les embellir ou les enlaidir rétroactivement. »

À l'instar de Metternich, de Duplessis ou encore de McDougald, Black voulait occuper la place centrale dans la toile d'araignée. Ses conversations avec Kissinger lui fournissaient une évasion de l'esprit de clocher qui régnait au Canada anglais et français, de même qu'un accès à un témoin et à un protagoniste des événements mondiaux. Ce que disait Kissinger comptait beaucoup pour lui. Black était fasciné par ses prestigieuses relations américaines.

Mais au fur et à mesure que ses activités financières se développaient aux États-Unis, il découvrait des réalités menaçantes : des procès implacables et une application stricte des règlements. Norcen permit à Black de faire un premier investissement aux États-Unis dans la Hanna Mining Company en Ohio, une entreprise qui avait le contrôle d'Iron Ore du Canada et exploitait une coentreprise avec Hollinger Mines au Labrador. Le président d'Iron Ore était un ami de Black, Brian Mulroney, qui aspirait à devenir chef du Parti progressiste-conservateur et premier ministre du Canada.

En août 1981, Black informa le vice-président des ventes de Hanna, George Humphrey, de son intention d'acheter des actions de l'entreprise par le biais de Norcen. En septembre, le procès-verbal de la réunion du conseil d'administration de Norcen, signé par Black, mentionnait : « Acquisitions aux États-Unis : M. Battle [président de Norcen] a déclaré que l'entreprise, à la suite de contacts téléphoniques avec les membres du conseil de direction, a amorcé des transactions boursières dans le but de faire l'acquisition de 4,9 % des actions d'une compagnie américaine cotée à la Bourse de New York, l'objectif ultime étant d'acquérir une participation de 51 % à une date ultérieure. »

Conformément aux règlements des marchés financiers américains, une entreprise publique qui entend faire un achat significatif d'actions dans une autre entreprise publique doit rendre ses intentions officielles, en remplissant l'annexe 13-D qu'elle doit déposer à la Securities and Exchange Commission (SEC). En novembre, Norcen déclarait dans l'annexe 13-D que son objectif « était d'acquérir une participation à des fins d'investissement dans Hanna. Norcen entend reconsidérer sa position de temps à autre. Dépendant de cette réflexion, de l'état du marché, du climat d'affaires et de certains autres facteurs, Norcen pourrait essayer d'acquérir d'autres actions ordinaires ou vendre ses actions ordinaires. »

En avril 1982, à la suite de négociations de plus en plus désagréables entre Black et les dirigeants de Hanna, Norcen fit une offre publique d'achat de Hanna pour presque le double de sa valeur boursière. Peu de temps après l'annonce de cette offre, Hanna entama une poursuite, en Ohio, contre Norcen, Conrad Black, son frère Montegu et d'autres personnes pour fraude et escroquerie, en se fondant sur le fait qu'ils n'avaient pas divulgué leurs véritables intentions au moment du dépôt de l'annexe 13-D à la SEC. Hanna n'entendait pas être l'objet d'une tentative de prise de contrôle massive de la part de Black, et depuis quelque temps déjà, le pressait de vendre les actions qu'il possédait. Par ailleurs, Hanna était à la source d'une enquête policière au sujet de Black et de Norcen, entreprise en Ontario 10 mois auparavant et qui avait abouti à une impasse. Les journalistes Ian Austen et Linda McQuaig écrivirent, pour la revue *Maclean's*, un reportage en deux volets dans lequel ils se demandaient si Black n'était pas intervenu auprès des autorités pour qu'elles mettent fin à l'enquête dont il était l'objet.

« Notre reportage touchait l'ensemble de l'affaire et nous voulions découvrir si Black était intervenu auprès des autorités politiques en Ontario, dit McQuaig. La Commission des valeurs mobilières de l'Ontario et la police de Toronto avaient enquêté dans le but de porter éventuellement des accusations criminelles. Nous voulions savoir comment Black était entré en contact avec Roy McMurtry, procureur général de l'Ontario à l'époque. Nous avons passé des mois sur cette enquête[37]. »

McQuaig et Austen écrivirent dans le *Maclean's* : « le procureur général est catégorique sur le fait que le dossier a été traité comme n'importe quel autre. "Ce qui me préoccupe, dit-il [Roy McMurtry], c'est bien la suggestion […] que Conrad Black, en raison de sa notoriété, serait en mesure d'influencer une enquête policière en cours. Je trouve particulièrement insultant qu'on puisse faire une telle insinuation, car en ce qui me concerne, l'intégrité du processus judiciaire criminel est ma priorité[38]." » Selon les témoignages recueillis par le tribunal en Ohio, il paraissait évident que les dirigeants de Hanna avaient d'abord cru Black lorsqu'il les avait assurés que l'acquisition d'actions ne visait que des fins d'investissement. Mais comme les dirigeants de Hanna et de Norcen adoptaient des positions de plus en plus catégoriques, déclara Black, « nous avons été sidérés par l'agressivité avec laquelle M. [R. F.] Anderson [président de Hanna] a exigé que nous n'achetions plus d'actions ». Quand le procès-verbal de la réunion du conseil d'administration de Norcen fut déposé comme preuve que cette dernière avait la secrète intention de faire une offre pour prendre le contrôle de Hanna, la défense de Black fut qu'il n'y avait jamais eu d'intention de faire une offre de prise de contrôle avant le jour même du dépôt de l'offre. Finalement, le juge fédéral John Manos conclut que « la construction du dossier [de Norcen] est tirée par les cheveux et peu convaincante ». Selon lui, les preuves admises devant le tribunal démontraient clairement que, dès novembre 1981, « voire à une date antérieure », Norcen envisageait de prendre le contrôle de Hanna. Norcen fut l'objet d'une injonction lui interdisant d'acheter des actions additionnelles de Hanna et la SEC accusa la compagnie et Black d'avoir commis « des gestes et des pratiques frauduleuses, trompeuses et manipulatrices avant que leur offre soit déposée », d'avoir dénaturé les faits lors du dépôt de leur annexe 13-D et d'avoir fait « de fausses déclarations sur des faits essentiels [...], violant ainsi les dispositions anti-fraude ».

Au moment où Black était accusé d'une série d'infractions fédérales dont la fraude aux États-Unis et faisait l'objet d'une enquête financière au Canada, le cardinal Carter lui offrit son aide et son soutien. Fournit-il une quelconque justification morale élevée à son comportement en affaires ? En avril 2003, dans le cadre de l'éloge funèbre qu'il prononça aux obsèques de Carter, Black dévoila l'offre surprenante que lui avait faite le cardinal : « En 1982 – à l'époque où mes associés et moi étions l'objet d'une enquête financière fallacieuse –, j'avais mentionné au cardinal Carter que les lignes téléphoniques de nos bureaux avaient été illégalement mises sous écoute et qu'il s'agissait probablement d'une initiative des avocats de la Couronne. Je me demandais si la prochaine étape envisagée par ces gens ne serait pas d'obtenir un mandat de perquisition pour ma résidence, même si j'admettais que j'étais peut-être en train de devenir paranoïaque, puisque je n'avais rien fait de mal. Je m'inquiétais de ce qu'on puisse saisir chez moi de la correspondance personnelle et des papiers n'ayant strictement rien à avoir avec le prétendu motif de cette enquête et que – comme cela s'était produit par le passé – il y ait des fuites publiées dans la presse. Le cardinal m'avait rappelé que "même les paranoïaques ont des ennemis", tout en me proposant d'apporter chez lui tout document personnel qui me préoccupait. "Je doute fort qu'un prospecteur de gros titres, même le plus acharné, puisse tenter de fouiller votre maison, mais s'il essayait de fouiller la mienne, nous nous enfuirions ensemble." »

Malgré la sollicitude du cardinal, un nuage avait commencé à se former au-dessus de la tête de Black. Il avait été accusé de sérieuses violations aux règles des marchés financiers par une agence du gouvernement américain. Les violations avaient trait à la fraude, à la supercherie et au mensonge. Black se vit dans l'obligation de signer une entente « sans reconnaître ni démentir les allégations contenues dans la plainte », confirmant son consentement à l'existence d'une injonction permanente contre lui, « menant à un procès pour outrage au tribunal » dans le cas où il enfreindrait encore des règlements dans l'avenir. Mais Norcen fut autorisée à conserver sa participation de 20 % dans Hanna.

Black avait une vision parfaitement irréaliste des rapports de forces aux États-Unis. Il y avait quelque chose de puéril dans ce jugement erroné, comme s'il se croyait en mesure de tenir tête à la première superpuissance de la planète. Ce comportement devint une habitude qui allait revenir le hanter dans l'avenir.

En 1982, en dépit de la controverse dont il était l'objet, Black fut consacré *The Establishment Man*, lors de la sortie du livre de Newman portant ce titre. Ses déclarations publiques tour à tour outrancières, théâtrales et prétentieuses étaient une parodie de son personnage. Il était impitoyable, il était manipulateur et il scrutait méticuleusement les individus, adaptant son vocabulaire à celui de ses interlocuteurs et se servant d'eux comme s'ils étaient ses instruments.

Il connaissait aussi la valeur du discours éthique. Il exposa à Newman sa perplexité devant « l'érosion des convictions et le glissement progressif de notre société dans une torpeur morale. J'en suis réduit à lire Oswald Spengler, pour qui le déclin de la civilisation est aussi inéluctable que le changement de couleur des feuilles à l'automne. Cependant, en Occident, le processus d'émergence d'une nouvelle droite intellectuelle – à la fois rigoureuse et articulée – s'est depuis longtemps mis en branle. Il a été suivi, comme le sont habituellement tous les phénomènes de ce genre, par un virage politique à droite en Grande-Bretagne et aux États-Unis. Au Canada, la nouvelle importance accordée au *propriétaire* dans le milieu des affaires fait partie de cette tendance ».

Lorsqu'il analysait l'état du monde, Conrad Black était persuadé que cette nouvelle droite intellectuelle revigorée pourrait renverser le processus de déclin de l'Occident. Il s'exprimait comme s'il était au-dessus de la moralité publique et qu'il pouvait, avec un étrange détachement, pontifier à sa guise. Peut-être laissait-il libre cours à son côté nietzschéen, celui qui autorisait les surhommes dominant leur époque à être amoraux. Il était enfin devenu un faiseur de rois, un rédempteur de géants déchus, un habile manipulateur qui naviguait dans le monde mystérieux des possédants où la victoire était le seul but. Pour des leaders dotés d'une intelligence supérieure, il était tout à fait normal de porter des jugements catégoriques sur une société qui leur était inférieure.

Barbara Amiel n'était pas le genre de femme qui pouvait se contenter d'une vie domestique de femme au foyer, d'élever des enfants ou d'être le trophée d'un homme. Elle était culottée, provocatrice, éloquente, ambitieuse et autonome : c'était une femme passionnée portant des talons aiguilles et dont la vie avait alterné entre les épreuves personnelles et les missions politiques exaltées qu'elle s'était imposées. Elle aimait bien écrire sur le sexe d'un point de vue masculin et ridiculiser les féministes, ce qui ajoutait à certaines de ses chroniques une note espiègle.

C'est en 1977, lors d'un dîner à Toronto, que Barbara Amiel et Conrad Black se rencontrèrent pour la première fois. Tous deux étaient alors en période de transition. En 1979, elle allait divorcer de son deuxième mari, George Jonas, avec qui elle continua toutefois d'entretenir des liens étroits sur le plan intellectuel. En 1984, son mariage avec David Graham, le propriétaire d'une chaîne de télévision par câble, l'amena en Angleterre. Ce mariage se termina quatre ans plus tard.

Lorsqu'elle publia en 1980 une autobiographie dans laquelle elle entendait ne rien cacher, elle pensa d'abord l'intituler *Fascist Bitch* (*Salope fasciste*), dans le but de tourner en ridicule le surnom que lui avaient attribué certains de ses collègues torontois. Mais son éditeur décida que *Confessions* serait un titre plus vendeur. À cette époque, on l'appelait tour à tour : « l'héroïne du nucléaire », « la réactionnaire en robe Givenchy », « la reine abeille réactionnaire » et « l'écrivaine et penseuse la plus coriace à se pointer au pays depuis longtemps[39] ». Elle était également une sorte de caméléon, capable de transformer son accent de la banlieue ouvrière du nord de Londres en celui de la classe ouvrière d'Hamilton, en Ontario, d'adopter celui des milieux plus raffinés de l'Université de Toronto, pour en arriver enfin à son accent actuel : l'anglais d'Oxford, celui des gentilshommes de la haute société.

Elle a déclaré un jour qu'elle avait honte de sa vie personnelle et qu'elle ne s'aimait pas particulièrement. La rédaction de chroniques très dures fournissait un exutoire à la colère qu'elle entretenait à l'égard du monde.

Dans son livre *Telling Tales*, le journaliste John Fraser rappelle leur rencontre à un congrès à la direction du Parti progressiste-conservateur, au début des années 1980, à Winnipeg : « Il y avait des entrevues impromptues un peu partout dans la salle [du congrès], mais la plus grande et la plus agitée d'entre elles semblait être celle qui se déroulait à l'extrémité ouest de l'aréna de Winnipeg. Il y avait un cercle de cinq ou six rangées de personnes autour des acteurs principaux, mais l'affluence était telle qu'il était impossible de les identifier. À l'extérieur du cercle, des reporters se penchaient vers le groupe pour essayer de saisir des bribes de conversation. Certains braquaient des magnétophones vers le centre, tandis que d'autres griffonnaient fiévreusement des notes. Je me suis approché. Au milieu de la cohue se trouvait Mᵐᵉ Amiel, arborant sa neuvième robe griffée depuis le début du congrès. Celle-ci était écarlate et munie d'une provocante fente dans le dos qui s'arrêtait à un millimètre au-dessus de sa culotte et de son postérieur. Elle était en pleine consultation éditoriale avec Peter Worthington [chroniqueur du *Toronto Sun*] et leur échange ressemblait de façon alarmante à une querelle de poissonniers. J'étais trop loin du centre pour saisir le déroulement du débat. Tout ce que je réussissais à capter de la position où j'étais, c'était des éclats de voix : AMIEL : "Bordel, qu'est-ce que tu veux dire…" WORTHINGTON : "Barbara, pour l'amour du ciel, si seulement tu…" AMIEL : "Ne prends pas cet air supérieur avec moi ou bien je…" WORTHINGTON : "Je ne prends pas un air supérieur, seulement tu es ridicule parce que…" AMIEL : "Es-tu en train de me dire que…" WORTHINGTON : "Écoute, tout ce que je te dis…" » À sa grande surprise, Fraser découvrit que, par un étrange renversement de situation, c'était des délégués conservateurs qui entouraient Amiel et Worthington[40].

Ils étaient devenus l'événement le plus important. Ils éclipsaient tout le monde.

« Barbara est toujours influencée par son interlocuteur, dit Worthington. Aujourd'hui, elle vit jusqu'à l'exagération le rôle de la femme fortunée qui a plus de paires de chaussures qu'Imelda Marcos, des vêtements à 10 000 $ et des habitudes de dépenses extravagantes. Je crois qu'elle est plutôt fragile. Elle aurait pu devenir l'une des meilleures chroniqueuses mondaines de la planète. Elle arrive à repérer ce qui intéresse les gens, ce qui les émeut [...]. En vous parlant, elle vous renvoie vos propres idées mieux que vous n'auriez pu les exprimer vous-même, ce qui peut vous amener à conclure qu'elle est plus brillante que vous, mais ce n'est pas nécessairement vrai. Elle est incroyablement divertissante et elle a, en plus, un côté espiègle[41]. »

Ainsi était le personnage public de Barbara Amiel, la vedette au sommet de sa gloire, assoiffée d'attention. « Le pouvoir, a-t-elle écrit en 1985, n'est pas seulement sexy par définition, mais aussi parce qu'il inspire de l'assurance à celui qui le possède et un frisson de servilité à ceux qui s'en approchent. » Les femmes, ajoutait-elle, se marient pour combler les attentes de la société : « Il me semble que l'on manque de respect envers les femmes et qu'il est grand temps que nous nous débarrassions de ces étiquettes aussi laides que négatives (comme "gagne-pain" ou "croqueuse de diamants") que l'on continue d'accoler aux soi-disant "bons mariages[42]". »

Cette combinaison de dureté et de coquetterie était la marque de commerce d'Amiel.

À la fin des années 1960, Amiel avait grossi les rangs de la culture pop, décontractée et consommatrice de drogue, et avait fréquenté des gens comme Leonard Cohen, Jane Fonda et Alan Alda. Mais l'aspect antiaméricain et jouisseur de la culture pop lui déplaisait aussi souverainement que les écrits de la prestigieuse auteure d'origine chinoise Han Suyin qui, en robe Dior, faisait de la propagande communiste.

Selon Christina Pochmursky – une animatrice de télé canadienne et amie d'Amiel, avant le milieu des années 1970 –, elle « était en train de s'inventer une nouvelle identité ; elle voulait devenir la Madonna des intellectuels. Il lui fallait être experte en politique étrangère tout en portant un décolleté très plongeant[43] ». Son mariage avec George Jonas, un émigré hongrois, lui apporta une compréhension plus profonde du caractère insidieux du communisme soviétique. Amiel et Jonas étaient des partenaires intellectuels et ils collaborèrent à la rédaction d'un livre : *By Persons Unknown*. Jonas lui apprit ce que signifiait « la pensée captive », la mainmise étroite que le communisme exerçait sur les intellectuels, certains d'entre eux devant sacrifier leur liberté individuelle et accepter des compromis fondamentaux pour assurer leur survie. En 1983, Amiel devint rédactrice en chef du *Toronto Sun* et, au cours des années 1980, elle y fit publier des chroniques de son ex-mari. Par ailleurs, les chroniques de Jonas apparurent régulièrement dans des journaux contrôlés par Black. En 2007, sa silhouette sombre et voûtée se profilait parfois à côté de celle de Barbara dans la salle d'audience 1241, à Chicago : il lui offrait un soutien moral. C'est comme si Black n'avait pas réalisé qu'en épousant Barbara, il épousait aussi Jonas.

Robert Fulford se rappelle avoir confié à Amiel ses premiers mandats de pigiste, dans les années 1970 : « J'ai publié le tout premier article de Barbara Amiel dans le magazine *Saturday Night*. Je la trouvais ambitieuse, intéressante, intelligente et bien plus cultivée que la plupart des journalistes. Elle est aussi exceptionnelle dans son domaine que Conrad l'est dans le sien. Le fait qu'ils soient ensemble en dit long sur eux : ils se sont choisis parce que leurs cordes sensibles vibrent en harmonie. Dans son livre, elle insinue que, jeune fille, elle était marxiste, et qu'elle a ensuite découvert la réalité du monde. Personnellement, je crois que, dans les années 1950 et 1960, elle devait observer la jeunesse qui l'entourait avec beaucoup de scepticisme, en pensant : "Je ne crois rien de ce que l'on raconte au sujet du libéralisme et du socialisme[44]." »

En 1980, lors d'un voyage en Mozambique marxiste avec son petit ami de l'époque, un prospère agent de voyage de Toronto, Amiel fut emprisonnée parce que ses papiers n'étaient pas en règle. Elle survécut pour raconter l'anecdote, qui ajouta à son aura grandissant de conservatrice radicale : « Après qu'on nous eut triés et attribué des numéros – j'étais le 975 –, on nous sépara [...]. Mes compagnons furent placés en isolement, alors que de mon côté, je fus envoyée en cellule avec une des femmes. Les femmes représentaient un problème dans cette prison. Nos cellules devaient être non seulement verrouillées, mais aussi barricadées. Je ne sais pas si le but était de nous protéger des autres prisonniers, des soldats, ou bien de la concupiscence déchaînée qui était censée nous habiter. Mais comme beaucoup de nouveaux régimes socialistes, le Mozambique était puritain et chauvin [...] À l'intérieur de ma cellule, sur le plancher de béton, il y avait un matelas de mousse, d'une épaisseur d'un centimètre, ainsi qu'une mince couverture. Aucun oreiller. Aucun meuble. Aucun livre, ni radio, ni programme de rééducation. Il y avait d'intéressantes colonies de punaises qui avaient fait des trous en nids d'abeille dans le caoutchouc mousse, ainsi qu'un bon nombre de moustiques, de fourmis et de cafards. Une ampoule brillante restait allumée toute la nuit et il y avait un petit judas protégé par des barreaux, à deux mètres et demi du plancher[45]. »

Pendant son séjour dans cette prison, elle contracta la malaria et la fièvre typhoïde. Son expérience de l'univers des pays marxistes en voie de développement présentait un énorme contraste avec sa vie au Canada. Mais sa rhétorique à l'égard du Canada se transforma. En 1982, dans un discours prononcé devant l'Empire Club de Toronto, elle dénonça les barbares qui se tenaient à l'extérieur des murs : « tout un groupe de forces quasi marxistes, quasi tribales, quasi théocratiques qui comprennent beaucoup de pays africains et des pays tels que l'Iran, la Libye et la Chine, alignés avec l'Union soviétique ou non, qui promeuvent et endossent des idées et des institutions conçues pour plonger le monde dans un nouveau Moyen Âge. »

Selon Amiel, le Canada était incapable de faire face à ce genre de réalité et était de plus en plus miné de l'intérieur par la pensée néomarxiste. Elle qualifiait de doctrinaires les idées de Pierre Trudeau et de certains autres idéologues de la gauche libérale, affirmant qu'ils faisaient reculer la liberté individuelle en mettant en application des lois discriminatoires (discrimination positive), un système d'éducation qui ne correspondait pas aux réels besoins de la société, des politiques économiques qui bloquaient les investissements étrangers et que – sous prétexte de promouvoir l'égalité – ils gaspillaient l'argent qu'ils distribuaient aux régions très disparates du Canada sous forme de transferts de paiement.

Elle déclara à son auditoire de gens d'affaires bien en vue que « pour ceux d'entre nous qui ont passionnément à cœur ce qui se passe à l'intérieur des murs [au Canada] et qui souhaitent forcer le peuple à les défendre, il convient d'insister sur ces questions. Nous sommes hantés par les vers du poète Yeats : "Les meilleurs ne croient plus à rien, les pires se gonflent de l'ardeur des passions mauvaises. Il est clair que la Seconde Venue est pour bientôt[46]." Mais moi, je n'y crois pas. Les meilleurs devront trouver la conviction, l'ardeur passionnée et la force. Nous sommes toujours un peuple courageux, endurant et musclé. Dieu nous vienne en aide, la Seconde Venue s'impose. Elle prendra la forme d'une résurgence de la démocratie libérale[47] et de notre volonté de sacrifice, sinon nous ne pourrons laisser en héritage à nos enfants que les ténèbres, les lamentations et les bruits lancinants et terribles de l'oppression et de la peur. »

En 1980, les chroniques d'Amiel – alors âgée de 39 ans – reflétaient l'image d'une néoconservatrice endurcie, prête à une guerre de tranchées. Mais cette image publique était plus austère que la réalité et il y avait quelque chose d'à la fois cru et subliminal dans la virulence de son message, livré de manière sexy et suggestive. Elle avait tout ce dont raffolent les néoconservateurs : une langue bien pendue, une belle apparence, du mépris pour le féminisme et des opinions de droite.

Bien que Barbara Amiel ait été mariée et divorcée à deux reprises, elle n'en continuait pas moins de croire en l'institution du mariage. Elle s'était fait avorter en 1964 et n'eut jamais d'enfants. « Je déteste la permissivité et la promiscuité de notre société et je crois en la fidélité, la stabilité et la monogamie, écrivit-elle en 1980, mais cela reste toujours hors de ma portée. Il y a cette chose qu'on appelle la discipline. J'ai essayé de l'appliquer à mon travail. J'ai essayé de l'intégrer à ma vie. Mais tout ce qui en ressort, c'est de la complaisance[48]. » Dans ses articles, elle exprimait souvent de l'angoisse existentielle : elle transformait son anxiété personnelle en guerre idéologique en projetant son venin à la face du monde.

Amiel avait déjà déclaré qu'elle avait honte de sa vie personnelle et qu'elle ne s'aimait pas particulièrement. En 1984, son mariage avec David Graham, le propriétaire d'une chaîne de télévision par câble, l'amena en Angleterre, où elle devint rédactrice de chroniques pour le *Times* de Londres. Ses opinions antilibérales l'ont fait surnommer : « la dame de fer de Wapping [le quartier ouvrier où fut imprimé le *Times*] ».

À l'époque de l'abandon de Massey et des problèmes avec Hanna, Conrad Black avait commencé à effectuer un sévère dégraissage de Dominion Stores, une chaîne d'épiceries déficitaire : il vendit 86 magasins au Québec, en ferma presque une centaine d'autres en Ontario et transforma 38 magasins en franchises bon marché avec des effectifs non syndiqués.

Hollinger Argus avait constaté qu'il y avait un excédent considérable dans la caisse de retraite des employés de Dominion et qu'une partie de cette somme pourrait être consacrée au plan de licenciement. En novembre 1985,

Dominion demanda l'approbation réglementaire pour le recouvrement d'un excédent de 60 millions de dollars (107 millions en dollars de 2007) dans la caisse de retraite des employés de Dominion Stores, espérant y puiser un autre 15 millions de dollars dans un deuxième temps. Le 22 novembre 1985, Hollinger Argus Inc. produisit un rapport financier intérimaire mentionnant que le montant final de l'excédent à récupérer dépendrait « de plusieurs facteurs, notamment du niveau éventuel d'emploi de Dominion, qui sera déterminé à son tour par la nature et l'importance des rationalisations futures et des activités de liquidation ». Les employés de Dominion furent horrifiés d'apprendre que leur propre caisse de retraite pourrait servir à éponger les coûts liés à leur propre mise à pied.

La cession des caisses de retraite des compagnies privées a long-temps constitué une zone grise de la législation canadienne. « En l'ab-sence de règles prévues par la loi, expliquait à l'époque la journaliste Ann Finlayson, la Commission des régimes de retraite de l'Ontario avait graduellement élaboré des directives. Mais il n'était pas facile, pour les employés, de déterminer la nature de ces directives ainsi que leur mode d'application. Comme les employés de Dominion l'apprirent à leur grand dam, il était même difficile de joindre quelque responsable que ce soit à la Commission. Comme leurs lettres restaient sans réponse et que leurs demandes d'information étaient réacheminées à leur employeur récalci-trant – qui avait déjà refusé de les informer –, il devenait inévitable qu'ils se posent une question fondamentale : quels intérêts la Commission protégeait-elle : ceux des employés ou ceux de l'entreprise[49] ? »

Après toute une série de batailles judiciaires hautement politisées qui traînèrent en longueur, Black et son entreprise réglèrent le différend en cédant la moitié de l'excédent de la caisse de retraite. À certains égards, il s'agissait d'un dénouement amer pour Black, mais l'entente – en clarifiant l'épineuse question de ce qui pouvait et devait être fait avec l'excédent de la caisse de retraite d'une compagnie – établit un précédent juridique important au Canada.

La gestion de l'affaire Dominion avait miné la relation d'affaires de Black et de son frère. Monte « n'avait pas toujours trouvé le rôle de pré-sident d'Argus Corporation facile et agréable, écrivit Black, et cela avait en effet été rarement facile et agréable. Pour ma part, j'avais traversé ces années tumultueuses dans l'espoir de donner une vocation plus sereine à un groupe restructuré. Il partageait cet espoir avec moi, mais n'a jamais trouvé sa place au sein de l'entreprise. Ébranlé par les scrupules qu'il entretenait à propos de Dominion Stores et peut-être par la fin acrimonieuse de son mariage [à Mariellen Campbell], il décida de se prendre un fort joli profit et de se tailler un nouveau rôle, loin de la publicité intense et des comparaisons blessantes avec son frère[50] ». Blessantes, parce que Conrad – avec ses provocations, son franc-parler et son comportement théâtral – était reconnu comme le plus brillant des deux frères, alors que Monte était une bonne pâte, loyal et plus intéressé par le sport que par les idées. Après avoir dirigé Hollinger Argus pendant quelques années, Black était devenu un personnage très médiatique.

En 1978 et 1979, Black avait émergé comme le jeune prodige de la haute finance canadienne : il était un célibataire convoité qui s'était emparé d'Argus Corp. et un intellectuel flamboyant aux ambitions internationales, qui proclamait la renaissance de la droite. Sept ans plus tard, dès 1985, sa réputation avait commencé à se ternir. Désormais, il était de notoriété publique qu'il manipulait les compagnies et les individus dans le but de détruire ou de larguer les joyaux de la finance canadienne ; inculpé aux États-Unis pour fraude, manipulation et supercherie, il s'en était tiré avec un sévère avertissement ; il avait démontré qu'il n'avait aucun scrupule à puiser dans les excédents de la caisse de retraite de ses employés – les épargnes de retraite d'épiciers, de bouchers, de commis et de caissiers –, qui ne dépendaient que de son bon vouloir.

Le 18 février 1985, Peter C. Newman fit remarquer, dans sa chronique du magazine *Maclean's*, que la vente de Dominion Stores « soulève des questions pertinentes concernant la volonté et la capacité de Conrad Black de tenir bon et de gérer des entreprises existantes au lieu de se contenter simplement de vendre ses parts ou de se débarrasser d'opérations moins rentables qui ne correspondent plus à ses perspectives de bénéfices élevés [...]. Conrad Black n'a rien créé. Il a maintenant 40 ans, il est riche et aisé, mais des voix toujours plus nombreuses s'élèvent autour de lui, qui remettent en question ses agissements futurs et lui demandent pourquoi il se refuse à correspondre aux attentes que son potentiel à devenir un grand homme d'affaires avait suscitées chez ses pairs ».

Mais Black n'était pas homme à s'excuser et il répondait souvent aux critiques par des déclarations délibérément provocatrices. « L'avidité a été largement sous-estimée et dénigrée – de façon injuste, à mon avis –, dit-il à Newman. Je crois qu'il n'y a rien de mal à se servir de la cupidité comme motivation, pourvu que cela ne mène pas à la malhonnêteté ou à un comportement antisocial. Je ne crois pas qu'on doive être fier de l'avidité, en tant que telle, mais une soif de possession modérée n'est pas étrangère à un sentiment d'autopréservation. C'est un sentiment qui n'a jamais manqué de me motiver, de temps à autre[51]. »

Depuis son retour en Ontario en 1974, il avait été confronté à la mort de ses parents, à des batailles financières et juridiques, à la liquidation extrêmement controversée d'entreprises vedettes et à l'affaire de la caisse de retraite de Dominion Stores. Sa vie privée était stable et la restructuration de Hollinger était terminée. Black s'était habitué à son nouveau rôle de propriétaire. Mais il n'était pas satisfait. Sa grande soif de pouvoir et d'influence était impossible à étancher. Il désirait ardemment de nouveaux défis. Conrad Black avait accueilli avec satisfaction toute la portée médiatique de son ascension fulgurante dans le monde des affaires, mais il voulait manipuler son image publique à sa façon.

La pensée de Spengler lui offrait une solution : s'il était vrai que les campagnes de presse représentaient « la guerre par d'autres moyens », Black allait ériger un empire journalistique et avoir le dernier mot. Il était, plus que jamais, fasciné par la presse écrite.

The Canadian Press/The Globe and Mail/Tibor Kolley

CHAPITRE 6

Chasse au papier

À la mi-mars 2007, au début du procès, chacun des journalistes s'adapta à son rôle respectif. Tous les matins, nous arrivions stimulés par un café de chez Starbucks à l'édifice fédéral Everett Dirksen, où nous étions soumis à une fouille et passés au détecteur de métaux dans le hall d'entrée. Nous partagions ensuite l'ascenseur avec des défendeurs dans d'autres causes : des hommes d'affaires juifs orthodoxes nerveux, au chapeau de feutre et au costume sombre ; des maquereaux noirs, intimidants, portant le manteau surdimensionné à longs poils, chaînes au cou et dents plaquées or. C'était un tout autre monde. Les médias cherchaient de la couleur, du drame, de l'effet ; après tout, Conrad Black avait été un magnat de la presse qui regardait souvent les journalistes de haut. Mais tous les après-midi, au moment de quitter la salle d'audience, nous nous sentions consternés, frustrés. Il s'agissait d'un procès criminel pour fraude mettant en scène des témoignages discrets, des avocats triant laborieusement les preuves et s'engageant constamment dans des querelles de procédures.

Mais en quoi consistait exactement l'histoire à raconter ? Et quelle en serait l'issue ? Certains commentateurs s'étaient déjà fait une idée. Ainsi, le biographe Tom Bower, un homme déplaisant au visage maigrichon, aux yeux malicieux et aux dents de lapin, compara Black à un nazi. « Êtes-vous le même Tom Bower qui a écrit sur Klaus Barbie dans les années 1980 ? » lui demandai-je à la pause matinale, sans mentionner que j'étais moi aussi un biographe de Black. « Oui, j'écrivais au sujet des méchants, à l'époque. » J'avais lu dans le *Sunday Times* de Londres des extraits de sa biographie des Black, publiée à la fin de 2006, et j'avais été très surpris de constater qu'il s'était approprié les recherches des autres. Son livre contenait une multitude d'erreurs. Dans la salle d'audience, il se réjouissait chaque fois qu'on disait du mal de Black. Une fois, comme il bavardait pendant un témoignage important, un huissier avait dû l'expulser.

Par ailleurs, Steve Skurka, le criminaliste torontois qu'on voyait souvent à la télévision canadienne, prédisait que Black allait être acquitté de tous les chefs d'accusation. Les vénérables chroniqueurs canadiens Peter Worthington et Allan Fotheringham affirmaient que les jurés étaient stupides, frustes et ignares. Mais ces hommes connaissaient depuis fort longtemps Barbara Amiel et il n'était que normal qu'ils tentent de minimiser les vicissitudes juridiques de Conrad Black.

La plupart des journalistes qui assistaient au procès avaient adopté l'attitude selon laquelle « il n'y a pas de fumée sans feu » : si Black faisait l'objet de 15 accusations de fraude, de blanchiment d'argent et d'entrave à la justice, il devait y avoir anguille sous roche. En faisant état des travaux quotidiens du tribunal, ils ne faisaient que leur métier. Les journalistes britanniques trouvaient que l'arrogance « nouveau riche » de Black constituait une bonne histoire, de même que son mode de vie extravagant et son mépris apparent à l'endroit des gens ordinaires. Mais pour qui se prenait-il donc ? Advenant qu'il soit acquitté, ils gardaient en réserve un deuxième sujet : le caractère impitoyable de la justice aux États-Unis.

En public, j'accordais à Black une chance sur deux d'être condamné ou acquitté. Je mentionnais dans mes reportages à BBC World, CBC, CNN International et Radio-Canada qu'il était innocent jusqu'à preuve du contraire. Que Black soit condamné ou acquitté, cette affaire soulevait d'importantes questions sur l'équité de la procédure, la présomption d'innocence aux États-Unis de nos jours, le droit à un procès équitable et la capacité d'un jury impartial de rendre justice. Le *Chicago Tribune* et le *Chicago Sun-Times* présentaient chaque jour des articles sur l'indépendance en déclin des procureurs fédéraux, dont certains avaient été embauchés et mis à pied selon le bon vouloir de la Maison-Blanche pour des raisons purement partisanes. Le président George W. Bush se souciait bien peu de la séparation des pouvoirs (exécutif, législatif et judiciaire) qui est censée empêcher les États-Unis de se transformer en une dictature républicaine. Il cherchait à concentrer autant de pouvoirs que possible à la Maison-Blanche, quelles qu'en soient les conséquences sur les institutions démocratiques du pays.

Dans le cadre de mes recherches, j'avais étudié la théorie de la justice pénale et remarqué qu'un juriste italien du XVIIIe siècle, Cesare Beccaria, avait établi le principe – maintenant universel – selon lequel le châtiment devrait correspondre au crime. À mes yeux, cette affaire soulevait également des doutes sur l'application de ce principe.

Mais ce n'était qu'au niveau de la responsabilité criminelle. Nous attendions les preuves documentaires et les témoignages qui révéleraient ce qui s'était réellement passé. À un autre niveau, Black était de toute évidence moralement condamnable – il était moralement condamnable pour une bonne partie de ce qui était arrivé depuis que Hollinger International était devenu une entreprise cotée en Bourse ayant son siège social aux États-Unis, au milieu des années 1990. Comment pouvait-il avoir empoché des dizaines de millions de dollars tout en ignorant la véritable nature de ces paiements? Comment avait-il pu ne pas remarquer les transferts de fonds à Radler à partir de l'entreprise qu'il contrôlait? Comment pouvait-il signer, en tant que chef de la direction de Hollinger International, les certificats trimestriels confirmant l'exactitude des rapports financiers en 2002 et 2003, puis simplement tirer un trait sur toute l'affaire lorsqu'on lui demandait de justifier les honoraires faramineux, les ententes de non-concurrence et autres avantages qui lui étaient versés ainsi qu'à ses plus proches associés? Une chose au moins était claire dans le cadre de cette affaire criminelle à Chicago: David Radler, le plus proche associé de Black pendant presque 40 ans, avait admis la perpétration d'une fraude importante et avait accepté de remettre plus de 71 millions de dollars. Comment Conrad Black aurait-il pu ignorer ce qui se passait?

Chaque matin à Chicago, après que les huissiers nous eurent autorisés à pénétrer dans la salle 1241, les divers avocats paraissaient l'un après l'autre. Le principal avocat américain de Black, Ed Genson, laissait son scooter à la porte et boitillait jusqu'à la table centrale de la défense, ses attelles jambières restreignant ses mouvements. Un jour, pendant une pause, il me dit qu'il s'identifiait fortement à Everett

Sloane, l'acteur qui jouait dans un film noir de 1947, *La dame de Shanghai*, avec Orson Welles et Rita Hayworth, parce que Sloane incarnait Arthur Bannister, un avocat handicapé malicieusement brillant qui marchait avec une canne dans chaque main. Le principal avocat canadien de Black, Eddie Greenspan, venait s'asseoir lourdement sur une chaise près de Genson. Lors d'une pause, il me confia qu'il s'identifiait à Jonathan Wilk, un avocat criminaliste qu'incarnait Orson Welles dans *Le génie du mal*, un film de 1959 sur le meurtre célèbre de Leopold et Loeb à Chicago en 1924. Le personnage de Wilk s'inspirait plus ou moins de Clarence Darrow, qui avait défendu deux jeunes hommes se considérant comme des surhommes nietzschéens amoraux, ce qui leur accordait des droits particuliers leur permettant de commettre un enlèvement et un crime parfaits. Greenspan me dit que, dans *Le génie du mal*, Welles affirmait son autorité grâce à son physique imposant et à son regard intimidant. J'imaginais le procureur en chef, Eric Sussman, comme un grand parleur squelettique dans un T-shirt, le type d'homme arborant un perpétuel sourire de mépris qui ferait enrager les buveurs dans un bistrot et qui se précipiterait dehors juste au moment où la bagarre commencerait.

Barbara Amiel prit place dans une rangée de sièges réservés aux familles des accusés. Elle portait chaque jour de nouveaux vêtements griffés. Sa chevelure brun sombre était toujours impeccable : malgré ses 66 ans, aucun cheveu gris ne paraissait. Son visage arborait constamment un sourire forcé, qu'elle portait comme un masque, et elle se tournait parfois pour l'offrir brièvement aux médias. Quand George Jonas commença à s'asseoir à ses côtés, elle ressemblait davantage à sa fille de 30 ans qu'à son ancienne épouse. Près d'elle se trouvait Alana Black. Elle était d'une beauté exceptionnelle et mystérieuse, en partie parce que ses cheveux bruns tombaient en franges sur son visage. Elle avait un nez aquilin, des lèvres proéminentes et une silhouette mince comme celle d'un mannequin vedette. Son visage était parfois lourdement maquillé pour dissimuler les ravages de l'insomnie pendant le procès. Le fils de Conrad, Jonathan, un ancien mannequin aux cheveux roux qui ressemblait à une version plus athlétique de Marlon Brando dans *Sur les quais*, était assis tout près. À côté de lui se trouvait la dessinatrice judiciaire Verna Sardock, une femme d'âge moyen, quelque peu distraite, aux yeux brillants, qui griffonnait des esquisses en couleurs de tous les principaux intervenants, ses mains barbouillées de charbon. Parfois apparaissait le plus jeune fils de Conrad, James, également roux, mais plus grand que Jonathan de 6 ou 7 centimètres, refusant à l'occasion de porter un habit ou même de rentrer sa chemise dans ses pantalons. Tous les trois affichaient une grande force de caractère : non pas la force brutale de leur père, mais une présence discrète, solidaire. La première femme de Conrad, Shirley, qui avait maintenant adopté le prénom de Joanna, devait jouer un rôle important dans les coulisses en leur montrant sans doute comment passer silencieusement devant les médias dans la salle du tribunal, se tenir près de leur père sans trahir aucune émotion sur leur visage, puis sortir discrètement ensuite.

Conrad Black arrivait dans la salle impeccablement vêtu d'un complet et d'une cravate de soie. Ses cheveux étaient d'un blanc argenté. Il se déplaçait lourdement, le dos quelque peu courbé alors qu'il était maintenant parvenu à l'âge 62 ans, usé par cette épreuve, mais également conscient que tout le monde le regardait. Il se dandinait en marchant, écartant les pieds, puis s'assoyait à la table centrale de l'équipe de la défense. De temps en temps, il prenait des notes, puis retirait ses lunettes et regardait d'un œil mauvais les témoins et les membres du jury ou discutait avec ses avocats.

Que pensait-il ? De temps en temps, il me décrivait par courriel le procès comme étant intense, frénétique et difficile. Mais il faisait toujours état de son innocence. « Ils n'ont rien contre moi, disait-il. Je n'ai rien fait de mal. »

Conrad Black était furieux de la façon dont les choses se passaient. Le département de la Justice et la plupart des médias du monde l'avaient présumé coupable jusqu'à preuve du contraire. Il était convaincu que son téléphone avait été mis sous écoute à Toronto, et auparavant à New York. Il avait dû déposer un cautionnement de 21 millions de dollars, le plus élevé dans l'histoire de la justice pénale américaine. Et au moment d'empocher un chèque de 9,5 millions de dollars pour la vente de son appartement à New York, le FBI était intervenu pour saisir son chèque.

Black se vantait souvent d'être un stratège hors pair, mais les raisons pour lesquelles il se trouvait devant un tribunal à Chicago tenaient à une énorme bourde stratégique. Au milieu des années 1990, l'entreprise canadienne qu'il contrôlait, Hollinger Inc., avait créé une succursale américaine, Hollinger International. Ensuite, Black avait rassemblé les actifs de Hollinger Inc. et de ses journaux partout dans le monde – y compris des titres au Canada, en Angleterre, en Israël et en Australie – sous le nom de Hollinger International et avait rendu l'entreprise publique, recueillant près de 400 millions de dollars en actions et obligations à Wall Street. L'afflux de nouveaux capitaux diminua l'emprise réelle de Black sur l'empire médiatique qu'il dirigeait. La participation financière du siège social de Hollinger à Toronto dans Hollinger International à Chicago chuta de 64,2 % en 1994 à 30,3 % en 2002. Mais pendant cette période, le droit de vote de Hollinger Inc. (par le biais des actions à votes multiples) ne diminua que de 94,7 % à 72,6 %. (Par contre, Black contrôlait *indirectement* Hollinger Inc. par l'entremise de sa société de portefeuille privée, Ravelston Corp.)

Le fait de rassembler les actifs de ses journaux à travers le monde sous le contrôle d'une entreprise cotée en Bourse et ayant son siège social aux États-Unis procurait des avantages. Dans le rapport annuel de 1995 de Hollinger Inc., Black faisait remarquer : « La réorganisation [...] complétera l'émancipation de cette entreprise et de ses filiales, longtemps enchaînées à la structure de holding qui remonte à Argus Corporation [...] Désormais, Hollinger International aura accès de manière conventionnelle au marché des capitaux américain, en vue de financer son expansion et la consolidation de ses investissements actuels. » Toute une émancipation ! Le fait de s'inscrire en Bourse aux États-Unis imposait également de nouvelles responsabilités. Cela signifiait que Black devait maintenant rendre des comptes aux actionnaires américains puisqu'il se servait de *leurs* capitaux pour agrandir *son* entreprise. Ils n'investissaient pas par charité ; il s'agissait d'investisseurs aguerris qui voulaient faire de l'argent. Ils surveillaient Black de près pour s'assurer qu'il respectait les lois américaines sur les valeurs mobilières pour les entreprises cotées en Bourse.

Mais la culture d'entreprise des actionnaires majoritaires était dépassée. Black conserva la même avarice égoïste, maniérée, de la vieille garde d'Argus des années 1940 et 1950. «Ces entreprises demeurent fidèles à la tradition, établie chez Argus, de la culture de propriétaire selon laquelle les actionnaires de référence prennent des mesures raisonnables leur permettant de jouir confortablement de la position qu'ils ont créée pour eux-mêmes, avait écrit Black dans une note de service aux actionnaires de Ravelston le 6 septembre 2002, mais il faut éviter que cela ne tombe en décadence, comme cela avait été le cas chez Argus.» Puis il déclara que les plaintes d'actionnaires désenchantés à propos du piètre rendement des actions en Bourse «ne devraient pas nous obliger à porter la haire, l'équivalent dans le monde des affaires de la robe de bure et de la cendre».

Black semblait tout à fait conscient qu'il était tentant pour les barons de la presse d'abuser de leur pouvoir et de leur influence. «Au cours de l'histoire, me confia-t-il un jour, plusieurs propriétaires de journaux ont évidemment souffert de mégalomanie. Si l'on veut éviter la folie des grandeurs, il faut régulièrement scruter l'écran radar [...] Comme les lecteurs entretiennent une relation de confiance avec leur journal, il faut, en tant que propriétaire, trouver la juste mesure entre, d'une part, un *ego* équilibré et, d'autre part, la conscience de ses limites et la rectitude de ses actions. En abusant de cette confiance, le propriétaire finirait non seulement par se desservir, mais aussi par nuire à l'entreprise.»

Or, aux États-Unis, ça jouait dur entre les actionnaires publics et les chefs de la direction. Black ne semblait pas avoir compris qu'en s'inscrivant à la Bourse américaine, il devait, qu'il le veuille ou non, respecter les règles du jeu américaines. Même s'il était président et chef de la direction de Hollinger International, il n'avait pas pris le temps nécessaire pour s'assurer que les paiements hautement controversés qu'il avait empochés soient irrécusables. Des paiements tels que: 218 millions de dollars en frais de gestion versés entre 1997 et 2003 à lui-même, Radler et plusieurs autres hauts dirigeants canadiens; 90 millions de dollars en paiements de non-concurrence versés au même groupe, entre 1998 et 2001, pour avoir négocié la vente d'actifs appartenant à l'entreprise; sans oublier des dépenses somptuaires ainsi que divers avantages et prêts.

La stratégie de la poursuite consistait à insister sur les dépenses débridées de Black. On fit la lecture devant le tribunal d'un courriel rédigé par Conrad Black au sujet des vacances qu'il avait passées en 2001 avec sa femme Barbara en Polynésie française. L'élément qui intéressait le procureur était bien évidemment que Black s'était servi du jet privé de l'entreprise pour s'y rendre : « Nous sommes revenus hier d'un voyage désastreux dans le Pacifique Sud, au cours duquel j'ai attrapé une bronchite et failli me noyer en faisant de la plongée avec tuba. Nous nous sentions comme deux évadés d'un institut gériatrique, entourés de jeunes couples en lune de miel : de jeunes voyous et leurs épouses guillerettes. Nous avons découvert peu de temps après notre arrivée à Bora Bora que l'île était au beau milieu d'une épidémie de dengue et nous avons passé le reste de notre séjour à nous appliquer de la crème anti-insectes et à étouffer de chaleur à l'intérieur. »

Mais comment justifier que le coût de ce voyage ait été absorbé par l'entreprise ? Pour clarifier les choses, Black proposa au contrôleur de gestion de Hollinger Inc., Fred Creasey, de rembourser la moitié des 565 323 $ qu'avait coûté le vol aller-retour entre New York et Bora Bora en jet privé, incluant une escale à Seattle (où les Black avaient assisté à une représentation de *L'anneau du Nibelungen*, le cycle de quatre opéras de Richard Wagner).

— Y avait-il une politique en vigueur qui autorisait Conrad Black à utiliser le jet de l'entreprise pour ses vacances personnelles ? demanda la procureure Judie Ruder.

— Non, répondit Creasey à la barre.

On présenta alors aux jurés un courriel remontant à août 2002 dans lequel Black proposait que la politique de l'entreprise fasse une distinction entre « les dépenses d'affaires, les quasi-dépenses d'affaires et les dépenses n'ayant rien à avoir avec les affaires. [...] Comme je l'ai déjà mentionné, il faut dans une certaine mesure s'adapter aux normes actuelles. Nous n'allons surtout pas abdiquer en assimilant tous les avantages à de la corruption ».

Prenant la parole au nom de la défense, Greenspan soutint que le coût du remboursement offert par Black pour son utilisation personnelle du jet de la compagnie avait été bien trop élevé. Mais il était difficile d'oublier qu'au départ, Black avait pris des vacances aux frais de l'entreprise.

Ensuite, le procureur souleva l'enjeu des 60 millions de dollars versés à Black et à plusieurs associés, en 2000, au moment de la vente par Hollinger International du groupe Southam à CanWest au prix de 3,2 milliards de dollars. Selon le témoignage de Bud Rogers, avocat new-yorkais qui avait longtemps conseillé l'entreprise sur la vente de journaux et les rapports financiers auprès d'agences comme la SEC, ces paiements n'avaient pas été divulgués de manière appropriée aux actionnaires de Hollinger International. Rogers avait reçu copie d'une note de service envoyée en mai 2001 par l'avocat de l'entreprise Mark Kipnis au conseil d'administration ainsi qu'au comité de vérification de Hollinger Inc. Selon cette note, les paiements de non-concurrence constituaient « une condition essentielle à la signature du contrat ». Si Hollinger Inc. n'acceptait pas de les verser, CanWest Global aurait été en droit de retirer tout simplement son offre. Mais jusqu'à ce jour, on ne sait pas trop qui a exigé ces paiements et qui a décidé comment les répartir par la suite.

Selon ses avocats, Black avait été mal conseillé par les avocats de Torys, un cabinet de Toronto, qui avaient d'abord adopté la position selon laquelle il n'y avait aucune raison de divulguer l'existence de paiements de non-concurrence exonérés d'impôt, avant de faire volte-face et de sonner l'alarme. Beth DeMerchant, alors avocate principale chez Torys, avait déclaré dans le cadre d'un témoignage filmé qu'elle avait dit au départ qu'elle « serait étonnée que ces paiements de non-concurrence puissent être considérés comme une rémunération ». L'un de ses collègues chez Torys validera son interprétation. Mais à la suite de pressions exercées par Cravath, Swaine & Moore, le cabinet d'avocats américain de Bud Rogers, Beth DeMerchant s'était rendu compte de son erreur. Elle avait alors communiqué avec Peter Atkinson, un haut dirigeant de Hollinger. « Je lui ai dit : "Désolée, il y a un problème et je suis là pour en parler." » Après avoir fait l'étude minutieuse des règles en matière de divulgations financières, elle affirma que la circulaire de la direction sollicitant des procurations, approuvée par le comité de vérification et le conseil d'administration, envoyée aux actionnaires et déposée auprès de la SEC, aurait dû faire mention de tous ces paiements.

Dans la salle d'audience, on donna à lire aux jurés le texte d'un document qu'Atkinson avait transmis par télécopie à Black et soulignant : « [...] à maintes reprises, David [Radler] avait proposé que, dans le cadre de ces ententes, vous receviez 19 millions de dollars et que lui reçoive 19 millions de dollars. Jack [Boultbee] et moi proposons 2 millions pour chacun d'entre nous. [...] Selon nous, Ravelston devrait à son tour recevoir 30 millions de dollars ».

Ce document laisse entendre que c'était à Black et aux autres membres de la haute direction de Hollinger International – et non pas à l'acheteur, CanWest Global – de répartir les paiements de non-concurrence.

À la fin d'avril et au début de mai 2007, le procureur appela trois témoins à la barre, tous d'anciens membres du comité de vérification de Hollinger International : Richard Burt, l'économiste Marie-Josée Kravis et l'ancien gouverneur de l'Illinois Jim Thompson. Pour les persuader de devenir témoins à charge, la SEC avait fait comprendre à ces trois personnes qu'elles pourraient faire face à des poursuites pénales, à des sanctions graves et éventuellement à leur radiation comme administrateurs d'entreprises cotées en Bourse. Leurs témoignages étaient importants, car ces trois personnes avaient explicitement approuvé de nombreux versements d'argent à Conrad Black et à ses proches associés.

À la fin d'avril, Richard Burt révéla dans son témoignage qu'il était en faveur des paiements de non-concurrence parce qu'il ne savait pas, à l'époque, que CanWest Global n'en avait pas fait une condition de signature de l'entente. Cet homme, à qui certains journalistes prêtaient une beauté léonine en raison de sa crinière grise, souligna qu'au départ, on l'avait informé que Black et Radler étaient les bénéficiaires de l'entente, les noms de Boultbee et Atkinson ayant été ajoutés par la suite. En réponse aux questions du procureur, Burt affirma qu'en 2001 on avait demandé aux membres du conseil d'administration de ratifier une nouvelle entente dont les dispositions étaient tout à fait différentes.

Selon le témoignage de Burt : « [...] la réunion avait été très tendue. On présentait ces paiements d'une façon complètement nouvelle. Que pouvions-nous faire ? C'était fâcheux pour nous, car l'entreprise avait fait preuve de laxisme et nous demandait d'approuver à nouveau quelque chose [...]. J'avais cru comprendre que CanWest avait précisé quels montants devaient être versés à qui, mais maintenant tout avait changé. »

Pendant le contre-interrogatoire, le procureur Ed Genson demanda à Richard Burt s'il avait lu les documents d'information expliquant les paiements de non-concurrence : « Comme je l'ai déjà expliqué à plusieurs reprises, rétorqua Burt, j'ai raté ça. Il incombait à la direction de l'entreprise d'attirer l'attention du comité de vérification sur ces paiements et non de les inscrire dans une note à la fin du rapport financier, 12 ou 18 mois plus tard. »

— Est-il important pour vous de savoir que, d'après les avocats, la direction de Hollinger n'était pas obligée de faire ces divulgations? demanda Genson.

— Je ne sais pas ce qu'on leur a dit, répliqua Burt.

— On vous payait 5000 $ pour assister à chaque réunion et vous ne lisiez pas les états financiers, n'est-ce pas?

— Objection! s'exclama en bondissant le procureur Jeff Cramer.

Par la suite, Marie-Josée Kravis, une impressionnante brunette de Montréal qui s'était fait une réputation d'économiste renommée et de directrice de groupes de réflexion avant d'épouser le milliardaire américain Henry Kravis, affirma à la barre qu'elle n'avait pas été convenablement informée au sujet des paiements de non-concurrence et qu'elle ne les avait certainement jamais approuvés. L'avocat de la défense Patrick Tuite lui demanda alors d'expliquer pourquoi elle avait signé les états financiers de Hollinger International pour l'exercice 2001 si elle croyait que les paiements de non-concurrence y étaient mal consignés.

— J'ai raté ça, dit-elle.

Tuite fit remarquer que les paiements de non-concurrence étaient mentionnés dans la table des matières du même document.

— Avez-vous raté cette mention également?

— Oui, dit Kravis.

Elle admit avoir raté plusieurs mentions des paiements de non-concurrence qu'elle n'avait pas vues dans les documents d'information de l'entreprise et affirma avoir des trous de mémoire. Greenspan mit en doute son affirmation quant au fait qu'elle ne se souvenait pas d'avoir reçu toute une série de renseignements financiers concernant Hollinger International avant une réunion du comité de vérification en 2002.

— Monsieur, dit-elle, je ne peux pas me rappeler de quelque chose que je n'ai pas souvenir d'avoir reçu.

— On ne peut aucunement se fier à votre mémoire, n'est-ce pas? rétorqua Eddie Greenspan.

— Ce n'est pas exact, répondit-elle, furieuse.

C'est à ce moment-là que le directeur du comité de vérification de Hollinger International, l'ancien gouverneur de l'Illinois James R. Thompson, se présenta à la barre. Durant son contre-interrogatoire par Eddie Greenspan, le jury apprit à quel point le comité de vérification avait oublié... de vérifier. Ce contre-interrogatoire était essentiel à la défense de Black, car il révélait que ce dernier partageait avec le comité de vérification la responsabilité des divers paiements controversés de non-concurrence.

GREENSPAN: Alors, tout comité de vérification qui rend des comptes à un conseil d'administration le fait à un conseil d'administration qui dépend plus ou moins d'un comité de vérification ayant pour tâche de regarder les choses d'une manière beaucoup plus approfondie que le conseil d'administration, n'est-ce pas?

THOMPSON: C'est exact. Le comité de vérification examine plus de documents que ne le fait un administrateur.

GREENSPAN: Votre rôle ressemble à celui d'un contrôleur. Vous recevez tous les documents; vous les examinez à votre façon; et puis vous en faites rapport au conseil d'administration. Donc, vous êtes un genre de contrôleur, n'est-ce pas?

THOMPSON: C'est exact.

GREENSPAN: Et voilà bien pourquoi la charte de l'entreprise exige que les membres du comité de vérification aient des aptitudes sur le plan des finances, n'est-ce pas?

THOMPSON: C'est exact.

GREENSPAN: Les membres du comité de vérification n'ont pas à être membres du conseil d'administration, n'est-ce pas?

THOMPSON: Non.

GREENSPAN: Et Marie-Josée Kravis, Richard Burt ainsi que vous-même êtes des personnes qui ont, aux yeux du conseil d'administration, une bonne connaissance générale du milieu de la finance ainsi que des compétences en comptabilité et en gestion financière, n'est-ce pas?

SUSSMAN : Objection !

THOMPSON : C'est faux.

SUSSMAN : Fondement !

JUGE ST. EVE : Objection accordée.

GREENSPAN : Bien. Laissez-moi vous parler du premier principe de la charte, s'il vous plaît. (Courte pause.) Selon le premier principe, « le comité de vérification évaluera si le travail exécuté par la direction de la société ainsi que par les vérificateurs externes est conforme aux bonnes pratiques et aux contrôles appropriés ». C'est juste ?

THOMPSON : Oui.

GREENSPAN : Et si nous lisons la fin de ce même paragraphe, nous allons trouver les mots suivants : « [la] direction respecte le devoir du comité de vérification qui est de s'assurer que la direction élabore un système approprié de contrôles internes et s'y conforme, et que les vérificateurs externes, par leur propre analyse, évaluent les pratiques de gestion. » Est-ce que vous me suivez ?

THOMSPON : Oui, monsieur.

GREENSPAN : Ainsi, les vérificateurs externes – KPMG – ont le mandat d'analyser les pratiques de gestion, n'est-ce pas ?

THOMPSON : Exact.

GREENSPAN : Et vous, de votre côté, au comité de vérification, vous supervisez KPMG également, n'est-ce pas ?

THOMPSON : C'est exact.

GREENSPAN : Bien. Veuillez regarder le deuxième principe de la charte. (Courte pause.) Deuxième principe. Regardez au milieu de ce paragraphe, si vous le voulez bien.

THOMPSON : D'accord.

GREENSPAN : Alors, selon ce principe, « le comité de vérification fera la promotion d'une culture qui favorise l'analyse objective et critique de la direction ». Vous me suivez ?

THOMPSON : Oui.

GREENSPAN : Alors, interprétez-vous littéralement ce principe ?

THOMPSON : Je ne comprends pas votre question.

GREENSPAN : D'accord… Vous n'êtes pas censé… Bien, je relis mot pour mot le passage en question : « Le comité de vérification fera la promotion d'une culture qui favorise l'analyse objective et critique de la direction. » Vous n'êtes pas censé vous fier seulement à la direction, n'est-ce pas ? C'est bien le sens de cette phrase ?

THOMPSON : Ça signifie que notre culture d'entreprise doit favoriser l'analyse objective et critique de la direction, sans dépendre d'elle ; cela signifie aussi que nous dépendons également des vérificateurs externes et de leurs analyses, ainsi que de leur évaluation de la direction et de ses pratiques.

GREENSPAN : Et, alors, que dire de *votre* analyse objective et critique ? Vous ne…

THOMPSON : Oui.

GREENSPAN : … *dépendez,* vous ne dépendez pas *seulement* de la direction, n'est-ce pas ?

THOMPSON : C'est exact. Nous dépendons également des vérificateurs.

GREENSPAN : Ce n'est pas ce que je vous ai demandé. Je vous ai demandé ceci : vous ne faites rien d'autre que répondre aux exigences et remplir le mandat stipulé dans cette charte, qui consiste à analyser la façon d'agir de la direction, n'est-ce pas ? De façon critique et objective, n'est-ce pas ?

THOMPSON : Vous ne lisez qu'une partie du deuxième principe, comme s'il ne s'agissait que de cela. Mais vous lisez une partie seulement.

GREENSPAN : Je ne dis pas que cette partie représente l'ensemble, mais la phrase n'est-elle pas explicite ?

THOMPSON : Elle l'est à mes yeux.

GREENSPAN : Bien, c'est ce que je voulais savoir. Je ne cherche pas à vous mener en bateau. C'est comme ça. Car, voyez-vous, si vous deviez dépendre de la direction, eh bien vous seriez en train de violer la charte. Alors pourquoi une entreprise payerait-elle votre salaire ou vos honoraires au cours de l'année si tout ce que vous faisiez était de vous fier à la direction ?

THOMPSON : Ce n'est pas ce que j'ai dit. Je n'ai jamais témoigné à l'effet que ce que je faisais – tout ce que je faisais – était de dépendre de la direction. J'ai déjà témoigné à l'effet que je m'en remettais certainement à la direction. Je lui faisais confiance.

GREENSPAN : Bien, vous en remettre à elle...

THOMPSON : Ce n'est pas tout ce que j'ai fait.

GREENSPAN : Le fait de s'en remettre à la direction et de lui faire confiance est subordonné à cette phrase particulière qui dit que vous devez faire l'analyse objective et critique de la direction...

THOMPSON : Oui.

[...]

GREENSPAN : Voyons maintenant les responsabilités du comité de vérification, à la deuxième page de la charte, sous la rubrique « Responsabilités ». Selon l'énoncé de la première responsabilité, « vous devez fournir des avenues de communications franches entre le vérificateur externe et le conseil d'administration », n'est-ce pas ?

THOMPSON : C'est exact.

GREENSPAN : Alors, un autre des devoirs du comité de vérification est de constituer le groupe qui s'assure de la franchise des communications entre le vérificateur externe et le conseil d'administration ?

THOMPSON : Oui.

GREENSPAN : En d'autres termes, il est de votre ressort de rencontrer KPMG et d'en faire rapport au conseil d'administration, n'est-ce pas ?

THOMPSON : C'est bien cela.

GREENSPAN : Alors, veuillez regarder à la page 3, le paragraphe 7(a). (Courte pause.) Le paragraphe 7 exige que, une fois la vérification terminée, vous fassiez avec la direction et le vérificateur externe une évaluation « des états financiers de la société pour l'exercice ainsi que des notes en fin de rapport », n'est-ce pas ?

THOMPSON : C'est juste.

GREENSPAN : Et cette section accorde autant d'importance aux notes à la fin d'un rapport qu'au texte des états financiers, n'est-ce pas ?

THOMPSON : C'est exact.

GREENSPAN : Les notes à la fin du rapport ont autant d'importance que le texte...

THOMPSON : Tout à fait.

GREENSPAN : dans les états financiers, n'est-ce pas ?

THOMPSON : C'est bien cela.

GREENSPAN : Vous n'avez pas besoin d'une charte pour comprendre cela ?

THOMPSON : C'est juste.

GREENSPAN : En fait, vous avez été gouverneur de l'Illinois pendant 14 ans et je parie que vous avez lu énormément d'états financiers, ainsi que des notes en fin de rapport ?

THOMPSON : Des états financiers semblables à des états financiers d'entreprise ?

GREENSPAN : Je ne dis pas *semblables à*. Je dis bien *états financiers*. Sûrement que, en tant que gouverneur, vous avez dû regarder des états financiers...

THOMPSON : Bien oui.

GREENSPAN : au cours de vos 14 années au pouvoir ?

THOMPSON : Le budget de l'État.

GREENSPAN : Et quand vous le lisiez, vous scrutiez également les notes à la fin du rapport, n'est-ce pas ?

THOMPSON : C'est exact.

GREENSPAN : Alors, au comité de vérification, vous devez analyser le 10-K [le rapport annuel de l'entreprise] – les états financiers et le 10-K –, les notes en fin de rapport, ce qu'on appelle le « rapport de gestion »... vous êtes censés faire tout cela ?

THOMPSON : Bien sûr.

GREENSPAN : Vous êtes censés accorder à chaque section une importance égale n'est-ce pas ?

THOMPSON : Oui.

GREENSPAN : Et ce sont précisément ces rapports et déclarations réglementaires qui sont ensuite acheminés à la SEC ?

THOMPSON : C'est juste.

GREENSPAN : Et une fois que vous avez rempli vos obligations conformément au paragraphe 7 de la charte, vous faites rapport de vos activités au conseil d'administration en recommandant au comité de vérification des changements qui semblent appropriés ; et c'est bien ce qu'exige de vous le paragraphe 9 de la charte ?

THOMPSON : Oui.

GREENSPAN : Voyez-vous bien les mots : « Faire rapport au conseil d'administration des activités du comité de vérification, tout en faisant les recommandations qui semblent appropriées au comité de vérification »?

THOMPSON : Oui.

GREENSPAN : Et vous en faites rapport au conseil d'administration et ce conseil se fonde sur vos observations au moment d'approuver les transactions et de valider les états financiers de l'entreprise, n'est-ce pas?

THOMPSON : C'est juste.

GREENSPAN : Seriez-vous d'accord avec moi pour dire que la charte ne couvre pas tout ce que vous devez faire en tant que membre du comité de vérification?

THOMPSON : C'est vrai.

GREENSPAN : Je veux dire, le fait d'être membre du comité de vérification implique plus que d'assister à des réunions quatre fois par année?

THOMPSON : C'est exact.

GREENSPAN : Vous lisiez attentivement les documents qui vous étaient envoyés avant les réunions, n'est-ce pas?

THOMPSON : Oui.

GREENSPAN : Vous regardiez attentivement l'ébauche des états financiers et les notes, n'est-ce pas?

THOMPSON : Oui.

GREENSPAN : Vous avez dû recevoir des courriels de la part de la direction, n'est-ce pas?

THOMPSON : Bien sûr.

GREENSPAN : De votre côté, vous avez dû envoyer des courriels à la direction ainsi qu'à d'autres, n'est-ce pas?

THOMPSON : C'est juste.

GREENSPAN : Et s'il y avait quelque chose que vous ne compreniez pas, au cours des réunions ou autrement, vous pouviez appeler la direction ou un autre membre du comité de vérification en vue de compléter l'information, n'est-ce pas?

THOMPSON : C'est cela.

GREENSPAN : Vous auriez pu appeler M. Radler chaque fois que vous aviez une question, n'est-ce pas?

THOMPSON : C'est exact.

GREENSPAN : Vous auriez pu appeler M. Black chaque fois que vous aviez une question, n'est-ce pas ?

THOMPSON : C'est juste.

GREENSPAN : Vous n'aviez pas de difficulté à les joindre quand vous aviez besoin d'eux, n'est-ce pas ?

THOMPSON : Aucune difficulté.

GREENSPAN : Et eux, de leur côté, vous écoutaient décrire vos préoccupations, n'est-ce pas ?

THOMPSON : À l'occasion.

GREENSPAN : À l'occasion, ils vous écoutaient décrire vos préoccupations. Alors, si je comprends bien votre réponse, la première fois que personne n'a voulu vous écouter, vous avez démissionné ?

THOMPSON : Non.

GREENSPAN : Parce que cela n'avait pas réellement d'importance, n'est-ce pas ?

THOMPSON : Que voulez-vous dire ?

GREENSPAN : Bien, en d'autres termes, quel qu'ait été le désaccord que vous avez eu, vous n'êtes jamais allé jusqu'à vous dire : « Je dois quitter ce comité. »

THOMPSON : Non.

Greenspan passa en revue divers états financiers qui ont tous été approuvés par le comité de vérification, de même que divers paiements de non-concurrence faits à l'ordre de Conrad Black et d'autres, qui ont aussi été approuvés par le comité de vérification.

GREENSPAN : Alors, vous voyez ici l'ébauche des états financiers présentée avant la réunion du comité de vérification de février 2002, pour que vous puissiez les analyser, n'est-ce pas ?

THOMPSON : C'est juste.

GREENSPAN : Et hier, vous avez affirmé dans votre témoignage que vous ne lisiez pas chaque paragraphe des ébauches des documents réglementaires d'entreprise qui devaient être déposés auprès de la SEC. Vous souvenez-vous de cela ?

THOMPSON : C'est ce que j'ai dit.

GREENSPAN : En fait, je crois bien que vous avez dit que vous les aviez *parcourus* ?

THOMPSON : C'est exact.

GREENSPAN : Et cela était vrai dans le cas des 10-K, des 10-Q [les états financiers trimestriels de l'entreprise] et des procurations [les mandats signés par les actionnaires autorisant d'autres personnes à voter en leur nom] ?

THOMPSON : C'est cela.

GREENSPAN : Pendant que vous étiez membre du conseil d'administration de Hollinger International, vous analysiez les documents en les *parcourant* ?

THOMPSON : Euh, oui, monsieur.

GREENSPAN : Et quand on vous a demandé pourquoi vous *parcouriez* les ébauches des documents réglementaires, je crois que votre réponse a été : « Bien, premièrement, ces documents étaient très longs – d'une centaine de pages et plus –, d'habitude à simple interligne », n'est-ce pas ?

THOMPSON : C'est cela.

GREENSPAN : Et si vous voulez bien regarder l'ébauche des états financiers se trouvant à l'onglet 27 – c'est-à-dire tous les états dans cette ébauche –, avez-vous *parcouru* ces ébauches d'états financiers également ?

THOMPSON : Oui, monsieur.

GREENSPAN : D'accord. Pouvons-nous jeter un coup d'œil à l'ébauche qui se trouve à l'onglet 27 ?

THOMPSON : Parfait.

GREENSPAN : Avez-vous réussi à la trouver ?

THOMPSON : Oui.

GREENSPAN : Et sommes-nous d'accord sur le fait qu'il n'y a que 17 pages…

THOMPSON : Oui.

GREENSPAN : dans cette ébauche des états financiers ?

THOMPSON : C'est juste.

GREENSPAN : Alors, vous avez dit tantôt que vous *parcouriez* l'ébauche des états financiers…

THOMPSON : C'est vrai.

GREENSPAN : parce que celle-ci était très longue ? Considérez-vous qu'un document de 17 pages est très long ?

THOMPSON : Non. Un document de 17 pages n'est pas long, mais l'ébauche, le document que j'avais entre les mains au moment où j'ai dit cela faisait 141 pages.

GREENSPAN : Bien, vous venez de me dire que vous avez parcouru…

THOMPSON : C'est juste.

GREENSPAN : même ce document ?

THOMPSON : C'est exact.

GREENSPAN : Alors, en fait, la réponse est plutôt celle-ci : que les documents aient été très très longs, très longs ou encore très très courts, vous les *parcouriez* ?

THOMPSON : C'est cela.

GREENSPAN : N'est-ce pas votre devoir, en tant que membre du comité de vérification de Hollinger International, de lire attentivement les états financiers ?

THOMPSON : Oui, j'aurais dû lire chaque mot des états financiers. Mais ce n'est pas ce que j'ai fait. Je les ai parcourus.

GREENSPAN : Hollinger International ne vous a pas payé 60 000 $ par année simplement pour assister aux réunions du conseil et *parcourir* les états financiers ?

THOMPSON : Non, on me payait pour autre chose que cela.

GREENSPAN : Eh bien, on ne vous a jamais dit : « Veuillez parcourir ce document » ?

THOMPSON : Non, personne ne m'a dit cela.

GREENSPAN : Et selon votre témoignage tantôt, la charte oblige le comité de vérification à scruter les états financiers de l'entreprise, ainsi que les notes en fin de rapport, n'est-ce pas ?

THOMPSON : C'est exact.

GREENSPAN : Et ces 17 pages font partie des documents que vous étiez obligé de lire, n'est-ce pas ?

THOMPSON : C'est exact.

GREENSPAN : L'ébauche des états financiers et les notes qui s'y rapportent ?

THOMPSON : Oui.

GREENSPAN : J'aimerais attirer votre attention sur ce que vous avez raté dans ces 17 pages. Si vous voulez bien ouvrir ce document intitulé HLR SEC 17063, à la dernière page, regardez bien en bas, à droite. Voilà les notes à la fin du rapport de ces états financiers, n'est-ce pas?

THOMPSON : C'est exact.

GREENSPAN : Allons regarder la note f. Dans la note f, quatre lignes plus loin, veuillez nous lire le paragraphe f.

THOMPSON : D'accord. (Il lit.) « Dans le cadre de ventes de journaux aux États-Unis en 2000, afin de satisfaire à une condition de signature du contrat, l'entreprise, Lord Black ainsi que trois hauts dirigeants ont conclu des ententes de non-concurrence avec les acheteurs, selon lesquelles ils acceptent de ne faire concurrence ni directement ni indirectement aux États-Unis aux entreprises améri-caines vendues aux acheteurs pour une période déterminée, pour le montant total de 6 millions de dollars, versé en 2001. Ces montants s'ajoutent aux montants totaux de 15 millions de dollars versés en 2000 dans le cadre d'ententes de non-concurrence. Ces montants ont été versés à Lord Black ainsi qu'à trois hauts dirigeants. »

GREENSPAN : Alors, quand vous lisez cette note aujourd'hui, diriez-vous que cette déclaration réglementaire explique que Conrad Black et d'autres ont reçu des paiements individuels de non-concurrence en 2000 et en 2001 ?

THOMPSON : Oui.

GREENSPAN : Et que cet argent reçu pour non-concurrence pro-vient des ventes des journaux de la filiale américaine Community en 2000, n'est-ce pas ?

THOMPSON : C'est juste.

GREENSPAN : Si vous aviez lu ces mots en février 2002, ces mots auraient été les mêmes à ce moment-là, n'est-ce pas ? Ces mots-là sont-ils les mêmes ?

THOMPSON : Ces mots-là sont les mêmes.

GREENSPAN : D'accord. Le texte aurait été exactement le même à l'époque. Si vous aviez eu des questions au sujet de ce paragraphe, vous auriez pu les poser, n'est-ce pas ?

THOMPSON : Si j'avais vu ce paragraphe, j'aurais pu poser des ques-tions, en effet.

GREENSPAN : Si vous aviez *vu* ce paragraphe ?

THOMPSON : Oui.

GREENSPAN : Alors, qu'est-ce que vous essayez de dire ? Que vous avez *parcouru* certaines pages et qu'il y a des pages que vous *ne regardiez même pas* ?

THOMPSON : Non. Quand on parcourt un document, on ne voit pas nécessairement chaque paragraphe.

GREENSPAN : Ah ! Je vois. Je n'avais pas bien compris. Ce que vous voulez dire par le mot *parcourir* n'est pas que vous saisissez l'essentiel de chaque paragraphe, mais que vous pouviez à l'occasion sauter des paragraphes entiers ?

THOMPSON : On peut faire ça.

GREENSPAN : On peut faire ça. Quelqu'un vous a-t-il appris à faire ça ? Y a-t-il une école où l'on peut apprendre à *parcourir* les documents ?

THOMPSON : Non.

(Rire général.)

Ces témoins semblaient manifestement avoir dormi au gaz. Ils avouaient avoir survolé ou omis d'importants renseignements financiers qu'il était de leur devoir d'examiner attentivement et de façon critique. En les écoutant, je pouvais les imaginer arriver en jet à New York pour assister aux réunions du conseil dans les bureaux de Hollinger International, dans la Cinquième Avenue. Dans ce riche décor, où trônaient entre autres des lettres de Roosevelt et une photo d'Al Capone autographiée, ils passaient en revue des tonnes de documents, riant aux bons mots de Conrad Black, posant occasionnellement une question, avant d'approuver des documents qui leur étaient soumis.

En fin de compte, dans le cadre d'une entente avec l'actionnaire institutionnel Cardinal Capital, l'American Home Insurance et Chubb Corporation – qui assurait les membres du conseil d'administration et de la haute direction de Hollinger International – acceptèrent de verser 50 millions de dollars en dommages et intérêts. Cette somme colossale était liée au rendement, ou au non-rendement, des membres du conseil d'administration et du comité de vérification de Hollinger International.

Le décès, le 7 octobre 2003, d'Izzy Asper, le magnat fondateur de CanWest Global qui avait négocié l'achat des journaux du groupe

Southam en 2000, représentait l'un des problèmes soulevés dans le cadre du procès criminel de Conrad Black. Avocat fiscaliste et roi des médias originaire de Winnipeg, Izzy était un homme extroverti et un fumeur invétéré. Mais il n'était plus là pour raconter sa version des faits. Avait-il insisté sur la clause des paiements de non-concurrence, au moment de conclure l'entente de prise de contrôle des journaux Southam, au coût de 3;2 milliards de dollars? Le cas échéant, avait-il accepté que les paiements de non-concurrence soient répartis entre Hollinger International à Chicago, Hollinger Inc. à Toronto, Ravelston, ainsi que Black, Radler et plusieurs autres individus? Et si Izzy n'avait pas autorisé cette répartition des paiements de non-concurrence, Black et ses anciens associés avaient-ils, de leur côté, le droit de se répartir les paiements entre eux?

Dans une lettre datée du 14 avril 2003 et écrite de la main d'Izzy Asper à l'intention de Conrad Black, Izzy décrivait l'entente de non-concurrence comme un engagement personnel permanent de la part de Black, Radler et des autres: «C'est dans votre bureau de New York que nous avons eu notre première discussion sérieuse au sujet de l'entente», expliqua-t-il dans la lettre acheminée à Black par télécopie depuis la villa d'Asper à Palm Beach. «Étant donné que vous connaissiez ce domaine d'activité et que nous ne le connaissions pas, il était primordial pour CanWest de s'assurer, dans le cas où nous serions arrivés à nous entendre là-dessus, que nous puissions entretenir une relation suivie avec vous-même, David Radler et les autres du groupe Ravelston, à la fois au conseil d'administration et à titre consultatif. Vous avez gracieusement accepté de nous fournir de l'aide sur une base continue et c'est à ce moment-là que j'ai dit que nous avions évidemment besoin d'ententes de non-concurrence aussi longtemps que nos avocats jugeraient qu'elles devraient avoir force de loi.» Compte tenu de la date de cette lettre, trois ans après la signature de l'entente de non-concurrence, on pourrait penser qu'Asper répondait à une demande urgente venant de Black afin de justifier un paiement particulièrement controversé qui aurait alimenté la colère de Chris Browne.

Mais cinq mois et demi après l'envoi de cette lettre, précisément le 4 octobre 2003, Izzy Asper m'avait offert une explication un peu différente, au cours de la dernière entrevue qu'il avait accordée avant de mourir, trois jours plus tard. Je l'avais appelé à Winnipeg, au moment précis où il était en train de déménager dans une tour à condo au 1 Wellington Crescent, à l'extrémité est de la rue qu'il avait habitée si longtemps. Wellington Crescent serpente le long de la rivière Assiniboine sur une distance de 5 kilomètres, du quartier densément peuplé d'Osborne Village jusqu'aux portes du parc Assiniboine, le plus grand espace vert de la ville.

En début de soirée, heure de Montréal, je lui avais parlé en tout et pour tout pendant une heure et demie. Il devait parfois raccrocher, afin d'indiquer à ses déménageurs où poser les meubles, et me rappelait quelques minutes plus tard. Il était loquace, facile d'approche et nerveux. Il y avait quelque chose de mélancolique et de détaché dans sa voix qui résonnait étrangement, car il se trouvait dans une immense pièce vide. J'entendais les déménageurs discuter entre eux, déposer des boîtes, déplacer des objets. Rien ne laissait présager qu'Izzy allait bientôt mourir.

Il savait que je voulais lui parler, entre autres, de sa relation d'affaires avec Conrad Black. Je lui avais envoyé par fax une lettre à son bureau, puis j'avais attendu. À ma grande surprise, il avait accepté de m'accorder une entrevue, à une époque où la situation de Conrad Black se détériorait rapidement. Il mentionna au téléphone que la SEC devait envoyer quelqu'un à Winnipeg, le mois suivant, pour lui poser des questions au sujet de la légalité des paiements de non-concurrence versés par CanWest. Il était pressé et avait beaucoup à raconter.

J'entendais le craquement de son briquet chaque fois qu'il allumait l'une des sept ou huit cigarettes qu'il avait fumées au cours de cette conversation. J'avais l'impression qu'il m'avait choisi pour faire une sorte de récapitulation de sa vie. Il semblait faire le point sur sa vie en même temps qu'il faisait le tri de toutes les boîtes chargées de ce qu'il possédait, les répartissant parmi les pièces. Il songeait à ces années où il était avocat – un paquet de boîtes – et puis à l'époque où il était chef du Parti libéral du Manitoba – un autre paquet. Il avait le souffle court et semblait manifestement en mauvaise santé.

Izzy Asper m'avait confié que rien ne le prédestinait à devenir un magnat des médias. Il aurait préféré être pianiste de jazz professionnel. Il me parla de son projet de lancer COOL-TV, une chaîne de télé entièrement consacrée au jazz, de son projet d'un musée canadien des droits de la personne à Winnipeg, de la fierté qu'il éprouvait à l'idée de transmettre son entreprise à ses enfants.

Il était fier d'avoir bâti CanWest Global, à la fois comme Manitobain, *outsider* et juif qui avait du mal à s'intégrer aux milieux WASP[1] de l'establishment de Toronto ou de Montréal. Arrivé à un tournant de sa vie, il voulait tout m'expliquer : il m'offrit même, au cours de la conversation, de le rappeler si jamais j'avais besoin de précisions ou si j'avais d'autres questions à lui poser. Il ressemblait si peu à Black : il était sans prétention, franc, prévenant. Je posais mes questions de façon indirecte et je voulais établir un bon rapport avec lui puisque je ne lui avais jamais parlé auparavant. Je souhaitais gagner sa confiance et garder mes questions importantes pour la fin.

— Y a-t-il vraiment un establishment ? lui demandai-je.

— Je suppose qu'il existe des gens qui constituent ce qu'on peut appeler des élites d'affaires ou sociales, répondit Asper. Mais en ce qui concerne les affaires, la plupart des barrières qui existaient dans les années 1940, 1950 ou 1960 ont disparu. Il y a toujours des barrières importantes basées sur des facteurs tels que la race, la religion, le sexe, etc. Le snobisme subsiste par endroits, mais pas autant qu'autrefois. Il y a sans doute encore une distinction entre les créateurs de richesse et les héritiers de la richesse, mais moins qu'autrefois. La philanthropie est très importante, surtout pour gagner du respect. La réussite à proprement parler est quelque chose de très personnel. Parfois, les gens regardent les personnes riches et se demandent : « Qu'ont-ils fait d'autre dans la vie ? Ont-ils fait quelque chose d'utile avec leur argent ? » Selon ma vision des choses, on prend des risques, on recueille le fruit de ses efforts, et on assume les responsabilités qui en découlent.

— Comment avez-vous connu Conrad Black ?

— Je me suis lancé en affaires en 1977. Peu après, en 1978, j'ai réalisé ma première transaction avec Conrad Black dans le cadre de l'entente Crown Trust. C'était Conrad qui négociait les ententes et une fois que l'une d'entre elles était sur le point d'être conclue, il se retirait, laissant la place à des collègues plus habiles sur le plan technique, comme David Radler, pour en finaliser les détails. Conrad avait des racines à Winnipeg, mais semblait assez détaché de l'ouest du Canada. À l'époque où j'ai conclu cette entente-là avec Conrad, il était confortablement installé à Toronto, car il venait de prendre le contrôle d'Argus. Il venait de sortir de l'ombre de son père et avait pris le contrôle d'Argus de façon surprenante et saisissante.

— Comment avez-vous pris le contrôle de Southam?

— Conrad ne cherchait pas à vendre Southam. Il voulait vendre les hebdomadaires, les plus petits journaux, en vue de consolider et d'alléger ses opérations. Peu après le début de nos discussions (nous n'avions pas encore abordé la question de Southam et du *National Post*), nous avons commencé à parler d'unir nos efforts sur le Web. Il contrôlait canada.com, alors que de notre côté, nous avions global.com. Comme nous n'étions pas une entreprise qui intégrait les technologies de pointe, les analystes financiers et les médias étaient très critiques à notre endroit. Dans les années 1970, je m'étais brûlé les doigts aux États-Unis dans le domaine de la télé payante. Et j'hésitais avant d'investir dans Internet, à moins que nous parvenions à repérer une affaire solide et à discuter de revenus réels provenant d'une clientèle ciblée au lieu de simplement nourrir de faux espoirs. Voyez-vous, si Internet n'est rien d'autre qu'un pourvoyeur de services gratuits, c'est évident que nous, en tant que fournisseurs de contenu, allons cesser d'en fournir. L'un des avantages que j'ai, à mon âge – grâce à mon expérience passée des modes et des tendances –, c'est que j'ai appris la prudence et que je peux plus facilement me faire une idée générale des choses. Quand nous avons pris le contrôle de canada.com, il s'agissait essentiellement d'une jeune entreprise Internet, mais nous avons immédiatement mis en place un programme visant à intégrer les activités à nos intérêts télévisuels et radiophoniques à travers le monde. Conrad ne s'y était pas réellement attardé. Mais il savait que c'était un domaine où il fallait qu'il soit présent.

— Hollinger était-elle *obligée* de vendre le groupe Southam?

— Les gens chez Hollinger ne se sont pas comportés comme s'ils étaient obligés de vendre. Nous avons tous deux conclu une entente correcte. Mais il est vrai qu'il n'y avait pas beaucoup d'autres acheteurs potentiels au Canada qui auraient voulu en faire l'acquisition.

— Comment voyez-vous la relation entre les journaux et Internet?

— Certains prétendent que les journaux sont menacés par Internet, mais je ne le vois pas comme ça. Un mot reste toujours un mot, qu'il soit imprimé ou en ligne.

— Quelle relation Conrad Black entretient-il avec les journaux?

— Conrad est fondamentalement un rédacteur en chef. Il a réalisé ce qu'il souhaitait réaliser. Il veut engager ses lecteurs dans des combats d'idées, les mettre à l'épreuve, et se mesurer à eux. J'ai déjà été journaliste, mais je n'ai commencé dans les affaires qu'à l'âge de 45 ans. Je n'ai jamais eu la chance de faire ce que je voulais: des affaires publiques, parler en ondes, émettre des commentaires à la télé…

— Combien d'argent avez-vous? demandai-je sur un ton badin… 100 millions?

— Bien plus que cela.

— 200 millions?

— Oh! bien plus que cela… [Un mois plus tard, une liste des plus grandes fortunes canadiennes révélait que la sienne s'élevait à 1 milliard de dollars.] Je ne fais jamais de commentaires là-dessus. Ma fortune nette varie en fonction des cours de la Bourse. Tout ce que je possède est dans CanWest. J'ai eu de la chance. J'ai été en mesure de créer une fondation caritative qui continuera d'exister longtemps après ma mort. Je suis l'instigateur du premier musée des droits de la personne au monde. Ce qui m'importe, c'est la santé, les droits de la personne, la recherche, l'éducation et la culture.

— Conrad a-t-il laissé son empreinte dans le monde du journalisme canadien?

— Ayant moi-même lancé quelques nouvelles entreprises, j'ai beaucoup d'admiration pour les gens qui le font. Le *National Post* est un bon exemple. Quant à savoir si ce quotidien de Toronto pourra survivre ou non, on ne le sait toujours pas. Il n'est pas rentable et nous-mêmes, comme entreprise cotée en Bourse, ne devons pas faire de sentiment. Nous avons réussi dans une bonne mesure à réduire les pertes. Le *National Post* a obligé le *Globe and Mail* à s'améliorer de façon radicale. Conrad n'a pas consacré assez de temps à Southam pour en faire un ensemble solide. Il y avait, au sein de Southam, 20 entreprises différentes qui ne se parlaient pas et qui ne s'aimaient pas non plus. On n'a pas besoin de 20 services de comptabilité et d'affaires juridiques pour s'occuper de 20 journaux.

— Mais l'idée d'éditoriaux pancanadiens nationaux [rédigés par la société mère à Winnipeg et acheminés aux journaux satellites] n'a pas été bien reçue à Montréal, signalai-je en pensant à mon ex-employeur, la *Gazette* de Montréal.

— Tout ce battage médiatique au sujet des éditoriaux nationaux était largement exagéré.

— Vous et Conrad, étiez-vous d'accord au sujet d'Israël ? demandai-je, sachant pertinemment qu'Asper cherchait toujours à faire l'acquisition du *Jerusalem Post*, qui appartenait alors à Hollinger International.

— Je discute de la question d'Israël avec Conrad en termes philosophiques… Quelles sont les solutions, là où le président américain a raison et où il a tort et ce que le Canada devrait faire. Selon moi, l'Intifada n'est pas quelque chose de nouveau : l'Intifada existe depuis 80 ans. Les combats et les émeutes remontent aux années 1920. S'il n'y a toujours pas de solution [à la crise palestinienne], c'est à cause de l'intervention internationale. Chaque pays intervient selon ses propres intérêts économiques.

— Comment voyez-vous la couverture médiatique d'Israël ?

— Presque inévitablement, elle ne réussit pas à reconnaître l'enjeu de fond : l'attention se porte sur l'arbre et non sur la forêt. Oubliez les frontières, les colonies de peuplement, le mur, les réfugiés et même Jérusalem. L'enjeu au fond est le refus des pays islamiques de permettre à Israël d'exister. Les journalistes devraient comprendre ce qui a été dit et fait au cours des huit dernières décennies, quelles sont les véritables stratégies. Il ne peut y avoir de solution tant que la survie d'Israël n'est pas garantie. Sa survie est non négociable, mais pour beaucoup de chefs islamiques, tous les événements importants ne servent qu'à alimenter une lutte sans fin contre la survie d'Israël.

— Comment voyez-vous le rôle du Canada dans le monde ?

— Le Canada semble s'inspirer plus de l'Europe que des États-Unis. L'enjeu, pour les Canadiens, semble en être un d'identité ; ils ne veulent pas être perçus comme les pions des Américains. Toutefois, le Canada rate sa chance de jouer un rôle significatif. Le Canada aurait pu devenir un phare de rationalité, d'équité et de principes, mais le Canada a été un pays opportuniste, qui s'est contenté d'occuper un terrain neutre, alors qu'il n'y a peut-être pas de rôle à y jouer. J'aimerais voir le Canada à l'ONU promouvoir ce qui est bien plutôt que ce qui est commode. J'aimerais que Paul Martin [le nouveau premier ministre libéral] réévalue la position du Canada sur la scène internationale.

— Quelles positions éditoriales le *National Post* devrait-il prendre?

Il s'agissait là d'une question importante parce que Black avait utilisé le *Post* comme instrument néoconservateur dans sa tentative de dénigrer le gouvernement libéral de Jean Chrétien. Même si quelques journalistes avaient une certaine latitude leur permettant de rapporter les faits et d'enquêter comme bon leur semblait, plusieurs positions éditoriales du *Post* ressemblaient à un genre de propagande de droite qu'on n'avait jamais vue auparavant au Canada. Asper était plus libéral que Black, mais d'après ce que je voyais, il exerçait un contrôle plus direct sur le travail de ses journalistes.

— La façon dont le *National Post* s'est identifié à l'Alliance canadienne pendant les années Black [1998-2000] était tout simplement honteuse. À l'exemple des *Izvestia* ou encore de la *Pravda*, le *Post* semblait être devenu l'organe de l'Alliance. Je trouvais que le journal n'aurait pas dû devenir un instrument de propagande. Je crois qu'un journal, afin d'être rentable – par conséquent viable –, doit prendre position. Ainsi, le *Toronto Star* représente le centre gauche, le *Globe and Mail* se trouve au milieu. Le *National Post* doit représenter le centre droit. Mais il n'a pas besoin d'être mesquin ou hargneux; il doit simplement être convaincant.

— Que se passe-t-il quand vous n'êtes pas d'accord avec les journalistes sur le plan éditorial?

Je pensais à mes propres confrontations avec la haute direction de la *Gazette*.

— La question est de savoir: qui dirige le journal – vous [les journalistes] ou nous [les propriétaires]? Ça ne me dérange pas que les journalistes soient insolents ou culottés. Mais insultants? Jamais! Je lis le *National Post* de la première à la dernière page tous les jours, de même que 10 autres journaux.

Je trouvais les réponses d'Izzy Asper à la fois franches et rafraîchissantes, mais je n'avais toujours pas posé ma question à 64 000 $: la vraie raison de mon entrevue.

— Qu'est-ce qui s'est passé lorsque les paiements de non-concurrence ont été versés à Conrad Black et à plusieurs de ses associés, après l'entente de vente de Southam?

— Il est d'usage de verser des paiements de non-concurrence, répondit-il. Quand on achète une affaire de quelqu'un qui œuvre toujours dans le même domaine, on demande automatiquement une entente de non-concurrence. J'ai insisté sur l'entente de non-concurrence, mais c'est Hollinger qui a décidé de la façon de répartir le paiement.

Depuis 2000, Izzy Asper avait parlé plusieurs fois des paiements de non-concurrence. Mais il venait de me confier son dernier mot à ce sujet. Et donc, d'après ce qu'il me disait, Black était le négociateur et Radler, le technicien qui réglait les détails. Asper avait insisté sur l'entente de non-concurrence, qui, pour lui, devait être une condition de la signature finale de l'entente, mais la décision de répartir les paiements entre des entreprises et des individus avait été prise uniquement par Hollinger.

Comme David Radler était le principal témoin à charge, le procureur considérait son témoignage comme essentiel, car il pouvait déterminer l'issue du procès. Dans une large mesure, le sort de Black dépendait de la crédibilité de Radler. Mais comme ce dernier avait négocié une sentence réduite en échange de sa coopération pendant le procès, la stratégie de la défense consistait à dissocier Black de Radler et à présenter ce dernier comme un sombre arnaqueur, un escroc de première classe qui avait volé de l'argent de sa propre compagnie, un envieux qui jalousait l'aisance sociale de Black, sa richesse et ses nombreuses réalisations intellectuelles. Tandis que le procureur Eric Sussman menait l'interrogatoire, Radler, qui portait un costume gris foncé, une chemise blanche et une cravate rose bonbon, évoquait sa relation d'affaires avec Black.

> SUSSMAN : Bon... Pour que tout soit bien clair, si je comprends bien, vous vous trouvez au restaurant avec M. White et M. Black [en 1969], c'est bien ça ?
> RADLER : Oui, c'est exact.
> SUSSMAN : Bien. Et alors, quel est le sujet de la conversation que vous avez avec M. White et M. Black pendant ce repas ?
> RADLER : On a parlé probablement de beaucoup de choses. Il y a eu plusieurs sujets de conversation, mais nous avions surtout discuté de la possibilité que nous prenions le contrôle du *Sherbrooke Record*.
> SUSSMAN : Et qu'est-ce qu'était le *Sherbrooke Record* en 1969 ?
> RADLER : C'était un... un journal de langue anglaise dans une ville francophone, distribué sur un grand territoire. Et c'était une

acquisition potentielle. Le propriétaire du journal était disposé à le vendre.

SUSSMAN : Quelles impressions avez-vous eues de M. Black au cours de votre première rencontre avec lui en 1969 ?

GENSON : Objection en ce qui concerne ses impressions à l'époque ! Sans pertinence ! Nous parlons d'événements survenus en 1969.

SUSSMAN : Madame la juge, je demande simplement... Je ne cherche qu'à faire une remise en contexte, à savoir comment et pourquoi il a commencé à faire des affaires avec M. Black.

GENSON : Ces impressions remontent à 1969...

JUGE ST. EVE : Objection accordée.

SUSSMAN : Monsieur, avez-vous décidé de créer une association avec M. Black et de lancer ce journal avec lui ?

RADLER : En effet, c'était un achat.

SUSSMAN : Avez-vous décidé d'acheter ce journal en association avec M. Black ?

RADLER : En fin de compte, oui.

SUSSMAN : Et pourquoi avez-vous décidé de vous associer à M. Black et d'acheter ce journal avec lui ?

GENSON : Objection ! Il est question d'événements survenus en 1969.

JUGE ST. EVE : Objection rejetée. Vous pouvez répondre à la question.

RADLER : Bien, j'étais impressionné par les connaissances et les compétences de M. Black et je pensais qu'il serait un bon associé pour moi.

SUSSMAN : Alors vous avez mentionné que le *Sherbrooke Record* était un journal de langue anglaise dans une région francophone, n'est-ce pas ?

RADLER : C'est exact.

SUSSMAN : Pour nous aider à nous situer, existe-t-il au Canada des régions francophones et des régions anglophones ?

RADLER : En général, oui.

SUSSMAN : D'accord. Je n'étais pas au courant de cette situation. Alors, j'essaie de saisir, de comprendre le contexte. Alors, monsieur, le *Sherbrooke Record* se situait dans quelle province ?

RADLER : Le *Record* se trouvait au… était au Québec.

SUSSMAN : D'accord. Alors M. White s'est-il associé à vous deux dans cette transaction ?

RADLER : Oui, bien sûr.

SUSSMAN : Et combien avez-vous versé tous les trois pour le *Sherbrooke Record* en 1969 ?

RADLER : Nous avons versé la somme brute de 50 000 $.

SUSSMAN : Et qu'entendez-vous par « somme brute de 50 000 $ » ?

RADLER : Nous… nous avons acheté des actifs au coût de 50 000 $, tout en absorbant un passif de 30 000 $, ce qui nous laissait la somme de 20 000 $ à verser.

SUSSMAN : D'accord. Et sur ces 20 000 $, quelle portion avez-vous investie vous-même ?

RADLER : Initialement, 2000 $.

SUSSMAN : Vous dites « initialement ». Cela a-t-il changé ?

RADLER : Cela a changé quelques semaines plus tard. J'ai investi 6666 $, soit le tiers du total.

SUSSMAN : Alors, avant que vous-même et M. Black fassiez une offre d'achat du *Sherbrooke Record*, avez-vous eu des discussions concernant cette prise de contrôle potentielle ?

RADLER : Oui. Oui, nous… oui.

SUSSMAN : Avez-vous discuté du prix que vous deviez payer tous les deux pour ce journal ?

GENSON : Objection ! Il suggère une réponse ! Objection ! Ouï-dire !

JUGE ST. EVE : Objections rejetées. Pardon ?

GENSON : Ouï-dire, madame la juge !

SUSSMAN : Je demande seulement si le sujet a été abordé. Je ne demande pas qu'il répète ce qui s'est dit à cette époque-là.

JUGE ST. EVE : Vous pouvez répondre par un oui ou par un non.

RADLER : Oui.

SUSSMAN : Avez-vous discuté des dispositions de la transaction ?

RADLER : Oui.

SUSSMAN : Et avez-vous discuté du financement de cette transaction ?

RADLER : Oui, nous en avons parlé.

SUSSMAN : Alors quel était le tirage du *Sherbrooke Record* en 1969 ?

RADLER : Il tirait… il avait un tirage quotidien de 7000, ou peut-être davantage.

SUSSMAN : Serait-il juste de dire que le *Sherbrooke Record* était un journal local ?

RADLER : Oui.

SUSSMAN : Que signifie au juste l'expression « journal local » ?

RADLER : C'est… c'est d'habitude un… cela peut être soit un quotidien, soit un hebdomadaire, généralement publié dans une ville qui compte, je dirais, moins de 50 000 ou 60 000 habitants.

SUSSMAN : Quelle était la situation financière du *Sherbrooke Record* au moment où vous-même et M. Black l'avez démarré… ou en avez fait l'acquisition ?

RADLER : Il perdait de l'argent.

SUSSMAN : Et quand vous avez acheté le journal, est-ce que vous travailliez vous-même au journal ?

RADLER : Oui.

SUSSMAN : Et M. Black travaillait-il au journal ?

RADLER : M. Black est arrivé peu de temps après que… que nous avons commencé.

SUSSMAN : À l'époque, M. Black faisait-il autre chose que de travailler au journal ?

RADLER : Si je me souviens bien, il terminait ses études de droit et passait peut-être quelques examens.

SUSSMAN : D'accord. Alors, pendant que M. Black n'était pas en train de travailler ailleurs ou n'était pas à la Faculté de droit en train de se préparer pour ses examens, travaillait-il avec vous au *Sherbrooke Record* ?

RADLER : Quand… quand il était libre, il travaillait au *Sherbrooke Record*, oui.

JUGE ST. EVE : MONSIEUR RADLER, POUVEZ-VOUS PARLER PLUS FORT, S'IL VOUS PLAÎT, OU VOUS APPROCHER DU MICROPHONE ?

RADLER : D'accord.

SUSSMAN : M'entendez-vous bien, madame la juge ?

JUGE ST. EVE : Oui, je vous entends bien.

RADLER (s'approchant du microphone) : C'est mieux comme cela ?

JUGE ST. EVE : Oui.

SUSSMAN : Je pense que oui. Alors à quelle fréquence le *Sherbrooke Record* paraissait-il ? Combien de jours par semaine ?

RADLER : Il était publié cinq jours par semaine.

SUSSMAN : Et pendant que M. Black n'était pas à la Faculté, travailliez-vous tous les deux sur place durant ces cinq jours où le journal était publié ?

RADLER : Je dirais, oui, à... à quelques exceptions près, mais, oui.

SUSSMAN : Et habitiez-vous à Sherbrooke pendant ces... cette période... pendant ces cinq jours ?

RADLER : Pendant ces cinq jours, nous... nous... habitions Sherbrooke, en effet.

SUSSMAN : Et quand vous dites « nous », vous voulez dire que M. Black habitait Sherbrooke également ?

RADLER : Oui.

SUSSMAN : Aviez-vous... aviez-vous tous les deux l'habitude de vous rencontrer durant ces jours-là ?

RADLER : Oui... J'ai hésité parce que la journée pouvait commencer assez tard, c'était pendant la nuit... nous sortions le journal pendant la nuit.

SUSSMAN : D'accord. Et est-ce que vous travailliez ensemble tard en soirée ?

RADLER : Oui.

SUSSMAN : Et vous aviez l'habitude de vous fréquenter en société, en dehors du travail, à cette époque ?

RADLER : Bien, nous... nous étions... Oui.

SUSSMAN : Alors, peut-être devrais-je vous poser la question d'une autre façon. Aviez-vous une vie sociale à l'époque où vous travailliez de nuit au *Sherbrooke Record* ?

RADLER : Pas vraiment de vie sociale, non.

SUSSMAN : Et quelle qu'ait été la vie sociale que vous aviez, la partagiez-vous à l'occasion avec M. Black ?

RADLER : Oui, en effet.

SUSSMAN : Maintenant, en ce qui concerne le fonctionnement du *Sherbrooke Record*, consultiez-vous M. Black au sujet des opérations du journal ?

RADLER : Oui, je le faisais.

SUSSMAN : Quelles consultations aviez-vous, si toutefois vous en aviez, avec M. Black, en ce qui concernait les finances du journal ?

GENSON : Madame la juge, je proteste ! Voilà des questions générales qui remontent à 30 ans. Sans fondement.

JUGE ST. EVE : Maître Sussman ?

SUSSMAN : Bien, madame la juge, je veux établir... j'essaie d'établir un lien, si c'est possible... je ne parle qu'en termes très généraux.

JUGE ST. EVE : D'accord.

SUSSMAN : Mais il me ferait plaisir d'essayer d'établir davantage de liens, si c'est ce que...

JUGE ST. EVE : L'objection soulevée concerne en partie le fondement. S'agit-il de la pertinence également, maître Genson, ou du fondement ?

GENSON : La pertinence *et* le fondement !

SUSSMAN : Madame la juge, je pense qu'il est pertinent de poursuivre, car la façon dont ces deux hommes ont dirigé leurs opérations de presse est pertinente et...

JUGE ST. EVE : D'ACCORD.

GENSON : C'était il y a 40 ans, madame la juge.

SUSSMAN : et la relation qu'ils ont entretenue à cette époque est certainement très pertinente.

GENSON : Quarante ans, ça fait longtemps.

JUGE ST. EVE : L'objection quant au fondement, accordée. L'objection quant à la pertinence, rejetée. Mais j'espère que cela va mener quelque part.

SUSSMAN : Je vais essayer d'y arriver rapidement, madame la juge... Monsieur, aviez-vous consulté M. Black au sujet de l'expansion et de la croissance du *Sherbrooke Record* ?

RADLER : CERTAINEMENT, OUI.

SUSSMAN : Aviez-vous consulté M. Black au sujet de décisions à prendre concernant le personnel ?

RADLER : Oui.

SUSSMAN : Aviez-vous consulté M. Black au sujet des salaires ?

GENSON : Objection ! Il suggère la réponse !

JUGE ST. EVE : Rejetée. Vous pouvez répondre.

RADLER : Oui. La réponse est oui. Désolé.

Sussman: Alors, vous-même et M. Black, avez-vous réussi au *Sherbrooke Record*?

Radler: Oui, nous avons réussi.

Sussman: Avez-vous été capable de générer un profit?

Radler: Oui.

Sussman: Combien de temps cela vous a-t-il fallu avant de faire des profits?

Radler: Trois mois, je crois.

Sussman: Une fois que vous-même et M. Black avez réalisé des profits avec le *Sherbrooke Record*, avez-vous tous les deux fait l'acquisition d'autres journaux au Québec?

Radler: Oui, nous l'avons fait.

Sussman: Combien de journaux – fin des années 1960, début des années 1970?

Radler: Je crois que nous avons acheté trois ou quatre journaux.

Sussman: Et avant de faire l'acquisition de ces journaux, avez-vous consulté M. Black au sujet des conditions de la transaction?

Radler: Oui, je l'ai fait.

Sussman: Alors, après ces quelques premiers journaux, avez-vous acheté d'autres journaux au Québec?

Radler: Après les quelques premiers...

Sussman: Pardon?

Radler: Désolé.

Sussman: Je pense que vous possédiez quatre ou cinq journaux au Québec?

Radler: Oui.

Sussman: Avez-vous continué à acheter des journaux au Québec avec M. Black?

Genson: Objection sur le fondement! Je voudrais savoir quand.

Sussman: Madame la juge...

Juge St. Eve: Accordée.

Sussman: Je vais établir le fondement.

Juge St. Eve: Établissez le fondement.

Sussman: Monsieur, si vous voulez bien nous raconter, selon vos souvenirs, à quel moment avez-vous acheté d'autres journaux au Québec?

RADLER : Bien, en 1970 – ou à la fin de 1970 –, je crois que nous avons acheté notre premier journal québécois important, *L'Avenir* de Sept-Îles, dans cette ville qui se trouve à 1100 kilomètres au nord de Montréal.

SUSSMAN : Et alors...

RADLER : Et puis, il y a eu d'autres journaux. Nous avions un journal à Granby, au Québec, du nom de – je ne me souviens pas du nom du journal, mais nous avions un – nous avions un – petit journal à Granby, au Québec. Nous avions un journal à Farnham, au Québec, que nous... dans lequel Peter White avait détenu une part. Et on l'a intégré à notre groupe. Nous avions un journal du nom de *St. John's News* à Saint-Jean au Québec. Nous avions un journal à Baie-Comeau, au Québec. Alors, nous avions – nous avions – plusieurs journaux.

SUSSMAN : Maintenant, à l'époque où vous avez acheté ces journaux que vous venez d'évoquer dans votre témoignage, comment les décisions financières majeures étaient-elles prises en ce qui concerne la gestion de ces journaux ?

RADLER : Bien, elles étaient... elles étaient prises conjointement.

SUSSMAN : Étaient-elles prises conjointement quand il s'agissait de financement ?

RADLER : Oui.

SUSSMAN : Ces journaux ?

RADLER : Oui.

SUSSMAN : Et quand il s'agissait de négociations de travail ?

RADLER : Oui.

SUSSMAN : Et quand il s'agissait de décisions concernant la mise en marché ?

RADLER : Oui.

SUSSMAN : Maintenant, à cette époque, vous-même et M. Black avez-vous continué à travailler ensemble pour ces journaux ?

RADLER : Quand M. Black était... était en ville, oui.

SUSSMAN : Étiez-vous des associés à parts égales à cette époque ?

RADLER : À CETTE ÉPOQUE, OUI, NOUS L'ÉTIONS.

SUSSMAN : Et quels étaient vos pourcentages respectifs ?

RADLER : Cela devait être 33, 33, 33.

SUSSMAN : Et où habitiez-vous à cette époque ?

RADLER : J'habitais Montréal.

SUSSMAN : Où habitait M. Black à cette époque ?

RADLER : À – dépendant de l'époque, à – un moment donné, il habitait lui aussi Montréal.

SUSSMAN : Pendant cette période où il a racheté d'autres journaux au Québec, étiez-vous régulièrement en contact avec M. Black ?

RADLER : Très régulièrement.

SUSSMAN : Preniez-vous vos repas ensemble ?

RADLER : Oui, généralement.

SUSSMAN : Étiez-vous des amis ?

RADLER : Oui.

SUSSMAN : Faisiez-vous des voyages ensemble ?

GENSON : Objection ! Madame la juge, il pose une question qui suggère une réponse.

JUGE ST. EVE : Maître Sussman ?

SUSSMAN : Je ne crois pas que ce soit une question qui suggère une réponse, madame la juge, mais je peux chercher à la reformuler.

JUGE ST. EVE : Reformulez-la.

SUSSMAN : Monsieur, à cette époque, avez-vous fait des voyages d'agrément, quels voyages d'agrément avez-vous faits, si toutefois vous en avez fait, avec M. Black ?

RADLER : M. Black et moi sommes allés une fois à La Nouvelle-Orléans.

SUSSMAN : Et qui d'autre vous a accompagné ?

RADLER : Juste nous deux.

SUSSMAN : Cherchiez-vous à acheter un journal à La Nouvelle-Orléans ?

RADLER : Non. Nous étions là pour... pour visiter La Nouvelle-Orléans et la région avoisinante.

SUSSMAN : Madame la juge, c'est peut-être le moment de faire une pause.

JUGE ST. EVE : Nous prenons une pause pour le dîner.

Le procureur cherchait à établir qu'au fil des ans, Black et Radler avaient collaboré de façon intime, continue, en équipe, et qu'ils avaient été de proches amis et associés qui se faisaient confiance et discutaient de leurs transactions jusque dans les moindres détails. « Je n'ai pas pris de décision financière sans consulter Conrad Black, disait Radler, je ne me souviens pas d'avoir vendu quelque journal que ce soit sans Conrad Black. »

La première partie de son témoignage rappelait les jours glorieux, l'époque où les deux hommes avaient entrepris de bâtir ce qui allait plus tard devenir le troisième groupe de presse au monde. Mais Radler commença alors à témoigner contre Black, disant que les paiements de non-concurrence qu'il avait reçus au moment de la vente du groupe Southam à CanWest en 2000, ainsi que d'autres journaux, étaient à l'origine l'idée de Black. Radler considérait désormais que ces paiements n'étaient pas réguliers, car ils n'avaient pas été divulgués de façon convenable au comité de vérification, au conseil d'administration et aux actionnaires. Radler affirma qu'il avait eu tort d'accepter ces paiements et qu'il voulait désormais réparer son erreur.

On n'avait pas informé le jury du fait que Radler et ses diverses entreprises avaient accepté de rembourser 71 millions de dollars dans le cadre d'une entente avec le Sun Times Media Group (autrefois Hollinger International), mais par contre, il entendit fréquemment parler de sa négociation de peine et de la sentence d'emprisonnement de 29 mois à laquelle il s'attendait.

Lorsque commença le contre-interrogatoire de Radler par Eddie Greenspan, j'étais assis dans la dernière rangée de la salle d'audience, contre le mur de gauche. Dans mon champ de vision, j'apercevais la juge Amy St. Eve qui trônait devant. À sa droite, mais bien plus proche de moi, je voyais la tête de Conrad Black, aux cheveux argentés, le visage impassible tourné vers Radler qu'il regardait fixement à travers ses lunettes à monture dorée. À sa droite, plus loin aux côtés de St. Eve, se trouvait Radler lui-même, bronzé, de petite taille, avec son air sarcastique, inclinant sa tête de côté pour consulter des documents lorsque Greenspan l'interrogeait. À droite se trouvaient les membres du jury, qui écoutaient attentivement. D'un simple coup d'œil, j'apercevais tous les principaux acteurs de ce drame juridique.

En tant que criminaliste canadien chevronné, Greenspan rêvait depuis longtemps de plaider dans le cadre d'un tel procès historique à

Chicago. Il était là pour impressionner la juge et le jury. Il avait déclaré à la presse qu'après tout Chicago était bien la ville de Clarence Darrow, célèbre criminaliste et défenseur des droits civiques au début du xxᵉ siècle. D'ailleurs, Henry Fonda avait monté un spectacle solo consacré à la vie de Darrow, et deux grands films avaient été inspirés de l'un des plus célèbres procès pour meurtre auxquels il ait participé, soit *La corde* d'Alfred Hitchcock et *Le génie du mal* d'Orson Welles.

Mais la manière dont Greenspan se comportait dans la salle d'audience n'avait rien à avoir avec le véritable Clarence Darrow. Maladroit, autoritaire, il attaquait Radler, tête baissée comme un bélier sur le point de charger, répétant sans cesse les mêmes questions. Greenspan espérait miner la crédibilité de cet important témoin à charge. Si Greenspan parvenait à démontrer au jury que Radler avait menti sous serment à plusieurs reprises, commençant par nier tout méfait pour ensuite modifier chaque fois sa version des faits jusqu'à ce qu'il s'effondre, passe aux aveux et négocie sa peine, alors il minerait la crédibilité de ce témoin essentiel de la poursuite.

Greenspan aborda en détail le procès-verbal de la comparution de Radler, le 21 octobre 2003, devant les avocats du comité spécial de Hollinger International et Richard Breeden. La réunion avait duré 8 heures et le document faisait 76 pages.

— Alors, vous avez expliqué devant ce jury que vous aviez menti lors de cette première réunion, dit Greenspan au procès à Chicago.

— J'étais plutôt réservé, cette fois-là.

— Dites-moi, monsieur Radler, à quel moment avez-vous décidé de ne plus faire preuve de réserve au cours de cette entrevue ?

— Je ne crois pas avoir réfléchi à la question. Je me suis simplement présenté à l'entrevue.

— Aviez-vous décidé à l'avance sur quels faits vous alliez mentir ?

— Non, monsieur.

— Alors, c'était spontané de votre part ?

— Comme je vous l'ai dit, il y a des passages dans ce document de 76 pages, que je n'ai pas examiné, dans lesquels je fais des déclarations non fondées.

— Était-ce facile pour vous de mentir ? demanda Greenspan.

— Non, monsieur.

— Avez-vous bégayé au moment de mentir ?

— J'ai dit des mensonges.

— Avez-vous détourné votre regard au moment de mentir ?

— J'ai dit des mensonges.

— Avez-vous longuement hésité avant de mentir ?

— J'ai dit des mensonges.

— Avez-vous évité le regard des gens à qui vous mentiez ? demanda Greenspan, avant d'ajouter : alors, je constate qu'il n'y a rien qui puisse indiquer à ce jury quand vous êtes en train de mentir. Je présume qu'en ce moment même, vous pourriez être en train de nous mentir.

— C'est faux, répliqua Radler, déstabilisant quelque peu Greenspan. Je ne suis pas en train de mentir.

— Nous avons votre parole.

— Vous avez ma parole.

Greenspan eut un sourire en coin. Que peut bien valoir la parole d'un homme qui avoue avoir menti presque systématiquement, jusqu'à présent ? Il poursuivit son contre-interrogatoire avec une nouvelle série de questions.

— Vous avez dit au cours de ce procès que vous aviez menti parce que vous aviez peur des conséquences. Mais à aucun moment, lors de l'entrevue d'octobre 2003 devant le comité spécial, n'avez-vous dit que les paiements de non-concurrence étaient irréguliers, ou quelque chose du genre... Vous avez déclaré au cours de ce procès, devant ce jury, que Conrad Black avait exigé que les paiements de non-concurrence soient versés à Hollinger Inc. Et vous avez déclaré que les avocats voudraient savoir qui avait pris la décision concernant les paiements de non-concurrence... Mais à aucun moment n'avez-vous dit aux avocats, lors de cette réunion avec le comité spécial, qui avait pris la décision concernant les paiements de non-concurrence.

Greenspan semblait chercher la faille dans le témoignage de Radler, un point faible qu'il pourrait exploiter. Comme s'il voulait démontrer non seulement que Radler avait menti, mais aussi qu'il l'avait fait pour sauver sa peau.

— La raison pour laquelle vous avez menti au comité spécial est que vous ne vouliez pas lui avouer que vous aviez fait quoi que ce soit de mal. Vous avez menti pour vous protéger vous-même.

— Et les autres.

— Vous avez menti pour vous protéger.

— Et d'autres associés.

— Vous avez menti pour sauver le Numéro 1, parce que Radler est bien le Numéro 1.

— Oui, pour moi Radler est bien le Numéro 1.

— Ne faites-vous pas la même chose ici aujourd'hui? N'êtes-vous pas en train de mentir pour sauver votre personne?

— Non, monsieur.

— Vous n'êtes pas revenu le lendemain pour dire aux avocats du comité spécial que vous les aviez induits en erreur.

— C'est juste.

— Ma remarque portait, en réalité, sur le fait que vous n'avez jamais dit aux avocats du comité spécial que les paiements de non-concurrence versés à Hollinger Inc. étaient irréguliers… Vous dites en ce moment que vous avez menti aux avocats du comité spécial.

— Euh, oui.

— La raison pour laquelle vous avez fait cela est que vous vouliez convaincre les avocats du comité spécial que vous n'aviez rien fait de mal.

— Moi-même et d'autres.

— Vous: David Radler.

— Et d'autres…

Radler prenait subtilement le dessus lors de cet échange. Comme Greenspan perdait sa concentration, il s'engagea dans une nouvelle piste.

— Vous n'avez pas dit: « Je sais qui a pris la décision concernant les paiements de non-concurrence et cette personne était Conrad Black. »

— C'est exact. Je ne leur ai jamais dit qui avait pris la décision.

— Aujourd'hui, vous dites que vous n'avez pas divulgué au comité de vérification le fait que des paiements avaient été versés à des individus parce que les acheteurs ne l'avaient pas exigé et que, pour cette raison, vous les trouviez irréguliers.

— Je crois également que ces paiements n'étaient pas convenables, de manière générale.

— Vous saviez que le comité spécial voulait savoir qui avait pris la décision à l'égard de ces versements.

— Oui, monsieur.

— Vous saviez que le comité spécial voulait savoir si le comité de vérification avait bien approuvé les versements et qui avait participé au processus de divulgation... Ils voulaient savoir par la même occasion s'il y avait d'autres faits qu'ils auraient dû connaître.

Le langage corporel des protagonistes était intéressant à observer. Alors qu'il courbait le dos pour mieux examiner les documents étalés devant lui, Greenspan ressemblait à une tortue qui se tiendrait debout. Quant à Radler, il ne cessait de jeter des regards à la juge pendant qu'il témoignait pour établir une connivence aux dépens de Greenspan, qu'il cherchait à contrarier et à déstabiliser. « Si vous voulez prendre les choses hors de leur contexte, dit Radler d'un air de défi, je suppose que c'est votre droit. Vous manœuvrez dans tous les sens. Pouvons-nous parler de ce que j'ai dit *réellement* ? »

— Je m'oppose à ces remarques personnelles, rétorqua Greenspan. Et si vous continuez à tenir ce discours, je vais demander à Mme la juge de vous obliger à vous limiter à la simple relation des faits !

— Objection au discours ! s'écria le procureur Eric Sussman en se levant d'un bond.

La juge St. Eve se tourna vers le témoin. « Monsieur Radler, veuillez écouter les questions de Me Greenspan et si vous ne les comprenez pas, demandez que ces questions soient reformulées. Et je demande à M. Radler et à Me Greenspan de réserver leurs discours pour une autre occasion. »

Greenspan tenta une autre approche.

— Vous avez rencontré les procureurs à 10 occasions entre décembre 2004 et juin 2005.

— C'est exact.

— Après avoir raconté au comité spécial ce que vous appelez aujourd'hui des mensonges, vous êtes allé rencontrer les procureurs, la SEC et le FBI.... Vous avez reçu, le 9 décembre 2004, une proposition écrite de collaboration, n'est-ce pas ?

Une proposition écrite de collaboration fait partie de la négociation de peine et offre l'immunité en échange de déclarations incriminantes à l'endroit d'autres parties.

— Vous saviez que si une partie de votre témoignage s'écartait le moindrement de la proposition de coopération, vous pouviez être accusé de faux témoignage.

Radler refusa de reconnaître ce qui apparaissait dans différents procès-verbaux. Il prétendit n'avoir jamais lu le procès-verbal de son propre témoignage devant la SEC et le FBI.

— Vous avez donc signé le 9 août un document sur une négociation de peine, n'est-ce pas?

— Il faudrait que je regarde le document, répondit Radler.

— Mais jusqu'au 16 août, vous disiez le contraire.

— Non, il faudrait que je regarde le document.

La juge appela les procureurs et les avocats de la défense à la barre pour discuter de la procédure à suivre. Mal à l'aise, les membres de la famille de Black remuaient sur leurs chaises.

— Vous avez dit plusieurs fois à ce jury, de poursuivre Greenspan, que Conrad était le chef de la direction et que tout devait être approuvé par lui et qu'il vous disait quoi faire.

— Vrai pour les deux premières parties de votre question. Et je devais le tenir informé.

— N'est-il pas vrai que vous n'êtes *pas* le bras droit de Conrad?

Il s'agissait d'une nouvelle piste. Greenspan voulait représenter Radler comme un subalterne envieux, un subordonné amer qui avait décidé de poignarder dans le dos son ancien supérieur.

— Monsieur, je ne comprends pas de quoi vous parlez. Pouvez-vous me donner une définition?

— N'est-il pas vrai que vous avez dit à un journaliste du *Toronto Star*: «Je ne suis le bras droit de personne»?

— Je ne me souviens pas d'avoir dit cela. Quand était-ce?

— Le 3 août 1996.

— Je ne me souviens pas d'avoir affirmé une telle chose.

— N'est-ce pas le genre de chose que vous auriez pu dire?

— Objection! s'écria Sussman. Je dois soulever une objection à la formulation de la question.

— Objection retenue.

— Bras droit, dit Greenspan. Commandant en second. Qu'est-ce que cela signifie? Qu'est-ce que cela *peut* signifier?

— Cela peut vouloir dire laquais, répondit Radler avec malice.

— Vous n'êtes le laquais de personne?

— Je ne crois pas être le laquais de qui que ce soit, mais cela n'empêchera pas quiconque de me qualifier de laquais! plaisanta Radler.

Rire général dans la salle d'audience.

— Avez-vous dit au *Toronto Star* au sujet de votre relation avec Conrad Black que vous n'étiez le bras droit de personne et que l'allusion même vous agaçait?

— Il faudrait que je lise l'article pour en voir le contexte.

Quel gâchis, quel abominable gâchis! Dans sa plainte originale déposée le 17 janvier 2004, Hollinger International cherchait à recouvrer plus de 200 millions de dollars en dommages et intérêts, de la part de Conrad Black et de plusieurs autres défendeurs. Au cours des mois suivants, le comité spécial de Hollinger International poursuivit son enquête sur des versements douteux, des documents d'information financière incomplets et des allégations de transactions intéressées. Ensuite, dans sa plainte modifiée du 7 mai 2004, Hollinger International cherchait à récupérer six fois la somme initiale auprès de Black et de ses associés. Hollinger International exigeait maintenant « 484,5 millions de dollars, y compris approximativement 380,6 millions de dollars en dommages et 103,9 millions de dollars en intérêts accordés avant jugement ». Dans cette nouvelle plainte, l'entreprise affirmait que les défendeurs avaient mené des activités liées au racket et qu'elle cherchait à récupérer « trois fois le montant des dommages aux termes de la loi RICO (Racketeer Influenced and Corrupt Organizations Act). La réclamation totale de l'entreprise, incluant trois fois les dommages, s'élève à 1,25 milliard de dollars, montant auquel s'ajoutent les honoraires d'avocats ». La plainte modifiée déposée en mai 2004 était bien plus accablante que la plainte initiale déposée en janvier. Elle invoquait la loi fédérale RICO qui, selon la Cour suprême américaine, s'appliquait aux activités criminelles récurrentes, continues et à long terme. (La loi RICO, comme l'explique le ministère canadien de la Justice, « définit le racket d'une manière très large qui englobe le meurtre, l'enlèvement, le jeu, l'incendie criminel, le vol qualifié, la corruption, l'extorsion et le trafic de stupéfiants de même qu'une série d'infractions fédérales dont l'usure, la contrefaçon, la fraude postale et la fraude électronique». Selon certains observateurs, la RICO est une loi fourre-tout, adoptée à l'origine pour sévir contre le crime organisé, mais utilisée de plus en plus de nos jours pour attraper des fraudeurs dans le monde des affaires.) Cette plainte faisait état de toute une gamme d'activités présumées : versements qualifiés incorrectement de paiements de non-concurrence, frais de gestion exorbitants, violation du devoir de fiduciaire dans le cadre de ventes d'actifs médiatiques à des prix inférieurs à leur juste valeur à des entreprises contrôlées par Black et plusieurs de ses associés et bonis payés par une filiale déficitaire.

Quand cette plainte en vertu de la loi RICO fut déboutée, le montant d'argent en jeu fondit comme neige au soleil.

Assis dans la salle d'audience de Chicago, Black estimait que les diverses enquêtes, litiges et frais juridiques avaient dû coûter aux entreprises jadis sous son contrôle autour de 200 millions de dollars. « Il y a plusieurs mois, m'écrivit-il pendant le procès, ils ont avoué avoir dépensé 137 millions de dollars, montant auquel s'ajoutent 25 millions pour l'enquêteur canadien et divers frais juridiques au Canada se chiffrant à 20 millions, pour en arriver à plus de 200 millions de dollars. Ils chercheront à recouvrer 95 millions de dollars. Cela ne justifie pas des pertes affichées depuis 2004 de l'ordre de 120 millions de dollars, alors qu'autrefois l'entreprise était rentable. Quant à Breeden, il a pris 25 millions de dollars. » Black considérait Breeden comme un parasite hypocrite qui travaillait à son compte tout en prétendant agir au nom de la gouvernance d'entreprise, alors que la nouvelle équipe de haute direction était une bande de charlatans.

En juin 2007, Hollinger International, renommée Sun Times Media Group, déclara avoir dépensé, au cours des quatre années précédentes, 166 millions de dollars en enquêtes, litiges et honoraires d'avocats. Les frais juridiques encourus par Conrad Black, les coaccusés de Chicago et d'autres hauts cadres de l'entreprise s'élevaient à eux seuls à 79 millions de dollars.

En contrepartie, le Sun Times Media Group déclara avoir recouvré 127 millions de dollars dans le cadre d'ententes, dont 48 millions de David Radler et 30,25 millions du cabinet d'avocats torontois Torys LLP (la majeure partie de ce montant ayant été versée par son assureur, sans toutefois que Torys ait admis quelque responsabilité que ce soit).

Dans l'espoir de protéger ses principaux actifs au Canada, Black avait mis son holding Ravelston sous séquestre. Mais le syndic de Ravelston,

RSM Richter, passant outre à ses objections, versa 6 millions $CAN en frais juridiques, plaida coupable à un chef d'accusation à Chicago et paya une autre pénalité de 7 millions $US. Ayant complètement perdu le contrôle de ses finances publiques et privées, Black était tout juste parvenu à survivre.

Si Black était jugé coupable de tous les chefs d'accusation portés contre lui à Chicago, il devrait restituer 92 millions de dollars et se verrait obligé de rembourser les honoraires d'avocats avancés par le Sun Times Media Group. Mais même s'il était acquitté, il ferait toujours face à une poursuite civile lancée par le Sun Times Media Group, réclamant 542 millions de dollars en dommages et intérêts, et à une autre poursuite civile lancée par Hollinger Inc. de Toronto réclamant 750 millions de dollars en dommages et intérêts. Sans oublier la poursuite civile pour fraude intentée par la SEC en novembre 2004. Black risquait de perdre d'un côté comme de l'autre. Je ne le voyais pas prendre tranquillement sa retraite à Palm Beach. Il est vrai qu'il avait entamé une cascade de poursuites contre d'autres parties, mais sa capacité future de se défendre allait dépendre, en fin de compte, du verdict qui serait rendu dans la salle d'audience 1241.

Le procureur de Chicago entendait bien mettre Black derrière les barreaux d'une prison fédérale à sécurité moyenne comme celle d'Otisville. À une heure et demie au nord-ouest de Manhattan, dans le district judiciaire du sud de l'État de New York, cette prison abrite plus de 1000 détenus. En renonçant à sa citoyenneté canadienne au moment de devenir baron au Royaume-Uni, Conrad Black ne pouvait être transféré dans une prison canadienne. Ainsi, s'il était jugé coupable à Chicago, Conrad Black *pourrait* être incarcéré dans une prison américaine à sécurité moyenne comme Otisville. En vertu de la loi américaine, il était un étranger non résidant, un citoyen britannique, et les chefs d'entreprises britanniques condamnés pour des crimes de col blanc aux États-Unis devaient purger leur peine dans ce pays.

Otisville est un complexe pénitencier muni de tours de garde, de périmètres renforcés de barrières doubles et de systèmes de détection électronique. Des gardes armés de fusils de chasse font la ronde, enfermant les détenus dans leurs « cellules à occupation multiple ».

Certains détenus d'Otisville jouissent d'une notoriété méritée. Ils ont peu en commun avec la vieille garde que Black avait renvoyée des bureaux de direction d'Argus en 1978, ou encore avec les cardinaux, généraux, anciens premiers ministres et gouverneurs qu'il avait nommés à ses divers conseils d'administration au fil des ans. Les détenus d'Otisville sont des voyous rusés qui payent cher leurs crimes graves et souvent violents.

George Jung, le narcotrafiquant qui prétendait avoir contrôlé 85 % du trafic de la cocaïne aux États-Unis dans les années 1970, y était toujours au moment du procès. Johnny Depp avait interprété le rôle de Jung dans *Cartel*, un film tourné en 2001 qui portait sur les caïds de la drogue en Colombie, l'appât du gain et la trahison. Plusieurs détenus d'Otisville poursuivaient leurs activités criminelles derrière les barreaux. Ainsi, en 2004, deux détenus avaient reçu des peines supplémentaires pour avoir comploté dans le but de faire importer de l'héroïne à Otisville pour leur utilisation personnelle. D'autres détenus avaient utilisé les téléphones de la prison pour organiser le meurtre de deux témoins et d'un juge à l'extérieur, décidant même à l'intérieur des murs quelles armes allaient servir à l'« exécution ». Plusieurs agents d'Al Qaïda ont séjourné dans la même prison.

Otisville était un enfer sur terre, mais Joe Black avait réussi à s'y tailler une place de choix. Ce géant tatoué, condamné à une longue peine pour vente de crack, était la vedette de l'équipe de basket-ball de la prison. Il avait même écrit un roman intitulé *Street Team* sur sa vie de gangster. Ses exploits sportifs étaient régulièrement décrits par Soul Man, le plus célèbre journaliste de basket-ball du monde à couvrir des matches en prison, qui lui avait demandé un jour ce qui lui restait de toutes ces années, après avoir gagné des championnats, avoir été nommé le joueur le plus utile à son équipe, terminé en tête des marqueurs de la ligue et participé au match des étoiles. « Quand je suis entré dans le système, dit-il, j'étais en prison à Atlanta et j'avais zappé un colosse nigérian qui faisait plus de 2 mètres. » Joe Black se souvenait aussi qu'une autre fois, à Otisville, en lançant la balle à partir du milieu du court, il avait marqué un filet à la toute dernière seconde du match. « C'était fou. Les spectateurs dans les gradins s'étaient déchaînés. Une vingtaine de gars m'avaient porté littéralement sur leurs épaules partout dans la salle de gym. C'était dingue. »

Les détenus d'Otisville ont le droit de garder un peu d'argent, mais selon les règlements, « le commissaire peut ouvrir un compte en banque pour les dépôts d'argent des détenus et pour l'approvisionnement en articles qui ne sont pas normalement distribués par les autorités… Des membres de la famille, des amis ou d'autres peuvent déposer des fonds dans ces comptes », soit par mandat-poste ou par transfert de la Western Union. Aucun argent liquide ni chèque n'est accepté.

Si Black était reconnu coupable et se retrouvait dans une prison comme celle d'Otisville, il pourrait rencontrer régulièrement un aumônier catholique qui « supervise des activités d'auto-amélioration à l'intention des détenus, comme l'étude de la Bible et des ateliers religieux, et dispense des services pastoraux ainsi que des conseils spirituels ». Black pourrait également profiter de consultations psychologiques.

Mais pour des raisons sanitaires et de sécurité, le Bureau des prisons impose des limites à la valeur des effets personnels que possède chaque détenu (bijoux, photos, livres, revues, etc.) et contrôle le genre de publications que les détenus ont le droit de recevoir. La prison d'Otisville fournit l'habillement, les articles d'hygiène personnelle, la literie et les services de buanderie. Par l'entremise du commissaire, les détenus peuvent acheter des produits personnels, tels que chaussures, certains vêtements récréatifs et produits alimentaires. Normalement, les détenus n'ont pas le droit de posséder ou de porter des vêtements civils (c'est-à-dire des vêtements qui n'ont pas été fournis par le Bureau ou achetés par le détenu sur place).

Si jamais Black était incarcéré dans une prison comme celle d'Otisville, et si sa santé le permettait, il serait obligé d'y travailler. Il pourrait être affecté aux services alimentaires ou à l'entrepôt ou pourrait travailler comme aide-soignant, plombier, peintre ou préposé à l'entretien du terrain. Le salaire versé aux détenus effectuant ces tâches varie entre 12 et 40 ¢ l'heure. Si, à l'exemple de 17 % des détenus, il avait la chance de travailler dans une usine du système pénitencier fédéral, il pourrait gagner entre 23 ¢ et 1,15 $, tout en apprenant le métier de ferronnier, d'ébéniste, de graphiste ou encore de travailleur de l'électronique ou du textile.

Les détenus ont droit à des rencontres personnelles avec des membres de la famille et des amis, à condition qu'elles aient été préalablement approuvées, ainsi qu'à des rencontres confidentielles avec leurs avocats. Mais toute ligne téléphonique est sous écoute et toute correspondance écrite est lue.

Si le destin de Conrad Black passait par Otisville – ou une autre prison de ce genre –, je ne voyais pas comment il pourrait y survivre.

The Canadian Press/Toronto Star/Dave Cooper

CHAPITRE 7

Le joyau de la couronne

En reconstruisant de fond en comble la résidence familiale de Bridle Path, à 20 minutes de Toronto, Conrad Black réalisait un de ses rêves les plus grandioses. Il voulait s'offrir un manoir de style géorgien, de ceux qu'on bâtissait en Grande-Bretagne et dans l'Amérique coloniale entre 1720 et 1840 : murs de brique extérieurs, hautes fenêtres aux cadrages blancs surmontées de corniches blanches, simples proportions mathématiques inspirées de l'ouvrage *Les quatre livres de l'architecture* d'Andrea Palladio. Pour la circonstance, Black dut guider le célèbre architecte new-yorkais Thierry Despont. Il dira plus tard, dans une entrevue au magazine américain *Architectural Digest* : « Au départ, Thierry connaissait assez peu l'architecture géorgienne, mais en grand éclectique, il l'a rapidement maîtrisée[1]. »

Le 26 Park Lane Circle serait son manoir à lui, le domaine où il élèverait sa famille, accueillerait hommes d'État et d'affaires et aurait le loisir de se plonger dans ses bouquins. « Comme je ne suis pas très sportif, expliqua-t-il au magazine, mon idée de la détente est de m'installer dans ma bibliothèque, une pièce qui correspond parfaitement à mes attentes à cet égard. Au moment où Thierry achevait ses travaux chez nous [en 1987], il commençait à travailler à la restauration de la statue de la Liberté et j'ai eu le sentiment, durant cet intervalle, de partager les services de cet architecte à parts égales avec le monument le plus célèbre du monde. »

Black aimait s'asseoir dans sa bibliothèque circulaire haute de 9 mètres, qu'il considérait comme un « bijou », et feuilleter ses nombreux livres d'histoire devant un bon feu de foyer, à l'abri des pressions du monde des affaires.

Black était désormais propriétaire et historien, un homme de discernement. Il avait pris de l'envergure, devenant un faiseur de rois, un rédempteur de géants déchus et une éminence grise à l'échelle planétaire. En fait, en entreprenant la reconstruction de la demeure de Bridle Path, Black faisait une déclaration de personnalité au moment où d'autres avaient entrepris de le définir : le réalisateur de télé Michael Gerard, dont l'interprétation controversée de Black, *Ten Toronto Street*, avait été diffusée en 1980 par CBC ; Peter C. Newman, qui en 1982 avait publié *The Establishment Man*, une biographie de Black ; et les journalistes du magazine *Maclean's*, Ian Austen et Linda McQuaig, qui enquêtaient dans le cadre d'une série de reportages fort publicisés sur les déboires de Black avec les organismes de réglementation du commerce des valeurs mobilières.

Ce n'était pas que par son manoir que Black cherchait à se définir. Tout en bâtissant son empire financier au début des années 1980, il cherchait de nouveaux débouchés pour ses passions politiques et intellectuelles. Après avoir échoué dans sa tentative de revigorer l'Union nationale et le conservatisme nationaliste, Black se désintéressa du Québec. À partir de 1978, il consacra toute son énergie à la prise de contrôle et à la restructuration d'Argus Corp.

Son statut de magnat offrait à Black l'accès direct au pouvoir politique aussi bien au Royaume-Uni qu'aux États-Unis. En 1981, à la conférence Bilderberg – à laquelle on n'était admis que sur invitation –, il côtoyait le patron de la Chase Manhattan David Rockefeller, Henry Kissinger et l'ambassadrice américaine aux Nations Unies Jeane Kirkpatrick, qui fut à une époque l'une des néoconservatrices les plus véhémentes et éloquentes. Farouchement opposée au communisme et à l'expansionnisme soviétiques, elle montrait néanmoins beaucoup de tolérance à l'égard de dictateurs de droite tels que Ferdinand Marcos des Philippines, le général Augusto Pinochet du Chili et le régime de l'apartheid en Afrique du Sud. C'était là une ligue bien différente de celle des idéologues fascistes gravitant autour de Robert Rumilly.

Au milieu des années 1980, Conrad Black était passé maître dans l'art de frayer avec les gens riches, influents et bien branchés. Il assistait aux réunions pour le moins discrètes des conférences Bilderberg et de la

Commission trilatérale. Mais il n'avait pas l'impression de *participer* lui-même aux événements internationaux. À l'exception de ses intérêts médiatiques, ses diverses entreprises l'ennuyaient : les épiceries, les mines, les puits de pétrole, l'équipement agricole. « Je n'avais qu'un seul objectif avec ces filiales : faire de l'argent, m'a-t-il confié une fois, que ce soit par la restructuration, le redressement en vue de les larguer, la vente, l'échange, ou encore le refinancement, de préférence de manière relativement novatrice. »

Depuis ses années québécoises passées au *Eastern Townships Advertiser* et au *Sherbrooke Record*, Black éprouvait une passion pour les journaux. Contrarié dans sa tentative de devenir un véritable baron de la presse avec de grands quotidiens métropolitains, son groupe restait éparpillé en région. Il avait échoué dans sa tentative de s'approprier le *Toronto Telegram* (fermé en 1971). Et en 1979, Kenneth Thomson l'avait empêché de prendre le contrôle de FP Publications, qui possédait le *Globe and Mail*.

Au fil des années, Black avait discuté à l'occasion de la possibilité d'investir dans un grand quotidien britannique avec Andrew Knight, rédacteur de la revue *The Economist* et membre du comité directeur de Bilderberg.

Depuis toujours, Black admirait les magnats de la presse canadiens qui avaient réussi à avoir pignon sur rue à Londres. Fils désinvolte d'un pasteur presbytérien de l'Ontario, Lord Beaverbrook avait grandi au Nouveau-Brunswick et bâti une fortune dans la presse écrite. Ministre du cabinet britannique pendant les deux guerres mondiales, il avait vigoureusement promu sa Croisade de l'Empire, une campagne visant à augmenter les échanges commerciaux à l'intérieur du Commonwealth[2]. Dans le film d'actualité qui accompagnait *Citizen Kane*, son nom avait même été mentionné comme un personnage de première importance dans le monde des journaux.

Black avait également étudié de près Roy Thomson (le père de Kenneth), un homme corpulent aux cheveux blancs, dont les lunettes, à la manière d'un bocal à poissons, déformaient ses yeux rieurs. Conrad admirait la façon dont Roy, cet homme astucieux et modeste du Nord de l'Ontario, accordait toujours une attention particulière à la dernière ligne du bilan. Mais il y avait une grande différence de style entre Beaverbrook, le propagandiste pragmatique, et Thomson, qui avait su garder son sang-froid tout en bâtissant une fortune dans la radiodiffusion et le pétrole en mer du Nord, s'en servant ensuite pour subventionner *The Times* de Londres. Selon Thomson, le rachat de ce dernier quotidien « représente le sommet de tout ce que j'ai accompli au cours de ma vie[3] ».

De nos jours, longtemps après le décès de Thomson en 1976, Brian MacArthur, rédacteur associé du *Times*, continue à chanter ses louanges : « Béni soit le nom de Roy Thomson. À l'exemple du *New York Times*, du *Washington Post* ou encore du *Globe and Mail*, il a embauché d'excellents rédacteurs, a dépensé de l'argent, n'est jamais intervenu dans le contenu et nous a laissés libres de travailler... Tout ce qui intéressait Thomson, c'était de connaître le nombre de petites annonces et de s'assurer que les journalistes avaient toutes les ressources qu'il fallait[4]. »

Black était bien conscient que Beaverbrook et Thomson père avaient été des géants de Fleet Street (à leur époque, la rue des grands quotidiens nationaux de Londres), qu'ils envoyaient des journalistes à travers la planète pour couvrir les nouvelles qui comptaient. Les journalistes du *Times* étaient non seulement des hommes de lettres talentueux, mais ils élevaient la barre de leur métier en fondant leurs reportages sur des témoignages oculaires. Ces géants dominaient le marché de la presse le plus concurrentiel au monde. Grâce à leur renommée, Beaverbrook et Thomson père avaient un accès direct à la famille royale et à toute la classe politique, des maires au premier ministre. Ils avaient parfois accepté d'étouffer des affaires embarrassantes, mais ils influençaient souvent le choix des leaders des partis politiques britanniques.

Il n'avait pas non plus échappé à Black que ces deux hommes avaient reçu l'honneur suprême accordé à un Canadien : le titre de baron et un siège à la Chambre des lords. En effet, en devenant propriétaire d'un grand quotidien à Londres, on est pratiquement assuré de devenir baron à vie. Depuis longtemps fasciné par les signes extérieurs de l'aristocratie, au moins depuis sa croisière à bord du *Queen Elizabeth* en 1953, Black avait grandi dans un milieu social canadien-anglais, comme celui de Bud McDougald et E. P. Taylor, qui adorait les titres aristocratiques. En 1982, quatre ans après avoir pris le contrôle d'Argus Corp., Black présentait une demande auprès du duc de Norfolk et du Collège héraldique afin d'obtenir un blason. Il s'agissait d'un rite de passage des magnats, mais aussi, sans doute, d'un geste nostalgique, comme si Black voulait retrouver l'univers disparu de ses parents et grands-parents.

Black savait que le Royaume-Uni était un pays sans constitution écrite, où la hiérarchie – même lors de la planification d'une riposte nucléaire[5] – était sujette à une interprétation fondée sur des précédents historiques et où les décisions politiques étaient prises dans un contexte de règles tacites entre gentlemen. Si seulement il pouvait devenir lui-même un magnat de la presse britannique, il jouirait non seulement du prestige social dont il rêvait tout en obtenant une tribune pour diffuser ses opinions néoconservatrices.

Peter Carrington m'accueillit dans sa résidence d'Ovington Square à Londres. En me faisant visiter sa maison décorée de portraits d'ancêtres aristocratiques, de pur-sang et de chiens de race, ce vétéran de la politique, ancien secrétaire général de l'OTAN et secrétaire à la défense britannique, m'expliqua qu'en fait il avait deux titres de baron, dont le premier était irlandais et remontait à 1797, alors que le second lui avait été conféré par le Royaume-Uni en 1999 (en effet, crut-il bon de m'expliquer, dans le second cas, son nom de famille, renouant avec un précédent historique, s'écrivait avec un seul « r »).

« Surtout dans le contexte de notre Constitution, me dit-il, les magnats de la presse jouent un rôle important. Si le gouvernement détient une majorité considérable à la Chambre des communes, il y a peu de moyens de le freiner. La Chambre des lords n'a pas d'importance, et la Chambre des communes encore moins, parce que le gouvernement dispose d'une grande majorité et que les suiveurs suivent toujours les meneurs, ou presque. »

« Les journaux influencent le résultat des élections », dit à son tour Roy Hattersley, ancien ministre travailliste dans les gouvernements de Harold Wilson et de James Callaghan. Selon ce célèbre journaliste, lui-même devenu baron à vie, « dans une société libre, c'est quelque chose qu'on ne peut pas éviter. Il faut accepter que les journalistes fassent partie du processus démocratique. Un politicien au pouvoir qui se plaint des journalistes, c'est comme un marin qui se plaint de la mer[6] ».

Le gouvernement britannique a l'habitude d'entraîner les magnats de la presse dans le cercle intime du pouvoir politique en les couvrant d'honneurs. Cette pratique cynique constitue, d'après le constitutionnaliste Peter Hennessy, « l'un des outils de patronage les plus puissants détenus par le premier ministre ». Un titre de noblesse transforme le magnat de la presse en législateur, qui a le pouvoir de participer aux débats parlementaires et de voter sur des projets de loi qui sont renvoyés à la Chambre des lords par la Chambre des communes. Ainsi, une fois devenus barons, les magnats jouent un rôle ambigu : d'un côté, ils observent les événements et influencent l'opinion publique et de l'autre, ils participent directement à la prise de décisions. D'un côté, ils commercialisent des faits et idées à grande échelle, mais de l'autre, ils deviennent des hommes d'État, jouissant de plateformes politiques à l'intérieur et à l'extérieur du Parlement.

Kenneth Thomson avait été le dernier magnat de presse canadien à détenir un siège héréditaire à la Chambre des lords. C'était un homme tout en contrastes. Plusieurs fois milliardaire, il trouvait le temps de réconforter des chiens égarés à la Toronto Humane Society. Son empire médiatique s'étendait partout dans le monde, mais il était étonnamment détaché des biens de ce monde. En faisant la navette en limousine entre sa résidence de Rosedale et son bureau, il avait écouté avec plaisir une série de documentaires radiophoniques que j'avais réalisée sur le Sahara pour le compte de la CBC ; mais il n'avait pas réalisé que la célèbre ville médiévale en terre cuite de Tombouctou existait réellement ! Assis dans son gratte-ciel de Bay Street, entouré de tableaux de paysages et du portrait de son chien préféré, Gonzo, il me dit qu'en étant élevé à la pairie en 1964, son père n'avait pas lui-même renoncé à sa citoyenneté canadienne, mais que, selon les lois en vigueur à l'époque au Canada, on ne pouvait jouir de la double nationalité. Donc, en devenant citoyen britannique, son père avait perdu sa citoyenneté canadienne. Ainsi, l'enjeu de son titre de baron n'était plus du ressort du Canada, car il relevait uniquement du gouvernement britannique. Son père avait continué de se sentir Canadien et espérait finir ses vieux jours au Canada, mais malheureusement, ce n'est pas ce qui s'est passé.

En mai 1985, une occasion se présenta qui changea littéralement la vie de Conrad Black. Lors de la conférence Bilderberg, à Arrowwood, près de New York, Andrew Knight confia à Black que le *Daily Telegraph*, miné par une mauvaise gestion, était empêtré dans de graves problèmes financiers. Ce quotidien de Londres, fondé en 1855 à l'époque de la guerre de Crimée, était le premier journal conservateur de grand format au monde. L'arrière-grand-père de Black, Robert Thomas Riley, avait été le fils d'un des actionnaires fondateurs. Depuis la fin des années 1920, le *Telegraph* demeurait sous le contrôle de la famille Berry, des entrepreneurs gallois ayant la réputation de venir au secours d'entreprises en perte de vitesse et de les redresser, en faisant des entreprises rentables à long terme. Bill Berry, le premier vicomte Camrose et l'un des géants de Fleet Street avant la Guerre, avait établi des normes élevées en matière de reportages. Durant les années 1930, à la différence de son concurrent direct, le vicomte Rothermere du *Daily Mail*, Camrose avait eu assez de sens commun pour s'opposer au fascisme et il avait même embauché Winston Churchill comme journaliste pigiste avant la Seconde Guerre mondiale.

En avril 1947, le *Telegraph* franchit la barre du million d'exemplaires vendus par jour : ses ventes quotidiennes nettes dépassaient celles du *New York Times* et du *New York Herald* réunis, par une confortable marge de 108 000 exemplaires. Mais le fils de Camrose, Lord Hartwell, un homme sourd et particulièrement timide qui avait tendance à marmonner, n'avait pas tellement de flair pour les affaires. Du cinquième étage du 135 Fleet Street, il avait pour mission de protéger jusque dans les moindres détails ce que son père avait bâti. « Tout comme il avait conservé intacts les bureaux de la haute direction, avec ses boiseries des années 1930 et les affiches imprimées résumant le contenu de chaque numéro, écrira Duff Hart-Davis, historien du *Telegraph*. Un majordome vêtu tout de noir gardait encore l'entrée au cinquième étage[7]. » Les membres du personnel de la vieille école se mettaient au garde-à-vous dès qu'ils adressaient la parole à Hartwell au téléphone.

Selon Hart-Davis, Hartwell entretenait un système archaïque de gestion, s'entourant de *gentlemen* vénérables à sa propre image, et ne cherchait aucunement à préparer ses deux fils, Adrian et Nicholas Berry, à assumer la relève. Adrian s'intéressait davantage aux sciences qu'à l'administration et Nicholas avait démontré un excellent sens des affaires, mais on ne l'avait pas préparé en vue de la succession. De plus, au beau milieu des bouleversements technologiques qui secouaient l'industrie de la presse et d'une guerre d'usure entre les propriétaires de journaux et les

syndicats d'imprimeurs, Hartwell commit une erreur catastrophique : il
s'engagea à bâtir de nouvelles presses dans les Docklands de l'est de Londres, sur la foi de projections de revenus beaucoup trop optimistes et sans
en avoir évalué les risques financiers. Les nouvelles presses allaient offrir
des avantages au journal, mais le *Telegraph* n'avait pas les moyens financiers de cet investissement sans une injection de nouveau capital.

À la suite de longues négociations avec plusieurs banques en 1984,
« un consortium mené par la Security Pacific – et réunissant la National
Westminster County Bank, la Banque de Hong Kong et Shanghai et
Wardley London – accepte d'avancer 75 millions de livres, à la condition
toutefois que le *Telegraph* trouve 29 millions de livres auprès de nouveaux investisseurs[8] ». Compte tenu de la situation financière précaire de
l'entreprise, N. M. Rothschild & Sons ne parvenait pas à réunir cette
somme. « En pratique, le *Telegraph* était en faillite, m'expliqua Andrew
Knight au cours d'une longue entrevue téléphonique qu'il m'avait accordée à partir d'un quai de traversier dans les Hébrides, et la haute direction n'arrivait pas à trouver les capitaux qu'il fallait pour financer les
nouvelles presses, à plus forte raison pour survivre. Comme Rothschild
ne pouvait pas trouver les capitaux requis, je communiquai avec Black
en lui proposant d'investir dans le journal. J'avais deux candidats en tête :
Conrad et Kay Graham [propriétaire du *Washington Post*]. Je suis allé
voir Conrad parce qu'il avait plus en commun avec le *Telegraph* sur le
plan idéologique et d'ailleurs, à la différence de Kay, il n'était pas un ami
de la famille Berry. Il y avait moins de risques de conflits une fois qu'il en
aurait pris le contrôle. »

Le *Telegraph* était le joyau de la presse britannique. Black écrira
plus tard que « la clé de l'immense succès du *Daily Telegraph* était une
formule conçue par Lord Camrose et fidèlement reprise par son fils Lord
Hartwell : un journal excellent, équitable, concis, informateur, de bonnes
pages sportives, une page 3 dans laquelle étaient publiées de la manière
apparemment la plus sobre les histoires les plus sordides, les plus vicieuses,
les plus salaces et les plus scatologiques de Grande-Bretagne, avec des
citations sadiquement explicites des procès-verbaux de la cour, et une
extrême vénération de la famille royale[9] ».

En devenant propriétaire à part entière ou même en partenariat,
Black s'auréolerait de la qualité et du prestige du journal, jouissant par

ailleurs d'une plateforme politique dans une capitale mondiale surpassant Toronto de plusieurs crans. Londres possédait une élégance charmante et surannée avec ses palais et ses hôtels, ses gros taxis noirs Carbodies et ses autobus à deux étages, son cortège trottinant d'officiers de cavalerie et ses serveurs en livrée dans les clubs privés. Pour Black l'historien, Londres était un véritable festin visuel.

Le journalisme britannique s'appuyait sur d'impressionnantes traditions littéraires, illustrées notamment par l'ancien rédacteur du *Telegraph*, Bill Deedes (plus tard Lord Deedes), correspondant de guerre dans les années 1930 lors de l'invasion de l'Éthiopie par l'Italie, qui avait inspiré un personnage coloré du roman *Scoop* d'Evelyn Waugh, avait été secrétaire parlementaire dans le gouvernement d'après-guerre de sir Winston Churchill et ministre dans le gouvernement de Harold MacMillan. Dans les années 1970 et 1980, toute une série de journalistes aventuriers exceptionnellement doués suivirent les traces d'Evelyn Waugh et de George Orwell. Détenu comme otage pendant deux ans par les gardes rouges à Beijing, le correspondant de l'agence Reuters Anthony Grey symbolisait pour la propagande chinoise les « tigres de papier » du capitalisme ; le correspondant de guerre Max Hastings arrivait parfois au front en taxi, pour y faire ses reportages en exclusivité ; originaire de l'Australie, le coriace journaliste d'enquête John Pilger dénonçait tout abus de pouvoir (s'attaquant aux manufacturiers de la thalidomide tout autant qu'à Henry Kissinger pour sa stratégie de bombardement de populations civiles au Cambodge dans les années 1970) ; et Robert Fisk, qui au risque de sa vie transmettait des reportages à partir du Liban et d'un peu partout au Moyen-Orient.

Par-dessus tout, il y avait pour Black la perspective de jouir d'une plateforme planétaire, à partir de laquelle il pourrait disserter sur ce qu'il appelait de manière quelque peu grandiloquente « le conservatisme intégral », qui visait le démantèlement du filet de sécurité sociale, la diminution de la taille de l'État et un retour à l'esprit du capitalisme sauvage de la fin du XIXᵉ et du début du XXᵉ siècle, une époque où les magnats étaient libres de gérer leurs affaires comme bon leur semblait et d'en profiter à leur guise.

Black savourait le processus de négociation, l'occasion de prendre le contrôle du *Telegraph* à rabais et d'en libérer la valeur non exploitée

252   *Le baron Black*

qui s'y trouvait. «Cette situation réunit plusieurs éléments, avait-il affirmé. La possibilité d'un gain économique, le drame humain, la fin précipitée et presque cruelle du règne de l'équipe sortante et la montée de nouveaux intérêts que je représentais sans doute. Le drame se déroule et on est conscient à chaque instant d'assister à un drame dont on souhaite qu'il finisse bien, mais il y a quand même beaucoup de suspense. On y investit énormément d'énergie nerveuse. »

Mais Black reconnaissait aussi les risques. Knight lui suggéra qu'en offrant les derniers 10 millions de livres dont Hartwell avait besoin pour compléter le montage financier, il deviendrait un joueur important.

— Andrew, dit Black, quel est l'intérêt de prendre une participation de 14 % dans un quotidien en faillite ?

— Ils auront besoin de financement supplémentaire d'ici une année ou deux, de répondre Knight. Si vous trouvez le moyen de combler leur besoin inévitable de financement à l'avenir en obtenant un droit de préemption sur tout droit de la famille Berry, vous finirez par prendre le contrôle.

Knight avait raison. « Hartwell ne pouvait pas résister au prix offert par Conrad en échange de son aide. Dan Colson [le proche ami et avocat de Black] rédigea une préemption en béton qui donnera rapidement le contrôle à Conrad.»

Black n'avait pas le temps de voyager jusqu'à Londres pour la réunion avec Lord Hartwell et ses conseillers. Ainsi, Hartwell lui-même, le directeur général H. M. Stephen et Hugh Lawson du *Telegraph*, le banquier Rupert Hambro (qui conseillait Black) et un jeune cadre supérieur de Rothschild prirent le Concorde de Heathrow jusqu'à Kennedy afin de rencontrer Black à New York. La réunion eut lieu dans une chambre d'hôtel qui tremblait chaque fois qu'un avion décollait ou atterrissait sur la piste avoisinante[10]. On discuta de l'offre de Conrad d'investir 10 millions de livres par le biais de Ravelston. Suivant à la lettre les conseils de Knight, Black insista sur la nécessité d'une préemption sur tout droit futur de la famille Berry, prenant bien soin de se répéter pour s'assurer que Hartwell saisissait bien la teneur de ses paroles. Et c'est alors que Hartwell commit une deuxième erreur catastrophique. Après avoir trouvé 75 millions de livres auprès des banques, il savait que les 10 millions de livres de Black lui permettraient de compléter sa vente d'actions pour 29 millions de

livres. Il ne pouvait imaginer qu'il aurait besoin de capitaux supplémentaires ; mais c'est justement ce scénario qui avait déclenché le droit de
préemption de Black. Hartwell répondit simplement : « Je ne crois pas
que nous puissions refuser une telle offre[11]. »

En fait, il venait tout juste d'abandonner le contrôle du joyau héréditaire de sa famille, le *Telegraph*.

Pour Black, ce dénouement ressemblait comme deux gouttes d'eau
à sa prise de contrôle d'Argus. Il écrira plus tard : « J'ai éprouvé le même
sentiment que ce jour de mai 1978 où les successions Phillips et
McDougald avaient conclu une entente d'actionnaires avec Ravelston.
Après des années de retraite et de regroupement, une perspective fascinante s'ouvrait. En affaires comme ailleurs, la patience finit par donner
des résultats[12]. » Cette prise de contrôle ressemblait à celle d'Argus, mais
à une exception près : dès qu'il aurait mis la main définitivement sur le
Telegraph, Black aurait toutes les chances de devenir le prochain baron
de la presse canadien, avec un siège à la Chambre des lords.

Le 14 juin 1985, le *Globe and Mail* publiait un reportage de son
correspondant à Londres, John Fraser, l'ancien camarade de classe de
Black au Upper Canada College : « Le rachat controversé par Conrad
Black de 14 % du Daily Telegraph Group continue de faire jaser dans
les milieux de la presse, car des sources bien informées au *Daily Telegraph* ont confirmé hier que M. Black avait le droit de premier refus sur
toute émission future d'actions par la famille Berry. Des porte-parole
officiels du Telegraph Group, qui possède le prestigieux quotidien
Daily Telegraph (qui tire à 1,2 million d'exemplaires par jour), continuent d'émettre des déclarations contradictoires et trompeuses sur la
nature de cet investissement. Au début, on avait nié l'existence d'une
entente entre M. Black et le dirigeant du groupe, Lord Hartwell, au
sujet d'un futur rachat d'actions. Maintenant, on se refuse tout simplement à tout commentaire[13]. »

Dans les milieux de la presse, on se demandait si le *Telegraph* n'avait
pas pris un trop grand risque en déménageant et en modernisant ses
opérations d'impression. Le *Times* évoqua l'arrière-grand-père de Black,
ajoutant que « le descendant a l'intention de rattraper le temps perdu ».

John Fraser écrira plus tard, dans le *Report on Business Magazine*
du *Globe and Mail* qu'au *Telegraph* : « on venait d'éviter la crise immédiate

et un administrateur de la compagnie a dit à un membre du personnel que "le détail le plus amusant" de toute cette histoire, c'est que Black puisse penser pouvoir faire l'acquisition d'autres actions. "Il ne semble pas se rendre compte que nous n'aurons jamais besoin de lui, surtout quand nous serons confortablement établis dans nos nouvelles installations", aurait dit l'administrateur... Une fois l'entente conclue, le directeur général Stephen a informé les milieux de la presse que le *Telegraph* avait trouvé une heureuse solution à ses problèmes à court terme. Black était décrit comme "un investisseur totalement passif" qui "ne possédait apparemment aucun intérêt dans le domaine de la presse écrite". Mais lorsqu'il s'agissait des livres comptables du groupe, cette parfaite inconscience devenait comique. En effet, il est rapidement devenu évident que Hartwell n'avait pas la moindre idée du piètre état des finances. Beaucoup d'informations financières publiées dans le prospectus d'émission d'avril avaient été sous-estimées de façon désastreuse. La position réelle de l'entreprise était désespérée[14]. »

Selon une nouvelle analyse des comptes, 300 employés fantômes recevaient un plein salaire, alors que des dépenses personnelles incontrôlées étaient régulièrement passées dans les comptes du groupe. De plus, Hartwell avait mal évalué sa capacité de déménager dans les Docklands et de faire l'acquisition de nouvelles presses avec le même niveau de ressources. Selon Andrew Knight : « la famille Berry avait besoin de refinancer le *Telegraph*, non pas dans un an ou deux, comme je l'avais prédit, mais plutôt au cours des mois suivants. Michael Hartwell vieillissait, il n'avait pas demandé à ses brillants enfants de l'aider à gérer l'entreprise et il ne pouvait pas comprendre qu'il aurait besoin de financement supplémentaire dans un délai assez court. Les gestionnaires sous ses ordres étaient tous de la même génération que lui et léchaient ses bottes. Aucun de ces hommes ne comprenait les chiffres comme le fils de Hartwell, Nicholas, l'aurait fait, si on lui avait donné accès aux livres. »

Adrian Berry, l'actuel vicomte Camrose, est resté au conseil d'administration du *Telegraph* pendant quatre ans et en est devenu le rédacteur des pages scientifiques, mais il m'a dit qu'il n'avait pris aucune part aux négociations de vente du journal.

À l'automne 1985, Nicholas Berry chercha en vain à préparer une nouvelle offre. Le requin de la finance australien Robert Holmes à Court s'y intéressa momentanément, mais dès qu'il reçut copie de la préemption de Black, il se retira. Berry éprouve encore aujourd'hui de l'amertume envers Black. « Conrad Black a profité d'un vieil homme qui en fait était mon père, m'écrivit Berry[15]. Mon père a reconnu son erreur, mais a continué à se comporter en parfait gentleman. En contrepartie, Black n'a pas arrêté de le railler. Vous pouvez en conclure que son arrogance dépasse de loin son intelligence. »

Black tenait également Nicholas Berry en basse estime. « Dans le cas des Berry, l'allégation selon laquelle j'aurais floué Lord Hartwell a été inventée par son plus jeune fils, mais encore une fois il s'agit d'une fausseté absolue qui est plutôt liée à la politique interne des Berry. Ce n'est pas à moi de commenter les ramifications de cette politique, mais je n'ai d'aucune façon floué le père. M. Nicholas Berry, la personne à laquelle je fais allusion, sait pertinemment que j'ai posé une condition ferme en faisant cet investissement. Son père était parfaitement au courant et m'a même dit, et je cite, "je ne crois pas que nous puissions refuser une telle offre". Et il l'a fait de son propre gré, tout en profitant de conseils juridiques, et tout a été élaboré, couché sur le papier et signé. Son conseiller en placements Rothschild et son conseiller juridique étaient présents. Il était manifestement sain d'esprit et a continué à ma demande à tenir le rôle de président du *Telegraph* pendant les deux années suivantes. Et il savait pertinemment ce qu'il faisait. Et l'argument selon lequel il était un bon dirigeant du *Telegraph* jusqu'à ce qu'il prenne le Concorde pour New York, après quoi il aurait soudainement perdu la tête et aurait été floué par moi, sans que son conseiller juridique s'en rende compte... ou encore, comme le prétend Nicholas Berry, que son conseiller juridique aurait été négligent et que Rothschild aurait agi secrètement en mon nom. Mais c'est absurde ! Mais il vaut mieux oublier ces choses-là que d'y réagir. Il faut dire à la décharge de Lord Hartwell que lui-même n'a jamais fait cette allégation. Elle a plutôt été faite en son nom par son fils. De toute façon, j'avais l'impression que les relations entre eux n'étaient pas très bonnes. Son fils était partiellement monté contre lui, et partiellement contre moi. »

Fin 1985, juste au moment où Black s'apprêtait à prendre le contrôle du *Telegraph* en exerçant son droit de préemption, des articles critiques à son sujet commencèrent à paraître dans la presse britannique. Ainsi, l'auteur canadien John Ralston Saul affirma, dans le numéro du 23 novembre 1985 du *Spectator*, que Black s'était enrichi aux dépens d'entreprises comme Massey Ferguson et Dominion Stores, qu'il avait dirigées au fil des années. Dans ses nombreux écrits, Saul prêchait la politique de la rationalité et de l'éthique et exprimait une horreur du corporatisme de droite et du capitalisme des nouveaux riches.

« En juin 1985, la seule entreprise qu'il lui restait à exploiter était Norcen Energy Resources. N'ayant plus rien à réorganiser, il s'attaqua à ses associés et les évinça au moyen d'une nouvelle restructuration, ce qui laissait tout seul un jeune homme riche dont la réputation était sévèrement ébranlée au Canada. Dans les milieux de la finance, certains disaient même publiquement qu'ils n'avaient pas le goût de faire des affaires avec lui, tellement ses intentions étaient douteuses. » Selon Saul, comme Black « n'était ni homme à verser 17 millions de dollars [10 millions de livres] pour le privilège de siéger à un conseil d'administration de Fleet Street, ni homme d'humeur à s'empêcher d'intervenir dans chaque détail de ce qu'il possède, il convient de se demander quelles idées politiques il imposera au *Telegraph* s'il en prend le contrôle. L'esprit du néoconservatisme coule dans les veines de M. Black. Par conséquent, il est plus un homme de droite qu'un conservateur. Il est extrêmement proaméricain et pro-Reagan[16] ».

Le 5 décembre 1985, le conseil d'administration du *Telegraph* approuve les termes d'une nouvelle émission d'actions selon laquelle Hollinger, une des entreprises sous le contrôle de Black, obtiendra des actions d'une valeur de 20 millions de livres : 39 901 125 actions ordinaires au coût unitaire de 50 pence, permettant à Black d'augmenter sa participation à 50,1 %.

En d'autres termes, c'était un vol. L'un des meilleurs journaux au monde venait de changer de main pour un prix inférieur à 30 millions de livres. (Quatre ans plus tard, Rupert Murdoch dira que le *Telegraph* valait bien 1 milliard de livres.) À la mi-décembre, l'historien et journaliste britannique Paul Johnson écrivit une chronique désespérée dans le *Spectator* au sujet de la prise de contrôle « tragique » que venait de réaliser Black. Cette tragédie s'était déroulée, selon Johnson, en plusieurs actes : le lancement par Hartwell d'un programme ambitieux d'investissement dans de nouvelles presses ; le fait que Hartwell ait ignoré les talents qui existaient dans sa propre famille ; le mauvais calcul qu'il avait fait en acceptant de céder à Black un droit de préemption ; et finalement, la perte de contrôle de la famille Berry. « Ce journal m'a toujours fait penser au gâteau de noces de Mlle Havisham, écrivit Johnson. Pour le sauver, il fallait faire preuve d'énormément de doigté et surtout de respect à l'égard de la droiture et de la fidélité qui unissent le journal, son personnel et les lecteurs. Le seul fait d'ouvrir la porte aux vents violents du changement commercial pourrait réduire le *Telegraph* en poussière[17]. »

Depuis la fin des années 1960, Black publiait dans le *Sherbrooke Record* des articles d'agence du chroniqueur conservateur américain William F. Buckley fils. Au milieu des années 1980, il consulta Buckley sur le meilleur moyen de lancer une publication conservatrice au Canada.

Black fréquentait désormais des gens qui comptaient sur la scène internationale. Il était impressionné par l'ardent conservatisme de Margaret Thatcher et de Ronald Reagan. Mais les deux chefs politiques étaient fort différents. Dominatrice, idéologue, persuadée de sa propre vertu, d'une ferveur presque obsessionnelle, Thatcher arrivait à dominer le réseau informel des gentlemen de son gouvernement, jetant parfois brutalement son sac à main sur la table de la salle du cabinet du 10 Downing Street pour interrompre une discussion. Et en repoussant l'invasion par l'armée argentine des îles Malouines dans l'Atlantique Sud, elle avait bloqué le démantèlement final de l'Empire britannique. De son côté, Reagan n'avait rien d'un intellectuel. Dans ses évocations évangéliques décousues de l'Amérique – « la lumière du monde », une « ville située sur une hauteur qui ne peut être cachée[18] » – et dans son vibrant appel à la communauté scientifique américaine afin de développer le système antimissile de « la guerre des étoiles », il faisait preuve d'une féroce détermination à rétablir le prestige de la présidence et la supériorité politique et militaire des États-Unis.

Thatcher et Reagan célébraient la « relation spéciale » de leurs pays et soutenaient de manière triomphale les objectifs de profit, tout en s'attaquant à l'étatisme, aux syndicats et à l'Union soviétique militariste ainsi qu'à l'attitude générale de défaitisme qu'ils percevaient en Occident. Ils représentaient l'épanouissement de ce que Black appelait « le conservatisme intégral ». Il voulait faire partie de ce vaste mouvement néoconservateur qui commençait à s'étendre au-delà du Royaume-Uni et de l'Amérique. Black aurait voulu jouer au Canada le rôle de mouche du coche conservatrice qu'incarnait Buckley aux États-Unis. Ancien de l'Université Yale, Buckley avait été tour à tour agent de la CIA, chroniqueur de journaux, romancier, essayiste, et animateur de *Firing Line*, une émission télé d'affaires publiques particulièrement percutante. Catholique et conservateur, Buckley portait des chemises à pointe boutonnée et des costumes Brooke Brothers. Il faisait la promotion de « la liberté, de l'ordre, de la communauté et de la justice à l'ère de la technologie », tout en reprochant aux libéraux les règlements gouvernementaux, les restrictions de la liberté individuelle et les effets néfastes d'attitudes progressistes bien intentionnées mais dangereuses. (Sa défense du conservatisme figurait régulièrement, quoique de manière incongrue, dans les pages du magazine *Playboy*, où ses articles sur la visite officielle de Nixon en Chine en 1973, l'importance de la charité et l'impératif de l'espionnage paraissaient à côté de fantasmes érotiques et d'alléchantes photos de courtisanes aux yeux tendres étalées sur plusieurs pages.)

Au début des années 1980, le Canada subissait une transformation à son tour, mais le pays ne constituait pas vraiment un terrain fertile pour le « conservatisme intégral » à la Thatcher et à la Reagan. Profitant d'une motion de non-confiance pour renverser le gouvernement progressiste-conservateur minoritaire de Joe Clark en décembre 1979, les libéraux de Pierre Trudeau étaient revenus au pouvoir avec une confortable majorité en 1980. En 1981, Trudeau avait rapatrié la Constitution de Westminster, malgré les objections de l'Assemblée nationale du Québec. L'année suivante, il enchâssait dans la nouvelle Constitution une « Charte canadienne des droits et libertés ».

Trudeau plaidait en faveur d'une telle charte depuis les années 1950, alors qu'il dirigeait la revue *Cité libre*. Mais la Charte de 1982 comportait un élément tordu : la clause nonobstant, qui permettait aux législatures provinciales, dès lors qu'elles le jugeaient nécessaire, de passer outre à la Charte (qui protégeait notamment les droits à l'expression, à la conscience, à l'association, à l'assemblée, ainsi que les droits à la vie, à la liberté et à la sécurité personnelle). En encourageant les individus à interpréter leur relation avec la société en termes de droits, la Charte marquait un virage important dans la culture politique canadienne. Selon la nouvelle culture revendicatrice, chacun était potentiellement la victime ou bien l'agresseur de quelqu'un d'autre. En marchandant avec les premiers ministres des provinces pour faire adopter la Charte qu'il souhaitait depuis longtemps, Trudeau avait accepté la clause nonobstant comme concession pragmatique. Mais la clause constituait tout simplement une aberration, car depuis le XVIIIe siècle, le libéralisme classique cherchait à protéger l'individu des décisions arbitraires et sans appel de l'État. De plus, l'héritage de Trudeau rendait presque impossible tout futur amendement à la Constitution canadienne, la loi suprême du pays.

J'ai traduit deux livres de Trudeau en anglais. Je me souviens de l'avoir présenté lors d'un souper de *Cité libre*, à Montréal, au professeur John Humphrey, qui avait dirigé le programme des droits de l'homme de l'ONU entre 1946 et 1966, tout en collaborant de façon étroite avec Eleanor Roosevelt (la veuve de l'ancien président américain Franklin Delano Roosevelt). Humphrey avait été l'un des rédacteurs de la Déclaration universelle des droits de l'homme et avait dirigé le processus d'adoption des grandes conventions des droits de l'homme à l'ONU jusqu'en 1966. Il m'avait confié à l'époque que la Charte canadienne des droits et libertés était certes remarquable, mais imparfaite, car « la clause nonobstant investit l'État d'un pouvoir arbitraire par rapport à l'individu, ce qui va totalement à l'encontre du but recherché, qui est de constitutionnaliser les droits individuels ».

Peter White soutient qu'à un certain moment, « Trudeau a offert à Conrad un siège au Sénat et je crois que Jim Coutts [chef de cabinet de Trudeau entre 1975 et 1981] lui avait aussi offert une circonscription sûre à la Chambre des communes et un poste de ministre, mais dans les deux cas, Conrad avait refusé ».

Black désapprouvait la position idéologique de Trudeau. « Il a fortement confirmé que le Canada était un pays de centre gauche, se souvient Black. Pas une orientation centre gauche à outrance – et il n'était pas lui-même un gauchiste à outrance –, mais une orientation gauchiste modérée qui, à mon avis, n'était pas la bonne voie. Il a accéléré la fuite des cerveaux vers les États-Unis, il a aggravé la disparité économique entre le Canada et les États-Unis... Trudeau avait de formidables qualités de leader. Il était courageux, il avait beaucoup de style et de flair et inspirait les gens. Comme premier ministre, il fut assez rusé pour rester au pouvoir même s'il ne remporta jamais deux victoires majoritaires consécutives. Mais ses décisions politiques étaient mal inspirées, sauf peut-être, dans une certaine mesure, celles touchant le Québec. À mon avis, il a demandé au pays de payer un prix excessif, en affirmant que les droits individuels étaient importants, et non les droits provinciaux revendiqués par les dirigeants du Québec à partir de Maurice Duplessis. Et la Charte des droits qu'il nous a laissée a donné carte blanche aux juges pour se substituer aux législateurs. Les résultats ont été, à mon avis, à la fois déroutants et, à bien des égards, néfastes... Ce n'est pas une Charte des droits, mais plutôt une Charte des droits dans chaque province, pourvu que le parti au pouvoir dans chaque province ne cherche pas à y passer outre. Et c'était la seule façon pour lui de faire adopter sa Charte. »

J'avais le sentiment que Trudeau était un socialiste bourgeois, un dilettante, un fils à maman à la libido démesurée, un narcissique, un coureur de jupons imbu de son propre style. Il semblait parfois jouer au dandy dans le seul but d'attirer l'attention. C'était un homme qui avait goûté à tous les plaisirs de la vie.

Il avait une aura. Il sortait avec de belles vedettes du spectacle et du cinéma – des femmes comme Barbara Streisand, Liona Boyd, Louise Marleau et Margot Kidder. Il représentait quelque chose qu'on n'avait jamais vu dans les milieux politiques canadiens : un play-boy du *jet-set*. « Presque tous les hommes qui connaissent la vraie réussite auprès des femmes, écrira Margot Kidder – une belle brune qui avait joué le rôle de Lois Lane dans les films de *Superman* – à propos de Trudeau, partagent un trait commun : la capacité inconsciente de faire en sorte que les femmes les voient comme de petits garçons pris au piège sous plusieurs couches défensives. Et une fois qu'une femme a aperçu cette essence chez un homme, elle ne pourra jamais se détacher de lui. » Elle se souvenait d'un jeu fantaisiste aux accents érotiques prisé par Trudeau. « Un des jeux qu'il avait inventés s'appelait "jouer à l'Indien". "Allons-nous jouer à l'Indien ?" me demandait-il lors de nos week-ends au lac Mousseau. On jouait à l'Indien en rôdant furtivement dans les bois, tout en évitant de faire craquer les branches pour ne pas attirer l'attention de l'ennemi. Les agents de la GRC, tout en demeurant discrètement à distance, faisaient semblant de ne pas remarquer que le premier ministre marchait sur la pointe des pieds avec sa copine. Au garde-à-vous dans la forêt, ils faisaient semblant de ne pas être là, ils faisaient semblant d'être des arbres[19]. »

En fait, un sénateur libéral m'avait dit un jour que Trudeau avait des appétits sexuels carrément voraces et que sénateurs et ministres étaient régulièrement à l'affût de belles jeunes femmes à placer sur son chemin. Cela donnait un tout autre sens à l'expression « approvisionnement gouvernemental ».

Mais cette aura de play-boy, soigneusement cultivée et manipulée par le Parti libéral, entraîna un prix personnel très lourd à payer pour l'épouse de Trudeau, Margaret Sinclair, et leurs fils.

En 1984, le Parti libéral fédéral de Trudeau était épuisé. Essayant de détourner l'attention du public de son incapacité à élaborer des politiques sociales et économiques solides, Trudeau avait entrepris une tournée internationale soi-disant en faveur de la paix, qui avait été mal préparée et s'était avérée inefficace. À cette époque, le Parti québécois de René Lévesque était également épuisé. La disparition de Lévesque de la scène politique s'expliquait à la fois par sa piètre performance de négociateur au nom des Québécois, mais aussi par son attachement aux valeurs de la démocratie parlementaire (il acceptait que les Québécois puissent dire « non » à son objectif d'un État québécois indépendant, alors que d'autres péquistes prônaient une déclaration unilatérale d'indépendance). Après le départ de Trudeau, le premier ministre par intérim John Turner perdit l'élection de 1984 et, après le départ de Lévesque, le premier ministre par intérim Pierre Marc Johnson connut le même sort en 1985.

Le déclin des libéraux fédéraux et du Parti québécois ouvrit une porte au Parti progressiste-conservateur de Brian Mulroney. En 1984, Mulroney mena les conservateurs à la plus grande victoire de l'histoire politique canadienne – 211 sièges à la Chambre des communes – avec l'appui des conservateurs anglophones et des nationalistes francophones. Mulroney n'avait pas le brio de Trudeau. Il cherchait trop à être charismatique, à gonfler et à projeter sa personnalité. Ses antécédents intellectuels se résumaient au donnant-donnant des négociations patronales-syndicales. Et il semblait souvent chercher à obtenir des avantages personnels. Mais il représentait une transformation radicale dans un pays qui avait tendance à considérer les libéraux comme le parti du gouvernement.

Mulroney m'a expliqué un jour en entrevue que « nous avons essayé de corriger les erreurs des libéraux, ce qui voulait dire diminuer le déficit, réduire les dépenses, privatiser, déréglementer, adopter le libre-échange et l'ALENA, etc. Il s'agissait là de mesures qui furent très impopulaires à l'époque, mais qui se sont avérées par la suite avoir été dans l'intérêt des Canadiens, comme en témoigne le fait que M. Chrétien n'en a rien changé ». En effet, Mulroney avait fait preuve de pragmatisme en déplaçant le centre de gravité politique vers la droite. (Black préférait la version tranchante et idéologique du conservatisme préconisée par Thatcher et Reagan.)

Mulroney ne se démarquait pas de façon gratuite de la position canadienne par rapport aux États-Unis. Bien au contraire, il développa une relation proche et mutuellement satisfaisante avec le seul voisin géographique et le plus grand partenaire commercial du Canada. Mais dans un domaine particulier, Mulroney se démarquait très nettement de Thatcher et Reagan en ce qu'il voyait toute l'importance de remplacer le régime de l'apartheid en Afrique du Sud par un jeune État multiethnique jouissant d'institutions démocratiques et qui représenteraient l'ensemble de la population.

En 1976, Black avait vivement conseillé à Mulroney d'entrer en lice comme candidat à la direction du Parti progressiste-conservateur et ils étaient demeurés en contact depuis. L'associé de Black, Peter White, était devenu secrétaire particulier de Mulroney. Mais le nouveau premier ministre ne répondait pas aux espoirs idéologiques de Black, qui dédaignait le conservatisme modéré de Mulroney autant qu'il avait déjà dédaigné le libéralisme modéré de Trudeau.

« Pour tout dire, se rappelle Black, Brian avait un mandat tellement fort qu'il aurait pu virer bien plus à droite qu'il ne l'a fait. Il n'est pas d'accord avec cette affirmation et il se défend de façon convaincante. Mais il faut dire que c'était lui le premier ministre et pas moi ; c'était son mandat à lui, pas le mien, et il a fait ce qu'il croyait devoir faire, et dans une large mesure je respecte sa position. Mais je crois qu'il aurait pu mener le pays vers un conservatisme plus intégral. Il n'a pas trop perturbé ce qu'on pourrait appeler la "donne de Trudeau". Il a critiqué la clause nonobstant, mais seulement quand il était sous pression parce que l'Accord du lac Meech et d'autres politiques commençaient à foirer. Lors de son premier budget, il a renoncé à l'abrogation de l'universalité [des programmes sociaux]. Au bout du compte, Brian n'a pas engagé d'attaque particulièrement acharnée contre la structure étatique telle qu'élaborée par Pearson et Trudeau. »

En 1985, lorsque le *Globe and Mail*, le journal torontois de Kenneth Thomson, décida de lancer un magazine mensuel, on offrit à Black d'y écrire des chroniques, ce qui était l'occasion pour lui de cultiver son image publique d'homme d'affaires sérieux et de défenseur éloquent du « conservatisme intégral », bien à droite de Mulroney. Thomson connaissait Black depuis longtemps déjà : « Conrad a toujours admiré la Thomson Corporation et les entreprises qui l'ont précédée, telles que Thomson Newspapers. Je me souviens qu'une fois, il avait cité de mémoire des informations financières publiées dans le rapport annuel de Thomson Newspapers. J'avais été très impressionné par sa capacité de se rappeler des faits avec une telle exactitude. »

Le respect était mutuel. Selon Black, on n'a pas reconnu à Ken Thomson « le mérite qui lui est dû depuis qu'il a pris Thomson Corporation en main. Il est rare de voir un homme d'origine modeste comme son père [Roy Thomson] réussir si bien, mais cela arrive. Or, il est extrêmement inhabituel... de voir un fils doubler le succès de son père et multiplier de façon exponentielle le patrimoine qu'il lui a légué... Comme propriétaire de journaux, j'avais l'impression que le seul journal que [Ken] aimait réellement était le *Globe and Mail* et que l'idée qu'il se faisait de son rôle de propriétaire l'incitait à ne pas se mêler de ses opérations. Dans les pages de son journal, il a parfois fait l'objet de critiques injustes. À cet égard, il s'est montré bien plus indulgent et large d'esprit que d'autres propriétaires, comme moi. Mais sur le plan commercial, il a connu d'énormes succès, y compris en se retirant de l'industrie de la presse écrite ».

C'est le rédacteur en chef du *Globe*, Norman Webster, Montréalais issu d'une vieille famille de l'establishment et qui avait servi avec distinction comme correspondant du *Globe* en Chine, qui embaucha Black comme chroniqueur. « Nous étions en train de démarrer le *Report on Business Magazine* et nous voulions renforcer le *Globe and Mail*, dit Webster. Les magazines ont une personnalité différente, qui se distingue du simple reportage financier. Nous avions besoin de chroniqueurs intéressants et Black était un choix évident. Il était bien connu dans le milieu des affaires, il était Canadien et avait beaucoup d'opinions intéressantes. Monter le magazine était un gros projet pour le *Globe and Mail* et je m'y suis beaucoup investi au début. Pour nous, le magazine devait être vivant et bien écrit[20]. »

L'idée d'embaucher Black comme chroniqueur chez Lord Thomson of Fleet était brillante. Non seulement il avait des opinions bien arrêtées et ne mâchait pas ses mots, mais il avait aussi une assurance insolente et, surtout, une perspective audacieuse sur le rôle du Canada dans le monde qui ne manquerait pas d'intéresser les lecteurs du *Globe*.

Au départ, le rôle de Conrad Black comme chroniqueur refléta une sorte de relation amour-haine qu'il entretenait avec le journal. Déjà en 1979, Kenneth Thomson avait déjoué Black en prenant le contrôle de FP Publications et, par la même occasion, du *Globe*. Puis, entre 1985 et 1988, le *Report on Business Magazine* offrit de l'espace aux chroniques de Black. Peter Cook, ancien correspondant chevronné de l'agence Reuters en Extrême-Orient, révisait les chroniques de Black. Ils s'étaient déjà connus en 1981, du moins au sens figuré, lorsque Cook avait écrit *Massey at the Brink*, un livre qui critiquait vivement le rôle de Black dans la crise qui avait frappé le fabricant d'équipement agricole Massey Ferguson.

« Je suis allé faire un tour au 10 Toronto Street pour le rencontrer, dit Cook. J'avais écrit mon livre sur Massey en 1981. Il me connaissait par mon livre, mais nous ne nous étions jamais rencontrés en personne. Nous avons bavardé un peu. Il était très charmant. "Vous êtes mon réviseur, m'avait-il dit. Vous pouvez faire de ma copie ce que vous voulez." Installé dans sa demeure, il avait l'habitude de veiller tard, tapant à la machine au milieu de la nuit. C'était une Underwood et je crois que la lettre "e" n'imprimait pas comme il faut. Mais en fait, il ne voulait pas qu'un seul mot de ses chroniques soit modifié. À un moment donné, il m'avait demandé une augmentation de son cachet, ce qui nous avait bien fait rire. Je crois qu'il devait recevoir 2000 $ par article à l'époque[21]. »

Le magazine permit à Black de célébrer ses réussites commerciales. Par ailleurs, son camarade de classe John Fraser, correspondant du *Globe* à Londres, rédigea un long article provocateur sur sa prise de contrôle du *Telegraph* en 1985. Black était à la fois observateur et acteur, une personnalité publique bien en vue et régulièrement scrutée par les médias. Sa relation avec le *Globe* était tumultueuse. En 1987, lorsque le *Globe* publia un portrait peu flatteur de lui, Black entama une poursuite en diffamation contre le journal, réclamant 7 millions de dollars en dommages et intérêts. La même année, il racheta le mensuel *Saturday Night* de son ancien rédacteur en chef du *Globe*, Norman Webster. L'année suivante, Black devint le concurrent direct de son employeur en transformant le *Financial Post* en quotidien financier national.

Pour beaucoup de journalistes, Conrad Black était un phénomène : un homme riche et puissant, iconoclaste, acteur et maître de la prise de contrôle. De son côté, il reprochait aux journalistes leur habitude de juger trop vite les situations et se moquait de leur manque de professionnalisme. Intimidant, mélancolique, comme le philosophe apocalyptique Spengler avant lui, il ruminait le déclin de l'Occident. Et les journalistes savaient qu'il rédigeait ses chroniques pour le *Report on Business Magazine* dans le confort feutré d'une résidence qui valait plusieurs millions de dollars. La bibliothèque en dôme de Black, équipée d'un escalier secret qui montait à une deuxième galerie, était parfois comparée à la basilique Saint-Pierre de Rome. Tout le monde parlait de ses meubles d'ébène de style Empire au revêtement marbré.

Certains journalistes arrivaient même à comparer la demeure géorgienne à Xanadu, le sombre château de *Citizen Kane*. Ils comparaient la caricature de Black au célèbre personnage de magnat de la presse, dont le nom est « aimé, détesté, craint et rarement prononcé ».

En 1993, Black fit lui-même cette comparaison, plaisantant au sujet de la façon dont il avait défendu la qualité de l'eau au lac Brome, au Québec, en 1968 : « Comme l'image d'Orson Welles qui disait dans *Citizen Kane* : "Les gens penseront ce que je leur dirai de penser", j'avais entrepris une campagne acharnée contre les "mauvais administrateurs du lac moribond[22]". »

Dans le film, Kane se fait expulser d'une série de collèges privés et se débarrasse de la vieille garde en prenant le contrôle de son entreprise de famille. Ce personnage tragique veut que les autres l'aiment tout en leur imposant ses propres conditions. Il finit ses jours isolé et amer.

En décrivant sa première rencontre avec Black en 1987, Robert Fulford, ancien rédacteur de *Saturday Night*, alla plus loin encore dans la comparaison avec *Citizen Kane*: «[Black était] un millionnaire très particulier, moins à cause de ses sujets de conversation que de sa manière de se tenir. Il était plus théâtral que n'importe quel autre homme d'affaires que j'ai eu l'occasion de connaître. Sa personnalité faisait penser à une mise en scène, une production, mais en même temps elle rappelait bizarrement quelqu'un de bien familier. Où l'avais-je déjà rencontré, ce grand et bel homme dont les manières étaient dédaigneuses et condescendantes et le vocabulaire baroque? Mais bien sûr: Orson Welles dans *Citizen Kane*. J'étais en train de parler à Citizen Black.» Comme il soupçonnait que Black comptait intervenir directement dans les décisions éditoriales de *Saturday Night*, Fulford en arriva rapidement à la conclusion qu'il ne pouvait pas demeurer à son poste de rédacteur en chef. Il tira sa révérence.

On peut comprendre que les journalistes comme Fulford aient comparé Black à *Citizen Kane*; mais il est possible que Black ait été le premier à faire ce rapprochement. C'est un homme qui a un sens grandiose de sa propre importance et de ses relations exceptionnelles avec des personnalités éminentes, qui lance des indices à gauche et à droite pour voir si les journalistes qui sont à ses trousses vont comprendre l'allusion et établir les liens. Il alimentait leur curiosité afin qu'à leur tour ils alimentent sa vanité.

De plus, tout comme Kane, Black vieillissait avant l'âge. «Je ne me vois pas comme quelqu'un de jeune, expliquait Black à Peter C. Newman en 1982. Selon mon associé David Radler, j'ai un âge psychologique de 80 ans[23].»

De son côté, Mark Abley de la *Gazette* de Montréal disait de Black qu'il pouvait rire sans bouger sa bouche, que son grand visage avait un double menton, mais que ses yeux étaient petits et qu'il se déplaçait «comme un tigre dans la jungle[24]».

Norman Webster m'a confié qu'il pouvait difficilement éviter que les chroniques de Black ne dérapent. «Ce n'est pas facile d'être chroniqueur. Il faut que ce soit intéressant. Dans un magazine tel que *Report on Business*, il faut qu'il y ait du contenu. Je connais le monde des chroniques depuis 30 ans. J'aime les chroniques qui offrent de l'information et de l'analyse. Trop de chroniques ne sont que des déclamations, dans lesquelles les auteurs se défoulent et décrivent leurs propres sentiments.

Je voulais que Conrad écrive au sujet de l'entreprise au Canada. Mais l'une de ses premières chroniques traitait de la peine capitale et de l'avortement, ce qui a surpris tout le monde, y compris le réviseur. J'ai dit : "Laissons faire pour l'instant et attendons de voir la suite." Les chroniques de Conrad ont fini par être une combinaison de ses opinions et de certains sujets d'affaires que nous lui proposions. Elles ont comblé mes attentes[25]. »

Les chroniques de Black dans *Report on Business Magazine* étaient délibérément provocatrices et dédaigneuses envers la rectitude politique. Il dissertait sur des sujets qu'on ne voyait pas souvent dans des magazines consacrés aux affaires : le contrôle des armements, la réglementation des institutions financières, la réforme du Sénat, les libertés civiles, la peine capitale, l'abandon de l'éthique du travail et la concentration des entreprises. Il travaillait avec acharnement sur ses chroniques, faisant des recherches fouillées et des lectures assidues, établissant des liens que la plupart des journalistes ne saisissaient pas. Il rédigeait ses chroniques surtout pendant la nuit.

Selon Peter Cook, la révision des textes de Black était une tâche ardue. « Il utilisait des mots extrêmement longs et des phrases emberlificotées. Mais les articles étaient mordants. La directrice de la rédaction Doreen Guthrie et moi cherchions à communiquer avec lui pour discuter de changements éventuels. Nous avons eu plusieurs confrontations avec lui, mais notre rôle était surtout de publier un magazine. De toute façon, si les chroniques de Black ne voulaient rien dire, ce serait en fin de compte le problème de Norman Webster et non le mien. »

Ces chroniques étaient explosives – elles ressemblaient aux tempêtes verbales rabelaisiennes qu'avait évoquées Northrop Frye, les mots débordant de tous côtés et formant soit des listes, soit des épithètes abusives, soit des explications pointilleuses de détails techniques[26]. Les écrits de Black n'étaient pas particulièrement convaincants ; il s'agissait plus pour lui de s'affirmer de façon piquante. Il dénonçait l'abus de pouvoir et l'absence de responsabilité des journalistes, fondant ses propos sur son vécu. « Au Canada, écrivit-il, la presse a la sale manie d'inventer la nouvelle, en établissant puis en massacrant les réputations. C'est plus facile de fabriquer les nouvelles que de les rapporter. » Sans vergogne, il prenait à partie son employeur : « Depuis des décennies, le *Globe and Mail* se gargarise de l'affirmation douteuse selon laquelle il est notre quotidien national et qu'il se distingue parmi les journaux internationaux[27]. »

Mois après mois, les chroniques de Black lui fournissaient une plate-forme qui lui permettait d'exposer son néoconservatisme véhément. À l'image de Thatcher et de Reagan dans leurs pays respectifs, il conseillait vivement aux Canadiens de réduire la part du PNB consacrée aux dépenses publiques ; de « séparer de manière définitive les syndicats de la fonction publique des syndicats ouvriers et d'abroger cette absurdité antédiluvienne qu'est le droit de grève dans le secteur public et qui va contre l'intérêt public » ; de récompenser le mérite et l'innovation dans le monde des affaires au lieu de « chercher encore à entretenir nos tristes habitudes nationales qui consistent à punir la réussite, à promouvoir la médiocrité, à encourager la convoitise et le ressentiment envers la réussite économique et à exalter les interventions indiscrètes et gratuites des autorités » ; d'empêcher la prédilection inébranlable des médias canadiens pour « la destruction de quiconque réussit vraiment quelque chose » ; d'apprécier la supériorité du gouvernement Mulroney, en matière de politiques, par rapport à tout ce qu'on a vu depuis 30 ans (même si Black reconnaissait « les exagérations artistiques du premier ministre, ses platitudes, sa façon de flirter avec le mensonge éhonté, la conduite douteuse de ses associés, et son apparente vanité, qui ont entaché sa réputation de manière sérieuse »). Au sujet de l'avortement, Black écrivait qu'il n'y aurait pas de solution à cette controverse « sans une certaine réconciliation d'opinions polarisées. Il est aussi irréaliste de penser qu'on arrivera à éliminer l'avortement ou à imposer l'accouchement comme moyen de punir les femmes malchanceuses ou imprudentes que de représenter l'avortement comme une simple manifestation du droit souverain de l'individu à son propre corps, comme un geste n'ayant guère plus de sens moral ou social que de déféquer[28] ».

Black moulait son propre personnage public sur ses opinions tranchées, mais il en payait le prix. Lorsqu'il affirma que les Canadiens étaient moins concurrentiels, individualistes, créatifs et généreux que les Américains, il se fit vertement réprimander par les nationalistes canadiens-anglais qui le soupçonnaient de vouloir que le Canada devienne une copie carbone des États-Unis. La gauche canadienne était choquée par son « conservatisme intégral » et son ascension fulgurante dans le monde des médias et des affaires.

Black développa graduellement son « conservatisme intégral », au moment même où ses pratiques d'affaires étaient fort contestées, qu'il s'agisse de la prise de contrôle d'Argus, du largage de Massey, de la façon dont il avait mis la main sur le régime de retraite des employés de Dominion, sans parler des graves accusations portées contre lui par la SEC. Son idéologie de droite ressemblait moins à un énoncé clair de la vision et de la mission qui motivaient ses actions à venir qu'à une justification affectée et grandiloquente de ce qu'il avait déjà fait.

Maude Barlow, auteure de gauche et directrice d'un organisme non gouvernemental, publia un recueil de citations (*The Big Black Book*) illustrant toute une série d'opinions de droite exprimées par Black et Barbara Amiel. Elle évoque ainsi sa première rencontre avec Black en 1983, lors de la visite officielle au Canada du prince Charles et de Lady Diana. « J'étais sur le point de devenir conseillère principale de Pierre Trudeau sur les questions féminines, dit-elle. Conrad Black et moi nous étions approchés d'un bol de fraises et il n'en restait qu'une seule. J'offris de la partager avec lui, mais il la transperça d'un pic et partit aussitôt[29]. »

Barlow s'est mesurée à Black dans les médias et même au tribunal. « C'est un m'as-tu-vu, dit-elle, un personnage bien en vue qui adore attirer l'attention des autres et, ce faisant, il a fini par représenter tout ce que les gens détestent du capitalisme sauvage. Il a couru après, en articulant une série de valeurs que beaucoup de gens prennent pour la norme dans le milieu des affaires. Il se délecte de sa position supérieure, de sa richesse et de sa capacité d'obtenir tout ce qu'il veut. Je crois que c'est un idéologue. C'est un homme de droite. Il est très intelligent. Son idéologie peut être une façade derrière laquelle il cache des pratiques assez impitoyables en affaires. Il croit que nous avons besoin d'un système de classes au Canada. Il a hérité de privilèges et il en est fier. Il croit que les barons de l'industrie devraient jouer un rôle clé dans toutes les orientations de l'État. »

Lorsque Black déclare la guerre aux syndicats, qu'il tient responsable du protectionnisme, des salaires excessifs, de la dépréciation de la monnaie et de la baisse de la productivité, son thème sous-jacent est que d'autres gens doivent faire des sacrifices économiques alors que lui, à titre de propriétaire, prend des risques importants et mérite donc une rétribution proportionnelle. Le salut économique, disait-il, passe par le travail acharné, des salaires plus modestes, une productivité accrue, un accroissement de la compétitivité et par-dessus tout le libre-échange avec les États-Unis qui constitue « la seule façon pour nous d'éviter l'exécrable décadence économique du pays[30] ». Comme il croit que l'aide gouvernementale ne devrait être offerte qu'à ceux qui en ont vraiment besoin, il est en faveur de l'abolition des programmes sociaux universels. Mais les Canadiens ne comblent pas les attentes de Black. En bons centristes, ils rejetaient d'emblée sa recette néoconservatrice.

Pour lui, « le conservatisme intégral » signifiait « la maximalisation de la latitude et de la liberté individuelles jusqu'au moment où elles commencent à entrer en conflit avec le possible exercice de ces droits par d'autres ». Il croyait que la plupart des gens étaient assez conservateurs. « À certains égards, même des gauchistes bien en vue sont souvent assez conservateurs. Il y a peu de nihilistes invétérés qui cherchent à tout saccager. Presque tout le monde devient à l'aise avec quelque chose et souhaite le conserver. Je ne m'accroche pas automatiquement à tout ce qui est le moindrement ancien... Je dirais que je suis plutôt réformateur que conservateur, plutôt quelqu'un qui souhaite le changement constructif que le défenseur par réflexe du *statu quo*. Après tout, on essaie d'être pragmatique, et de faire ce qu'il faut. »

Black reconnaissait que ses positions à l'emporte-pièce lui avaient parfois joué de mauvais tours. « Quand je suis devenu un personnage d'envergure dans le milieu des affaires au Canada, je croyais qu'en rompant avec le stéréotype de l'entrepreneur qui n'arrivait pas à expliquer ce qu'il faisait de manière cohérente, j'accomplissais quelque chose pour la communauté d'affaires en général. Mais en pratique, cela a probablement été une erreur parce que j'ai été soumis à beaucoup d'opprobre, comme si j'étais devenu une sorte de caricature du capitaliste dépourvu de tout sentiment, ce qui n'est pas le cas. Mais là n'est pas la question. En matière de relations publiques, je me suis exposé au danger. Si tout était à refaire, je crois que je serais bien plus discret. »

L'image provocatrice que Black projetait comme chroniqueur était renforcée par ce qu'il écrivait à son propre sujet. À titre d'exemple, dans le numéro de juillet 1987 du *Report on Business Magazine*, il disait se sentir « enhardi » au point de raconter en termes élogieux ses propres exploits en affaires, que ce soit la prise de contrôle d'Argus, l'accroissement progressif de ses actifs ou la réorganisation de ses filiales, ce qui avait parfois entraîné des licenciements massifs. « Les gens qui ont investi chez nous en 1978, conclut-il, en ont profité allègrement. Les action-naires ordinaires et privilégiés d'Argus ont réalisé des plus-values de 65 et 120 % respectivement (jusqu'en 1985, lorsque l'entreprise fut privatisée) ; les actionnaires de Standard [Broadcasting] de 110 % et, depuis 1978, les actionnaires de Hollinger et Dominion ont réalisé des plus-values de 136 et 167 % respectivement, tout en conservant de bonnes perspectives de gains dans l'avenir. Nous avons réalisé une transition importante : en arrivant à la tête d'Argus, nous contrôlions de façon ténue et illusoire tout un fatras délabré d'épiceries au détail syndicalisées, d'actifs dans le minerai de fer et l'équipement agricole, de stations de radio solides quoique d'orientation plutôt gériatrique ; alors qu'aujourd'hui, nous sommes à la tête d'un groupe international de journaux à la fois riche, bien positionné et bien géré. Désormais, nos trajectoires passées et futures devraient être parfaitement évidentes. Heureusement, l'évalua-tion des performances de Hollinger fondée sur l'illusion et la myopie est maintenant chose du passé. Récemment, les choses se sont présentées de façon satisfaisante, mais comme mes amis gauchistes disaient autrefois : "Nous avons vu l'avenir, et ça marche." »

Peu de temps après la parution de cette chronique fanfaronne de Black, le *Globe* publiait sous le titre « Citizen Black » un reportage de fond dans lequel le journaliste John Partridge prononçait un jugement sévère sur Black. L'article était un recueil de tout ce qu'on avait jamais dit, pensé ou écrit de pire à son sujet. Quelle qu'en ait été la motivation, Partridge semblait répondre directement aux chroniques de Black dans le *Report on Business Magazine* dans lesquelles ce dernier « disserte de-puis deux ans et demi ». Fondé sur du ouï-dire et des sources anonymes, sans preuves à l'appui, l'article de Partridge ridiculisait Black et portait de graves accusations de mauvaise conduite corporative à son endroit : « M. Black ne daigne pas discuter de ces questions en ce moment. Il est à Londres pour l'été. » Selon le cardinal Emmett Carter, archevêque de Toronto, qui séjournait chez les Black en Angleterre au moment de sa parution, cet article était certainement diffamatoire.

Black déposa une poursuite contre le *Globe*, réclamant 7 millions de dollars en dommages et intérêts, soutenant que l'article alléguait que

« mes critiques, d'ordinaire anonymes, estimaient que j'avais dépouillé des sociétés et des institutions, opprimé des actionnaires minoritaires, empoché les prestations de retraite de certaines personnes, "détruit" des entreprises publiques et que j'avais été pris "la main trop près du sac". L'article me reconnaissait quelques qualités et concluait en disant que j'avais une mainmise inexpugnable sur Hollinger, que j'administrais au moins avec une certaine dose de succès ».

Black estimait que l'article n'était le fait ni des « durs à cuire de la gauche politique ni des débris chancelants de la vieille garde de l'establishment ». Il fallait plutôt en attribuer la responsabilité au « sulfureux » sentiment d'envie typiquement canadien qui est particulièrement marqué chez les jeunes journalistes[31].

Presque deux ans plus tard, dans le cadre d'une entente avec Black, le *Globe* publiait une rétractation tout en présentant ses excuses : « En faisant le résumé de la carrière d'affaires de M. Black, l'auteur a évoqué des jugements personnels exprimés antérieurement à son sujet, tout en communiquant certaines de ses propres opinions. M. Black a déposé une poursuite en diffamation contre le *Globe and Mail*, dans laquelle il prétend que les descriptions et commentaires parus dans l'article comprenaient des passages malicieux et diffamatoires. Selon M. Black, l'examen de ses activités d'affaires fait par ce journal et par d'autres omettait de signaler d'importants aspects de sa carrière. »

Une fois que le *Globe* eut publié ses excuses, Black laissa tomber l'affaire. Il est intéressant de noter que Peter Atkinson, conseiller juridique de Hollinger qui représentait Black dans cette poursuite, allait faire face à plusieurs accusations de fraude, lors du procès au criminel à Chicago en 2007.

Au cours des mois suivant sa prise de contrôle du *Daily Telegraph*, Black se fit discret. Conscient de la différence entre Toronto et Londres, il avançait avec précaution. Alors que les Canadiens anglais des milieux financiers et médiatiques étaient complaisants et faciles à intimider, en Angleterre il faisait face à des défis inédits : les barrières de classe, un code de comportement différent ainsi qu'une tradition de snobisme à l'égard des « colonies ». La façon de parler et d'écrire l'anglais varie d'un pays à l'autre ; les mêmes mots peuvent avoir une tout autre connotation.

La première décision de Black fut de nommer Andrew Knight à la direction générale du *Telegraph*.

« Selon mon arrangement avec Black, dit Knight, s'il parvenait à prendre le contrôle, je deviendrais chef de la direction et il resterait au Canada jusqu'à ce que les choses soient faites. Et pendant presque quatre ans, cet arrangement a marché à merveille. Par exemple, les imprimeurs faisaient toujours chanter les propriétaires de journaux et je disais à Black : "Vous devez rester à Toronto, faire semblant d'être un ogre et de ne pas être intéressé. Cela forcera les imprimeurs à négocier sérieusement avec la direction, ce qu'ils ne feront pas autrement."

« Conrad a joué ce rôle non interventionniste de manière brillante, demeurant loin des opérations quotidiennes. Il faisait occasionnellement de brèves visites papales à Londres dans une vieille Rolls-Royce et les choses se passaient très bien. Il s'accommodait assez bien de cette situation, car il avait des ennuis plus importants au Canada et n'aimait pas les voyages long-courriers. Mais surtout, comme il était d'accord avec cette stratégie, chaque nouveau succès augmentait son niveau de confiance. »

Black devait faire deux nominations importantes : celles de rédacteur en chef du *Daily Telegraph* (publié six jours par semaine) et du *Sunday Telegraph* (publié le dimanche). Au *Daily Telegraph*, Black souhaitait nommer Max Hastings, qui, au long d'une carrière distinguée comme correspondant de guerre, avait fait le compte rendu de l'évacuation des soldats américains du Vietnam en 1975 et envoyé des dépêches des îles Malouines sous occupation argentine en 1982, avant même l'arrivée de l'armée britannique. Hastings était un historien militaire célèbre, un conservateur modéré, qui réussissait à faire avancer ses idées politiques sans trop se prendre au sérieux.

Dès son arrivée à Toronto en février 1986, Hastings se rendit aux bureaux de Hollinger au 10 Toronto Street. « Pendant un moment d'attente dans son bureau, écrivit plus tard Hastings, je regardai attentivement les tableaux, qui témoignaient de sa passion pour l'histoire militaire et navale. Nous avions un intérêt commun. À ce moment-là, la masse corpulente de Conrad, dans un veston croisé bien trop serré, apparut à la porte, avançant comme un cuirassé qui rentre dans un port. Je montrai du doigt le tableau derrière son bureau : "Le *Warspite* attaquant Narvik en avril 1940 ?" Je n'ai pas la moindre idée s'il fut impressionné, mais les choses étaient plutôt bien parties. Je ne lui cachai pas que la perspective d'assumer la fonction de rédacteur en chef du *Telegraph* me remplissait d'enthousiasme. J'étais persuadé que je pouvais ressusciter le journal tout en collaborant étroitement avec Andrew. Nous avons parlé politique. Je lui dis que j'étais un conservateur modéré[32]. » Hastings se dit alors qu'à l'avenir les opinions proaméricaines de Black pourraient poser problème.

Au poste de rédacteur en chef du *Sunday Telegraph*, Black nomma un journaliste britannique conservateur et ancien ami de William F. Buckley et de Richard Nixon, Peregrine Worsthorne. Sir Peregrine se souvenait de sa première rencontre avec Black à l'hiver 1986 : « Il me nomma rédacteur du *Sunday Telegraph* en 1986. À cette époque-là, il habitait toujours Toronto. Je n'avais jamais entendu parler de lui. Il neigeait ; la neige était abondante et dense. Le taxi me mena tout autour de son vaste domaine à Toronto, mais nous ne pouvions pas trouver l'entrée. Je sautai par-dessus la grille avant de me déplacer lourdement dans la neige. Black m'accueillit à la porte et me demanda de l'attendre dans la bibliothèque, car sa femme était en train d'accoucher. Il me retrouva plus tard dans la bibliothèque et me posa des questions savantes au sujet de l'histoire britannique, qu'il connaissait par ailleurs très bien[33]. »

Une fois le chef de la direction et les deux rédacteurs en chef installés au *Telegraph*, Black commença à agir par procuration à partir de Toronto. Il manquait de confiance et n'était pas encore prêt à prendre toute la place. Mais il était très clair sur un point : le *Telegraph* devait défendre l'alliance anglo-américaine et le gouvernement Reagan. Selon sir Simon Jenkins, ancien éditeur du *Times* de Londres, Black épousait le modèle des propriétaires de journaux du milieu du XXe siècle, comme Beaverbrook, qui avaient fait la promotion d'une sorte de programme politique[34]. Cependant, pendant les premières années où Black s'habituait à son rôle d'actionnaire de référence du *Telegraph*, ce programme n'était pas encore apparent. Afin de bien comprendre comment agir, il étudiait minutieusement d'autres magnats de la presse londonienne des années 1980, tels que Rupert Murdoch et Robert Maxwell.

La recherche spirituelle de Black – alimentée par sa découverte d'un Québec traditionaliste d'ancien régime, ses crises de panique dans les années 1970, la santé déclinante de ses parents et son mariage avec

Shirley – l'avait rapproché du catholicisme. Son vieil ami du Québec, le père Jonathan Robinson, lui avait confié les enseignements du catéchisme. Il fonda plus tard, avec d'autres, l'Oratoire de Montréal sous le patronage de saint Philippe de Néri, avec l'approbation du Vatican. Robinson avait aussi été directeur du département de philosophie de l'Université McGill. En 1979, à la demande du cardinal Carter, il avait déménagé cette communauté à Toronto. Des prêtres et frères de l'Oratoire assumèrent par la suite la responsabilité de l'église Sainte-Famille et de la paroisse Saint-Vincent-de-Paul à Toronto.

Black affirma, au terme de nombreuses conversations avec Carter et Robinson : « J'ai fini par croire dans la possibilité du miracle et si cela était vrai, en toute logique n'importe quel miracle pouvait arriver, même l'Immaculée Conception et l'Ascension physique du Christ. Mais je ne pouvais faire davantage que de reconnaître que de tels événements et d'autres aussi scientifiquement improbables aient pu arriver. Le cardinal m'avait assuré que je pouvais recevoir les sacrements pourvu que j'accepte la Résurrection. »

Carter lui dit que sans sa foi en la Résurrection, toute sa vie de prêtre et de cardinal ne serait rien d'autre que mensonge et supercherie.

Après avoir entendu cela, Black affirma qu'il ne pouvait faire autrement que d'éprouver encore plus d'admiration pour Carter « comme homme cultivé et talentueux qui avait franchement misé toute sa vie sur un acte de foi professé de façon intelligente et précise »[35].

Black se convertit au catholicisme en 1986 lors d'une cérémonie hautement médiatisée qui eut lieu à Toronto (bien que comme baptisé anglican, il n'ait pas eu à renoncer à Satan) puis poursuivit aussitôt en justice un auteur qui avait mis en doute de la sincérité de sa conversion. Pour faire bonne mesure, il poursuivit également son imprimeur.

Mais Black avait embrassé un catholicisme singulier, la foi d'un propriétaire. C'est en tout cas l'image publique qu'il projetait, même s'il n'aimait pas parler de ses sentiments dans le domaine spirituel. Or, le fait d'être dans le giron de l'Église ne l'empêchait pas de faire des sorties explosives contre la hiérarchie catholique. Ainsi, en 1987, il reprocha vivement aux évêques catholiques canadiens leurs « déclarations naïves et juvéniles » sur les questions sociales. Lorsque l'évêque de Calgary prit parti en faveur des travailleurs lors d'une grève au *Calgary Herald*, dont

Black était le propriétaire, le magnat accusa l'évêque d'être un « crétin prétentieux ». Ancien grand reporter à la *Gazette* de Montréal et anglican de tendance libérale, Mark Abley dit un jour à Black : « Vous ne semblez pas croire à l'infaillibilité du pape. »

« C'est un prix de consolation inventé par le cardinal Manning pour le pape Pie IX, répondit Black. Ce que j'ai reconnu effectivement, c'est la Résurrection physique [du Christ]. Il n'y a rien dans ma foi qui me distingue de l'Église anglicane. »

Abley cita alors le passage du Nouveau Testament selon lequel il est plus difficile pour un homme riche d'atteindre le Royaume des cieux que pour un chameau de passer dans le chas d'une aiguille.

« En effet, cela me donne à réfléchir, répliqua Black. Mais un examen plus approfondi fait ressortir plusieurs choses. [À l'époque de Jésus], comme l'emploi était fondé sur l'exploitation des individus, cette parole faisait davantage référence à la pratique d'exploitation en Palestine au Ier siècle de notre ère qu'à une doctrine politique. Le Christ n'avait pas de préjugés particuliers contre les gens riches. Il s'habillait de façon assez riche lui-même[36]. »

Lorsque Black déménagea à Londres, il décida de faire partie de la paroisse de l'Oratoire de Brompton, dans l'arrondissement huppé de South Kensington, à quelques minutes de marche de sa riche demeure de Cottesmore Gardens (qu'il acheta en 1992 et revendit en 2005), et à quelques rues seulement de la résidence de Peter Carrington dans Ovington Square. Cette belle église, bâtie dans les années 1880 dans le style de la fin de la Renaissance italienne, est dotée d'un portique à doubles colonnes. Chef-lieu du traditionalisme catholique en Angleterre, cette oasis liturgique au milieu du désert urbain de Londres respire la Contre-Réforme. Les pères de l'Oratoire y célébraient toujours la messe en latin et s'attendaient à ce que les fidèles reçoivent la communion à genoux. La nef de l'église était plus vaste que celle de la cathédrale Saint-Paul. De plus, elle était ornée de 12 immenses statues représentant les apôtres et provenant de la cathédrale de Sienne. Comme les pères de l'Oratoire priaient toujours pour la conversion de l'Angleterre au catholicisme, l'église était dotée d'une chapelle consacrée aux martyrs catholiques anglais, saint Thomas More et saint John Fisher, tous deux assassinés au XVIe siècle sur les ordres du roi Henry VIII.

L'église revêtait une certaine grandeur aristocratique. D'ailleurs, l'un des prêtres de service s'appelait sir Charles Dilke. Sourd comme un pot, il était le descendant d'un politicien et baronet du XIXᵉ siècle. L'odeur d'encens, les murmures à l'unisson de l'*Ora pro nobis* et les prêtres en soutane confessant les fidèles devinrent l'univers religieux de Black. L'un des hauts lieux architecturaux de Londres, l'Oratoire de Brompton était un mémorial consacré aux souffrances historiques des catholiques anglais.

Lors de ses séjours à Londres, Black s'identifiait à la continuité historique, aux traditions et à l'ordre du catholicisme. Cela lui permettait de doter sa vision conservatrice de nouvelles dimensions spirituelles et culturelles. Selon Peter White : « l'Oratoire de Brompton, c'est de la haute église[37], une bâtisse magnifique et très impressionnante. Les messes y sont célébrées dans un style fleuri. Je crois qu'il s'agit là d'une des choses que Conrad aime dans le catholicisme romain. Il adopte essentiellement une perspective historique selon laquelle si l'on doit être chrétien, aussi bien de s'inscrire dans le courant dominant, à la source de la religion chrétienne qui est la Sainte Mère l'Église, au lieu de s'associer à des rejetons tels que les religions anglicane et protestante. Et puis, en Angleterre il existe toujours ce genre de continuité ininterrompue chez les catholiques. Mais je crois aussi que Conrad aime la pompe et tous les aspects physiques de la liturgie, qui sont tellement théâtraux et impressionnants et qui, au fil des siècles, ont beaucoup fait pour garder les fidèles dans le giron de la foi. »

Black prit goût aux écrits du cardinal Newman, un anglican du XIXᵉ siècle qui s'était converti au catholicisme. « S'enraciner dans l'histoire, écrivait Newman, cela veut dire cesser d'être protestant. » Selon le père Jonathan Robinson, « en enseignant que la tradition joue un rôle indispensable, le Concile du Vatican a montré le bien-fondé de la position de Newman ».

L'intérêt de Black pour Newman s'intensifia après sa rencontre avec sir Zelman Cowen, ancien gouverneur général de l'Australie et doyen du collège Oriel à l'Université d'Oxford. « Une fois, en 1990, mon épouse et moi étions invités chez Lord Weidenfeld à Londres, dit Cowen. Nous restions pour le dîner et nous y avions croisé Conrad Black. C'était une fête organisée en l'honneur d'Arthur Miller, l'auteur de *La mort d'un commis voyageur*. Conrad Black se promenait comme il le fait d'habitude en plaçant un mot à gauche et à droite. Nous avions parlé de Newman et d'Oxford. Le collège Oriel abrite le fonds Newman et je me souviens d'avoir dit à Black que je pouvais lui organiser une visite privée afin de consulter ce que j'appelais la *New-manie*[38]. »

Black approfondit sa connaissance du cardinal Newman et, quelques années plus tard, il nommera Cowen au poste de chef de la direction du Groupe Tourang, un consortium associé à Hollinger qui prit le contrôle du groupe de presse australien Fairfax.

Certains catholiques conservateurs se joignent à l'Opus Dei, une communauté relativement secrète qui, bien que légitimée par le pape Jean-Paul II en 1982, est considérée par beaucoup de libéraux au sein de l'Église comme une secte autoritaire et dangereuse, enracinée dans le fascisme. Lorsque Clifford Longley, qui couvrait les affaires religieuses pour le *Daily Telegraph* et avait été éditorialiste au *Times* de Londres, rédigea un article critique au sujet de l'Opus Dei, il affirma : « Black m'a dit que je me trompais au sujet de l'Opus Dei… Mais il ne serait pas lui-même un bon candidat pour l'Opus. Il ne voudrait pas se soumettre à l'autorité de quelqu'un d'autre. Il voudrait surtout créer sa propre orthodoxie[39]. »

Depuis leur première rencontre en 1977, Conrad Black et Barbara Amiel se voyaient de temps en temps, appréciant leurs opinions conservatrices respectives et trouvant conviviales leurs fréquentes discussions. En 1983, Amiel devint rédactrice en chef du *Toronto Sun*. L'année suivante, Black assista à son mariage avec le magnat du câble David Graham. Barbara rendit visite à Conrad et lui demanda un emploi au *Telegraph*.

Black mentionna à son rédacteur en chef Max Hastings qu'une amie canadienne de longue date, Barbara Amiel (devenue à la suite de son divorce d'avec Graham la petite amie du vénérable éditeur Lord Weidenfeld), aimerait bien avoir sa propre chronique dans le *Telegraph*. Grande et mince comme un mannequin, ses articles ultraconservateurs chantaient les louanges de la sensualité du pouvoir et des femmes qui épousaient la fortune. Selon Hastings, « le jour venu, toute drapée de fourrures, une femme aux belles pommettes, au regard profond et pénétrant et aux cheveux noirs bouffants comme une crinière fit irruption dans mon bureau. Je me suis rarement senti aussi décontenancé. Lorsque je me trouve devant une femme séduisante et impressionnante, à l'exemple de beaucoup d'Anglais de la classe moyenne, je n'arrive pas à garder mon sang-froid. En un mot, j'étais terrifié[40] ».

Hastings envoya aussitôt une note de service à Black pour lui décrire cette rencontre : « Elle a dit qu'elle pensait que je ne comprenais pas sa nature essentiellement sensible et vulnérable. Je lui ai répondu que j'avais peut-être douté hâtivement qu'une amie de George Weidenfeld puisse posséder l'une ou l'autre de ces caractéristiques. Elle m'a dit qu'elle avait peur que je sois en train de me moquer d'elle au lieu de rire avec elle... Je ne crois pas que nous nous soyons bien entendus. » Le rendez-vous n'aboutit pas, mais après qu'Amiel eut épousé Black en 1992, elle obtint sa propre chronique au *Telegraph*.

Entre-temps, Barbara continua de rédiger des chroniques pour le *Times* de Londres. Ses opinions farouchement antilibérales lui valurent le sobriquet de « la dame de fer de Wapping ». Wapping est la banlieue industrielle de l'est de Londres où est imprimé le *Times*, pas très loin de la maison familiale de ses grands-parents.

Jouissant d'un nouveau statut social au Royaume-Uni, Black se fit inviter à dîner par la première ministre Margaret Thatcher à sa résidence officielle de Chequers, une charmante maison de campagne du XVIe siècle au pied des monts Chiltern, près d'Aylesbury dans le comté de Buckinghamshire. Il était impressionné par cette femme de pouvoir qui « était très féminine, une femme forte mais pas hommasse, presque élisabéthaine par son habileté, son courage, ses passions et ses haines ». Ils abordèrent des questions d'actualité politique. Au moment de prendre congé, Black s'extasia de façon plutôt maladroite devant Thatcher, affirmant que « la révolution qu'elle avait déclenchée [lui] paraissait plus importante que tous les épisodes de l'histoire de Grande-Bretagne auquel on a attribué ce nom. "Que sont la décapitation de Charles Ier et la destitution de Jacques II à côté de ce que vous avez fait ?" dis-je. Elle me tapota l'avant-bras avec indulgence : "Voilà qui est très bien. Revenez, je vous en prie." Je l'assurai qu'elle n'aurait pas à me le demander deux fois[41] ».

Vers la fin du XXe siècle, dans un contexte où la Grande-Bretagne cherchait à harmoniser au moins une partie de ses lois avec celles de l'Europe, la Chambre des lords semblait plus archaïque que jamais. Le mélange qu'on y trouvait de pairs à vie nommés par le gouvernement[42], de pairs héréditaires, d'évêques anglicans ainsi que de lords issus de la magistrature paraissait anachronique. Lord Strathcona et Mount Royal, l'arrière-petit-fils et le portrait tout craché de l'homme qui avait enfoncé le dernier tire-fond du chemin de fer du Canadien Pacifique en 1885, a expliqué que « la Chambre des lords avait une bonne réputation, mais à l'aube du xxie siècle, elle ne la méritait plus. Des personnes sensées organisaient la procédure et les débats. Je ne voudrais pas défendre le principe selon lequel les législateurs sont sélectionnés sur une base héréditaire. À mon avis, cette position est réellement indéfendable. Il est vrai que chaque Chambre haute à l'étranger a son propre principe de sélection. Mais pour une raison inconnue, la Chambre des lords a plutôt bien fonctionné en pratique alors qu'elle est indéfendable en théorie. C'est ce qui posait problème. Beaucoup de gens trouvaient antidémocratique le fait que des aristocrates héréditaires puissent conserver une influence sur la Chambre des lords. Aujourd'hui, nous avons un système très compliqué qui réunit différents types de pairs[43] ».

« Selon notre Constitution non écrite, signale Peter Carrington, un administrateur de longue date du *Telegraph*, le pouvoir de la Chambre des communes est presque illimité. La Chambre des lords peut retarder les choses pendant un an, plus ou moins, mais elle ne peut rien *changer*. Et si les membres de cette Chambre ne sont pas élus, cela est moins dû au principe héréditaire qu'au fait que le premier ministre est en mesure d'y nommer qui il veut. Et la raison pour laquelle nous n'avons pas une deuxième Chambre élue, c'est que la Chambre des communes n'entend pas avoir un corps législatif rival qui soit élu. Je ne donnerais pas à la Chambre haute autant de pouvoir que la Chambre des communes en possède, mais je lui donnerais davantage de pouvoirs qu'elle n'en détient à l'heure actuelle. »

Sur la terrasse privée des députés et lords à Westminster, devant du saumon fumé arrosé de vin blanc, Lord Gilmour of Craigmillar – un aristocrate écossais au visage décharné et aux cheveux blancs ondulés – m'avait dit : « [les gens] n'accordent pas beaucoup d'attention à la Chambre des lords, et pourquoi le feraient-ils ? On y entend quelques bons discours. Et puis après ? Si nous formions une Chambre élue, nous serions bien plus représentatifs. Comment pouvons-nous prendre des positions tranchées, alors que nous ne sommes pas élus ? » Comme ancien rédacteur de l'hebdomadaire le *Spectator* et ancien ministre dans le premier gouvernement Thatcher, les opinions de Ian Gilmour comptaient pour messieurs les membres de la Chambre des lords. Selon le *Financial Times*, Gilmour remplissait tous les critères de l'aristocrate britannique par excellence : la reine, la reine mère ainsi que la reine Mary (grand-mère d'Elisabeth) avaient toutes assisté à ses noces. Son beau-frère, le duc de Buccleuch (prononcé « Buck-lou » avec l'accent tonique sur la deuxième syllabe), possède des biens immobiliers s'étendant sur plus de 270 000 acres. Gilmour voudrait que la Chambre des lords soit remplacée par un Sénat élu. Les sénateurs auraient des mandats de 10 ans non renouvelables et le tiers d'entre eux serait élu tous les 3 ans à date fixe. « En tant que parlementaires élus, ils auraient une légitimité et ils ne siégeraient pas ici à Westminster simplement parce qu'ils seraient fils ou petit-fils de quelqu'un ou parce qu'ils auraient été nommés directement par le premier ministre[44]. »

Le *Telegraph* se trouvait confronté à un défi de taille : comment négocier avec les syndicats d'imprimeurs, dont la sécurité d'emploi serait sérieusement affectée par le transfert des presses vers les Docklands et par l'innovation technologique ? Les syndicats d'imprimeurs résistaient aux changements technologiques, nuisaient sérieusement à la rentabilité des journaux en stoppant les presses et décidaient qui faisait quoi et combien chacun gagnait. Parfois, ils tentaient même d'empêcher la publication de certains articles. Pour cette raison, les imprimeurs entraient en conflit non seulement avec la direction, mais aussi avec les journalistes. Selon Charles Moore, qui remplaça plus tard Max Hastings à titre de rédacteur en chef du *Daily Telegraph*, « les imprimeurs étaient tous des blancs issus du *East End* de Londres, et pour eux, c'était un métier héréditaire. Une fois les changements technologiques effectués, on pouvait réduire le nombre d'imprimeurs de 400 à 20 et le journal était même meilleur qu'avant[45] ».

Pendant que le magnat australien Rupert Murdoch faisait plier les syndicats d'imprimeurs au *Times* de Londres, qu'il avait acheté de Kenneth Thomson en 1980, Black laissait toutes les négociations syndicales entre les mains d'Andrew Knight. « Nous continuions de lancer les dés, dit Knight. Chaque fois que j'avais besoin de l'appui de Conrad face à des conseillers et administrateurs trop prudents – par exemple en prenant des risques soigneusement calculés avec les syndicats –, il me le donnait à 100 %, que ce soit par téléphone ou par fax. C'était l'image même du propriétaire qui se tient à distance. »

Sans l'appui très clair du gouvernement Thatcher, Murdoch n'aurait pas pu agir. Lorsqu'ils déclenchèrent la grève, les imprimeurs du *Times* avaient bon espoir de pouvoir faire plier le propriétaire et de bloquer ainsi toute innovation technologique. Mais au lieu de plier, Murdoch licencia les grévistes, qui ignoraient que Murdoch avait déjà mis en place une équipe de production parallèle, inscrivant de nouveaux imprimeurs comme membres du Syndicat des électriciens et les installant derrière des barbelés à la nouvelle usine de Wapping. À la Chambre des communes, Thatcher approuva le geste de Murdoch : « S'il y a 10 000 émeutiers, il y aura 10 001 policiers[46]. » Au bout du compte, les stratégies impitoyables grâce auxquelles Murdoch parvint à transformer le *Times* aidèrent les journalistes, car ces derniers « reprirent le contrôle de leurs reportages[47] ». En même temps, le précédent créé par Murdoch facilita le transfert du *Telegraph* de Fleet Street à la banlieue industrielle.

Black était très attiré par la Grande-Bretagne de Thatcher. Elle était parvenue à renverser l'ascension de la gauche. Selon le député travailliste Tony Benn : « Mme Thatcher a influencé la mentalité de toute une génération[48]. » Son héritage fut la domestication des syndicats, la capacité nouvelle offerte aux gestionnaires de véritablement gérer leurs entreprises, la réduction des impôts et la privatisation massive non seulement de sociétés de la Couronne telles que les aéroports et l'aciérie British Steel, mais aussi l'émergence de logements publics qui étaient vendus aux résidants à des prix dérisoires. En politique étrangère, elle avait ramené la « relation particulière » entre les États-Unis et la Grande-Bretagne à ce qu'elle était à l'époque de Roosevelt et de Churchill.

Le 21 juin 1988, lors du Sommet du G7 à Toronto, la première ministre Margaret Thatcher était l'invitée d'honneur d'une magnifique réception au Toronto Club. Devant la gouverneure générale du Canada Jeanne Sauvé, le premier ministre Brian Mulroney et Henry Kissinger, elle félicita Black d'avoir pris le contrôle du *Telegraph* en 1985, ajoutant : « Nous sommes bien sûr habitués à la présence de Canadiens dans Fleet Street – pensons à Lord Beaverbrook et à Lord Thomson – et Conrad Black est en train de renouer avec cette merveilleuse tradition[49]. »

Black fut certainement flatté par l'éloge de Mme Thatcher. Et au cours de la décennie suivante, il pénétra à l'intérieur du cercle intime de l'aristocratie britannique. Il s'agissait pour lui d'un triomphe de la négociation, compte tenu du fait que la plupart des membres de cette élite étaient enracinés dans le passé, qu'ils étaient préoccupés par leur propre lignage et qu'ils avaient tendance à dédaigner les parvenus qui cherchaient à s'inventer des antécédents familiaux distingués. Black commença à pénétrer le monde clos du pouvoir et de la richesse à l'échelle planétaire – un monde qu'il avait vu pour la première fois en 1953, lorsque, jeune garçon, il avait assisté à la procession royale lors du couronnement de la reine Elisabeth.

À la grande satisfaction de Black, il y avait une plus grande correspondance idéologique entre Thatcher et Reagan qu'entre Churchill et Roosevelt. Dès que Black s'installa à Londres en 1989, il fut adulé par la haute société, invité à toutes les réceptions somptueuses et présenté aux vedettes de la culture pop ainsi qu'aux leaders des milieux politique et financier. Grâce à ses connaissances historiques encyclopédiques, il passait pour un phénomène. Il maîtrisait les faits davantage que les interprétations, mais par ses prodiges de mémoire, il arrivait toujours à éblouir les spectateurs. John Julius Norwich, auteur de succès de librairie historiques au sujet de Venise et Byzance, était impressionné par les connaissances de Black en histoire[50]. Mais selon Roy Hattersley, beaucoup de gens voyaient Black comme « un personnage puissant, mais quelque peu ridicule. Son idée fixe de devenir baron à tout prix, sa façon d'envoyer lui-même des lettres signées à ses propres journaux, son penchant pour les bals costumés, ses dépenses extravagantes – qui se sont avérées bien plus extravagantes que tout ce qu'on aurait pu penser – ont fait de lui un personnage ridicule ».

Le déménagement de Black à Londres s'avéra éprouvant, d'abord pour son mariage, puisque son épouse canadienne avait du mal à trouver sa place dans la société londonienne. (Trouvant que son prénom de Shirley faisait un peu trop commun, elle adopta le prénom plus chic de Joanna.) Ensuite, les relations de travail entre Black et Andrew Knight connurent leurs premières difficultés.

« Ce n'est qu'au moment où Black s'apprêtait à déménager à Londres, en 1989, que les choses commencèrent à s'embrouiller, dit

Knight. Conrad avait bien raison de vouloir s'installer à Londres. Quatre ans auparavant, à la différence d'autres investisseurs plus réticents, il avait pris des risques financiers que personne d'autre ne voulait prendre et il était maintenant payé en retour. Depuis le début, je l'encourageais à venir s'installer à Londres dès que le *Telegraph* serait sorti du bois et serait devenu rentable. C'était parfaitement compréhensible qu'il ait voulu s'y installer, car les bénéfices que nous affichions étaient incroyables. Il était toutefois évident qu'à partir du moment où Conrad déménagerait à Londres, il n'y aurait plus de place pour nous deux au *Telegraph*. »

Le groupe se trouvait au beau milieu d'un remue-ménage important organisé par Knight dans le but de renforcer le *Sunday Telegraph*. « Nous ne saurons jamais si mon projet de renforcer l'édition du dimanche aurait pu réussir. Il était probablement trop radical même selon mes propres critères. Il est évident que l'apparition de Conrad a miné mon autorité à tel point que je ne pouvais plus mener à bien ce projet. Il voulait agir sur place comme président et chef de la direction. Je n'avais plus que le titre. La difficulté pour moi résidait dans le fait que je comprenais son désir d'être à Londres, tout en reconnaissant que la seule façon de l'aider à s'installer sans susciter un conflit majeur au *Telegraph* était de tirer ma révérence. »

Fin 1989, Knight décida de quitter le *Telegraph*, créant une brouille entre les deux hommes. Comme directeur sortant, il empocha une plus-value importante en vendant des actions qu'il avait reçues en 1985 comme prime d'encouragement et passa si rapidement chez News Corp., l'empire de presse de Murdoch, que certains observateurs se demandèrent s'il ne mijotait pas ce projet depuis longtemps. Black écrira par la suite : « Je n'oublierai jamais et ne pardonnerai pas de sitôt à Andrew la façon scandaleuse dont il s'est retiré, mais je n'oublierai pas non plus sa contribution à mon aisance financière et au rétablissement du *Telegraph*[51]. »

Le départ de Knight coïncida avec la consécration ultime de Black comme propriétaire du *Telegraph*. L'amélioration de la qualité, du tirage et des résultats financiers du journal constitua l'un des redressements les plus spectaculaires de toute l'histoire de la presse écrite. « Pour l'exercice terminé le 31 mars 1989, écrivit l'historien du *Telegraph* Duff Hart-Davis, le groupe réalisa un bénéfice de 29 millions de livres, tout en prévoyant pour l'exercice suivant un bénéfice de 40 millions de livres. Cette transformation fut si incroyable qu'un observateur estima qu'elle pourrait faire l'objet d'une bonne étude de cas dans les écoles de gestion[52]. »

C'est à ce moment que le journal accusa un virage important dans sa politique éditoriale. Black nomma Peregrine Worsthorne à la tête du *Sunday Telegraph* en raison de sa connaissance de la politique américaine et internationale et de son amitié avec Richard Nixon. Mais selon Worsthorne, le *Telegraph* était en passe de devenir l'outil de propagande de l'administration américaine et des néoconservateurs aux États-Unis.

À la fin des années 1980, parfois au grand mécontentement de Black, le *Daily Telegraph* dirigé par Max Hastings couvrit l'inexorable déclin de Margaret Thatcher. Cependant, Black n'intervint pas autant qu'on aurait pu le croire. Un fossé était en train de se creuser entre les conservateurs britanniques, entre d'une part le conservatisme idéologique de Thatcher et d'autre part ce que son ancien ministre Ian Gilmour appelait « le conservatisme empirique ». Selon Gilmour : « [le] conservatisme ne devrait pas être idéologique, mais il l'est devenu au cours des 20 dernières années. Dans une certaine mesure, Peter Carrington et moi nous trouvions à gauche des travaillistes. Le conservatisme devait s'adapter au terrain, développer ce que nous avions déjà, protéger l'unité du pays, essayer de contribuer à la prospérité et à la liberté et agir en fonction de l'expérience vécue, au lieu de réagir en termes idéologiques. »

En novembre 1990, la chute de Thatcher mit Black devant un dilemme : si le *Telegraph*, quotidien conservateur, prenait une position ouvertement idéologique plutôt qu'empirique, n'était-il pas en train de défendre coûte que coûte la révolution thatchérienne en perte de vitesse au lieu de s'adapter au nouveau paysage politique du pays ? Le fait que Black idolâtrait Thatcher tout en cherchant à la défendre le mettait en conflit avec l'équipe éditoriale du journal. Pour cette dernière, le *Telegraph* survivrait à l'usure du pouvoir qui rongeait les conservateurs, alors que, de son côté, Thatcher avait fait son temps. Dans ses mémoires intitulées *Editor*, Max Hastings décrivit comment le *Telegraph* arriva à influencer la sélection du successeur de Thatcher à la tête du Parti conservateur, que ce soit en agissant discrètement en coulisse ou en prenant position dans ses pages éditoriales. L'un des candidats à la succession s'appelait John Major. C'était un autodidacte qui n'avait jamais fréquenté l'université. Bien que Major ait remporté le congrès à la direction de son parti, il n'arriva pas à s'entendre avec les journalistes du *Telegraph*. Issu d'un milieu social modeste, il avait l'impression de leur déplaire. Quelques jours après sa nomination au poste de premier ministre, Black fut très contrarié par le fait que le *Telegraph* ait affiché des réticences à l'égard de Major. D'après Black, il était normal de défendre Thatcher de façon résolue jusqu'à sa disparition de la scène politique, puis d'offrir son appui à son successeur. Tout comme Murdoch, qui apportait toujours son soutien au gagnant, Black estimait que pour avoir de l'influence politique, il fallait accorder son appui au 10 Downing Street.

En songeant aux 20 années qui venaient de s'écouler, Black avait toutes les raisons d'être satisfait de sa situation. Son rêve de détenir les clés du pouvoir à l'échelle mondiale s'était réalisé et, par l'entremise du *Telegraph*, il participait au transfert du pouvoir au 10 Downing Street. Il était en train de devenir un véritable magnat de la presse et ce n'était qu'une question de temps avant qu'on lui offre un titre de noblesse à vie. Pendant son enfance, il s'était senti insécurisé, isolé, rejeté. Mais désormais, il appartenait au groupe sélect des grands de ce monde, un groupe ayant ses propres normes et ses propres règles.

L'un des concurrents de Black, Robert Maxwell, éprouvait des difficultés extrêmement graves. En faisant l'acquisition du *Daily Mirror* de Londres, ainsi que de maisons d'édition et de journaux à travers la planète, Maxwell s'était endetté de façon prodigieuse. Juif d'origine tchèque, il était bien connu pour ses liens d'amitié avec des dictateurs staliniens d'Europe de l'Est (qui lui offraient des contrats lucratifs d'impression) et ses mystérieuses transactions avec des entreprises étrangères. Il était difficile d'identifier qui se trouvait derrière les spectaculaires rachats par endettement faits en son nom, et qui serait en mesure de lui demander des comptes le jour où son avidité vorace aurait pris le dessus. Le KGB? Le Mossad? Les conjectures allaient bon train. Quelques années auparavant, le ministère du Commerce et de l'Industrie avait déclaré qu'il était inapte à diriger une entreprise cotée en Bourse. On alléguait qu'au fil des années, il avait escroqué de nombreux clients, assuré la promotion de sa personne dans les pages du *Daily Mirror*, humilié à maintes reprises son personnel féminin, cédé à des manies égocentriques et avait utilisé ses propres journalistes dans le but de favoriser ses intérêts d'affaires personnels[53]. Le 5 novembre 1991, son cadavre boursouflé fut retrouvé flottant à la surface de la mer, au large de Ténériffe, près de son luxueux yacht, le *Lady Ghislaine*. On découvrit qu'afin d'empêcher la chute libre du cours des actions du Mirror Group, Maxwell avait volé 440 millions de livres en prestations de retraite aux 30 000 retraités du groupe ainsi qu'un montant équivalent au groupe lui-même (une somme combinée de 2,7 milliards en dollars d'aujourd'hui).

« Nous savions tous que Maxwell était un escroc, dit Roy Hattersley. On l'appelait avec humour "le tchèque sans provision". Nous savions qu'à titre d'officier de l'armée durant la Seconde Guerre mondiale, il avait fait la contrebande de textes scientifiques en provenance d'Europe de l'Est. Je pensais qu'il était une sorte d'escroc normal, un homme d'affaires corrompu. Mais je fus abasourdi par sa mort et l'ampleur du vol qu'il avait commis. Je suis toujours demeuré prudent avec lui. En tant que leader adjoint de l'opposition à la Chambre, j'avais rejeté tous les dons provenant de son bureau. Maxwell était du genre à exiger un retour sur son investissement. »

De son côté, Black éprouvait de la sympathie pour Maxwell. « C'était un personnage très divertissant et coloré, m'a-t-il confié un jour. Très amusant à sa façon, très sympathique : une canaille sympathique. Sur le plan personnel, il me plaisait. C'était tout un personnage, mais vous savez, il n'était pas net du tout. C'était une fripouille. Mais il était, selon moi, assez sympathique. Il a monté quelques coups un peu exagérés, comme la fois où il a vendu des livres bidon aux Nigérians au même prix que des textes scolaires, alors que les pages de ses livres étaient toutes blanches, qu'il n'y avait rien d'imprimé dessus. Et toute cette histoire de piquer de l'argent dans la caisse de retraite. Je suis sûr que Bob n'avait pas l'intention de dépouiller la veuve et l'orphelin. Mais se trouvant devant une telle cagnotte, il trouvait qu'il ne faisait qu'emprunter de l'argent ; mais il aurait dû savoir, il a dû savoir que ce qu'il faisait était parfaitement illégal. »

J'étais renversé d'entendre Black utiliser ce genre de vocabulaire pour décrire Maxwell, alors que tous les faits concernant cette fraude massive étaient de notoriété publique. Il a toujours été incroyablement indulgent envers les hommes retors hauts en couleur.

Après le décès de Maxwell, Max Hastings dit que Black lui avait demandé de ne pas trop condamner le défunt magnat de la presse. « Ne soyez pas trop dur à son égard, lui avait dit Black. Je sais que c'était un fraudeur, mais ce n'était pas un personnage sans intérêt. Il avait ses bons côtés. » Hastings n'était pas d'accord : « À mon avis, Maxwell était une indécrottable fripouille. Mais dans les heures suivant son décès et avant que toute l'importance de son vol ne soit réellement connue, j'étais moi aussi enclin à la générosité… Une fois connue l'ampleur des crimes qu'il avait commis, je m'en suis voulu d'avoir succombé à une impulsion aussi généreuse[54]. »

Évidemment, les barons de la presse jouissent de certains avantages même dans la mort. Black pouvait participer à l'ascension de personnages publics tout comme il pouvait amortir leur chute. Or, maintenant que Maxwell était mort, les médias commencèrent à scruter Black de façon plus attentive. Ainsi, selon le *Sunday Times,* « comme propriétaire de médias bravache qui se pointe un peu partout à la recherche de journaux à racheter, tout en se dotant d'un vaste réseau d'entreprises et de dettes massives, en prenant l'habitude de déplacer des actifs entre ses entreprises et en manifestant un penchant pour les poursuites en diffamation, Black reconnaît que les parallèles avec Maxwell sont inévitables. Il s'y attaque de front, et de manière acharnée[55] ».

AP Photo/Lock/Daily Telegraph

CHAPITRE 8

Le soleil ne se couchera jamais

À la fin des années 1980, Conrad Black commença à bâtir l'un des plus vastes empires de presse mondiaux qui aient jamais existé. À maints égards, il s'était élevé au-dessus du provincialisme du Canada dont il avait en horreur tant les hivers rigoureux que la culture libérale. Il décriait les médias du pays comme étant « irresponsables, narcissiques, moralement satisfaits de leur approche partiale, insuffisamment qualifiés pour exercer le pouvoir dont ils disposent, dorlotés... par des propriétaires qui craignent de suggérer la moindre orientation éthique[1] ». Mais il aimait toujours séjourner dans sa « cabane au Canada », dans Park Lane Circle.

Depuis l'époque où il avait dévoré une biographie de William Randolph Hearst pendant des vacances en Espagne avec Brian Stewart, au début des années 1960, Black était fasciné par la capacité des médias imprimés d'informer, de divertir, d'influencer et de persuader. Il avait entrepris sa carrière dans les journaux et avait ensuite pris le contrôle d'Argus, une société engagée dans des activités telles que l'équipement agricole, les produits forestiers, les épiceries et le pétrole. Au milieu des années 1980, il avait commencé à racheter des journaux et des groupes de presse. Ces prises de contrôle lui avaient permis de procéder à une purge des équipes éditoriales de chaque journal, remplaçant les libéraux par des néoconservateurs à son image, et de décider de l'ordre des priorités de chaque communauté au sein de laquelle opérait chacun de ses journaux. Il était enfin devenu un faiseur de rois, un stratège de coulisses, un disciple de Machiavel. Ses journaux défendaient « le conservatisme intégral », un ténébreux mélange personnel des idées de Spengler, de Darwin et de Nietzsche, qui attribuait au magnat de la presse un rôle de grand stratège dirigeant le développement moral et intellectuel de la civilisation. Le triomphe exigeait son lot de manipulation. Mais seule la victoire avait de l'importance. Comme Machiavel le disait, la fin justifiait toujours les moyens.

Afin de promouvoir avec acharnement son propre agenda conservateur, Black était devenu un baron international de la presse. Au fil des années, en réaction à tout ce qu'il détestait du Canada, il avait développé son idéologie personnelle du « conservatisme intégral », une sorte de néo-conservatisme assaisonné d'éléments historiques et religieux originaux. La mondialisation de Black transforma ses opinions politiques. Profitant du réseau international qu'il avait laborieusement établi depuis la prise de contrôle d'Argus Corp. en 1978, Black aspirait désormais à être le parrain du néoconservatisme, celui qui activerait une révolution de droite dans les pays anglophones les plus influents.

Black ridiculisait souvent le comportement social humanitaire des Canadiens, héritage du gouvernement de Louis Saint-Laurent, dans les années 1940 et 1950 : le mantra de l'État providence véhiculé par la classe dirigeante était celui du socialisme, de la confiscation de la richesse et de sa redistribution. Selon Black, ce même message était répété inlassablement par les médias, et plus spécifiquement par la chaîne publique de télévision, Radio-Canada. Dès 1969, Black avait accusé Radio-Canada de promouvoir le nationalisme canadien-français par le biais de son réseau français et l'antiaméricanisme par l'intermédiaire de son réseau anglais. « À moins que la majorité des Canadiens français soient des crypto-séparatistes et la majorité des Canadiens anglais des américanophobes, la Société Radio-Canada essaie de subvertir le jugement de l'opinion publique », déclara-t-il, tout en condamnant « les réflexes ultralibéraux » des journalistes[2].

Vers 1967, lors de sa première rencontre avec Black, le vétéran de la télévision Patrick Watson l'avait trouvé exubérant, drôle et arrogant. En 1980, Watson fut le présentateur de *Ten Toronto Street*. Par la suite, Watson et Black siégèrent ensemble au conseil consultatif du Centre canadien pour le contrôle des armements et le désarmement.

« Un après-midi, après une de nos réunions, dit Watson, il me demanda si je rentrais à Toronto et nous prîmes ensemble l'avion de sa compagnie. »

« Vous savez quoi, Watson? dit Black au cours du vol. J'ai toujours pensé que vous étiez un bon interviewer, mais vos entrevues sont terriblement tendancieuses, ne trouvez-vous pas? »

À une autre occasion, Black invita Watson et un autre vétéran de la radio, Lister Sinclair, à boire de la piquette et manger de la pizza froide dans les bureaux du groupe Hollinger, à Toronto, pendant qu'ils l'écoutaient disserter sur l'état du monde, la décadence de l'Europe et l'hégémonie de l'Amérique.

En 1989, Watson fut nommé président de Radio-Canada, un poste qu'il occupa jusqu'en 1994. « Le parti pris des journalistes est généralement admis par les employés de CBC, avait dit Watson. Ils ont une vision sociodémocrate quelque peu surannée du bien commun, de la *res publica*. Je crois qu'il y a un attachement intellectuel à l'égard de la diversité des opinions, mais c'est un engagement intellectuel qui a peu de répercussions au niveau pratique. On ne parle pas des néoconservateurs : ils ne sont pas représentés de manière significative ou proportionnelle. La poursuite d'une attitude ferme et sans repentir envers Israël en a indisposé plusieurs[3]. »

Face aux préjugés des journalistes, Black concevait les journaux comme une occasion de promouvoir son programme sociopolitique conservateur, non pas en exerçant une mainmise directe sur la couverture de l'actualité et les commentaires éditoriaux, mais plutôt en embauchant des rédacteurs qui faisaient largement partie de son camp. Selon John O'Sullivan, journaliste britannique qui avait travaillé pour Murdoch en Grande-Bretagne et pour Black au Canada et aux États-Unis, cette stratégie ressemblait à celle de Rupert Murdoch[4]. Au procès de Chicago, O'Sullivan s'avéra être en fait un fidèle de Black : dans son témoignage, il expliqua qu'il avait vécu 18 mois au 26 Park Lane Circle, à l'époque où il travaillait pour Black. Selon lui, Black, tout en étant non interventionniste, était un homme aux idées conservatrices énergiques et à la présence intimidante.

Mais Black avait changé depuis 1969, l'époque où, avec ses amis québécois David Radler et Peter White, il avait pris le contrôle du *Sherbrooke Record*. Presque 20 ans plus tard, il avait maintenu certains de ses intérêts intellectuels : son amour de l'histoire du Québec français, sa fascination pour le catholicisme clérical, son désir de bâtir la *bonne entente* qui aplanirait les rivalités entre populations anglaises et françaises du Canada. Maintenant, en tant que propriétaire du *Telegraph*, il connaissait les avantages de jouir d'une tribune puissante lui permettant de cajoler, de provoquer et même, en certaines occasions, de haranguer le public. Les médias étaient tentés d'abuser de leur pouvoir; pour lui, la façon mesquine dont il estimait avoir été traité par le *Globe and Mail* en était un rappel constant.

En 1987, Black ressuscita un projet dont il avait d'abord parlé au cardinal Léger en 1971 : l'acquisition du journal *Le Droit*. Entre-temps, la situation avait beaucoup évolué. Les pères Oblats de Marie Immaculée avaient vendu *Le Droit* au groupe de presse québécois Unimédia, contrôlé par l'homme d'affaires québécois Jacques Francœur. Unimédia possédait *Le Soleil*, un journal grand format de Québec, et de plus petits quotidiens dans certaines autres villes. Francœur avait mentionné à Black et à White qu'il serait disposé à vendre sa compagnie à Hollinger pour 50 millions de dollars : un prix plus élevé que celui que Paul Desmarais, de Power Corporation, était prêt à offrir. Il fut assez ironique de constater que pendant la controverse hautement politisée qui s'ensuivit autour de l'identité du futur propriétaire de la chaîne, le fédéraliste convaincu Paul Desmarais – un francophone né et éduqué en Ontario – s'était allié à l'indépendantiste Parti québécois pour s'opposer à Hollinger. Mais en promettant à des Québécois influents le droit de premier refus pour le cas où Hollinger déciderait de vendre Unimédia et en s'engageant à donner des postes de direction à des francophones québécois bien en vue, Black et White gagnèrent le contrôle du groupe de presse.

En 1976, Black avait approché Pierre DesMarais II, le pressant de prendre la direction de la chancelante Union nationale, l'ancien parti de Maurice Duplessis. Mais DesMarais avait décliné l'offre. Pendant un certain temps, ils avaient tous deux siégé au conseil d'administration de la brasserie Carling O'Keefe. En 1987, DesMarais – qui avait à son actif plusieurs années d'expérience politique et une réputation d'intégrité dans son travail – fut nommé président du conseil d'administration et président-directeur général d'Unimédia. Ensemble, White, DesMarais et Black s'employèrent à rationaliser la compagnie. La cession d'actifs non rentables rapporta 60 millions de dollars, soit 10 millions de plus que ce que Hollinger avait payé pour l'achat du groupe. Habitués aux généreux contrats de travail que les pères Oblats leur accordaient, les journalistes du *Droit* déclenchèrent la grève. Mais, réalisant ainsi encore plus d'économies, Unimédia réussit à publier le journal sans eux. « Black s'est fait des ennemis parmi certains journalistes en les défiant publiquement, affirme DesMarais. Mais au cours des 12 années pendant lesquelles j'ai été chez Unimédia, il n'est jamais intervenu dans le contenu éditorial des journaux. Il me revenait de mettre les choses au clair avec le personnel, surtout en ce qui concernait le séparatisme[5]. »

Gilbert Lavoie, rédacteur en chef du *Soleil*, soutient aussi que Hollinger allouait beaucoup d'autonomie éditoriale aux journaux du groupe Unimédia[6].

La division Novalis – qui publiait des ouvrages de théologie et livrets de prière pour les messes – était un vestige de l'héritage catholique des pères Oblats. Quand le cardinal Carter abandonna ses fonctions d'archevêque de Toronto, il fut nommé membre du conseil d'administration d'Unimédia. Carter était non seulement l'ami et le mentor de Black, mais aussi l'ecclésiastique qui avait, l'année précédente, présidé à la cérémonie privée pendant laquelle Black s'était converti au catholicisme. « Nous devons à Conrad la nomination d'un cardinal au conseil d'administration, explique DesMarais. Je me souviens d'une réunion du conseil pendant laquelle le cardinal exprima son désaccord au sujet d'une des publications de Novalis, un livre écrit par l'évêque De Roo [un ecclésiastique libéral]. Mais j'avais affirmé que nous devions être ouverts aux livres rédigés selon une perspective chrétienne... et récolter le profit de leur publication. »

En juillet 1987, une nouvelle possibilité dans le domaine de l'édition se présenta : le rédacteur en chef du *Globe and Mail*, Norman Webster, et deux de ses sœurs – tous trois héritiers d'une importante fortune industrielle au Québec – décidèrent de vendre le *Saturday Night*, une revue littéraire canadienne déficitaire. Black, dont les relations avec Webster étaient compliquées (en 1988, Black fut congédié du *Globe* par Webster parce qu'il avait lancé un journal rival à grand format à Toronto), décida d'en faire l'acquisition. Qui paya combien et à qui pour l'achat du *Saturday Night* est demeuré un mystère jusqu'à aujourd'hui. « C'est un secret, dit Robert Fulford, rédacteur en chef de la revue jusqu'à l'arrivée de Black. Ils ont conclu une entente, ils se sont serré la main et ils ont signé un papier. J'ai l'impression que Norman n'a pas compris le contenu de l'entente. Je suis persuadé qu'il a payé Conrad

pour le débarrasser du *Saturday Night*. Conrad était tellement plus malin et plus riche que lui, il aurait pu continuer de harceler Norman jusqu'à ce qu'il gagne. »

Fulford rencontra Black et comprit rapidement que l'indépendance
éditoriale de la revue était en jeu. « Conrad décrivit les grandes lignes de
sa façon de gérer le *Telegraph*. Il attrape le téléphone, appelle un rédacteur dont il n'apprécie pas le travail et lui explique ce qu'il devrait plutôt
faire. C'était tellement loin de ce que j'aurais pu tolérer que je me suis
demandé : "Pourquoi rester ? Pourquoi me placer dans une position où je
serais obligé de mentir, comme rédacteur ?" Non, pensai-je, il valait
mieux me taire et présenter ma démission. » Black installa rapidement
John Fraser à la place de Fulford. Fraser était son ancien camarade de
classe au Upper Canada College et l'auteur d'un article élogieux paru
dans le *Globe and Mail* sur la prise de contrôle du *Telegraph* par Black,
en 1985. Pendant son passage à la revue, Fraser n'a jamais considéré
Black comme son patron. « *Saturday Night* était au-delà de ces histoires
de patrons. Je ne l'ai jamais considéré du point de vue de la hiérarchie. Je
le connaissais trop bien. Je n'ai jamais eu peur de lui. »

Black eut des discussions avec son vieil ami William F. Buckley fils
sur les moyens de transformer *Saturday Night* en une revue conservatrice
crédible, mais rien de concret n'en ressortit[7]. Il aurait été surprenant que
Black puisse se contenter longtemps des journaux régionaux du groupe
Sterling, du groupe Unimédia, du *Saturday Night* et des journaux qu'il
avait acquis en Grande-Bretagne et aux États-Unis. En 1971, il s'était associé à Bud McDougald pour présenter une offre d'achat du défaillant
Toronto Telegram. Mais on décida plutôt de débrancher l'appareil de survie
du *Telegram* pour le laisser mourir en paix. Black s'était penché sur le succès de Roy Thomson et de son fils Kenneth : le père avait bâti un empire de
presse dans des petites villes ontariennes avant de devenir l'un des chefs de
file des barons de la presse en Grande-Bretagne ; le fils en avait fait un empire qui se situait au quinzième rang des plus grandes fortunes privées au
monde (au début du XXIe siècle). Compte tenu de l'ampleur de ses ambitions dans le monde de la presse au Canada, Black avait besoin d'une voix
nationale. En février 1988, la chance lui sourit. Doug Creighton, éditeur du
groupe *Sun*, se joignit à Black et au *Financial Times* de Londres pour
convertir l'hebdomadaire *Financial Post* en un quotidien national rival du

Globe. Au départ, Black contrôlait 15 % des actions du *Post.* En 1991, sa participation s'éleva à 20 %. Le *Post* était un journal conservateur et réfléchi, combinant une couverture et des commentaires originaux sur la politique avec une diète riche en actualités du monde des affaires. Il était fait pour Black. Pour sa part, le *Financial Times,* journal bien écrit, était sur le point de devenir une publication internationale en s'implantant à l'étranger, en investissant massivement dans des éditions satellites de ce quotidien à la page couverture rose saumon aux États-Unis et en Europe, en plus d'acquérir le quotidien d'affaires parisien *Les Échos.* Alors que les autres actionnaires du *Financial Post* perdaient leur intérêt pour le journal, Black augmenta peu à peu son contrôle sur ce quotidien. Il lui servit de base pour le lancement d'un nouveau journal à grand format, le *National Post,* en 1998.

Au cours des années suivantes, Black écrivit de façon sporadique dans le *Financial Post :* sa position d'actionnaire minoritaire lui permettait de se livrer à des déclarations extravagantes sans avoir à craindre les interventions ou les critiques. Il s'affirmait plus que jamais. Beaucoup des articles et des discours les plus caustiques et remarqués de Black datent de son passage au *Financial Post.* Ainsi, en 1988, il attaqua le Vatican pour avoir reconnu un syndicat de travailleurs : « À Rome, les emplois de bureau et d'entretien des édifices sont tellement sollicités que chaque poste vacant au sein des effectifs gonflés de la cité mène à un véritable déluge de demandes. Tirant profit de sa propre expérience, le pape aurait dû savoir que le fait de remettre la boutique entre les mains des syndicats ou de reconnaître les syndicats comme des moteurs infaillibles de réforme sociale aurait des conséquences désastreuses[8]. »

À cette époque, j'avais été frappé par l'étrangeté de cette attaque foudroyante de Black contre le Vatican, lui qui venait tout juste de se convertir au catholicisme. Sa foi s'enracinait-elle dans l'histoire ? Était-elle une démarche spirituelle personnelle ? Servait-elle à renforcer l'image publique de son idéologie du « conservatisme intégral » ? Nous sommes tous égaux devant Dieu, mais je me suis demandé si l'approche religieuse de Black n'était pas liée à sa position au sein de l'élite sociale. Plus tard, je ne fus pas surpris quand il me refusa une discussion au sujet de sa foi. Je n'ai pas compris ce que signifiait, pour Black, le catholicisme. Tout ce que je pourrais affirmer, c'est qu'il s'agissait, de toute évidence, d'un sujet de grande importance pour lui.

À titre d'illustration des avantages du statut de propriétaire, le *Financial Post* publia, en 1990, un extrait de 1510 mots, tiré du discours prononcé par Black lors de la conférence annuelle du Parti conservateur britannique[9]. Et en 1991, Black se plaignit du nouveau gouvernement néo-démocrate de l'Ontario et de « la botte ferrée fiscale [du premier ministre ontarien] Bob Rae... »

Selon Black, Hollinger Inc. créait des emplois, augmentait sa masse salariale et versait des dividendes en Grande-Bretagne, dans 28 États américains, en Israël et dans plusieurs provinces canadiennes, mais pas en Ontario, puisque son gouvernement avait un « parti pris implacable en faveur des dirigeants syndicaux et contre les détenteurs d'actions[10] ».

Dans une chronique parue au cours de l'année suivante, Black fit remonter la mort du Canada au milieu des années 1950, quand « les fonctionnaires, les journalistes, les universitaires, le clergé de gauche, les chefs syndicaux et les personnalités branchées du milieu des affaires et des professions libérales avaient sauté spontanément, aveuglément, et presque à l'unanimité, dans le nouveau train qui s'était mis en route [celui de Louis Saint-Laurent]... Bien sûr, nous devons toujours veiller sur les défavorisés, mais le mot "compassion" ne s'applique pas quand il s'agit de se servir de l'argent du peuple pour acheter, au prix de gros, les sympathies de ce dernier[11] ».

Le ton des articles de Black dans le *Financial Post* ne se différenciait pas tellement de celui de ses chroniques précédentes dans le magazine *Report on Business* du *Globe and Mail*. Mais Black avait désormais le dernier mot. Son vocabulaire était ampoulé, voire obscur, et servait à créer une distance sociale avec ses lecteurs et – du moins l'espérait-il – à affirmer son autorité.

Le gouvernement conservateur de Brian Mulroney exécutait alors son second mandat et était secoué par les scandales. L'hostilité du public à l'égard des politiques courageuses mais largement impopulaires du premier ministre – telles que le libre-échange avec les États-Unis – allait croissante et beaucoup croyaient que la souveraineté du Canada était menacée. Pour certains, la relation entre Mulroney – l'associé minoritaire – et Reagan semblait suspecte. L'ancien secrétaire d'État Henry Kissinger comprenait bien cette ambivalence. « Sur le plan géographique, m'avait-il dit, le Canada est une sorte de prolongement des États-

Unis. Mais il voudrait en être séparé plus que la réalité le permet, d'où la dualité des motivations canadiennes. »

L'héritage constitutionnel et politique de Pierre Trudeau avait coupé l'herbe sous le pied de Mulroney et il se tenait trop près du centre pour pouvoir plaire à Black. Mulroney avait payé le prix fort pour les majorités écrasantes de ses deux victoires électorales : il avait accueilli dans les rangs de son parti fédéraliste un grand nombre de députés québécois farouchement nationalistes, prêts à se tourner vers le séparatisme à la moindre occasion.

En juin 1987, après l'Accord du lac Meech, la fragilité de l'alliance conservatrice devint évidente : Mulroney fit l'audacieuse tentative de reconnaître « que l'existence d'un Canada francophone, concentré mais non limité au Québec, et celle d'un Canada anglophone, concentré dans le reste du pays mais présent au Québec, constitue une caractéristique fondamentale de la fédération canadienne... et que le Québec forme au sein du Canada une société distincte ». Mais Meech aurait amendé la Constitution de Trudeau adoptée en 1982 (la loi suprême du pays) de même que des lois régissant l'immigration, les nominations à la Cour suprême et la tenue des conférences constitutionnelles. Ce processus devait se conformer à la formule d'amendement de la Constitution qui requérait sa ratification unanime par le Parlement fédéral et les législatures des provinces et des territoires. La formule imposait également un délai au processus : il devait être achevé avant le 23 juin 1990, date après laquelle l'accord devenait nul. Trudeau fit un retour sur la scène politique en vue de défendre son parcours constitutionnel et de dénoncer la tentative de Mulroney visant à reconnaître le Québec comme société distincte. « Puisque l'Accord du lac Meech est mauvais pour le Canada, déclara Trudeau, puisque le Québec n'y tient pas tant que ça, convenons donc ensemble que le Canada s'en portera mieux si le monstre du lac Meech retournait se noyer au fond du lac d'où n'aurait jamais dû surgir sa tête hideuse[12]. » Beaucoup de Québécois se sentirent rejetés lorsque Clyde Wells, premier ministre de Terre-Neuve, omit de ratifier l'accord avant la fin du délai prévu. Le lieutenant nationaliste de Mulroney Lucien Bouchard démissionna du gouvernement conservateur pour former son propre parti indépendantiste au sein du Parlement fédéral, le Bloc québécois.

Mulroney trouva la pilule amère. « Même si, au lac Meech, j'avais obtenu le consentement unanime de dix premiers ministres provinciaux représentant quatre partis politiques différents, m'avait-il confié, puis celui de deux partis d'opposition à la Chambre des communes, puis celui de mon propre gouvernement – tout cela à l'unanimité –, la formule d'amendement était tellement problématique que trois ans plus tard, elle a permis à M. Wells de répudier le consentement déjà accordé par la législature de Terre-Neuve et ensuite… de répudier son propre consentement et – guidé par M. Trudeau, M. Chrétien et tous les autres – de saboter l'accord à la dernière minute. »

En 1988, au coût de 17 millions de dollars, Hollinger ajouta le *Jerusalem Post* à son empire en pleine croissance, sur lequel – comme l'espérait Black – le soleil ne devait jamais se coucher. En matière d'influence et de lectorat, cette acquisition représentait une nouveauté pour Black et ses associés, David Radler et Dan Colson. En se portant acquéreur du *Telegraph* de Londres, Hollinger s'était propulsée hors de sa base canadienne : elle avait maintenant l'aplomb nécessaire à l'accroissement de ses holdings internationaux.

Depuis l'époque biblique, Jérusalem a toujours exercé la même étrange fascination sur les juifs, les chrétiens et les musulmans. Elle est considérée comme une ville sainte par les trois religions monothéistes, mais leurs prétentions à l'hégémonie se sont toujours recoupées. À Jérusalem, la transcendance religieuse est depuis longtemps fusionnée à la politique : un caractère inaliénable et absolu est dévolu aux stratégies à long terme, aussi bien qu'aux stratagèmes tactiques à court terme.

À une époque récente, Jérusalem est devenue l'épicentre du conflit entre Israël et la Palestine. Au mont du Temple, des juifs en kippa et en châles de prières s'alignent devant le mur occidental pour insérer des prières dans les fentes des pierres ocre et se lamenter sur la chute du deuxième Temple en l'an 70 de notre ère. Du haut des minarets du dôme doré du Rocher et de la mosquée Al-Aqsa retentit la voix amplifiée du muezzin criant des versets du Coran, comme s'il voulait étouffer le murmure des prières juives. Contre leur habitude, les chrétiens se tiennent en retrait, s'abritant de l'accablant soleil vertical sous les bougainvilliers et les hibiscus rouges.

Compte tenu du penchant de Black pour le conservatisme intégral et de son désir d'établir une présence mondiale pour Hollinger, le *Jerusalem Post* représentait une occasion alléchante. Comme propriétaire d'un journal anglophone publié dans l'une des régions les plus explosives au monde, Black bénéficiait d'une voix éditoriale puissante auprès du lectorat influent de la communauté diplomatique et des Juifs anglophones vivant en Israël et à l'étranger. Comme Barbara Amiel l'écrivit dans le *Jerusalem Post* : « Israël a été créé pour épargner aux Juifs les dangers physiques et l'antisémitisme. Ironiquement, nulle part ailleurs au monde n'y a-t-il un prix plus cher à payer pour être un Juif qu'en Israël[13]. »

Historiquement, le *Jerusalem Post* était très proche de l'élite du vieux parti travailliste Mapai et Black le considérait comme « très critique à l'égard du Likoud sous Menahem Begin et Itzhak Shamir et nettement hostile à toute forme d'occupation des territoires dont Israël avait pris le contrôle après la guerre de 1967[14] ».

Conrad Black était un chrétien sioniste. Selon lui, il y avait quatre grands points de vue sur la question de la paix au Moyen-Orient : celui de la vieille garde du Parti travailliste (soutenue traditionnellement par le *Post*), qui préconisait un retour aux frontières de 1967, sauf pour Jérusalem qui resterait indivise ; celui du mouvement La Terre pour la Paix (prôné par des hommes comme Itzhak Rabin et l'aile droite du Parti travailliste) épousant « une notion plus restreinte des concessions territoriales ; la position plus libérale du Likoud, favorisant une définition conservatrice des besoins de la sécurité d'Israël [...] et celui du groupe d'Ariel Sharon, opposé à toute négociation et à tout compromis[15] ». L'opinion de Black se situait à mi-chemin entre le deuxième et le troisième point de vue.

Peu à peu, le *Jerusalem Post* en vint à se rapprocher davantage de l'option du Likoud, parti de droite fondé par Menahem Begin, qui s'opposait à toute concession territoriale au profit des Palestiniens, tout en soutenant le *statu quo* sur le plan religieux. Hollinger nomma le colonel Yehuda Levy éditeur du *Post* : ses interventions dans le contenu des éditoriaux suscitèrent des protestations dans la salle de rédaction.

Rédacteur en chef du *Jerusalem Report* depuis 1998, David Horovitz passa plusieurs années à Londres à titre de correspondant du *Post*. Selon lui, Levy, aujourd'hui décédé, « avait établi que la politique éditoriale – qui avait été jusque-là essentiellement protravailliste et en faveur du compromis territorial avec les Palestiniens – allait dorénavant opérer un virage à droite et rejeter toute idée de céder du territoire en Cisjordanie et dans la bande de Gaza. Le moment de vérité arriva quand l'éditeur – révoquant le droit du journal à critiquer le gouvernement – interdit au rédacteur en chef du *Post* de publier un éditorial relativement anodin dans l'édition internationale. Il était clair que l'éditeur entendait s'immiscer dans le contenu du journal. Et il était également clair qu'Hollinger accordait un appui inconditionnel à Yehuda Levy. En Israël, la politique est au centre de tout, elle est une question de vie ou de mort. Le journal avait toujours défendu certaines valeurs que je considérais, pour ma part, comme essentielles à la survie de l'Israël dans lequel je voulais vivre. Et maintenant, le journal allait défendre autre chose[16] ».

Horovitz et la plupart des éditorialistes les plus anciens décidèrent de démissionner. « Peu de temps après la prise de contrôle du groupe Hollinger, me confia-t-il, une trentaine d'entre nous partirent. » C'était un début plutôt agité pour Hollinger. Mais ce départ massif ne mit pas Black dans l'embarras : il estimait que le *Jerusalem Post* – avec plus du quart des effectifs du *Telegraph* pour 40 fois moins de tirage – souffrait d'un flagrant surplus d'effectifs. « Par une pure et heureuse coïncidence, dit Horovitz, au début de 1990, le *Jerusalem Report* commençait à s'implanter. Plusieurs ex-employés du *Post*, y compris moi-même, allèrent travailler au *Report*. Ironie du sort – c'est le moins qu'on puisse dire –, Hollinger fit l'acquisition du *Jerusalem Report* en 1998. Le *Report* est généralement perçu comme un journal libéral et pluraliste, très loin de l'état d'esprit régnant chez Hollinger. Mais le président du conseil d'administration, David Radler, n'a jamais soumis le contenu de nos éditoriaux à aucune pression issue du groupe Hollinger. Il n'est jamais intervenu. »

Bien que le *Post* n'ait jamais rapporté beaucoup d'argent, il procura à Conrad Black un forum de discussion sur le rôle d'Israël au Moyen-Orient et dans le monde. Il fournit également à Black une tribune politique néoconservatrice. En 1990, il nomma plusieurs conservateurs bien en vue au conseil d'administration du *Post* : Richard Perle, l'ancien secrétaire adjoint à la Défense des États-Unis (bien connu pour ses liens avec le Likoud), l'éditeur britannique Lord Weidenfeld et l'ancien directeur des services militaires de renseignements israéliens, le général

Shlomo Gazit. Entre 1989 et 1993, les effectifs de la salle de rédaction furent réduits de moitié et Hollinger modernisa les presses dans le but de rendre le journal plus attrayant et facile à lire. Cependant, la qualité éditoriale du journal n'avait jamais été sa force.

À l'époque, le rédacteur en chef du *Jerusalem Report*, Hirsh Goodman, aurait dit: «Le *Jerusalem Post*, tel qu'il est présentement, est une disgrâce. Il n'a pas de concurrence, ne reflète que le point de vue des correspondants étrangers et des diplomates sur Israël et c'est mauvais. Comme l'équipe éditoriale n'est pas constituée de professionnels, la rédaction est de mauvaise qualité[17].»

Radler avait présidé aux destinées du *Post*. En effectuant un virage à droite, Hollinger anticipait un glissement important des politiques israéliennes. Au cours des années 1990, dans la foulée des conflits avec le Liban et avec la Palestine, le système pluripartite d'Israël devint de plus en plus polarisé.

La capacité d'Ariel Sharon de survivre politiquement en est l'illustration. Il s'était distingué comme officier de l'armée, mais son comportement lors de l'invasion du Liban en 1982 – où plus de 800 civils palestiniens et libanais avaient été massacrés dans les camps de Sabra et Chatilla par un groupe de milices libanaises – fit par la suite l'objet d'une enquête de la commission Kahan, dirigée par le président de la Cour suprême d'Israël. Celle-ci déclara Sharon «responsable d'avoir négligé les risques d'une effusion de sang et de vengeance en approuvant l'entrée des phalangistes [forces de la milice chrétienne] dans les camps et de ne pas avoir pris les mesures qui s'imposaient pour éviter une effusion de sang». La commission avait recommandé que Sharon soit destitué de son poste de ministre de la Défense, mais il était néanmoins demeuré membre du gouvernement et d'autres portefeuilles ministériels lui furent confiés. En 1999, il fut élu à la tête du Likoud et devint premier ministre deux ans plus tard.

Selon Saul Singer, éditorialiste au *Jerusalem Post*, Sharon était considéré comme inéligible, mais «en un sens, à la suite des deux victoires électorales écrasantes qui s'étaient succédé, les Israéliens oublièrent la commission Kahan... Beaucoup de gens considéraient qu'après la période ayant offert les plus belles perspectives de paix, c'était bien Arafat qui avait fait élire Sharon... Je ne crois pas que la plupart des gens voient Sharon comme un criminel de guerre».

L'invasion du Liban avait été justifiée en invoquant l'amélioration de la sécurité d'Israël. Les 20 années d'occupation qui suivirent se soldèrent par la mort de milliers de civils et par une escalade de la haine et de la polarisation entre les deux camps.

Pendant la majeure partie de sa carrière, Sharon avait été un ardent défenseur des colonies juives en Cisjordanie : pour lui, elles représentaient la réalisation d'une promesse biblique faite aux descendants du patriarche Abraham. Et il était fermement opposé à l'idée de faire aux Palestiniens des concessions qui les amèneraient à négocier. « Nous devrions dire à Arafat : "Si vous voulez venir à la table de négociation, alors présentez-vous. Sinon, restez là où vous êtes", avait déclaré Sharon en 1994, dans le cadre d'une rencontre avec le comité éditorial de la *Gazette* de Montréal (dont j'étais membre à l'époque). Voilà la réaction normale de n'importe quel pays. » Ses prouesses militaires et ses attitudes intransigeantes finirent par lui procurer une victoire électorale qui fut le fait d'Israéliens qui, désespérés par une succession d'échecs du processus de paix, recherchaient avec avidité la sécurité. Plus tard, face à la menace croissante des attaques terroristes et des représailles immédiates, Sharon préconisa le retrait des colonies et l'érection, autour d'Israël, d'un mur qui protégerait ses citoyens.

En admiration devant son courage politique, le *Jerusalem Post* changea avec Sharon. D'après Saul Singer, vers la fin des années 1990, le journal était moins à droite qu'à l'époque de Yehuda Levy, son premier éditeur. Dans l'intervalle, plusieurs événements importants étaient survenus, qui avaient contribué à brouiller la distinction entre la droite et la gauche israélienne : l'effondrement du processus de paix, l'Intifada palestinienne et, surtout, le retrait unilatéral des Israéliens du sud du Liban, un geste qui fut interprété comme une victoire sur Israël par le mouvement islamiste radical Hezbollah et, par les Palestiniens, comme une invitation à intensifier leurs attaques.

« La droite a plus ou moins adopté le point de vue de la gauche, selon lequel les Palestiniens ne pouvaient pas être absorbés, dit Singer. Puisqu'ils ne peuvent pas devenir citoyens et qu'ils ne peuvent pas être expulsés, les Palestiniens ont donc besoin d'un État séparé. Il y a maintenant un consensus sur cette question et c'est un consensus auquel j'adhère. »

Selon David Horovitz : « [Si le pays ne trouve pas] un moyen sécuritaire de renoncer au contrôle d'une grande partie de la population non juive, nous perdrons cet Israël dont le visage est essentiellement juif, en matière de démographie et de démocratie. Le leadership palestinien cesserait même de prétendre chercher une solution qui consisterait en l'existence de deux États – Israël et la Palestine côte à côte – et défendrait plutôt l'idée d'un seul État où coexisteraient deux nations : compte tenu de ce que le taux de natalité est plus élevé chez les musulmans que chez les juifs, ceux-ci finiraient par devenir une minorité en perte de vitesse. Nous perdrions le contrôle indispensable de notre destin. Voilà pourquoi la solution des deux États est dans l'intérêt essentiel de la survie et de l'existence d'Israël. »

Comme en font foi les articles de journaux qu'il a rédigés sur la question ainsi que sa biographie de Franklin Delano Roosevelt – parue en 2003 –, Black ressentait depuis longtemps une sympathie naturelle pour Israël et le judaïsme. En matière de réseautage politique, le sionisme de Black, joint à son contrôle du *Jerusalem Post* et du *Report*, lui fournit un accès accru dans les cercles politiques, financiers et intellectuels de la communauté juive. Et son mariage avec Barbara Amiel lui avait sûrement permis d'accroître sa connaissance et sa compréhension du sionisme et des réalités de l'antisémitisme international. Cependant, il est singulier que Black, en tant que converti au catholicisme romain, ait embrassé le sionisme : la plupart des sionistes chrétiens sont des protestants, le plus souvent évangélistes.

Toujours à l'affût d'une occasion de croissance, Conrad Black se tourna vers l'Australie. John Fairfax Holdings était un influent groupe de presse australien et un empire médiatique qui remontait à 1841, lorsque John Fairfax et Charles Kemp avaient acheté le *Sydney Herald* – fondé 10 ans plus tôt par Frederick Stokes – pour la somme de 10 000 livres. En 1853, ce journal (rebaptisé le *Sydney Morning Herald*) devint le premier journal australien imprimé sur des presses à vapeur. Au début du XXe siècle, le groupe Fairfax publiait un certain nombre de journaux et magazines australiens. Des chaînes de télévision s'y ajoutèrent dans les années 1950. En 1990, après avoir privatisé le groupe par le biais d'une offre de 2,25 milliards de dollars, Warwick Fairfax fils congédia les membres du conseil d'administration et devint président de la compagnie et du conseil. Plus tard la même année, l'entreprise fut mise sous séquestre. « Les résultats d'exploitation s'étaient améliorés de façon marquée, raconta Black plus tard, mais les taux d'intérêt en hausse fou-droyante, les revenus en déclin à cause de la récession et une incapacité de faire tourner ses actifs assez rapidement et de façon avantageuse avaient abattu l'entreprise et mis à la folle escapade de Warwick un triste point final, qu'on avait largement anticipé[18]. »

Black dut avoir une impression de déjà-vu quand il examina la pos-sibilité de s'impliquer dans Fairfax. À peine six ans auparavant, il avait profité de la gestion incertaine et des emprunts imprudents de Lord Hartwell pour prendre, à bon marché, le contrôle du *Daily Telegraph*. Pourrait-il procéder de la même façon avec Fairfax ? Il y avait des diffé-rences majeures, toutefois. Warwick Fairfax avait financé le rachat de la compagnie par des emprunts exagérément élevés qui avaient laissé le groupe dans une situation financière désespérée. Cependant, les actifs de la compagnie dans le domaine des médias – surtout ses journaux à grand format, le *Sydney Morning Herald* et *The Age* – attiraient l'atten-tion de plusieurs investisseurs. Black demanda conseil à un de ses confrères, le magnat Rupert Murdoch, Australien de naissance et pro-priétaire du *Times*. En 1987, Murdoch avait acheté le groupe rival *Herald & Times* et n'était pas autorisé à faire une offre publique d'achat pour Fairfax. Murdoch mit Black en garde : « Les pêcheurs de fond vont être les premiers... mais ça ira vite plus loin et il est difficile de deviner qui émergera tant qu'on ne saura pas qui sont les joueurs. Il y aura des problèmes avec la propriété étrangère et la propriété croisée[19]. »

Les acheteurs potentiels n'étaient pas le seul défi auquel Black devait faire face. En raison de son isolement géographique, l'Australie avait déve-loppé une forte culture nationale et elle était loin des bases d'opération de Black en Amérique du Nord et en Grande-Bretagne. Cela impliquait pour Black de fréquents vols long-courriers qu'il abhorrait. Il confiait les vols de nuit à son confrère de classe de Laval, vieil ami et associé, Dan Colson.

De plus, les lois protectionnistes interdisant la propriété croisée de groupes de presse australiens s'appliquaient également aux étrangers. Il s'agissait d'un obstacle majeur pour Black, qui préférait détenir un maxi-mum de contrôle sur ses entreprises médiatiques. Par le biais du *Tele-graph*, il créa un nouvel outil pour soumettre une offre d'achat : Tourang Ltd., qui devait détenir 14,9 % des actions de Fairfax. Il avait besoin de partenaires et se tourna vers le joueur de polo milliardaire Kerry Packer, qui était, s'il fallait en croire la mise en garde de Murdoch, « le plus outrancier de tous les pêcheurs de fond ». Mais Black n'était pas inquiet puisque Kerry contrôlait d'autres entreprises médiatiques. En vertu de la loi australienne, il ne pouvait ni dépasser une participation de 14,9 % ni siéger au conseil d'administration de Tourang. Un troisième joueur, Hellman & Friedman, gestionnaire de fonds de San Francisco, se joignit à l'offre pour une autre tranche d'actions de 14,9 %.

Dan Colson travaillait depuis 10 ans « presque à temps complet et à divers titres pour Conrad ». Associé principal dans les bureaux londoniens du cabinet canadien d'avocats Stikeman, Elliott, Colson, il avait pris part aux négociations entourant l'acquisition du *Telegraph* et du *Jerusalem Post*. « Hollinger se trouvait alors dans un état d'esprit favorable aux acquisitions », dit-il[20].

Black n'avait pas l'habitude de se joindre à des troïkas. « J'avais été très clair sur le fait que je ne souhaitais pas jouer les feuilles de vigne et que si ce consortium devait avoir la moindre crédibilité politique, dit-il, il me fallait convaincre ce grand commonwealth où je n'avais jamais mis les pieds que je n'étais pas le pavillon de complaisance de Packer. Rien n'était plus vrai et je me sentais à la hauteur de cette tâche, mais je voulais qu'il soit établi à l'avance que je voulais être traité comme l'actionnaire principal et le principal gestionnaire des journaux du groupe, et non pas comme un homme de paille stupide jouant un rôle de demeuré dans une bouffonnerie corporative australienne[21]. »

En juillet 1991, Black se rendit à Canberra, où il rencontra le premier ministre travailliste de l'Australie, Bob Hawke, et le trésorier fédéral, John Kerin. Comme Black l'expliqua par la suite, il voulait calmer les inquiétudes raisonnables du gouvernement et savoir jusqu'à quel niveau il pouvait augmenter sa participation. « C'est à ce moment que Kerin fit remarquer que "jusqu'à 35 %, les inquiétudes sur la propriété par des étrangers, ce sont des niaiseries". Il nia par la suite avoir employé le terme "niaiseries", mais c'est précisément ce qu'il avait dit et j'avais évidemment pris bien soin de le noter pour le répéter[22]. » Comme cela laissait entendre que le gouvernement avait indiqué une volonté d'autoriser la propriété étrangère d'entreprises de presse au-delà des limites prévues par la loi, ce commentaire fut plus tard scruté à la loupe par un comité du Sénat australien.

Kerry Packer était soupçonné par le gouvernement d'avoir songé à prendre secrètement le contrôle de Fairfax, mais, appelé à témoigner dans le cadre d'une enquête parlementaire sur les médias, il avait nié cette présomption. « L'année dernière, j'ai subi une grave crise cardiaque et je suis mort, avait-il expliqué. Je ne suis pas mort longtemps, mais c'était déjà assez long pour moi. Je ne suis pas revenu dans le but de contrôler John Fairfax. Je ne suis pas revenu dans le but de violer la loi. Et je ne suis assurément pas revenu dans le seul but de faire une déposition devant une commission d'enquête parlementaire. »

La soumission de la troïka fut approuvée, mais le statut de baron de la presse de Black était moins clair en Australie, un pays avec lequel il n'était pas familier et qu'il avait rarement visité. Colson était le principal représentant de Hollinger en Australie. « Vers la fin de 1991 ou au début de 1992, je suis finalement devenu "légitime" en intégrant Hollinger à plein temps, dit Colson. En ce qui concerne Fairfax, je me suis occupé pendant un an d'une prise de contrôle extrêmement acrimonieuse et hautement médiatisée. Nous fûmes impliqués pendant cinq ans et demi dans Fairfax et j'ai dû faire 68 voyages en Australie. J'ai donc passé environ quatre mois et demi de ma vie sur des vols aller-retour en Australie, sans compter tous mes autres déplacements. »

Black devait s'entourer de personnalités australiennes influentes et estimées. L'une d'entre elles fut sir Zelman Cowen, ancien gouverneur général de l'Australie qui avait présidé le Conseil de presse de Grande-Bretagne de 1983 à 1988 et qui partageait l'intérêt de Black pour le cardinal Newman.

Depuis Melbourne, au cours d'une entrevue téléphonique parsemée de crépitements, Cowen m'a expliqué : « Conrad Black m'avait écrit pour me dire qu'il était en train de préparer une offre d'achat pour le groupe de presse Fairfax : s'il réussissait, il me demanderait de bien vouloir envisager la présidence du conseil. » L'offre d'achat faite par le consortium Tourang – 1,39 milliard de dollars – fut couronnée de succès et, le 23 décembre 1991, Cowen reçut un appel téléphonique l'invitant à une rencontre pour préparer le projet de charte de la compagnie. « Dans les délais requis, je fus président du conseil fondateur de Tourang. J'y suis resté cinq ans, les trois premières années comme président du conseil. » Le gouvernement travailliste de Bob Hawke avait tenu Black à l'abri d'une intense campagne nationaliste et il avait bon espoir que Fairfax – avec une meilleure gestion et des effectifs réduits – pourrait offrir des rendements substantiels.

Trois jours après l'approbation de l'offre de Tourang, le Parti travailliste australien désigna Paul Keating – trésorier fédéral de 1983 à 1991 – comme chef du parti et premier ministre, en remplacement de Bob Hawke. L'implication de Black dans Fairfax allait constituer l'un des enjeux auxquels il aurait à faire face. « Black avait l'habitude d'arriver d'un pas nonchalant, un mouchoir de soie glissé dans la poche de son veston, se rappelle Keating. Chacune de ses phrases était une étude de mots. Comme s'il avait avalé le dictionnaire. Mes discussions avec Black étaient toujours amusantes et correctes. Il était pourvu d'un certain charme et d'une certaine gaieté qui le rendaient agréable à fréquenter. Pour ce qui est de sa suffisance à peine déguisée, c'était presque de l'affectation[23]. »

Keating – un fils de chaudronnier d'ascendance irlandaise catholique au visage morose et à la chevelure noire – était un politicien financièrement astucieux qui connaissait bien l'industrie de la presse. Il avait été le témoin de la perte de contrôle progressive de la famille Fairfax sur ses journaux: il considérait qu'ils étaient ultraconservateurs et que leurs éditoriaux manquaient de lignes directrices. Même pour le contenu des reportages, les journalistes manifestaient peu d'égards pour les faits et publiaient leurs propres interprétations et opinions. La couverture des affaires gouvernementales nationales était souvent erratique et erronée. Keating souhaitait ardemment que l'Australie soit dotée d'un « journal de référence à l'image du *New York Times* ou de l'*International Herald Tribune* ». Il appréciait le fait que, « s'inspirant des normes de rigueur des journaux de grand format en Grande-Bretagne, Black cherchait à repositionner le *Herald* et *The Age*. Et je lui avais dit: tant mieux, voilà qui est positif; il devrait y avoir plus de nouvelles et moins d'opinions personnelles[24]... »

Il est compréhensible que Keating ait éprouvé la nécessité politique d'un « journal de référence », mais en favoriser la création par Black faisait-il vraiment partie de ses fonctions? Il y avait là un conflit d'intérêts potentiel.

Quoique – compte tenu des lois australiennes en apparence très strictes sur les droits de propriété des étrangers – l'atteinte de leur objectif ne fût pas facile, Black et Colson cherchaient à accroître leur participation dans Fairfax jusqu'à en assumer le contrôle, comme ils l'avaient fait pour le *Telegraph*. Comme les règles et les procédures en matière de propriété étrangère qui avaient été appliquées précédemment dans les décisions relatives à Fairfax étaient confuses et mal définies, il leur était permis d'espérer.

Au début de 1993 – année d'élections –, Black eut une discussion avec Keating au sujet de Fairfax. Un rapport d'un comité du Sénat mentionna par la suite que le premier ministre avait tenté « d'influencer de manière inappropriée la couverture politique faite par les journaux du groupe Fairfax, en faisant miroiter devant M. Black la perspective d'une participation accrue dans Fairfax contre une couverture équilibrée... Les agissements de M. Keating laissaient entendre qu'il souhaitait davantage se servir de l'influence que lui procurait sa position unique pour que le groupe Fairfax infléchisse sa couverture politique de la campagne électorale menant aux élections de [mars] 1993 en sa faveur[25] ».

Selon Keating, c'est plutôt Black qui l'avait approché pour formuler des plaintes. « Il ne pouvait pas diriger les journaux avec une participation de 14,9 %. L'effondrement de la famille Fairfax avait laissé les journaux dans un état d'anarchie. Black se trouvait ridicule avec ses 14,9 %... Il disait : "Avec 14,9 %, je n'ai aucun pouvoir directionnel. Je suis considéré comme un itinérant qui ne cherche qu'à faire de l'argent." Ses arguments en faveur d'une participation majoritaire étaient convaincants. »

Il est excitant de penser qu'un premier ministre ait pu – en échange d'une couverture « équilibrée » – se livrer au trafic d'influence en autorisant et même en se faisant le champion d'une participation étrangère accrue dans un groupe de presse national. Telle était du moins l'opinion du comité du Sénat. Mais les souvenirs de Keating sont différents. « Je n'ai jamais demandé à Conrad Black de m'accorder une couverture favorable. À mon niveau de professionnalisme politique, je ne *demande* rien. Tout ce que j'ai demandé à Black, c'était de faire du journalisme équilibré. Demander à Black d'adopter une sorte de parti pris, alors qu'il n'était en mesure de tracer la ligne directrice d'aucun éditorial, revenait à se tirer dans le pied... Black m'a dit : "Donnez-nous le contrôle", et j'ai répondu : "Conrad, donnez-nous des journaux sérieux, et nous allons voir ce que nous pouvons faire. Vos journaux sont demeurés les mêmes vieux crachoirs. Les journalistes vous considèrent comme un moulin à paroles." » En 1993, lors d'entrevues accordées à des médias australiens, Black tint le même discours : il n'y avait eu aucune contrepartie et le premier ministre n'avait pas demandé de couverture favorable.

Plus tard, le gouvernement Keating autorisa le *Telegraph* à augmenter sa participation dans Fairfax jusqu'à hauteur de 25 %. Mais Black ne transforma ni le *Sydney Morning Herald* ni *The Age* en véritables journaux sérieux. En 1995, Black écrivit dans le rapport annuel du groupe Hollinger : « À la suite de l'élection du 2 mars [1996], l'impact du changement de gouvernement sur les droits de propriété des étrangers dans le domaine des médias est difficile à interpréter... En dernière analyse, pour être couronné de succès, l'investissement [dans Fairfax] doit mener à un contrôle incontesté ou être liquidé. En Australie comme ailleurs, nous ne voulons pas nous contenter d'être un holding vivant de ses dividendes. Nous avons un gain de capital irréalisé de plus de 250 millions de dollars sur notre investissement. » En novembre 1996, après six ans, le *Telegraph* vendit ses actions dans Tourang à une firme de Nouvelle-Zélande, réalisant ainsi plus du double de son investissement initial.

« Black souffrait d'absentéisme, dit Keating, reflétant à cet égard l'opinion indignée de plusieurs Australiens. Il considérait qu'il s'agissait d'un investissement, mais ses responsabilités de propriétaire l'obligeaient à des visites trimestrielles qu'il avait en horreur. »

En 1993, dans ses mémoires, Black évoqua de façon chaleureuse l'Australie et ses habitants. Mais beaucoup d'entre eux le considéraient comme un rapace qui n'avait pas l'intention de s'engager à long terme envers les journaux du groupe Fairfax et qui s'était enfui avec un sac bourré d'argent.

L'empire de presse international de Black avait une importante présence métropolitaine au Canada, en Grande-Bretagne, en Israël et en Australie. Entre 1986 et 1992, grâce à des cessions d'actifs et aux importantes rentrées de fonds du *Telegraph*, American Publishing – une filiale de Hollinger établie à Chicago – fit l'acquisition de près de 300 journaux régionaux aux États-Unis, pour un peu plus de 300 millions de dollars. Avec David Radler comme président de l'entreprise et du conseil d'administration, American Publishing se lança dans une stratégie d'acquisition de journaux ayant un tirage de 4 000 à 25 000 exemplaires dans les banlieues et les communautés industrielles, assez petits pour que la plupart des acheteurs n'y soient pas intéressés. Souvent, ces journaux jouissaient d'un monopole.

Cette stratégie rappelait celle de Roy Thomson, au début de sa carrière dans l'industrie de la presse. Il pensait qu'il y avait bien des avantages à acheter de petits journaux régionaux. « La plupart des gens ayant possédé et dirigé des journaux au Canada, aux États-Unis et en Grande-Bretagne ont agi ainsi parce qu'ils aimaient le prestige et le pouvoir associés à la propriété de journaux, dit un jour Thomson. En ce qui me concerne, je ne m'intéressais qu'au profit[26]. »

La formule de réussite financière élaborée par Black et Radler à l'époque du *Sherbrooke Record* et de la chaîne Sterling Newspapers avait peu changé : compter le nombre de pupitres, sabrer les emplois, centraliser la gestion de la trésorerie au niveau du groupe et augmenter les recettes de publicité au niveau des régions. Grâce aux quelques centaines de journaux en sa possession et par le biais des talents de négociateur de Radler, American Publishing était en mesure d'obtenir des escomptes de volume de la part des fournisseurs de papier journal. Black écrivit : « Ma foi dans le *reagonomics* [programme économique du Président Reagan préconisant la relance des investissements et l'abaissement de la pression fiscale], la renaissance de la *Rust Belt* [littéralement, la région de la rouille, expression qui désigne la région fortement industrialisée du nord-est des États-Unis où sont situées la plupart des vieilles industries et des vieilles usines], et la détermination et la compétence des travailleurs américains n'a jamais flanché. J'ai fait traduire en latin la devise *"in rust we trust"* (nous plaçons notre confiance dans la rouille) pour inspirer notre entreprise... Les nouvelles technologies ont effleuré notre secteur industriel juste assez pour permettre la gestion centrale de multiples petites entreprises, mais pas assez pour constituer un danger comme cela est arrivé dans le cas des journaux métropolitains. Il y avait rarement intérêt à câbler les petites villes où nous avions pignon sur rue. Les syndicats n'étaient pas présents ou, lorsqu'ils l'étaient, se montraient raisonnables... Nous avons travaillé fort pour améliorer notre produit éditorial au moindre coût, mettant même à profit le service des nouvelles du *Daily Telegraph*, et l'American Publishing a fait des progrès réguliers, augmentant son tirage quotidien d'environ 100 000 exemplaires par année, à la fin des années 1980 et au début des années 1990[27]. »

Mais comme les avocats chargés de la défense de Black prirent la peine de le préciser à maintes reprises lors du procès criminel de Chicago,

American Publishing était sous la responsabilité de Radler. Black ne tirait aucun plaisir à être le propriétaire du *Punxsutawney Spirit*, du *Wapakoneta Daily News* ou du *Hawaii Pennysaver*. Et si l'idée de voyages en Australie le rebutait, il était encore moins enclin à se rendre dans les petites villes manufacturières poussiéreuses du centre des États-Unis. Andrew Knight quitta le *Telegraph* en 1989 et Black s'installa dans son rôle de président de la compagnie et du conseil d'administration. Accueilli à bras ouverts par la haute société britannique, il cultiva de nouvelles amitiés au sein de l'élite londonienne. Il aurait voulu qu'il en soit de même aux États-Unis.

Après le décès de Robert Maxwell – et juste avant que sa fraude d'un milliard de livres ne soit publiquement dévoilée –, son fils Kevin contacta Black pour savoir s'il serait intéressé par l'acquisition d'entreprises médiatiques additionnelles. À la suite de cette rencontre, Black confia à Barbara Amiel qu'il était déterminé à ce que ses enfants « n'aient jamais à faire une visite aussi financièrement embarrassante à quiconque après ma mort[28] ».

Black s'intéressait particulièrement au *New York Daily News*, un tabloïd soumis au chapitre 11 de la Loi sur la protection des faillites. Le journal avait vu son tirage péricliter de 4 millions d'exemplaires avant la Seconde Guerre mondiale à 800 000 à la mort de Maxwell. Les cinq mois de grève de l'année précédente ne l'avaient pas aidé. Le *News* offrait à Black un potentiel énorme et la prestigieuse plateforme corporative qu'il convoitait depuis longtemps aux États-Unis. S'il parvenait à s'en emparer, il deviendrait enfin un membre des ligues majeures des éditeurs de journaux américains. Ayant vu le jour en 1919 comme journal illustré de New York, le *Daily News* avait rivalisé avec les journaux du groupe Hearst. L'édifice lui servant de siège social au cours des années 1930 et 1940 avait servi de modèle pour l'immeuble du *Daily Planet* dans les films de Superman et ses journalistes avaient remporté plusieurs prix Pulitzer.

Le *News* était apparemment viable, mais il avait besoin d'une nouvelle équipe de gestion, d'une réduction du tiers de ses effectifs et d'une nouvelle imprimerie. Black y était intéressé seulement si le prix était raisonnable. Lors d'une réunion avec les membres du conseil d'administration du *News*, Black les mit en garde : « Je ne veux pas venir à New York pour me coller les lèvres à un tuyau d'échappement[29]. » En décembre 1991, à Londres, au cours d'une rencontre au domicile de Lord Weidenfeld, la vedette de la télévision américaine Barbara Walters proposa à Black de le faire entrer en contact avec l'acheteur de médias John Veronis : celui-ci travailla par la suite avec Black et Radler à la mise sur pied d'une offre publique d'achat compliquée pour le compte du groupe Hollinger. De son côté, Mort Zuckerman, un ancien Montréalais qui avait acquis le *U.S. News & World Report* et la revue *Atlantic Monthly*, annonça qu'il souhaitait aussi faire une offre. Black offrit à Zuckerman de faire une offre conjointe, arbitrée par ses amis Henry Kissinger et Richard Perle. Mais Zuckerman était déterminé à faire cavalier seul. Comme Hollinger ne parvint pas à mener à terme ses négociations avec les travailleurs dans les limites des délais prévus par un juge, son offre expira. Zuckerman signa des ententes généreuses avec plusieurs syndicats et remporta le *News*. En 1993, dans ses mémoires, Black écrivit que Zuckerman « a fait une fois de plus la preuve que le fléau de l'industrie de la presse, c'est l'amateur aisé qui conclut des marchés économiquement non viables pour se lancer en affaires dans le *glamour* et l'influence, plus particulièrement dans les très grandes villes[30] ».

En 1993, la filiale du groupe Hollinger American Publishing acheta le *Chicago Sun-Times*. Avec un tirage de 523 000 exemplaires, celui-ci se classait au huitième rang des journaux américains : il avait seulement 174 000 abonnés de moins que le *Chicago Tribune*, dont le lectorat de banlieue était plus important.

Journal traditionnellement libéral et proche du Parti démocrate, le *Sun-Times* avait appartenu brièvement à Rupert Murdoch, jusqu'à ce que la Commission fédérale des communications lui ait donné le choix entre abandonner un poste de télévision de Chicago qu'il possédait déjà ou le *Sun-Times*. Une firme spécialisée dans les acquisitions par emprunt reprit le *Sun-Times*, mais elle s'avéra incapable de le rentabiliser. Il fut vendu à American Publishing pour 180 millions de dollars. Au cours d'une visite à sa dernière acquisition, Black, balayant l'édifice du *Sun-Times* du regard, dit : « Compte tenu de la richesse architecturale de cette ville, l'édifice est vraiment sans intérêt, n'est-ce pas ? Je ne dirais pas laid. Il est juste commun[31]. »

À Chicago, Black et Radler adoptèrent la même stratégie qui leur avait si bien réussi dans les autres marchés. Après que Hollinger en eut pris le contrôle, le nombre de journalistes et de rédacteurs du *Sun-Times* membres de la Chicago Newspapers Guild tomba de 255 à 185[32]. La couverture de l'actualité dans beaucoup de domaines – notamment la politique de l'État de l'Illinois – fut sensiblement réduite, les budgets de rédaction coupés et les services d'impression déplacés dans les installations plus modernes d'un autre journal appartenant à American Publishing. Au cours de la décennie suivante, plusieurs innovations furent réalisées. Une nouvelle imprimerie de 100 millions de dollars ouvrit ses portes en 1999. En déménageant le personnel du journal hors des murs de l'édifice « sans intérêt » de la rue North Wabash, le groupe Hollinger rendit la propriété du centre-ville disponible pour la réalisation d'une coentreprise avec Donald Trump : ils envisageaient de faire construire le plus haut gratte-ciel du monde. Hollinger modifia substantiellement la personnalité du journal.

Entre 1993 et 2004, Black et Radler firent passer la valeur du *Sun-Times* de 180 millions de dollars à plus de 1 milliard. « Par l'intermédiaire de Radler, Black fit beaucoup de misères au *Sun-Times* : une radinerie oppressante combinée à un virage politique vers la droite tellement radical que, chose étonnante, le *Chicago Tribune* [traditionnellement conservateur] devint la voix modérée de la ville », rapporta le *Chicago Magazine*[33]. Black publia des chroniques de commentateurs néoconservateurs, allant de George F. Will à John O'Sullivan.

Black jouissait enfin d'une assise américaine qui lui prodiguait le pouvoir nécessaire à l'exécution de son programme politique. Même si le format tabloïd était moins prestigieux que le grand format, le *Sun-Times* lui assurait une solide présence dans une métropole qui se situait au deuxième rang des villes américaines. À titre de propriétaire, il pourrait dorénavant se permettre de consacrer moins de temps à cultiver des relations avec les décideurs politiques du pays. Ce sont eux qui viendraient à lui.

Au début de 1995, dans la foulée de la prise de contrôle du *Sun-Times*, le conseil d'administration de Hollinger Inc. prit la décision de réorganiser les opérations de presse internationales du groupe. Conformément à ce projet, Hollinger International devint une nouvelle filiale d'exploitation dans laquelle les investissements du *Telegraph*, du *Jerusalem Post* et de Fairfax furent incorporés. En 1995, Black nota dans le rapport annuel : « La réorganisation place Hollinger International dans une position favorisant sa croissance future. Elle devrait améliorer la négociabilité et la liquidité de ses actions et lui fournir un accès plus facile aux grands marchés financiers nord-américains. »

. Il possédait enfin un gros titre dans une grande ville du pays qu'il admirait le plus au monde. En prenant le contrôle du *Chicago Sun-Times* et en incorporant les actifs de son groupe de presse international dans une nouvelle filiale d'exploitation établie à Chicago, Black s'était donné une solide base américaine. En revanche, il était désormais confronté à un environnement fonctionnant d'une manière radicalement différente de tout ce qu'il avait connu au Canada ou en Grande-Bretagne. Black avait voulu se procurer de nouveaux capitaux aux États-Unis par le biais d'une entreprise cotée en Bourse et constituée en corporation au Delaware. Cette décision lui fut fatale. Il avait raison de croire que ses nouveaux actionnaires de Wall Street investissaient dans *sa* compagnie, mais il semblait oublier que, comme Hollinger International était devenue une entreprise cotée en Bourse et qu'il avait réuni des capitaux grâce à plusieurs émissions publiques, il avait désormais à rendre des comptes à ces actionnaires publics ; c'était lui qui, désormais, travaillait pour *eux*.

Black se retira dans sa bulle intime. S'il y avait un effort d'adaptation à faire, c'est l'Amérique qui devrait s'adapter à *lui*. D'une part, il maintint des pratiques commerciales désuètes, typiques de celles d'Argus dans les années 1940 et 1950, tout en amplifiant son « conservatisme intégral » et son catholicisme traditionaliste à un point tel qu'ils devinrent une idéologie personnelle sclérosée ; d'autre part, il ouvrit calmement les vannes pour laisser un flot continu de plusieurs centaines de millions de dollars en frais de gestion, en paiements de non-concurrence, en prêts et autres privilèges rejaillir sur lui, ses proches associés et leurs holdings privés respectifs.

Black songeait à accroître ses actifs dans les médias canadiens, mais il était troublé par la déroute du conservatisme. Vers la fin des années 1960, il était passé du libéralisme au conservatisme et avait pu jouir de l'atmosphère vivifiante de la révolution thatchérienne et de la *reagonomics* pendant plusieurs années : il avait espéré qu'un tel virage à droite puisse se produire au Canada. Mais avec la désintégration des conservateurs de Mulroney, Black ressentait plus âprement que jamais la menace réelle, pour le Canada, d'un retour aux valeurs de l'époque de Trudeau. Les journaux lui donnaient un moyen de contrer cette tendance.

Selon Black, la tentative de Mulroney de mettre dans le même panier des séparatistes – tels Lucien Bouchard et Marcel Masse – et des habitants de l'Ouest canadien «dont l'attitude oscillait entre le scepticisme et l'intolérance à l'égard de ce qu'ils considéraient comme une indulgence excessive envers le Québec» était trop ambitieuse. «Finalement, le Parti conservateur a tout simplement explosé. Le Bloc québécois a récupéré presque tous ses adhérents québécois, tandis que le Parti réformiste a pris tous ceux qui se trouvaient à l'ouest de l'Ontario, tout en jouissant d'une certaine popularité en Ontario. Brian fut un très bon premier ministre et un chef de parti très compétent: il fut le seul premier ministre, depuis Saint-Laurent, à remporter deux majorités successives. Mais c'est bien lui qui porte la responsabilité de l'autodestruction du Parti conservateur.»

Dès 1985, Black, qui caressait le projet de devenir actionnaire minoritaire de sa chaîne nationale de journaux métropolitains, avait approché la famille Southam. Environ 200 membres de la famille Southam se partageaient une fraction modeste d'à peu près 20% des actions. L'origine de la chaîne remontait à 1877, lorsque William Southam avait acheté le *Hamilton Spectator*. Vingt ans plus tard, il commença à faire l'acquisition de journaux à travers le Canada. Selon Russell Mills, ancien éditeur du *Ottawa Citizen*, «l'autonomie des journaux était bien enracinée dans la culture de la famille Southam et remontait à l'époque où la famille de William Southam gérait divers journaux. C'était un endroit merveilleux où travailler, quoique chaotique à ses heures. L'autonomie éditoriale y était considérable, mais certains directeurs, craignant de voir diminuer leur autonomie, refusaient de se joindre au reste du groupe pour l'achat de papier journal en vrac. Les pratiques non efficientes qui s'étaient installées dans le groupe l'avaient rendu vulnérable à une prise de contrôle[34]».

Après le passage de plusieurs générations, il était inévitable que le réseau des cousins éclate et que la famille perde son emprise sur le groupe. Black savait que les propriétés canadiennes nageaient dans l'argent. Mais les rendements étaient insuffisants et le produit plutôt terne. «À part de très rares exceptions, écrivit Black, les journaux de Southam témoignaient de la fadeur, des inhibitions et du manque d'originalité et de personnalité de la plus grande partie de la société canadienne. Ils avaient un ton banalement prêcheur: "Nous sommes fiers d'être partie de l'expérience canadienne", affirmait pompeusement un rapport annuel orné d'une vue panoramique majestueuse de la côte du Pacifique[35]. »

Southam jouissait d'un monopole absolu à Vancouver, d'un monopole dans le marché des journaux à grand format à Calgary, Edmonton et Ottawa et d'un monopole anglophone à Montréal, mais il ne possédait aucun quotidien à Toronto. Les premières avances s'étaient heurtées à un refus : dans le but de prévenir une offre publique d'achat hostile, Southam avait échangé des actions avec un chevalier blanc venu à sa rescousse, le *Toronto Star* (de tendance libérale). Black soutenait que cet échange d'actions, arrangé à la hâte, n'avait jamais été officiellement approuvé et violait la Loi sur les valeurs mobilières. Par la suite, la relation entre les deux compagnies fut dissoute, sans que les actions émises ne soient cependant annulées. Avant 1989, Hollinger avait tranquillement acquis 5 % des actions de Southam et les avait revendues pour un modeste profit. Black avait été témoin de la consternation croissante de Torstar à l'égard des pratiques dépensières de la direction de Southam : il attendait le moment propice pour agir. Paul Desmarais, qui contrôlait le quotidien montréalais *La Presse* et plusieurs autres journaux, par le biais de Power Corporation, attendait lui aussi le moment propice. Sa stratégie reposait sur le bon moment : il vendait ses investissements juste avant qu'ils ne commencent à péricliter, acquérait des placements dont personne n'avait encore réalisé le potentiel et maintenait des tonnes de liquidités lorsque les conditions n'étaient pas favorables.

De sa base opérationnelle londonienne, Black suivait étroitement la politique canadienne. En 1992, l'Accord de Charlottetown, une nouvelle tentative de réforme de la Constitution, échoua. À Montréal, un soir d'octobre 1992, lors d'une assemblée tenue par la revue *Cité libre* à la Maison Egg Roll – un restaurant chinois du quartier ouvrier de Saint-Henri –, je me rappelle avoir présenté le fameux discours de Trudeau sur Charlottetown. J'étais le maître de cérémonie de la soirée. Trudeau se lança dans une défense passionnée du libéralisme classique, prétendant qu'il était demandé aux citoyens de se référer à des documents consensuels qui n'avaient toujours pas été finalisés, pour voter dans le cadre d'un référendum qui amenderait irrévocablement la Constitution. À mes yeux, ce discours était un exercice de narcissisme : Trudeau voulait que soit à jamais préservé un héritage constitutionnel qui rappelait aux Canadiens ses combats et ses réalisations personnelles. J'avais été témoin des volte-face de Trudeau dès que ses intérêts personnels étaient en jeu. Je ne le considérais pas comme un homme de principe. Il voulait que la Constitution de 1982 serve de mémorial perpétuel à sa grandeur. Quelques semaines plus tard, lors d'un référendum national, l'accord fut rejeté dans plusieurs provinces. Il y eut, en fait, deux référendums : l'un au Québec et l'autre dans le reste du pays. Dans les deux cas, l'accord fut défait.

L'échec de deux tentatives d'amendement de la Constitution, combiné à une montagne d'autres problèmes, avait ouvert la voie à la défaite du gouvernement Mulroney. Black estimait que Mulroney était un homme qui, bien que compétent, « avait été dans une situation de subalterne auparavant, et n'était, de toute évidence, pas qualifié pour le poste... Malheureusement, malgré son empressement absolument sincère à vouloir créer une solution durable au problème entre francophones et anglophones au Canada, il a voulu imiter la vieille technique utilisée par Maurice Duplessis et Daniel Johnson, qui consistait à amener les conservateurs et les nationalistes du Québec à voter dans le même sens et qui faisait appel à une grande finesse d'esprit ».

À la fin de 1992, Torstar offrit à Hollinger d'acheter son bloc de participation de 22,6 % dans Southam : 14,25 millions d'actions avec une prime de 15 % (ce qui évitait la nécessité de faire une offre aux actionnaires qui détenaient 77,4 % du groupe). La transaction de 259 millions de dollars fut approuvée le 13 novembre 1992.

Desmarais attendait toujours le moment propice. Le 10 mars 1993, Black apprit que Power Corporation s'était vu offrir un plus gros bloc d'actions de la trésorerie que celui possédé par Hollinger et à un moindre prix. Black appela Desmarais à sa résidence de Palm Beach, pour lui expliquer son projet d'intégrer Southam à Fairfax et au *Telegraph* et de faire place nette des administrateurs en exercice qui s'opposeraient à ses initiatives. Selon Black, Desmarais « a juré fidélité à l'alliance qu'il conclurait avec nous, en déclarant avoir quelques propositions précises. Nous avons convenu de nous retrouver le jour suivant. À cette occasion, son très affable fils, André, était présent, et nous sommes tombés d'accord sur un système de parité garantie entre nous, ainsi que sur des objectifs communs, en particulier l'amélioration des profits et celle de la politique éditoriale. Nous deviendrions en fait des actionnaires qui partageraient le contrôle de la société sans avoir à payer une prime pour ce contrôle[36] ».

Même s'il se voyait dans l'obligation de partager le pouvoir avec Desmarais au sein de Southam, Black mettait enfin la main sur le groupe de journaux canadiens d'envergure nationale qu'il convoitait depuis si longtemps. À bien des égards, les deux hommes étaient complètement différents. Black aimait être le centre d'attraction. Son vocabulaire percutant et son comportement agressif exagéraient son importance et le gardaient dans la ligne de mire du public. Desmarais, pour sa part, était un milliardaire sophistiqué et prudent qui accordait rarement des entrevues, gardait sa vie privée à l'écart du public et tenait sa cour au dernier étage du vénérable édifice de la Canada Steamship Lines avec son portrait à l'huile du cardinal Richelieu, sa collection privée de toiles de Krieghoff, son énorme drapeau chinois (pour les visites d'État) et son équipe incroyablement réduite d'hommes d'entreprise influents qui exerçaient un pouvoir sur la scène internationale. Laissant derrière lui un sillage de controverse, Black avait été l'instigateur de coups brillants au fil des années. Desmarais, tout en bâtissant un empire financier mondial, avait réussi à préparer ses deux fils – Paul fils et André – à diriger les deux portions à peu près égales de son empire, Financière Power et Power Corporation.

Black voulait obtenir plus de contrôle au sein de Southam. « Quand il est arrivé chez Southam comme actionnaire minoritaire, dit l'ancien éditeur du *Ottawa Citizen* Russell Mills, un journaliste du *Globe and Mail* lui avait demandé ce qu'il pensait des journaux du groupe Southam. Il avait répondu : "De la bouillie pour les chats envieux de la gauche modérée coule dans les pages principales comme un flot de boue." Je ne le trouvais pas idéologue. Il exprimait le désir que des gens comme lui, qui professaient des opinions conservatrices, aient leur place. Il ne souhaitait pas que les journaux soient uniquement de droite. C'est le meilleur chef d'entreprise pour lequel j'aie jamais travaillé. À l'image de la famille Southam, il respectait l'autonomie éditoriale, mais il était, de loin, un bien meilleur homme d'affaires que les Southam[37]. »

En 1993, en plus de s'emparer d'un pourcentage minoritaire important de Southam, Black finalisa le manuscrit de ses mémoires, *Conrad Black par Conrad Black*. Cet ouvrage de 490 pages est étrange.

Black n'avait pas encore 50 ans : il était bien trop jeune pour rédiger son autobiographie. Si, par moments, il manifeste de la candeur et une tendance à se déprécier, son ton est généralement solennel en ce qui concerne ses réalisations et son intelligence et il n'hésite pas à faire étalage de son vocabulaire prétentieux et – sans aucune pudeur – de ses relations avec les gens célèbres.

« Il croit que l'exploration de Conrad Black est une entreprise vraiment intéressante, m'avait dit Robert Fulford, et je ne suis pas en désaccord avec lui... C'est un personnage aux multiples dimensions. »

À la suite de la victoire remportée en octobre 1993 par les libéraux de Jean Chrétien, Black fut déçu de voir l'héritage de Trudeau occuper encore le devant de la scène. Les conservateurs de Mulroney s'étaient scindés en plusieurs factions. Les vestiges du parti ne récoltèrent que 16 % du vote populaire, ce qui s'était traduit de façon pathétique par une récolte de deux sièges à la Chambre des communes, comparativement à 54 pour le Bloc québécois de Lucien Bouchard et à 57 pour le Parti réformiste de l'Ouest canadien. De leur côté, les libéraux, avec 41,3 % du vote populaire, avaient remporté une majorité absolue de 177 sièges. Chrétien était le seul chef d'un parti national ayant des représentants élus dans chaque région du pays et, comme il se retrouvait dans une situation rassurante de quasi-monopole, sa première décision fut de ne pas inscrire l'option de la réforme constitutionnelle au programme du gouvernement. Plutôt fruste, décelant facilement les intérêts d'autrui, il était l'ultime survivant politique, comme un crocodile submergé prêt à passer à l'attaque. Chrétien était fier d'avoir été, en 1981, à titre de ministre de la Justice de Trudeau, l'un des artisans du rapatriement et de la rédaction de la nouvelle Constitution. « Bien sûr, m'avait-il confié, j'aurais préféré que le rapatriement de la Constitution se fasse avec le consentement de l'Assemblée nationale du Québec, même si la question n'est pas là. J'aurais mieux aimé ; mais c'était trop difficile parce que le gouvernement québécois de René Lévesque estimait alors que le fait de donner une même Charte constitutionnelle à tous les Canadiens allait consolider ce que l'on peut appeler la "personnalité" canadienne, au mépris de la spécificité du Québec. Pour les séparatistes, c'était inacceptable[38] ! »

Le charismatique, rusé et imprévisible charmeur Lucien Bouchard s'opposait à Chrétien. Au cours du référendum de 1995, Bouchard conduisit le mouvement indépendantiste du Québec tout juste au-dessous de la barre des 50 %. Quand je lui ai demandé pourquoi il considérait le Canada comme étant divisible et non pas le Québec, il m'a répondu : « Parce que le Québec constitue, par son territoire, historiquement et en vertu du droit international, une véritable entité qui existait avant la formation de la fédération canadienne[39]. » Après l'échec de l'Accord du lac Meech, Bouchard avait cessé de croire à la viabilité d'un État constitué de deux nations. En tant que chef du Bloc québécois et, par la suite, premier ministre du Québec, il tenta (de manière peu convaincante) de redéfinir le nationalisme québécois en y englobant la population qui ne faisait pas partie de la vieille souche canadienne-française.

Tout en balayant du revers de la main toute difficulté associée à l'indépendance, il avait tendance à exagérer le soutien que cette option susciterait tant au Québec qu'à l'étranger. En 1994, il m'avait affirmé que la question posée lors du prochain référendum serait « très claire, pour que la réponse soit d'une signification politique incontestable : "Souhaitez-vous que le Québec accède à la souveraineté ?" » Démontrant à quel point le mouvement indépendantiste du Québec était pris au piège, la question inscrite sur les bulletins de vote, l'année suivante, était beaucoup plus compliquée et trompeuse : contrairement aux prétentions de Bouchard, le seul espoir de remporter une majorité référendaire était de poser une question ambiguë, qui ne pouvait entraîner qu'une réponse ambiguë.

En raison, d'une part, du quasi-monopole de Chrétien et, d'autre part, du cercle vicieux des arguments d'un mouvement indépendantiste québécois autodestructeur, le pays était, politiquement, dans un état de stagnation. Black était horrifié par le retour des libéraux au pouvoir. Il les attaqua par des articles signés de sa plume et, à l'occasion, par le biais de ses journaux. Comme biographe de Duplessis et idéologue engagé, à sa manière, dans la cause de la *bonne entente*, Black déplorait la disparition de l'alliance de Mulroney entre les conservateurs et les nationalistes québécois.

Black trouvait exaspérante la nature lente et cyclique de la politique canadienne, la façon dont les enjeux s'enlisaient, pendant que les Canadiens se divisaient en communautés, chacune ayant ses propres revendications historiques et ses prises de position moralisatrices. Il voulait

utiliser ses journaux pour la promotion d'un programme de droite dynamique, même si cette éventualité le conduisait à assumer lui-même le
rôle de chef officieux de l'opposition dans ce pays, le Canada, qu'il en
était venu peu à peu à détester.

En même temps, il continuait de bâtir son empire. Se concentrant
sur Southam, Black commença à accroître les revenus, réduisant le personnel (surtout s'il s'agissait de libéraux) et s'offrant des frais de gestion.
En 1996, Hollinger réussit à racheter la part de Power Corporation et à
privatiser Southam. L'année suivante, Black déclara un dividende spécial de l'ordre de 70 millions de dollars, provenant de ses actions dans
Hollinger Inc. De plus, Southam paya 17,5 millions de dollars à Ravelston
pour des services de gestion fournis sur une période de 15 mois se terminant le 31 décembre 1997, et 1,3 million de dollars supplémentaires pour
les dépenses encourues par cette dernière. Cependant, il manquait toujours à Black un navire amiral torontois pour sa chaîne. Il m'a confié
que, sans journal de grand format à Toronto, Southam était comme
« une diaspora éparpillée à la campagne ».

Propriétaire de journaux métropolitains prestigieux à Londres, à
Jérusalem et à Chicago, Black présidait aux destinées d'un empire de
presse mondial : pour promouvoir sa vision d'un conservatisme intégral,
il lui fallait un chef de file national au Canada. Il régla son problème en
créant le *National Post* de Toronto.

La période qui débuta en 1985 marqua la mondialisation des intérêts financiers de Black. Elle signala également un changement important dans sa vie privée.

Son épouse Joanna ne s'intéressait aucunement à l'éclat de cette
société clinquante, de ce prodigieux réseau de princes, de milliardaires,
de commentateurs politiques et d'actrices de cinéma que Black avait
bâti. Les dépenses fastueuses, le flot continu de célébrités qui leur rendaient visite, les longues absences de Conrad, qui laissait tout en plan
pour courir vers une nouvelle occasion de faire une rencontre prestigieuse avec des gens riches et influents, la mettaient mal à l'aise.

Selon la filleule de Conrad, Lisa Riley (fille de son cousin germain
maternel et paternel, Jeremy Riley) : « Joanna était merveilleuse. Elle prenait à cœur les valeurs de la vie familiale et veillait à tout. Elle n'avait pas

autant de connaissance du monde que Conrad, mais elle le gardait bien ancré dans la réalité de ce qui était important aujourd'hui et demain, plutôt que dans celle de ses ambitions sociales. Elle est intuitive et ses intuitions ne la trompent pas. Elle a fait beaucoup de bien à sa famille et elle a droit à de la reconnaissance. »

Mais Joanna ne semblait pas vouloir suivre son mari partout où il revêtait le manteau du magnat international de la presse. Leur mariage pouvait avoir été l'élément catalyseur de sa conversion au catholicisme, mais il affirmait qu'elle semblait toujours s'entourer de prêtres et il commençait à en être irrité. « Ce qui devait porter un coup mortel à ce mariage, écrivit Black, ce fut l'intérêt presque inextinguible de ma femme pour des membres choisis du clergé catholique romain. Nos maisons étaient pratiquement devenues des séminaires et, de facto, j'avais cessé d'être sa compagnie masculine préférée. Il y eut une certaine acrimonie, mais très limitée. Presque imperceptiblement, douloureusement, le mariage s'est éteint. En mai 1993, elle épousa l'un de ces clergymen après l'avoir fait passer des questions religieuses aux études environnementales. Compte tenu du fait que je m'étais adonné à un examen long et complexe de l'Église romaine avant d'y adhérer, ce retournement était d'une riche ironie[40]. »

Après s'être séparé de Joanna à la fin de 1991, Black raconta qu'il s'était senti intensément seul et qu'il se languissait de compagnie féminine et d'amour. « Tandis que j'observais depuis ma serre le crépuscule de l'automne de ma vie conjugale, écrivit-il, je passai en revue l'ensemble de mes relations féminines comme je ne l'avais jamais fait pendant les 11 ou 12 années au cours desquelles j'avais pensé jouir d'un mariage raisonnablement heureux. Peu à peu, avec une certaine hésitation d'abord, puis avec une plus grande détermination et une conviction approfondie et, finalement, animé d'une ferme résolution, mes pensées et mes espoirs se fixèrent sur Barbara Amiel. »

En 1991, alors que Black faisait sa cour à Amiel, il écrivit dans une prose lourde, néovictorienne : « Belle, brillante, une âme sœur idéologiquement robuste, écrivaine de talent et oratrice électrisante, chic, pleine d'humour, prodigieusement sexy, juive et fière de l'être sans toutefois être pratiquante, ayant connu les tempêtes maritales et les déceptions maternelles, une rescapée du Canada qui faisait assurément son chemin depuis des points de départ qui n'étaient pas sans ressembler au mien, tout comme ses points d'arrivée éventuels, une relation amicale pendant des années, elle est bientôt devenue le summum de mes désirs les plus ardents et intraitables. J'ai été stupéfait, rassuré et, au cas où mes sentiments ne seraient pas payés en retour, inquiet de découvrir que j'étais profondément amoureux. Ma stupeur devant la tournure des événements fut aisément dépassée par celle de Barbara. »

« Au lieu d'être une mère nourricière intuitive, Barbara est l'égale intellectuelle et sociale de Conrad, me dit Lisa Riley, et en ce sens, elle se distingue nettement de la première épouse de Conrad. »

Barbara avait beaucoup des qualités que Conrad admirait : belle, éloquente, effrontée, néoconservatrice et sioniste belliqueuse, elle pouvait tout aussi bien se défendre dans les salons britanniques où l'on débattait de politique que tenir le rôle de l'hôtesse parfaite lors des garden-parties estivales. Au fil des ans, elle avait tant vanté les vertus des chercheuses d'or que beaucoup tenaient pour acquis qu'elle avait épousé Conrad tout simplement pour son argent. En novembre 1993, dans une chronique du *Sunday Times*, elle écrivit : « Mon mari est très riche, mais je ne le suis pas. Je ne considère pas que la richesse de mon mari m'appartient. Comme j'ai déjà épousé plusieurs hommes riches avant mon mari actuel, je peux affirmer catégoriquement que je les ai quittés en laissant leur fortune et mes opinions intactes. Toute ma vie j'ai été une salope, et je n'ai pas besoin de l'autorité conférée par l'argent pour en être une. Bien avant que j'aie le moindre sou, mes détracteurs me surnommaient "salope fasciste". Je suis une Juive du nord de Londres, qui connaît un peu d'histoire. Ce que je sais, c'est ceci : au cours d'un siècle qui aura connu l'effondrement des empires austro-hongrois, britannique et soviétique, les revers de fortune risquent d'être la réalité de cette riche salope. Il vaut mieux aller et venir en n'oubliant pas de garder à portée de main les valises familiales. »

Elle épousa Black en juillet 1992.

The Canadian Press/Maclean's/Peter Bregg

CHAPITRE 9

Ses heures de gloire

Avec le recul, il apparaît aujourd'hui que Conrad Black connut ses heures de gloire vers la fin des années 1990. Flottant sur la crête de la vague, maîtrisant la stratégie et le réseautage, il était à l'apogée de son prestige personnel. Certes, son style provocateur, sa vanité et l'endurcissement de ses prises de position publiques jetaient de l'huile sur le feu, aggravant du coup les risques déjà énormes qu'il avait pris sur les plans financier et politique. Mais il jouissait désormais d'une grande notoriété, d'une fortune personnelle et d'un accès sans précédent aux hautes sphères du pouvoir.

Toujours à ses côtés, Barbara Amiel était prête à partager ses intérêts et à offrir ses propres opinions enflammées. Elle était fascinée par cet homme du monde, tour à tour charmeur et brutal, par ce propriétaire prêcheur qui, au nom du « conservatisme intégral » (une idéologie de son propre cru), menait une guerre, en paroles et en actes, contre les actionnaires, les syndicats et la concurrence. Compte tenu de l'envergure de ses intérêts financiers, elle devait travailler dur pour affirmer sa propre personnalité.

Cependant, Conrad offrait à Barbara des avantages intéressants qui lui permettaient de renouveler son *curriculum vitae*. Ainsi, en 1999, il l'avait nommé au poste de vice-présidente directrice du *Chicago Sun-Times*, au salaire annuel de 276 000 $US. Et elle n'avait même pas besoin de se présenter au bureau !

En 1999, Black avait complètement réinventé son empire et son image publique, et ce, sur une grande échelle. Désormais, il contrôlait au Canada près de la moitié du tirage des journaux anglophones et 18 % du tirage francophone ; aux États-Unis, le *Chicago Sun-Times* de même que des centaines de journaux régionaux ; en Grande-Bretagne, le *Daily Telegraph* ainsi que d'autres publications prestigieuses ; et en Israël, le *Jerusalem Post*, journal symbolique mais important. Le tirage de ce groupe impressionnant dépassait 4 millions d'exemplaires vendus par jour.

Face à la vogue d'Internet qui ravageait des milliers d'entreprises et d'investisseurs, Black s'était montré prudent. En coentreprise avec le roi des retours en grâce Donald Trump, il préféra développer un projet immobilier au 401 North Wabash, au bord de la rivière Chicago. Une fois les travaux terminés, ce gratte-ciel de 150 étages devrait compter 40 étages de plus que le World Trade Center de New York et la tour Sears de Chicago. Le fait qu'il côtoyait le président américain, le premier ministre britannique et d'autres grands de ce monde lui permettait de s'affirmer en tant que magnat transatlantique, de défendre avec fougue ses valeurs et d'affronter vigoureusement ses adversaires politiques et commerciaux.

Au mur de la salle du conseil d'administration de Hollinger International, tout à côté de son bureau, figurait une immense aquarelle représentant le passage, en 1934, du président Franklin Delano Roosevelt dans le canal de Panama. Sur le tableau, le croiseur *USS Houston* avance doucement dans l'écluse de Miraflores, alors qu'une garde d'honneur se rassemble sur le quai. À l'époque des héros, Roosevelt incarnait lui-même l'alliance transatlantique. Afin de consolider la relation des États-Unis avec la Grande-Bretagne, Roosevelt devait souvent traverser l'océan à bord de bâtiments de guerre gris qui fendaient les flots comme les clippers d'autrefois. D'un optimisme inébranlable, même au cœur de l'adversité durant la Seconde Guerre mondiale, Roosevelt semblait écarter d'emblée tout risque de torpilles nazies d'un simple haussement d'épaules. Pour Black, cette aquarelle symbolisait les périls du monde des affaires.

Conrad Black avait toujours voulu être un leader. Contrairement au défunt président, toutefois, c'est de ses journaux que Black se servait comme instruments de guerre. Le baron Beaverbrook aurait fort bien pu lui servir de modèle, car ce magnat canadien de la presse avait fait fortune en Grande-Bretagne, où il joua un rôle primordial lors des deux guerres mondiales, se joignant au cabinet de sir Winston Churchill et exécutant des missions confidentielles pour lui auprès de Roosevelt et de Staline.

La guerre menée par Black était différente. Depuis le début des années 1990, il était engagé dans une féroce guerre de tirage avec son grand rival Rupert Murdoch, propriétaire du *Times* de Londres. En menant ses attaques, Black pensait sans doute au philosophe allemand Oswald Spengler, selon lequel « la campagne de presse naît comme un prolongement (ou une préparation) de la guerre par d'autres moyens ». Ainsi, les discours de Black prirent un ton de plus en plus combatif. Combinant sa passion pour la stratégie financière et son enthousiasme pour l'histoire militaire, il faisait la promotion des valeurs néoconservatrices qui lui tenaient à cœur : le renforcement de l'Amérique pour qu'elle poursuive ses objectifs expansionnistes ; le renforcement de l'alliance entre les États-Unis, la Grande-Bretagne et d'autres pays partageant les mêmes objectifs ; l'isolement de la France, de l'Allemagne et d'autres pays qui se méfiaient de l'expansionnisme américain ; le soutien à Israël ; la nécessité de démasquer la terreur islamiste ; la réduction du rôle de l'État sous toutes ses formes (sauf pour les dépenses militaires) ; l'appui au libre-échange et aux allégements fiscaux ; et enfin, l'hostilité envers la rectitude politique et la « gauche molle ». Le néoconservatisme de Black reposait entre autres sur son admiration envers Richard Nixon, dont il minimisait la sortie disgracieuse de la Maison-Blanche tout en insistant sur les qualités de stratège de l'ancien président en politique internationale[1].

Certains des journalistes qui travaillaient pour Black partageaient ses opinions néoconservatrices. D'autres exprimaient ouvertement leur désaccord (méritant ainsi son respect, mais faisant l'objet d'attaques de sa part dans la presse), alors qu'un troisième groupe cédait à ses exigences. Black découvrit bientôt qu'aux États-Unis et en Israël un certain public était sympathique à son idéologie alors qu'au Canada et en Grande-Bretagne, comme sa réputation était plus belliqueuse que persuasive, les choses ne se passaient pas aussi bien et il se faisait beaucoup d'ennemis.

Juste avant Pâques 1997, alors que le premier ministre Jean Chrétien s'apprêtait à déclencher une élection fédérale, Black communiqua avec le journaliste Ken Whyte dans le but de lancer un nouveau quotidien national de grand format. Préoccupés par le morcellement de l'opposition en divers partis régionaux, les deux hommes appréhendaient la possibilité que les libéraux fédéraux finissent par exercer un monopole à long terme sur le pouvoir. Dans la foulée du départ de Brian Mulroney de la scène politique fédérale, l'opposition s'était divisée en trois formations incompatibles : le Bloc québécois, un parti protestataire dont la mission incongrue était de promouvoir la souveraineté du Québec à l'intérieur du Parlement fédéral ; le peu qui restait du Parti conservateur ; et, dans l'Ouest, le Parti réformiste qui allait devenir l'Alliance canadienne. En laissant de côté les 10,7 % du vote populaire obtenu par le Bloc, les conservateurs et les réformistes récoltaient ensemble 38,2 % des votes en 1997, soit 0,3 % de moins que les libéraux. Mais comme chacune de ces deux formations rivales cherchait à assumer le leadership de la droite canadienne-anglaise, il semblait y avoir peu de chances d'un rapprochement qui leur permettrait de présenter une solution de rechange politique à l'échelle nationale. Jeune homme aux cheveux blonds et catholique non pratiquant d'Edmonton, Whyte avait été directeur du *Alberta Report*. Mais c'est comme chroniqueur dans l'ouest du Canada pour le *Globe and Mail* qu'il attira l'attention de Conrad et Barbara Black. Nommé directeur de la rédaction pour l'ouest du pays du magazine *Saturday Night* – qui appartenait à Black –, il en devint ensuite le rédacteur en chef à l'âge de 33 ans. « Barbara avait incité Conrad à me consacrer plus de temps, dit Whyte. Tous les deux m'avaient demandé de scruter attentivement les journaux du groupe Southam et de leur envoyer à l'occasion des notes de service au sujet des forces et des faiblesses des divers journaux. C'était devenu une partie de mon rôle[2]. »

Whyte fut nommé rédacteur en chef fondateur du *National Post*. À l'origine, il s'agissait de lancer un journal de grand format de 16 à 20 pages, qui serait une sorte de version canadienne du *International Herald Tribune*, avec très peu de contenu original. Publié en anglais à Paris, le *Herald Tribune* recyclait des articles paraissant dans le *New York Times* et le *Washington Post*. De la même façon, le *National Post* allait recycler des articles issus des journaux du groupe Southam. C'est à ce moment que Whyte devint un fidèle de Black. Il sera témoin de la défense lors du procès au criminel à Chicago en 2007.

« Black était très clair là-dessus, dit Whyte. Selon lui, dès son lancement, ce nouveau journal grand format profiterait des ressources d'imprimerie et de distribution du groupe Southam. À un moment donné, nous pensions faire du *Ottawa Citizen* le vaisseau amiral du groupe. Il y a 40 ans, la *Gazette* de Montréal aurait pu être une option à envisager, mais ce n'était plus le cas à la fin des années 1990.

« Étant donné que j'avais examiné attentivement ces journaux métropolitains et que j'avais travaillé au *Globe*, j'étais bien placé pour savoir que la plupart des journaux canadiens étaient fondamentalement ennuyeux. Ils n'avaient aucune personnalité distinctive, leur couverture était de plus dépourvue d'esprit et d'intérêt humain. À l'époque, l'objectif des journaux métropolitains était de dire des choses bienveillantes au sujet de personnages bien en vue de la communauté et d'éviter tout ce qui pouvait sembler dur ou chargé en fait de politique. J'en ai beaucoup discuté avec Conrad et Barbara et nous étions d'accord là-dessus. Nous voulions élargir le débat, réunir une masse critique de gens talentueux et voir ce qui allait arriver. »

Aux journaux canadiens ennuyeux, Black préférait le style littéraire coloré du *Daily Telegraph*. Mais Whyte, quant à lui, s'inspirait de modèles américains. Il aimait l'insolence du *New York Observer* et du *New Republic* et avait étudié de près le *New York Herald Tribune* des années 1960 et la revue *Esquire* des années 1970. « En lisant les journaux britanniques, nous avions appris quelques trucs utiles, dit-il. Des gens du *Telegraph* étaient venus nous voir, mais comme nos lecteurs s'attendaient à autre chose, nous ne pouvions pas produire un journal canadien de style britannique. Par ailleurs, nous voulions nous démarquer du style de couverture fédérale que présentaient les journalistes du *Globe* à Ottawa, lesquels étaient des initiés qui rapportaient des exclusivités d'une journée, tout en respectant le cadre des priorités établi par le gouvernement. Nous cherchions à embaucher des journalistes dynamiques qui nous permettraient de centrer l'attention sur notre propre cadre des priorités. Nous avons enquêté sur Ottawa comme cela n'avait jamais été fait auparavant. »

Au début, le lancement du *National Post* fut largement considéré comme un symbole des qualités d'entrepreneur et du conservatisme réfléchi de Black. Dès le départ, il s'agissait d'un projet ambitieux, aussi bien sur le plan financier que politique. C'était également un signe que

Black cherchait à modeler les événements à son image. Le *Financial Post*, dont il avait récemment fait l'acquisition, deviendrait un cahier dans le nouveau journal et la liste des abonnés du *Financial Post* fournirait une solide base au *National Post*. Ce dernier deviendrait le vaisseau amiral du groupe Southam, brasserait la cage du *Globe and Mail* (qui appartenait toujours à Kenneth Thomson) et ferait la promotion des idées de droite. Le projet était extrêmement ambitieux, étant donné qu'au troisième trimestre de 1998, le *Financial Post* tirait quotidiennement à 77 757 exemplaires par rapport aux 309 046 du *Globe*[3].

Le lancement du *National Post*, à l'automne 1998, coïncida avec la parution de *Render Unto Caesar*, version anglaise largement revue et corrigée de sa biographie de Maurice Duplessis[4], à laquelle s'ajoutait un éditorial de plus de 40 pages sur tout ce que Black détestait au sujet de la politique canadienne. Il enleva de cette nouvelle version la référence élogieuse à l'historien fasciste Robert Rumilly qui avait paru dans la première édition de langue anglaise.

Peu avant le lancement du *National Post*, Black avait pris le devant de la scène lors d'une fête à Toronto. D'abord, il frappa de plein fouet Radio-Canada, les libéraux fédéraux et le *Globe and Mail*. Puis, au moment de présenter sa toute dernière création, il affirma avec fierté : « Nous allons transformer ce pays[5]. » Cette fanfaronnade rappelait les guerres de journaux à Toronto à la fin des années 1940, lorsque le propriétaire fortuné du *Globe and Mail*, George McCullagh, avait acheté le *Toronto Telegram* dans le but avoué de donner une bonne leçon au *Toronto Star*. « Je vais faire tomber ce torchon de merde de son piédestal », avait-il promis. (En l'occurrence, le *Star* existe toujours, alors que le *Telegram* ferma ses portes en 1971.) Black en voulait au *Globe and Mail* depuis les années 1980, quand on lui avait offert une chronique régulière pour ensuite le diffamer dans un article de fond moqueur. Il entendait bien remettre le *Globe* à sa place.

Le *Post* tira pendant sa première semaine à 500 000 exemplaires par jour, dont beaucoup furent distribués gratuitement ou à coût minime pour les abonnés du groupe Southam. Par ses articles et chroniques tour à tour culottés, drôles, informatifs et émotifs, le *Post* chercha à ravir au *Globe* des lecteurs et surtout des lectrices de la classe supérieure. D'après les prévisions de la haute direction de Southam, au cours des cinq à sept premières années d'activités, le *Post* allait exiger un investissement de l'ordre de 100 à 130 millions de dollars, alors qu'on s'attendait à ce que le tirage payé atteigne un jour un tirage quotidien d'environ 350 000 exemplaires. Ces projections s'avéreront irréalistes.

Le premier numéro du *Post* fut publié le 27 octobre 1998. Sous le titre « Une nouvelle voix vigoureuse pour un avenir prometteur » apparaissait la déclaration de principes de Whyte. Même si certains journaux torontois affirmaient représenter tout le pays, le Canada n'avait jamais eu de journal véritablement national[6], laissait-il entendre. Après s'être débarrassé de sa timidité culturelle, le Canada était maintenant devenu un pays de libre-échangistes plein de ressources. « Il nous faut un journal qui reflète la vitalité et le raffinement du peuple canadien, une voix éloquente et vigoureuse qui trace la voie d'un avenir prometteur. » Comme les Canadiens voulaient un journal de qualité et facile à lire, le *Post* avait décidé de faire appel à des écrivains bien connus comme le romancier satirique Mordecai Richler ou encore les journalistes chevronnés Allen Abel et Andrew Coyne. Whyte remercia Conrad Black : « La création d'un nouveau journal de cette envergure exige de la vision, du courage et l'engagement de ressources très importantes. Il nous a fourni tout cela et, ce faisant, il a amélioré les perspectives de développement d'une communauté véritablement nationale au Canada. »

Les articles publiés dans le premier numéro dénotaient une tendance néoconservatrice marquée. Ils traitaient par exemple de la nécessité de réunir les forces politiques de droite au Canada, critiquaient vertement l'arrestation à Londres du général Augusto Pinochet et se moquaient d'un nouveau livre-choc qui remettait en question la moralité politique de l'ancien premier ministre conservateur Brian Mulroney.

D'après le journaliste néoconservateur David Frum (qui par la suite quittera l'équipe fondatrice du *Post* pour travailler à la Maison-Blanche comme rédacteur de discours du président George W. Bush) : « Le lancement du *National Post* en 1998 a mis sens dessus dessous l'ancien cartel conformiste [de quotidiens canadiens ennuyeux]. On n'avait jamais rien vu de tel, ni au Canada ni ailleurs. Oui, c'était un journal ouvertement conservateur et il n'avait pas à s'en excuser. Mais c'était de loin le journal le plus éblouissant au Canada, le mieux écrit et le plus amusant. Le *Post* remettait en question les vieux dogmes, tout en couvrant des sujets auxquels personne d'autre n'osait toucher, que ce soit les scandales financiers autour de Jean Chrétien ou le canular du "massacre" de Jénine…. Au *Post*, il y avait toujours une ambiance de travail heureuse et excentrique. Nos réunions éditoriales se tenaient autour d'une table de ping-pong. Des journalistes couvrant depuis toujours le même sujet se trouvaient soudain affectés à autre chose et faisaient le meilleur travail de toute leur carrière[7]. » Quelques années plus tard, Frum écrira un livre sur l'état du monde en collaboration avec Richard Perle, néoconservateur controversé, administrateur de Hollinger et consultant en affaires militaires.

Le *Post* fournit à Black une plateforme politique nationale. Dans les années 1960, alors qu'il étudiait à l'Université Carleton d'Ottawa, il avait appris à connaître la Colline du Parlement – l'édifice de style néogothique avec sa superbe toiture en cuivre, dominé par la Tour de la Paix, la Chambre des communes, la Chambre du Sénat et un labyrinthe de bureaux gouvernementaux dans les édifices de l'Ouest et de l'Est. Maintenant, la Colline du Parlement était devenue le lieu improbable d'une confrontation entre Jean Chrétien et Conrad Black. À la suite d'une deuxième majorité électorale successive en 1997, les libéraux de Chrétien continuèrent à dominer le Parlement fédéral comme ils l'avaient fait pendant presque trois quarts de siècle. Se sentant invincibles, ils pensaient pouvoir gouverner à leur guise. L'opposition, morcelée, avait du mal à affronter Chrétien, qui se levait tous les jours en Chambre pour éviter ses questions, sinon s'en moquer carrément.

De l'autre côté de l'Atlantique, confortablement installé à Cottesmore Gardens, Black décida de devenir le chef officieux de l'opposition. Il ferait la guerre à Chrétien et aux libéraux. Et avec le lancement du *National Post* en 1998, il disposait enfin de l'arme dont il avait besoin. Il en ferait une affaire personnelle.

Au 24, promenade Sussex, résidence officielle de style néogothique du premier ministre discrètement dissimulée derrière un écran d'arbre, à quelques pas de Rideau Hall – la demeure encore plus impressionnante du gouverneur général –, Chrétien accueillait régulièrement des invités sur la magnifique terrasse boisée donnant sur la rivière Outaouais. Lors de ses cocktails, des garçons en uniforme offraient le champagne à des hommes d'affaires et à leurs chics compagnes habillées de vêtements

Chanel, pendant que des stratèges, des rédacteurs de discours, des sondeurs et des directeurs de firmes de relations publiques et de publicité – tous ces papillons qui volent autour de l'industrie de l'opinion – gravitaient autour de ministres et de présidents de sociétés de la Couronne. Les bailleurs de fonds du parti restaient le dos collé à la haie au bout de la terrasse, prenant un verre en silence, regardant attentivement toute cette activité. Lors de ces fêtes mondaines, je me souviens d'avoir rencontré un imprimeur québécois, Jacques Corriveau, un amateur d'opéra élégant et plein d'assurance, aux cheveux blancs, toujours habillé de noir, qui disait à qui voulait bien l'entendre que le Parti libéral lui devait une fortune depuis qu'il avait payé des comptes d'imprimerie pour le parti lors de l'élection de 1993. Les contrats gouvernementaux qu'il obtiendra, d'une valeur de 9 millions de dollars, feront partie de ce qui fut appelé plus tard le scandale des commandites.

Par la suite, escorté par des agents de la GRC en costumes sombres, l'écouteur collé à l'oreille, Chrétien paraissait. Se mêlant à la foule, il serrait des mains à droite et à gauche, offrait des cigares cubains (il avait affirmé un jour que son fournisseur était Fidel Castro) et posait aux côtés d'admirateurs libéraux pour des photos. Tous les regards se braquaient sur cet homme, le dirigeant du gouvernement fédéral, dont les recettes de 195,6 milliards de dollars représentaient 17 % du PIB du Canada.

Six mois après le lancement du *National Post*, se souvient Ken Whyte, le journaliste Andrew McIntosh déterra « une petite histoire concernant le fait que le premier ministre avait investi dans un terrain de golf et y avait perdu de l'argent. Nous avions trouvé cette affaire de plus en plus intrigante. Finalement, piqué au vif, le Cabinet du premier ministre nous appela directement, déclenchant une tempête dans un verre d'eau. Chrétien lui-même appela directement Conrad et nous finîmes par publier une déclaration de Chrétien lui-même. Mais l'histoire suivit son chemin. Chrétien devint de plus en plus enragé, mais Conrad, de son côté, voulait qu'on demeure prudent, ce qui irritait Andrew McIntosh, notre journaliste d'enquête. Nous étalions la preuve que le premier ministre du Canada était intervenu directement dans les affaires d'une société de la Couronne [la Banque de développement du Canada], pour que cette dernière enfreigne les règlements et prête de l'argent à un ancien associé d'affaires du premier ministre ».

Sans véritable opposition au Parlement fédéral, le *National Post* de Black s'en prit à Chrétien sur le plan personnel, s'acharnant contre son implication dans le « Shawinigate », un investissement déficitaire dans un terrain de golf situé dans sa circonscription de Shawinigan, et contre toute irrégularité ou défaillance que le journal arrivait à déterrer. Ainsi, le journal présenta comme le comble de l'incompétence et de la corruption le versement par le gouvernement de plusieurs millions de dollars à des firmes de publicité québécoises amies du parti. Après plusieurs années de tergiversations et de faux-fuyants de la part du gouvernement, une enquête publique fut lancée en février 2004.

L'évaluation que fait Black de Chrétien « n'est pas très positive. Écoutez, je dois admettre qu'il semble avoir joui du soutien continu de la majorité des Canadiens, et voilà sans doute la raison pour laquelle j'ai voulu quitter le pays définitivement. Je ne voulais plus être citoyen d'un pays qui lui trouvait des qualités de chef politique. Car je ne crois pas que ce soit le cas ».

Selon Black, Chrétien était un fédéraliste sincère et combatif doté de plusieurs qualités. Et même s'il avait paniqué au moment du référendum de 1995, il avait défendu les valeurs auxquelles il croyait. Mais en tant que premier ministre, il n'avait pas fait grand-chose. Il avait profité du fait que l'opposition était divisée, ce qui donnait aux libéraux une solide emprise sur le pouvoir. « Voilà bien la seule personne de toute l'histoire du Canada, dit Black, qui fut élue premier ministre et qui par la suite s'est fait renvoyer de ce poste par son propre parti. »

Pendant que Black menait son attaque frontale contre les libéraux, son ami et associé de longue date chez Hollinger, Peter White, travaillait comme bailleur de fonds important pour l'Alliance canadienne. Ancien secrétaire principal de Brian Mulroney, White se trouvait confronté à un défi de taille : celui de recueillir des millions de dollars pour un parti enraciné dans le réformisme des provinces de l'Ouest et qui ne constituait pas une solution de rechange viable aux libéraux. Sans doute l'idée de lancer un nouveau parti d'opposition était-elle louable, mais les méthodes transparentes auxquelles ils avaient recours – d'une part les prises de position audacieuses de Black dans les pages du *Post*, et d'autre part une importante campagne de financement organisée par White à partir des bureaux de direction de Hollinger – étaient contestables.

« Je ne crois pas qu'en faisant l'acquisition de journaux au Canada, Conrad avait pour objectif principal de hausser les critères ou la qualité du journalisme canadien », m'avait confié Kenneth Thomson qui, pendant les trois premières années de l'existence du *National Post*, avait continué de contrôler le *Globe and Mail*. « Il voulait manifestement que les journaux soient rentables, mais il avait aussi tout un programme politique à réaliser. C'est à cause de ce programme qu'il avait lancé le *National Post*, qui sous sa gouverne affichait des préjugés extrêmement conservateurs. Lorsque l'appui accordé par le *National Post* ne réussit pas à revigorer le Parti conservateur, le *Post* est devenu, jusqu'à un certain point et par défaut, l'opposition officielle au gouvernement libéral d'Ottawa. Or, je ne crois pas que ces mesures aient changé de quelque façon que ce soit le rôle de principal journal national que jouait le *Globe and Mail*[8]. »

Entre-temps, le *National Post*, ce vaisseau amiral du groupe de presse canadien de Black, était en grave difficulté. En fixant des prix d'abonnement extrêmement bas grâce au système de distribution du groupe Southam et en offrant trois fois plus d'exemplaires complémentaires que n'en offrait le *Globe*, il avait voulu augmenter substantiellement le nombre de ses lecteurs. La stratégie du *Post* reposait surtout sur un graphisme attrayant, des abonnements à rabais et des tarifs publicitaires réduits. Même si le marché de la publicité s'effondrait, l'abonnement au *Post* coûtait 45 % de moins qu'au *Globe*. Beaucoup d'exemplaires étaient offerts gratuitement ou à un prix inférieur à 6 ¢... et les pertes commençaient à s'accumuler. Alors que le tirage du *Post* traînait derrière celui du *Globe*, celui-ci devenait plus centriste qu'autrefois, occupant une position qui convenait davantage à la plupart des Canadiens. De plus, le *Post* minait sa propre crédibilité en vilipendant les libéraux à chaque instant, tout en faisant une couverture veule, exagérée et peu critique de la formation de droite, l'Alliance canadienne. Le nadir survint le 10 juillet 2000, alors que le *Post* publia un supplément de huit pages intitulé « La victoire de Day », dans lequel le nouveau chef de l'Alliance canadienne, Stockwell Day, était présenté de façon dithyrambique comme « un agent de changement investi d'une mission ». Selon le supplément, Day était le politicien de l'avenir. Une photo de « ce politicien issu du peuple, à la fois courageux et infatigable, ce traditionaliste bien contemporain qui n'hésite pas à s'exprimer » le montre en T-shirt et en shorts, s'équilibrant péniblement sur des patins à roues alignées, un demi-sourire équivoque aux lèvres. « Son couronnement marque une nouvelle époque de la politique canadienne », selon ce qu'en disait le *Post*.

Dans le passage sans doute le plus embarrassant de tout le supplément, Peter C. Newman, ancien biographe de Black et chroniqueur au *Post*, décrit Day dans ces termes : « Démarche légère, espiègle, frais et dispos, il donne l'impression, chaque nanoseconde, qu'il va faire une surdose de testostérone… Le paysage politique du Canada a changé une fois pour toutes au moment où la cause néoconservatrice au Canada, qui autrefois n'était qu'une impulsion sans influence, a intégré le courant dominant de la politique. » Newman semblait se jeter soit aux pieds, soit à la gorge des gens.

Cette idée de présenter Day en protagoniste sexy n'impressionna guère les lecteurs. Ses ambitions de leader s'évanouirent rapidement. Lors de l'élection du 27 novembre 2000, l'Alliance canadienne ne récolta que 17,6 % du vote populaire, alors que les libéraux de Chrétien atteignaient 45,8 %, augmentant leur nombre de députés à la Chambre des communes de 155 à 172.

Il ne faut pas s'étonner qu'Izzy Asper, fondateur de CanWest Global, ait comparé le *National Post* de Black aux *Izvestia* ou à la *Pravda*.

Au lieu d'exiger un investissement de 100 à 130 millions de dollars pendant les 5 à 7 premières années, selon les prévisions initiales, le *National Post* avait perdu 200 millions au cours de ses 18 premiers mois d'activités. Black annonça que le *Post* afficherait un profit au dernier trimestre de l'exercice 2000 et rentrerait dans ses frais en 2001, mais Hollinger était fortement endettée et ne pouvait subir de telles pertes. Le profit net affiché par Hollinger Inc. chuta de 51,9 millions de dollars à la fin de 1998 à un piètre 2,6 millions de dollars à la fin de 1999. Après avoir cherché des capitaux nouveaux, Black ne pouvait pas se permettre indéfiniment ce genre de pertes au *Post*.

Le *Post* était en train de drainer les ressources financières du groupe Southam. Depuis quelque temps déjà, Stephen Jarislowsky s'inquiétait des paiements faramineux qu'empochait Conrad Black. « J'étais président du comité de compensation du conseil d'administration de Southam, affirma-t-il, et je me souviens d'avoir demandé à Conrad de me fournir une justification de tous les honoraires qu'il recevait. En guise de réponse, il m'avait assuré qu'il me donnerait les informations pertinentes en temps et lieu, mais naturellement, il ne fit rien de tel. En 1999, je démissionnai du conseil d'administration et nous vendîmes les actions que nous détenions dans Southam. De plus, je communiquai avec la Commission des valeurs mobilières de l'Ontario à ce sujet, mais rien ne fut fait. »

Or le *Post* posait également problème sur le plan éditorial. Selon Philip Crawley, directeur du *Globe and Mail* : « En principe, il n'y a rien de mal à ce qu'on affiche bien haut ses couleurs politiques. Mais ce n'est pas toujours bon pour les affaires, comme en témoigne d'une façon si éloquente le *National Post*. Je ne m'objecte pas à ce que Conrad Black ait cherché à créer un point de ralliement pour le conservatisme de droite. C'est ce que le *Daily Telegraph* fait à Londres depuis des années. Là où Black a fait fausse route, c'est en ayant l'arrogance de croire que le *Post* et ses autres journaux du groupe Southam lui conféraient tellement de pouvoir et d'influence qu'il serait en mesure de transformer la façon dont les Canadiens voyaient leurs options politiques. Son objectif déclaré dans le *Post* était d'unir la droite et, malgré cela, la droite s'était fragmentée davantage et éprouvait des problèmes à se faire élire. Black, selon moi, a laissé ses convictions politiques l'emporter sur son sens des affaires. Les politiques que prônait implacablement le *Post* – que ce soit dans ses reportages, ses chroniques ou ses commentaires éditoriaux – n'avaient pas réussi à impressionner la majorité de son public cible. Il avait clairement déclaré que le *Post* convaincrait les lecteurs du *Globe* et du *Toronto Star* d'abandonner leurs journaux au profit du *Post*, car le *Globe* et le *Star* représentaient le libéralisme "mou" qui, selon lui, avait entraîné la disgrâce du Canada. Qu'un quotidien national passe le plus clair de son temps à critiquer le Canada – ses politiciens, sa politique étrangère, sa compétence dans le domaine des affaires – était dur à avaler pour la plupart des gens. J'accuse Black d'avoir été un mauvais homme d'affaires à cause de sa folie des grandeurs. Il a fait l'erreur d'accorder plus d'importance à la politique qu'aux chiffres[9]. »

Mais l'histoire de Black et du *Post* ne s'arrêta pas là. En avril 2000, Hollinger annonça son intention de vendre ses journaux locaux au Canada dans le but de recueillir jusqu'à 1 milliard de dollars. Selon un haut dirigeant du groupe, Peter Atkinson : « Nous avions également annoncé que nous serions disposés à parler de certaines associations impliquant nos grands journaux métropolitains à Montréal, Vancouver et Calgary. Mais à l'époque, nous ne pensions pas que quelqu'un manifesterait de l'intérêt au point de nous faire une offre pour le groupe entier[10]. »

Izzy Asper, de CanWest Global, amorça des négociations avec Black. En fin de compte, il offrit de se porter acquéreur de l'ensemble du groupe Southam, y compris 14 quotidiens métropolitains importants, 18 autres quotidiens, la moitié du *National Post* ainsi que le portail Internet canada.com. Le prix d'acquisition proposé – 3,5 milliards de dollars (ramené plus tard à 3,2 milliards) – représentait une offre que Black ne pouvait refuser.

Selon un communiqué de presse laconique émis le 31 juillet 2000 par Hollinger Inc., « le prix d'acquisition sera versé sous la forme d'environ 700 millions de dollars canadiens en actions de CanWest, le solde étant versé pour 75 % en argent comptant et 25 % en obligations non garanties de rang inférieur émises par une filiale importante du groupe CanWest. Hollinger nommera deux administrateurs au conseil de CanWest, reflétant ainsi sa participation initiale à hauteur de 15 %. Conrad Black, président et chef de la direction de Hollinger, agira à titre de président du *National Post*... Cette entente devrait être complétée en septembre... Cette transaction s'inscrit dans l'objectif énoncé par Hollinger de poursuivre la restructuration de ses activités canadiennes entreprise plus tôt cette année ». La transaction était assortie d'une entente de non-concurrence au montant de 82 millions $ CAN incluant les intérêts. Selon Izzy Asper, CanWest avait offert de payer des honoraires à Hollinger dans le cadre d'une entente de non-concurrence, mais c'est Hollinger qui avait décidé plutôt de recevoir un montant d'honoraires. Au bout du compte, Black et la société de portefeuille sous son contrôle, Ravelston Corp., s'approprièrent 73 % de ces honoraires alors que les hauts dirigeants de Hollinger David Radler, Jack Boultbee et Peter Atkinson se partagèrent le reste. Cette entente de non-concurrence fera l'objet d'une des accusations lors du procès criminel à Chicago en 2007.

La vente de Southam suscita une onde de choc au sein de la communauté journalistique canadienne. Ainsi, Christie Blatchford, chroniqueuse au *National Post*, se souvient de plusieurs soirées mondaines précédant la vente « pendant lesquelles Conrad s'est levé et, à sa façon inimitable et combien éloquente, a traité les gens sceptiques comme de la merde. Chaque fois qu'il prenait la parole en public, c'était pour dire qu'il visait le long terme». Mais dès l'annonce officielle de la vente, « je me suis sentie réellement trahie. J'étais en quelque sorte furieuse contre lui. En matière éditoriale, aucun d'entre nous ne l'avait jamais laissé tomber. Je pense que nous lui avions fourni le produit qu'il désirait... Quand Conrad est arrivé, on lui a dit : "Eh bien, certains de vos journalistes se sentent trahis." Et lui de répondre : "Eh bien, si c'est comme ça qu'ils se sentent, qu'ils y investissent 200 millions de leur poche." Et c'est là que j'ai pensé : "Salaud! Nous y avons bien investi l'équivalent."»

Un autre chroniqueur au *National Post*, Robert Fulford, prit un ton plus charitable envers Black : «Le comportement ou l'apparence de comportement imprévisible expose tout personnage public à une critique sévère, car nous nous attendons à une certaine cohérence de la part de nos dirigeants. Voilà pourquoi il est tellement facile d'attaquer Conrad Black... Tout raisonnable que cela ait pu paraître à M. Black et à ses actionnaires, le fait d'être le plus important éditeur de journaux au Canada pour devenir aussitôt, le temps de publier un communiqué de presse, le propriétaire de la moitié d'un seul journal, voilà, aux yeux de presque n'importe qui, un comportement imprévisible[11].»

La combinaison des actifs télévisuels de CanWest Global et de Southam, le plus grand groupe de presse au pays, représentait une grave menace pour le *Globe and Mail*. Grâce à la convergence, cette transaction, la plus importante dans l'histoire de la publication de journaux au Canada, fit de CanWest l'entreprise médiatique numéro un au pays. Se fondant sur ce précédent, le holding privé torontois de Kenneth Thomson, Woodbridge Co. Ltd., entama des négociations avec BCE inc., l'empire montréalais de la téléphonie, qui allaient aboutir dès la mi-septembre 2000 à une fusion évaluée à 4 milliards de dollars de leurs intérêts médiatiques, y compris le *Globe and Mail*. De toute façon, Thomson avait depuis longtemps commencé à se débarrasser des journaux de son père, amorçant un virage stratégique extrêmement lucratif vers l'édition électronique.

Le 10 novembre 2000, Hollinger annonça la vente (selon certaines sources, au prix de 150 millions de dollars) du groupe des journaux francophones d'Unimédia à Gesca Ltée., filiale de Power Corporation, cette dernière demeurant évidemment sous le contrôle de l'ancien rival astucieux de Black, Paul Desmarais. En pratique, cette vente mettra fin à la présence de Black sur la scène médiatique canadienne (il ne lui restera que la moitié du *National Post* et la propriété de quelques publications d'envergure modeste). En lançant le *National Post,* Black avait peut-être voulu transformer le pays, amenant les Canadiens à progresser vers des lendemains néoconservateurs. Mais les Canadiens n'avaient aucune envie de prendre ce train. Le *Post* possédait plusieurs qualités éditoriales, mais la ligne de partage entre l'appui éditorial et la pure propagande était devenue extrêmement mince. En offrant son soutien inconditionnel à un politicien perdant – Stockwell Day – ainsi qu'à une option perdante – l'Alliance canadienne –, le *Post* avait miné sa propre crédibilité. Malgré les bonnes intentions de Ken Whyte et des journalistes du *Post*, ce journal était devenu, dans les mains de Hollinger, un instrument de guerre totale, parallèlement aux campagnes de financement menées par Peter White au profit de l'Alliance canadienne.

Black avait d'abord offert de vendre Southam et des journaux régionaux d'une valeur éprouvée, tout en gardant le *Post*, qui lui offrait une plateforme prestigieuse mais déficitaire. Avec le recul, il paraît chanceux d'avoir pu vendre l'ensemble du groupe à CanWest. Le prix payé, une somme exorbitante, aurait dû régler les problèmes financiers de Hollinger Inc. et de sa filiale américaine, Hollinger International. Mais Black avait vendu des actifs qui fournissaient des entrées de fonds régulières, préférant garder un noyau dur d'activités prestigieuses, telles que le *Telegraph*, le *Sun-Times* et le *Jerusalem Post*. Ces activités souffrirent des effets conjugués de l'effondrement du marché de la publicité en 2001, de l'Intifada en Palestine et, finalement, des attentats du 11 septembre. De plus, selon Izzy Asper, le *National Post* avait indirectement suscité des améliorations importantes au *Globe and Mail*.

Black, ses plus proches associés et son holding privé Ravelston Corp. avaient encaissé des frais de gestion de l'ordre de 32 millions de dollars en 1998, 38 millions en 1999, de 37,3 millions en 2000, 30,7 millions en 2001 et 25,6 millions en 2002, alors qu'à la suite de la vente de Southam, le chiffre d'affaires de Hollinger International avait chuté de 45 % et que cette société avait affiché une perte de 36 millions de dollars en 2001.

Le 4 décembre, Black organisa une fête d'anniversaire surprise pour Barbara au chic restaurant de Manhattan La Grenouille. Cette fête à 63 000 $ – le tiers des frais étant facturés à Conrad Black et les deux autres tiers à Hollinger International – fera l'objet d'une accusation au criminel à Chicago. D'une part, cette fête représentait une célébration de l'amour qu'il éprouvait pour son épouse. D'autre part, le magnat Black s'était auréolé de la présence d'invités new-yorkais influents; c'est dire que la petite fête était susceptible de l'aider à maintenir son profil de magnat dans la métropole américaine. Pendant que la mezzo-soprano du Metropolitan Opera Jossie Pérez interprétait des extraits de *Carmen* de Bizet et de *Samson et Dalila* de Saint-Saëns, les invités avaient dégusté un repas accompagné de caviar de béluga et de ceviche de homard au concombre d'une valeur de 16 875 $, des cocktails pour une valeur de 912 $, du champagne Dom Pérignon pour une valeur de 13 935 $ de même que des crus exceptionnels de Chassagne Montrachet Prosper Maufoux, de Clos Vougeot Prosper Maufoux et de Sancerre Jean-Claude Chatelain. Les pourboires versés aux cuisiniers et aux garçons de table s'élevèrent à 7930 $. Sur la liste des invités figuraient de richissimes vedettes telles que « Happy » Rockefeller et Kate Ford II; le célèbre mannequin Melania Knauss et son fiancé milliardaire Donald Trump (dans une série de photos publiées en janvier 2000 dans la revue *GQ*, la voluptueuse Melania avait posé en légende américaine du sexe, du pouvoir et de l'argent, nue à côté d'une mallette débordante de bijoux fabuleux dans le Boeing 727 personnel de Donald Trump; malgré leur différence d'âge [il a 26 ans de plus qu'elle], ils célébrèrent leurs fiançailles en avril 2000); le créateur de mode Oscar de la Renta et son épouse Annette; le maire milliardaire de New York Michael Bloomberg; le propriétaire du *New York Daily News*, Mort Zuckerman; Ghislaine, la fille du défunt magnat de la presse et fraudeur par excellence Robert Maxwell; les vedettes de la télé Barbara Walters et Peter Jennings; de même que la bande habituelle de néoconservateurs, hauts dirigeants de Hollinger et administrateurs. Arthur M. Schlesinger fils, historien octogénaire, biographe de Franklin D. Roosevelt et lauréat du prix Pulitzer, m'a aussi confié qu'il y avait assisté. Étant donné cette liste d'invités, il est difficile de concevoir comment le fait de chanter « Bonne fête, Barbara » aurait pu améliorer en quoi que ce soit les perspectives d'affaires du groupe Hollinger International.

Dans ses mémoires publiées en 1993, Conrad Black avait témoigné de son admiration envers un Écossais de Montréal – Lord Strathcona – qui avait vécu de longues années au Labrador employé par la Compagnie de la Baie d'Hudson avant de devenir haut commissaire du Canada à Londres et membre de la pairie. Black avait oublié de mentionner qu'en manipulant des actions de compagnies ferroviaires en Bourse, Strathcona avait empoché des centaines de millions de dollars. Au moment de s'installer à Londres à la fin des années 1980, Black était bien conscient qu'en venant à la rescousse d'un journal national proconservateur, le *Daily Telegraph*, et en en faisant une figure de proue à la fois en Grande-Bretagne et sur la scène internationale, il réussirait à réaliser le rêve qu'il caressait depuis si longtemps : un titre de noblesse.

Piqué au vif par les provocations répétées de Black, Jean Chrétien avait trouvé ce qui lui semblait être le point faible de son adversaire : la vanité. Ainsi, devinant à quel point Black avait soif d'un titre aristocratique, le premier ministre fit de son mieux pour bloquer cette nomination. De son côté, trouvant que ce titre était enfin à sa portée, Black se trouva forcé par Chrétien à adopter une position défensive, ce qui renforça considérablement sa réputation de grand snob. C'était le moment pour Chrétien de passer à la caisse. Le champ de bataille entre Black et Chrétien se déplaça d'Ottawa vers la « mère des Parlements », à Westminster.

Les sorties intempestives qu'affectionnait Black lui avaient causé du tort en Grande-Bretagne. Par exemple, au moment d'un débat intense sur l'intégration de la Grande-Bretagne à l'Europe, il avait suscité la controverse en expliquant dans le *Daily Telegraph* : « Ma position depuis toujours est qu'à presque tous les égards sauf la géographie, le Royaume-Uni est plus proche de l'Amérique du Nord que de l'Europe et devrait rester proche des deux continents sans toutefois adopter l'euro pour l'instant. »

Lors de son témoignage devant la Commission américaine du commerce, Black avait déclaré que la Grande-Bretagne ferait mieux de se joindre à l'ALÉNA qu'à l'Europe. Il y eut également d'autres controverses. Lorsque le chroniqueur du *Spectator* Taki Theodora-Copulos avait dénoncé le fait que des soldats israéliens avaient « tiré sur des enfants » et « attaqué de jeunes lanceurs de pierres avec des obus perforants », Black avait laissé entendre que Taki (son propre employé) valait à peine mieux qu'un nazi : « Son ramassis de mensonges, à la fois venimeux et d'une absurdité insondable, est digne de la propagande de Goebbels ou encore des *Protocoles des sages de Sion*. Les Juifs, selon Taki, ont suborné le gouvernement américain, manipulent les forces armées des États-Unis comme s'il s'agissait de leur propre chien d'attaque docile et se réjouissent du meurtre d'enfants innocents ou gavroches. Selon lui, l'ethos juif universel est bestial, vulgaire, cupide et d'une cruauté pernicieuse[12]. » Par la suite, Black accusa Ian Gilmour (ancien rédacteur du *Spectator* et ancien ministre dans le premier gouvernement Thatcher qui avait longtemps milité pour la cause palestinienne) d'être « pratiquement un mythomane américanophobe pathologique. Et dans son hostilité fébrile à l'égard d'Israël, il est injuste envers lui-même, car il fait figure d'anti-Juif qui se fait passer pour un défenseur de "l'opprimé" palestinien[13] ».

Black s'attaquait de temps à autre au Foreign Office britannique, à la BBC, aux quotidiens *The Independent*, *The Guardian* et *The Evening Standard* ainsi qu'à d'autres publications de gauche ou à la mode. Dans un portrait de Black publié en 2003, *The Independent* ripostait : « Black est raffiné et intelligent. Tout comme cet autre magnat canadien de la presse, Lord Beaverbrook, Black s'est distingué en tant qu'historien. Il vient de terminer la rédaction d'une biographie de Franklin D. Roosevelt et on dit de lui qu'il peut réciter les noms de tous les galions espagnols de l'Invincible Armada. Large d'épaules, tel un joueur de rugby, menaçant à l'occasion, il prend en conversant un ton parfois triste qui déstabilise ses interlocuteurs. Mais ne vous y trompez pas. Black adore les débats et il s'y engage pour une seule raison : le plaisir de prouver qu'il a raison. Ce n'est pas un homme qui change facilement d'avis.

« Les amis de Black sont du genre à trouver que les banalités sont faites pour les personnes banales et, s'ils ne dictent plus la loi, trouvent qu'ils devraient pouvoir encore le faire : Henry Kissinger, Margaret Thatcher, Richard Perle, Lord Carrington… Black est une figure de proue du groupe Bilderberg, ce groupe de réflexion qui se réunit presque secrètement, devenant ainsi la cible de prédilection des théoriciens de la conspiration. » Et l'auteur de conclure : « Épaulé par Henry Kissinger et Richard Perle, Black a fait pression sur le rédacteur du *Daily Telegraph*, Charles Moore, pour que ce dernier prenne une position de plus en plus à droite, à la fois eurosceptique et prosioniste. De nos jours, le *Telegraph* semble s'adresser uniquement à une clique néoconservatrice de vrais croyants[14]. »

Le néoconservatisme de plus en plus véhément de Black préoccupait ses collègues du *Telegraph*, car le propriétaire semblait vouloir subordonner les intérêts de la Grande-Bretagne à ceux des États-Unis. « Conrad appartient au clan néoconservateur, confia sir Peregrine Worsthorne, rédacteur du *Sunday Telegraph* de 1986 à 1989. Selon ce clan, pourvu que l'Amérique se montre assez forte et déterminée, qu'elle n'est pas mise à genoux par des intellos libéraux poltrons et ravagés par un sentiment de culpabilité et que les gens la craignent, eh bien l'Amérique finira par prévaloir. Je me souviens qu'une fois Nixon m'avait dit que le secret de sa politique étrangère était bien la crainte éprouvée par la planète entière à l'égard de l'Amérique, ce que Nixon prenait pour la plus solide garantie de protection de l'ordre mondial. Face à l'Union soviétique, une telle position avait peut-être des chances de réussir. D'après moi, cette volonté de puissance néoconservatrice, cette croyance digne de Nietzsche, ne fonctionne pas avec le Moyen-Orient. Voilà pourtant ce que Nixon m'avait dit en personne. » Les lettres de créance de Worsthorne comme conservateur sont impeccables : « Je fus l'un des rares journalistes britanniques à appuyer les États-Unis lors de la guerre du Vietnam. »

Selon Ian Gilmour, « les néoconservateurs courent après la catastrophe : ils ne parlent qu'entre eux tout en méprisant le reste de la planète. Y en a-t-il en Grande-Bretagne ? Il y en a au *Daily Telegraph*. »

De son côté, Brian MacArthur, rédacteur associé au *Times* de Londres, a déjà souligné : « Sur des enjeux tels que l'Amérique et Israël, le *Telegraph* reflète bien les opinions de Conrad Black. Certains prétendent qu'il a "atlanticisé" le journal. Mais en Grande-Bretagne, il y a des gens qui appuient cette position. »

Il est ironique de constater que le républicain George W. Bush, appuyé par le *Chicago Sun-Times* lors de l'élection présidentielle de 2000, se soit associé de façon aussi intime à Tony Blair, premier ministre travailliste et anglican fervent, qui a articulé sa vision bipolaire de la planète dans les termes les plus manichéens. Lors de l'élection de juin 2001, le *Telegraph* n'a pas donné son appui à Blair : cet appui ne sera accordé que lorsque Blair deviendra le défenseur audacieux de l'alliance atlantique et le second violon de Bush.

L'une des raisons pour lesquelles Black a tant apprécié le premier ministre travailliste est que Blair a fidèlement entretenu la « relation spéciale » entre les États-Unis et la Grande-Bretagne.

En 1999, bien qu'il fût toujours citoyen canadien, Black avait vécu 11 ans en Grande-Bretagne. En reconnaissance de son rôle au *Telegraph*, en février 1999, le chef du Parti conservateur, William Hague, informa Black de son intention de présenter sa candidature à la reine en vue d'une pairie. Black prétendit n'avoir rien fait pour accéder à ce titre : « Je n'ai pas levé le petit doigt, mais une fois que j'ai été mis en candidature, comme ce fut le cas de chaque propriétaire du *Daily Telegraph* depuis la création du journal, j'ai estimé que j'y avais droit. Je suis internationaliste et je trouvais que le statut de baron était parfaitement compatible avec la citoyenneté canadienne. Ce qui, en matière de droit, était tout à fait justifié. »

Pourtant, se moquant de cette prétention, l'ami et associé de longue date de Black, Peter White, m'a dit un jour : « Bien sûr qu'il a *tout fait* en son pouvoir pour obtenir ce titre ! »

À première vue, cette nomination avait quelque chose d'inhabituel. Comment pouvait-on inviter un Canadien à siéger à la Chambre haute d'un pays étranger sans qu'il soit citoyen de ce pays ? Cependant, la mise en candidature fut approuvée et acheminée au gouvernement britannique. Trois mois plus tard, le 24 mai, le gouvernement britannique communiqua avec le gouvernement canadien afin de s'assurer qu'il n'y avait pas d'obstacle juridique à cette distinction. Après avoir étudié le dossier, le Comité des décorations du gouvernement canadien informa Black qu'aucune loi ne l'empêchait d'accepter une pairie, même si la coutume voulait que les deux gouvernements se consultent à ce sujet. Cinq jours plus tard, le 29 mai, le premier ministre Blair fit savoir à Black qu'il pouvait accepter le titre, pourvu qu'il devienne citoyen britannique et n'utilise pas le titre au Canada. Le 9 juin, le gouvernement canadien confirmait la position de Blair. Le 11 juin, Black fit sa demande de citoyenneté britannique, la recevant le jour même. Se trouvant manifestement sur la voie rapide, Black apprit de Blair que sa nomination avait été transmise à la reine et qu'il deviendrait baron le 18 juin 1999. Mais la voie rapide devint quelque peu boueuse lorsque Chrétien décida, dès lors, de brouiller les cartes. Le jour avant que le titre lui soit officiellement conféré, Blair apprit à Black, qui ne se doutait de rien, que le premier ministre canadien, invoquant l'obscure Résolution Nickle de 1919, venait de bloquer la nomination. Adoptée par la Chambre des communes peu de temps après la Première Guerre mondiale, la Résolution Nickle priait le roi George V de s'abstenir de conférer des titres à des citoyens canadiens[15].

En invoquant la Résolution Nickle, Chrétien avait complètement déjoué Black, qui entama immédiatement une poursuite contre le premier ministre pour « abus de pouvoir, faute de commission alors qu'il occup[ait] une fonction publique et négligence ». De plus, il entreprit une poursuite contre le procureur général du Canada pour représentation négligente, tout en réclamant des dommages et intérêts de l'ordre de 25 000 $. Bien que le Sénat n'ait jamais ratifié la Résolution Nickle, cette dernière était devenue la coutume. Selon le pair héréditaire Kenneth Thomson : « Lorsqu'il fut élevé à la pairie [en 1964], mon père n'a jamais renoncé à sa citoyenneté canadienne. Aux termes des lois canadiennes en vigueur à l'époque, on ne pouvait avoir de double nationalité, alors en devenant citoyen britannique, mon père avait perdu sa citoyenneté canadienne. Pour cette raison, ce n'était plus du ressort du gouvernement canadien, car la décision entière appartenait au gouvernement britannique. Mon père a continué à se considérer comme Canadien et il espérait finir ses jours au Canada, mais malheureusement, ce n'est pas ce qui s'est passé. »

Malgré l'image contestable projetée par la Chambre des lords, Black voulait à tout prix en faire partie. Il était donc furieux que Chrétien fasse obstacle à cette distinction. Il n'y avait aucun doute, dans l'esprit de Black, que les motifs de Chrétien étaient d'ordre personnel. En expliquant sa position à Black au téléphone, Chrétien lui avait rappelé la couverture invariablement négative faite par le *National Post* des actions de son gouvernement. Lors du procès en Cour supérieure de l'Ontario, Black prétendit que le premier ministre menait une vendetta personnelle contre lui.

Cette bataille juridique était riche d'ironie, compte tenu du fait que Black avait voulu utiliser le *National Post* comme instrument pour « transformer le pays ». Il y avait d'abord le titre du procès – *Black vs. Canada (premier ministre) 2000*. Ensuite, Black cherchait à obtenir un titre britannique même s'il pensait que le Canada aurait dû renoncer à la monarchie britannique. De son côté, Chrétien avait tout fait pour bloquer le titre « étranger » de Black, alors que lui et Pierre Trudeau avaient été les architectes de la Loi constitutionnelle de 1982, cette loi solidement bétonnée qui garantissait pour toujours et à jamais que le souverain britannique demeure le chef d'État du Canada[16]. Cette bataille juridique rouvrait aussi une vieille blessure : celle de la relation ambivalente entre le Canada et la Grande-Bretagne, accentuée par plus de 100 ans d'initiatives libérales qui avaient tour à tour renforcé et réduit la souveraineté canadienne. Finalement, il y avait le précédent (dont même Black ne semblait pas se souvenir) des cardinaux canadiens qui, en devenant princes de l'Église, siégeaient au « Sénat » du Vatican, où ils pouvaient jouer un rôle ministériel au service du pape, un monarque absolu. Si cela était acceptable à Rome, pourquoi ne l'était-ce pas à Londres ?

En mai 2000, le juge en chef de la Cour supérieure de l'Ontario, Patrick LeSage, décréta que Chrétien avait « tout à fait le droit de porter conseil et d'exprimer des opinions sur la question des distinctions honorifiques et des affaires étrangères » sans avoir à en expliquer les raisons. De plus, aucun tribunal n'avait le droit de remettre en question cette « prérogative ». Black porta tout de suite la cause en appel. En mai 2001, le juge John Laskin de la Cour d'appel de l'Ontario confirma la décision de la Cour supérieure : « Refuser de conférer une distinction n'est pas comme refuser de délivrer un passeport ou d'accorder un pardon, ce qui impliquerait d'importants enjeux au plan individuel. Contrairement au refus d'un droit à la pairie, le refus d'un passeport ou d'un pardon entraîne des conséquences très concrètes pour la personne touchée. Dans ce cas, aucun intérêt individuel n'est en jeu. Même en interprétant le mot "droit" dans son sens le plus large, les droits de M. Black ne sont en rien affectés. Le fait de recevoir une distinction ne fait pas partie des droits dont jouissent les Canadiens. » L'appel de Black et l'appel incident du gouvernement se heurtèrent à une fin de non-recevoir. La défense du premier ministre et de l'appel incident coûta aux contribuables canadiens la somme de 168 000 $[17].

« Les choses se sont passées comme Chrétien le voulait et il a eu la satisfaction de me voir renoncer à ma citoyenneté canadienne, déclara Black. Mais le fait que le premier ministre du Canada soit content ou mécontent ne m'intéresse guère. J'aurais évidemment préféré conserver ma citoyenneté canadienne, mais c'est lui qui m'a obligé à choisir. Je suis surtout déçu d'avoir eu à choisir et qu'en même temps, selon une opinion généralement répandue, ma seule motivation était d'obtenir le titre, alors que ce n'était vrai qu'en partie seulement. »

Black affirma qu'il exprimait du même coup une opinion sur le Canada. « Je sentais vraiment qu'il n'y avait pratiquement plus d'espoir que le Canada évolue dans le sens que je souhaitais. Je me suis donc incliné parfaitement et en toute sérénité devant l'opinion de la majorité des Canadiens, qui en tant que peuple souverain pouvait prendre ses propres décisions. En fait, il s'agissait d'une reconnaissance de ma part du fait que la vision que j'avais développée pour le Canada n'avait aucune chance de se réaliser... L'enjeu de ma pairie a fini en quelque sorte par obscurcir cet autre enjeu fondamental... Oui, dans la décision de renoncer à ma citoyenneté canadienne, il y avait ces deux aspects. Continuer à garder ma citoyenneté canadienne n'avait plus aucun sens. C'était un geste concret, et mon passeport en était devenu un de complaisance que j'utilisais assez peu. »

Selon Dan Colson, le bras droit de Black à Londres, « sa décision de renoncer à sa citoyenneté canadienne a constitué l'un des événements les plus tristes de toute sa vie. Il s'est toujours considéré comme un fier patriote canadien ».

Contrairement à d'autres pairs à vie, Black avait payé un prix personnel important pour accéder à la Chambre des lords. Cela devait être pour lui une apothéose, une véritable consécration sociale. Mais ce fut aussi l'aboutissement d'une bataille à la fois longue, acrimonieuse et parfois même surréaliste, qui l'avait fait se mesurer au premier ministre du Canada. Comme un grand nombre de batailles qu'il avait engagées au cours de sa vie, tout se jouait sur la place publique.

Conrad Black s'était souvent vanté de ses prouesses stratégiques. Mais deux erreurs stratégiques catastrophiques avaient mené directement à sa chute finale. La première avait été la décision, au milieu des années 1990, de faire appel à des investisseurs publics aux États-Unis en concentrant ses actifs médiatiques mondiaux dans une entreprise publique américaine, Hollinger International. La deuxième avait été de renoncer à sa citoyenneté canadienne. Au bout du compte, le snobisme de Black avait vaincu sa prudence. En rejetant sa citoyenneté afin de mériter un titre dénué de sens en Grande-Bretagne, il s'était affaibli. Si jamais il était convaincu d'un crime aux États-Unis, il ne pourrait pas demander d'être transféré dans une prison canadienne, où les conditions seraient plus favorables : il lui faudrait purger sa peine dans une prison à sécurité moyenne américaine où, vraisemblablement, il devrait partager sa cellule avec un narcotrafiquant, puisque 57 % des détenus des prisons fédérales américaines servent leur peine pour des crimes liés à la drogue.

Maintenant qu'il avait cédé le contrôle du groupe Southam à Izzy Asper, Conrad Black ne pouvait plus se servir de ses journaux canadiens pour marteler Jean Chrétien. Asper et Black s'immisçaient volontiers dans la politique éditoriale, mais Asper était libéral depuis toujours (il avait été chef du Parti libéral du Manitoba). Dans une lettre datée du 5 janvier 2001, Black écrivit à Asper : « Je suis conscient que David Asper [le fils d'Izzy] a exercé des pressions considérables en faveur de Chrétien. Cela n'est pas compatible avec notre entente et je vais envoyer une note de service à la haute direction éditoriale du *National Post* pour lui enjoindre, si elle reçoit de la part de représentants d'entreprises affiliées des demandes de modifier en quoi que ce soit le contenu éditorial du journal, de diriger de telles requêtes vers Peter Atkinson [haut dirigeant de Hollinger] ou moi-même. Compte tenu du fait que Chrétien m'a attaqué de façon malicieuse, lâche, ignorante, malhonnête et illégale, j'ai fait preuve de beaucoup d'indulgence envers lui en m'assurant que notre couverture adopte un ton aussi tolérant. »

Le 13 mars 2001, Asper critiqua Black pour s'être attaqué à un article prudent rédigé par David Asper au sujet des investissements privés de Chrétien : « Une bataille publique ne serait ni à votre avantage ni au mien. Elle ferait plaisir à ceux qui nous veulent du mal, mais hélas, vous avez décidé de me jeter le gant en public, de m'administrer une gifle publique qui a embarrassé, humilié, ridiculisé et déshonoré à la fois ma famille et mon entreprise. »

Le lendemain, Conrad lui répondait : « À plusieurs reprises, je vous ai dit à vous-même, à David et à Leonard [l'autre fils d'Izzy] comment modifier le ton général d'un journal sérieux et je vous ai offert des conseils, sans que vous me le demandiez. Je crois que toutes ces interventions imprudentes contreviennent à l'esprit de notre entente tout en causant préjudice aux intérêts corporatifs de CanWest, en plus de miner la crédibilité et donc la valeur des propriétés que mes associés et moi-même avons bâties si rapidement. Par ailleurs, convient-il de souligner, en me rappelant l'époque où ma relation avec Chrétien était courtoise, je l'ai supplié de résoudre ces questions [concernant le désir de Black de garder sa citoyenneté canadienne tout en devenant membre de la Chambre des lords britannique] en appliquant la méthode consacrée par l'usage qui consiste à fournir quelques réponses honnêtes. Au lieu de cela, il a systématiquement menti au Parlement ainsi qu'au public. »

Une rupture définitive entre Black et Asper était inévitable. Le 23 août 2001, Black annonça la vente à CanWest de la moitié du *National Post* qui lui restait (le journal avait déjà perdu 22,7 millions de dollars au cours du premier trimestre de cette année-là).

Le 11 septembre 2001, le jour même des attaques terroristes sur New York et Washington, Black reçut la confirmation officielle de sa pairie à vie. *The Independent* tira immédiatement parti de cette malheureuse coïncidence. Tout en mentionnant que Black avait été non interventionniste pendant ses premières années à la barre du *Daily Telegraph*, *The Independent* fit remarquer que « ce Black non interventionniste est devenu méconnaissable. Au moment d'annoncer sa pairie [...] le *Daily Telegraph* a trouvé l'espace pour un article de 500 mots à ce sujet. La plupart des autres journaux n'avaient pas de place pour des reportages aussi obséquieux, car quelques heures à peine après que Downing Street eut rendu publique la bonne fortune de Black, des avions détournés étaient précipités sur les tours jumelles du World Trade Center et sur le Pentagone[18] ».

Les intérêts médiatiques de Black furent sérieusement affectés par ces attaques terroristes. Le projet immobilier visant à bâtir un gratte-ciel de 150 étages à Chicago fut finalement réduit à un projet plus modeste de 90 étages. Mais comme le marché immobilier ne se remettait que lentement, ce projet fut remis à plus tard.

Mais ce n'était pas tout. Même si Black devait être présenté lors d'une cérémonie spéciale à la Chambre des lords le 31 octobre 2001, ce Conrad Black radieux et couronné de succès était hanté par un double sombre et malfaisant. Au moment même où il s'apprêtait à savourer sa victoire à Londres, le spectre de la défaite menaçait son empire à New York. Deux semaines seulement *avant* sa présentation à la Chambre haute, Tweedy, Browne Company (qui détenait 18 % des actions ordinaires de catégorie A de Hollinger International) avait commencé à contester la pratique de versement d'honoraires de gestion à Ravelston, le holding canadien de Black. Cette campagne, menée par Chris Browne et son analyste financière Laura Jereski, entraîna la démission forcée de Black.

Au bord de la Tamise couleur de cendre qui serpentait à travers Londres, se dirigeant vers l'est, un homme corpulent et riche, doté d'une forte personnalité, l'air à la fois énervé et orgueilleux, avait endossé sa tenue parlementaire : une cape écarlate bordée d'hermine et brodée d'or.

Ses yeux plissés étaient froids, sa mâchoire carrée, ses grandes mains pendaient le long de son costume. Conrad Black devait être présenté à la Chambre des lords, se joignant ainsi à l'une des plus anciennes institutions parlementaires au monde. La Chambre symbolisait un système de classes archaïque, le privilège héréditaire et la propriété terrienne excessivement concentrée en Grande-Bretagne, tout en constituant pour les riches oisifs une sorte d'emploi à temps partiel. Black allait être présenté comme pair à vie, sous le titre de baron Black de Crossharbour, un nom qui rappelait une station de métro non loin des bureaux londoniens de Black, un secteur où lui et son associé Dan Colson, vice-président, directeur général du Telegraph Group, avaient fait beaucoup d'argent dans l'immobilier.

Selon Ian Gilmour (Lord Gilmour of Craigmillar), « si vous achetez un quotidien à Londres, vous achetez en quelque sorte une pairie. Mais il faudrait être réellement cinglé pour acquérir un quotidien dans le but de devenir baron ». Dès qu'on atteint les postes bien en vue de la société britannique, on risque de recevoir un titre de noblesse. Selon l'historien John Julius Norwich, « même le secrétaire du syndicat des chaudronniers finira à la Chambre des lords ». Le propre grand-père de Norwich, un médecin, fut adoubé après avoir traité le roi Édouard VII pour la gonorrhée (ou s'agissait-il plutôt d'un cas d'hémorroïdes ?). Il avait lui-même hérité de son père, qui avait été ambassadeur britannique en France, du titre de vicomte.

La présentation de Black à la Chambre des lords constituait une apothéose personnelle. Elle marquait l'aboutissement de sa quête, amorcée 32 ans plus tôt, d'un statut social et financier de première grandeur ; la consécration solennelle du baron de presse brillant, impitoyable et plus grand que nature qui contrôlait Hollinger, l'un des plus importants empires de presse au monde. Elle signifiait en outre qu'il avait encore mieux réussi que les vieux snobs d'Argus, E. P. Taylor et Bud McDougald. Pourquoi une pairie avait-elle tant d'importance pour Black? Peut-être voyait-il dans le fait de devenir membre de la Chambre des lords l'ultime lien personnel l'associant aux personnages historiques qu'il admirait. Il savait qu'aux heures les plus sombres de la Seconde Guerre mondiale, sir Winston Churchill y avait livré plusieurs de ses discours les plus émouvants (après que la Chambre des communes eut été endommagée par des bombardiers nazis). Il savait que jusqu'à la Seconde Guerre mondiale, les aristocrates britanniques avaient été des figures de proue du pouvoir politique au Canada. Il se rappelait aussi, sans aucun doute, la croisière du couronnement qu'il avait effectuée en 1953. Maintenant, la situation était inversée : à son tour, il pouvait s'attendre à ce que des millions l'applaudissent ou du moins lui montrent de la déférence.

Le siège offert à Black à la Chambre des lords faisait de lui un législateur en Grande-Bretagne. Mais toute cette pompe avait quelque chose d'ambigu, car sa présentation coïncidait avec une vague d'allégations de la part des actionnaires américains de son entreprise.

Les Britanniques sont passés maîtres dans l'art des rituels colorés. La présentation de Black à la Chambre des lords se situait quelque part entre une grande cérémonie héraldique et une mise en scène ironique. Malgré la dignité, les perruques et les révérences, la cérémonie rappelait le passé nostalgique de l'Empire britannique, tout en prenant un air vaguement pince-sans-rire, comme si la chute de l'histoire drôle ne deviendrait évidente que le lendemain.

Conformément au rituel séculaire, l'huissier à la verge noire, son bâton de fonction appuyé contre son épaule droite, précéda dans la Chambre chaque nouveau pair accompagné de deux collègues et du roi d'armes de la jarretière vêtu de sa tunique aux armoiries royales et portant un sceptre dans la main droite.

L'huissier à la verge noire, faisant force révérences, et le greffier en perruque, portant les lettres patentes de la reine, escortèrent d'abord une dame écossaise, la nouvelle baronne Michie de Gallanbach. Elle avait décidé de prêter serment en anglais et en gaélique, la langue ancestrale des Écossais.

Puis, au milieu du brouhaha décontracté des ducs, comtes, barons, lords judiciaires et hauts ecclésiastiques, Conrad Black se prépara à faire son entrée. Flanqué de Lady Thatcher et de Lord Carrington, il avança d'un pas lent jusqu'au centre de la Chambre des lords. Tous les trois firent une révérence profonde devant le lord chancelier portant l'habit de cour, la perruque et le tricorne, et assis sur son coussin rouge. Le lord évêque de Bath et Wells récita quelques prières, après quoi le greffier, tenant le rouleau cérémonial droit devant ses yeux, lut à haute voix le texte suivant :

« Elisabeth II, par la Grâce de Dieu Reine du Royaume-Uni et de l'Irlande du Nord et de tous nos autres domaines et territoires, Chef du Commonwealth, Défenseure de la Foi, à tous les Lords spirituels et temporels ainsi qu'à tous nos sujets où qu'ils soient, Salutation ! Sachez que par la grâce spéciale, la connaissance certaine et la simple motion qui Nous ont été conférées, aux termes de la Loi sur la pairie à vie de 1958 et de tous les autres pouvoirs dont Nous jouissons à cet égard, Nous avançons, créons et préférons par les présentes Notre bien fidèle et bien-aimé Conrad Moffatt Black, membre de Notre Conseil privé pour le Canada, Officier de l'Ordre du Canada, à l'état, dignité, style et honneur de baron Black de Crossharbour, dans l'arrondissement de Tower Hamlets à Londres, et pour Nous, Nos héritiers et successeurs, de nommer, donner et lui conférer le nom, état, degré, style, dignité et honneur de baron Black de Crossharbour, les avoir et posséder durant sa vie entière. »

« D'un point de vue historique, dira Black, je me trouvais à la tribune où tant de personnages célèbres avaient pris la parole, notamment le premier ministre Disraeli [...] le marquis de Salisbury [...] le duc de Wellington alors qu'il était premier ministre, et tant d'autres. Le simple fait de m'y trouver ne me conférait pas la grandeur de ces hommes-là. Mais c'était une situation intéressante pour moi. Et au niveau personnel, j'ai trouvé gratifiant le fait que Margaret Thatcher et Peter Carrington m'y aient présenté et que le docteur et Mme Kissinger aient assisté à la scène en mon honneur à partir de la tribune du public. Je ne pouvais pas m'empêcher de penser que ma mère aurait été fière, elle qui aimait tant le Commonwealth et avait vécu à l'époque où le summum de ce qu'un Canadien pouvait accomplir était d'être reconnu dans l'ensemble du Commonwealth. »

En 2001, le nouveau titre baronnial de Conrad lui avait conféré à la fois autorité et distance sociale; le titre semblait justifier ses luttes personnelles, tout en flattant son snobisme, en balayant sa tristesse intérieure et en rétablissant sa réputation quelque peu ternie de bagarreur machiavélique.

Son nouveau titre faisait également de Barbara une baronne. Elle aussi avait finalement atteint le sommet.

Même si l'essentiel du courage, c'est la prudence, Conrad et Barbara ne cessaient pas de faire étalage de leur chic train de vie de grandes célébrités, malgré les premières confrontations ouvertes avec les actionnaires publics enragés de Hollinger International.

Devenue baronne, le penchant qu'éprouvait Amiel pour la haute société britannique sombrait parfois dans l'autoparodie. « Je suis d'une extravagance sans limites, confia-t-elle à la revue *Vogue* en 2002. Je ne veux pas être la matrone qui se prend pour une jeune poulette. Mais je m'obstine à porter des décolletés. Cela est acceptable lorsqu'on est dans la trentaine ou encore la quarantaine, mais cela ne se fait plus ensuite. Je dis toujours "plus haut" à mon designer, mais mes seins ne cessent de déborder de mon décolleté. » L'article dans *Vogue* était accompagné d'une photo de Barbara allongée sur le divan dans son salon, portant une blouse Carolina Herrera aux poignets en zibeline et un pantalon écossais, un anneau Tony Duquette, et des chaussures Manolo Blahnik, sous un immense portrait de Conrad signé Andy Warhol. Et puis il y avait les bijoux. « Jusqu'à l'âge de 45 ans, les diamants et autres pierres précieuses ne faisaient pas partie de ma vie, dit-elle au magazine *FQ* en 2003. Je n'en avais jamais vu, alors cela ne me manquait pas. Puis je me suis remariée […] et j'ai fréquenté des milieux sociaux où certaines femmes se définissaient par les bijoux, comme d'autres gens se définiraient par leur intelligence ou le nombre de résidences qu'ils possèdent. J'ai reçu [de Conrad Black] une broche sertie de perles naturelles et de diamants qui est restée dans mon coffre-fort pendant six ans parce qu'elle est si lourde que je ne vois pas comment je pourrais la porter. »

En cherchant à attirer l'attention de façon aussi flagrante, Amiel donnait l'impression d'afficher avec arrogance son style de vie, de faire étalage de ses trophées, de s'enorgueillir d'avoir enfin acquis le statut social exalté auquel elle avait rêvé dans sa jeunesse. Les actionnaires avaient pris note de toutes ces déclarations. Mais son amie Elizabeth Nickson du *Financial Post* vint à sa rescousse en prétextant que 90 % des choses odieuses qu'on disait au sujet de Barbara relevaient de motivations politiques, alors que « le reste est purement et simplement de la jalousie[19] ». Leur amitié remontait à l'époque où Nickson était chef du bureau européen du magazine *Life* alors qu'Amiel était chroniqueuse au *Times* de Londres.

« Je reconnais qu'à Londres, je trouvais les idées de Barbara assez choquantes, avait expliqué Nickson. Je l'aimais bien malgré sa façon de penser. C'était extrêmement difficile pour quelqu'un des "colonies" de se tailler une place à Londres, surtout en société. Chaque année, des milliers de beautés américaines et canadiennes de bonne famille éduquées dans les plus grandes universités comme Harvard ou Yale essayaient de grimper au sommet et abandonnaient au bout de quelques semaines. Barbara était une choniqueuse pigiste d'âge mûr qui avait grandi à Hamilton en Ontario, n'avait pas d'argent et qui, de surcroît, était Juive. Quelle chance avait-elle d'y arriver et, à plus forte raison, de recréer la société londonienne ? À peu près aucune. Entre toutes les femmes que l'establishment culturel canadien nous présente régulièrement comme personnages dignes de vénération, aucune ne possède le centième du courage de Barbara Black. »

Selon Ken Whyte, rédacteur fondateur du *National Post*, Barbara est étonnante. « Parfois, elle était la femme la plus charmante que j'avais jamais rencontrée. D'autres fois, elle pouvait être distante. Elle est incroyablement engagée dans son métier de journaliste. En épousant Barbara, Conrad est devenu bien plus divertissant. Elle l'a décoincé. Ils se disputaient sans cesse sur le plan des idées, mais aussi au niveau interpersonnel, se réduisant l'un et l'autre à des stéréotypes nationaux, religieux et raciaux. Mais lui avait tendance à jouer le mari qui l'adorait, alors qu'elle le taquinait après des soirées mondaines où il s'était trouvé entouré de femmes. Ils s'entendaient souvent sur la politique, tout en ayant beaucoup de différences d'opinions. »

« Leur mariage a été une très grande réussite, dit Larry Zolf. Lord et Lady Black font partie des premiers couples de la planète. [...] Quand Black a rencontré Barbara Amiel, c'était comme si le ciel s'était ouvert pour eux deux. Dorénavant, Black avait ajouté l'amour à son répertoire. Ce fut une véritable rencontre privilégiée, d'esprit et de corps. La belle Amiel était aussi conservatrice que Black, ressemblait comme lui à Ayn Rand ; c'était une sioniste dévouée et une individualiste coriace. De plus, elle s'était convertie au conservatisme de Black avant même de le rencontrer. »

D'après Nickson, Amiel n'hésitait pas à assumer constamment des risques et, « même si ses farouches prises de position pouvaient effrayer, elle n'était pas pour autant méchante ».

Malgré la gloire et la fortune, Barbara n'a jamais perdu son scepticisme, le sentiment que le monde est illusion. Elle se considérait toujours comme la Juive errante, sa brosse à dents à portée de la main en vue du prochain déracinement. Ken Whyte se souvenait d'avoir passé une journée avec elle à Toronto, pendant ses heures de gloire. « Oui, je vis bien présentement, lui avait-elle dit, assise sur la banquette arrière de sa limousine. Mais avant de rencontrer Conrad, j'habitais un petit studio à Londres, et un jour je pourrais de nouveau me retrouver dans un studio. »

En novembre 2001, trois semaines après la présentation de Black à la Chambre des lords, les journaux new-yorkais étaient en émoi à propos de la rumeur du lancement par Black et d'autres investisseurs d'un nouveau quotidien à Manhattan au début de 2002. Selon Dan Colson, ce quotidien, le *Sun*, allait être « très haut de gamme » et « assurément néoconservateur sur le plan idéologique ». Le *Sun* allait connaître une réussite modeste en publiant des chroniques déjà parues dans le *Telegraph* et le *Jerusalem Post*. Dans une ville encore abasourdie par le choc des attaques terroristes du 11 septembre, son lancement constituait un acte de foi.

De retour au Canada en novembre 2001, Black prononça un discours devant le Fraser Institute, un groupe de réflexion de droite. Publié dans le *National Post* sous le titre « J'ai rêvé du Canada », ce discours présentait le résumé des plus importantes expériences qu'il avait vécues dans son pays d'origine. « Dès l'âge de huit ans [...] lorsque j'ai vu pour la première fois New York et Londres, deux villes dans lesquelles je possède aujourd'hui des résidences, je rêvais d'un Canada où les gens les plus talentueux et ambitieux ne seraient pas attirés de façon irrésistible vers de telles grandes villes à l'étranger. [...] Presque tous les Canadiens pratiquants, dont j'étais aussi, ressentaient la forte envie d'élever le pays à cet échelon qu'à l'école on nous disait que nous étions prédestinés à grimper, pour atteindre le summum de la réussite nationale. En quête de cet objectif, j'ai déménagé au Québec en 1966 et me suis lancé dans une sainte croisade, tout en propageant l'esprit de bonne entente entre Canadiens francophones et anglophones. [...] Battant en retraite vers Toronto en 1974, j'ai entamé une campagne, pour reprendre une expression bien québécoise, en faveur de notre société distincte par rapport aux États-Unis. [...] Je croyais que le Canada pouvait évoluer vers une société plus confiante, spontanée, individualiste, entreprenante et dépourvue de jalousie. Plus qu'elle n'avait pu l'être auparavant.

« Représentant seulement 11 % de la population américaine et doté d'un climat moins tempéré, le Canada était moins compliqué du point de vue sociologique. Je pensais que la plupart des Canadiens étaient conscients que le Canada pouvait devenir l'un des 10 plus importants pays au monde, de même qu'un laboratoire politique digne de l'admiration générale. Pendant longtemps, j'y ai cru moi-même et je défendais cette vision avec beaucoup de conviction, que ce soit comme commentateur, porte-parole du monde des affaires et finalement comme éditeur, sans doute le plus important éditeur de journaux au pays. »

Black venait de renoncer à sa citoyenneté canadienne, de se déraciner de son pays natal. Désormais, il concédait que son rêve de revigorer le conservatisme au Canada avait échoué. Il avait offert son programme de priorités au pays, non pas en tant que politicien élu, mais à titre de magnat de la presse, et le public venait de rejeter ce même programme qui consistait entre autres à « mettre fin aux concessions préventives offertes au Québec, [...] à alléger la fiscalité, à réduire la réglementation et à cheminer vers un gouvernement moins socialiste que les États-Unis, mais tout de même généreux à l'égard des défavorisés, [...] à renforcer la monnaie canadienne afin de recréer de la valeur pour les Canadiens et à imposer de la discipline tant au sein de l'industrie que de la main-d'œuvre, [...] à restaurer les soins de santé privés ainsi que les modalités d'imposition de l'enseignement privé en vue de soustraire les enfants canadiens à la mainmise des syndicats d'enseignants, [...] à cesser de s'abaisser devant Castro et le tiers-monde et [...] à restaurer la capacité du Canada de jouer un rôle au sein de l'OTAN dans le domaine de la sécurité. »

Le discours de Black au Fraser Institute ressemblait à une longue divagation narcissique. Il était brillant, omniscient, au-dessus de la mêlée, mais les Canadiens ordinaires ne l'appréciaient guère. En lançant le *National Post*, il avait promis de transformer le pays. Mais le Canada avait refusé de combler ses attentes. Puisque le pays était incapable de changer, il fallait bien s'en détacher. Une crevasse s'ouvrait entre son caractère ambitieux et la réalité extérieure.

Mais Peter White, son ami et associé de longue date, voyait le départ de Black du Canada en 2001 sous un jour différent. « Si Conrad devait lui-même évaluer son propre leadership intellectuel [au Canada], il faudrait qu'il accepte l'échec, comme il l'a fait d'ailleurs. En effet, il a dit : "Regardez, j'ai fait de mon mieux pour ce fichu pays ; comme le peuple s'est avéré trop simplet et n'a pas écouté ce que j'ai dit, eh bien je m'en vais." »

Qu'y avait-il de si humiliant pour Black dans les diverses poursuites qu'il avait intentées, dans la renonciation à sa citoyenneté canadienne et dans l'acrimonie qui avait entouré sa présentation à la Chambre des Lords ? Pourquoi utiliser un langage si moralisateur ? Pourquoi blâmer le Canada de l'avoir repoussé, voire de l'avoir obligé à mener une nouvelle vie sur les rives plus verdoyantes de la Grande-Bretagne ? Pourquoi les Canadiens auraient-ils dû le traiter comme un nouveau Beaverbrook, un guerrier transatlantique, un pont vivant à la fois politique et économique reliant le Canada et la Grande-Bretagne ? Dans son discours devant le Fraser Institute, il avait même prétendu qu'il existait une fuite des cerveaux des Canadiens les plus brillants vers la Grande-Bretagne, alors que la plupart des Canadiens n'avaient jamais remarqué une chose pareille.

En fait, bouillant de rage et d'acrimonie, lançant insultes et accusations, Black avait tout simplement claqué la porte au nez des Canadiens en 2001, tout comme il l'avait fait pour le Québec en 1974. Malgré toutes les invectives, les intérêts financiers de Black avaient changé. À la suite de sa disgrâce publique en 2003 et des prodigieux problèmes financiers et juridiques qui, dès 2004, avaient commencé à l'accabler, il était fort ironique de constater que le seul lieu où il aurait encore la chance de vivre dans la dignité serait sa « cabane » à 20 millions de dollars de Toronto.

Il faut reconnaître que Black conservait quand même ses racines. Les enfants qu'il avait eus avec Joanna atteignaient maintenant la majorité. En 1996, leur fils aîné Jonathan, un grand gaillard roux dont le visage et les lèvres charnues rappelaient Marlon Brando, avait entrepris une carrière de mannequin. Trois ans plus tard, il avait confié à une journaliste que le fait d'être le fils de Conrad Black ne lui avait pas ouvert les portes du monde de la mode : « Pour être franc avec vous, en dehors du Canada, de Londres jusqu'à un certain point, de New York et de quelques autres endroits, mon père ne jouit pas d'une si grande notoriété. Dans l'univers de la mode, à New York, Milan, Paris, on ignore ce que fait mon père... » Quant au travail de mannequin, « ma mère [Joanna] adore ça. Mon père aime ça aussi. Parfois, lorsqu'il se trouve à Londres, il me voit là-bas. Il voit des choses que j'y ai faites là-bas et il est très fier de moi ». Ayant déménagé à Montréal, Alana, la sœur de Jonathan, a fait ses études à l'Université Concordia. Et leur frère James s'est inscrit au Upper Canada College, ce qui signifiait que Conrad avait oublié son expulsion de ce collège en 1959.

À la fin de 2001, Conrad s'inquiétait de la détérioration de l'état de santé de son frère Monte, qui souffrait d'une forme de cancer du foie. Au fil des années, les deux frères avaient partagé tellement de choses et il était difficile de voir un homme aussi énergique et sympathique succomber à une maladie fatale. Au début de janvier 2002, Monte se mourait à l'Hôpital Sunnybrook. Par pure coïncidence, son ex-épouse Mariellen Campbell agonisait elle aussi dans une chambre voisine. À un jour d'intervalle, ils sont tous les deux morts du cancer. « Mon frère était un homme charmant qui a affronté une épreuve terrifiante avec beaucoup de dignité et d'humour et il nous manquera beaucoup », avait déclaré Conrad.

Au début de 2002, Black avait réalisé beaucoup de ses objectifs personnels. Il dirigeait un empire de presse mondial coté à la Bourse de New York. Il était devenu membre de la Chambre des lords. Il pensait pouvoir consacrer beaucoup de temps et de ressources à la rédaction d'une biographie de Franklin Delano Roosevelt (qui fut publiée en novembre 2003). Il avait clairement établi qu'il avait quitté le Canada à cause de la démocratie sociale gauchiste molle de ce pays. Dans ses journaux en Grande-Bretagne, aux États-Unis et en Israël, il défendait le néoconservatisme. L'*International Herald Tribune* fit même remarquer que l'ambition de Black était de devenir « le parrain du néoconservatisme », comme en témoignait « la nomination de Kissinger et de Perle à son conseil d'administration, même si ces derniers semblent avoir pris leurs devoirs de fiduciaire à la légère ». Et dans ses journaux londoniens, Black affectionnait un groupe d'écrivains « dont le dévouement au pouvoir américain est d'autant plus fort qu'ils forment une catégorie bien curieuse, celle des Canadiens qui détestent leur pays. Persuadés sans doute que le fait d'avoir un système des soins de santé national entraîne le Canada vers le bolchevisme, Black lui-même, sa femme Barbara Amiel, David Frum et Mark Steyn haïssent tous leur pays d'origine[20] ».

Vers le milieu de 2002, l'ancien premier ministre Brian Mulroney m'a confié qu'il avait traversé l'Atlantique dans l'espoir de convaincre Black de revenir au Canada. C'était quelques semaines à peine avant le discours d'intronisation de Black à la Chambre des lords. « À Londres, j'ai dit à Conrad qu'étant donné les divisions [politiques] que nous avions connues au sein du Parti progressiste-conservateur, je trouvais qu'il était éminemment qualifié pour la direction du Parti et qu'il serait en mesure de les amener [le Parti progressiste conservateur et l'Alliance canadienne] à se réunir dans l'honneur. Il était connu comme un conservateur, il était éloquent, bilingue et brillant, et il aurait amené une tout autre dimension au leadership du parti. Alors, vous n'aurez aucun mal à imaginer à quel point les libéraux se seraient fait un malin plaisir de massacrer un vieux réactionnaire bougon de l'autre côté de la Chambre. Mais les libéraux sont comme ça : ils sous-estiment tout le monde [...] Et ils auraient sous-estimé Conrad Black à leurs risques et périls. »

La proposition de Mulroney témoignait d'un manque de jugement flagrant. Comment quelqu'un qui venait de renoncer à sa citoyenneté canadienne afin de devenir baron en Grande-Bretagne pouvait-il revenir au Canada pour y mener les progressistes-conservateurs à la victoire ? Un individu pouvait-il en même temps faire partie de deux législatures dans deux pays ? Black avait-il réellement une chance en 2002 de devenir premier ministre du Canada ? Devrait-il au préalable présenter une nouvelle demande de citoyenneté ? Comment pouvait-on s'attendre à ce que les Canadiens votent pour un chef de parti politique fédéral qui venait de renoncer à sa citoyenneté tout en claquant la porte du pays, dans un élan d'acrimonie et d'orgueil blessé ?

The Canadian Press/AP/Nam Y. Huh

CHAPITRE 10

Complètement déjoué

Dans *A World Restored*, Kissinger évoquait l'immense toile d'araignée de réseaux politiques tissée par Metternich : la toile d'araignée de Conrad Black s'étendait de Londres jusqu'à New York, Palm Beach et Toronto. Dans chacune de ces villes, il possédait des résidences valant presque 100 millions de dollars. Comme il le savait fort bien, les membres du *jet-set* sont attirés par ceux qui ont le désir et les moyens d'épater leurs invités avec des résidences somptueusement décorées, des trophées abondants (œuvres d'art ou épouses) et des divertissements extravagants. Dans un tel contexte, le réseautage coûte une fortune et exige le maintien d'un train de vie élevé.

Fréquentées par des présidents, des premiers ministres, des princes, des millionnaires de l'industrie, des actrices de cinéma, des mannequins-vedettes, des étoiles du rock et des intellectuels bien connus, les brillantes soirées de Black étaient le symbole éloquent de son prestige et de sa fortune.

Mais Black ne recevait pas seulement pour se mirer dans le reflet de la gloire de ses invités. Il cultivait la compagnie de gens qui pouvaient, en échange, lui fournir des renseignements, des perspectives et des contacts utiles. Ainsi, en 1985, Black apprit de Kissinger qu'un changement radical des prix du pétrole était imminent : à l'époque, il s'agissait d'une information importante pour Black, qui contrôlait la pétrolière Norcen Energy Resources. « J'avais vu Henry Kissinger en passant par New York en décembre, écrivit Black, et il m'avait dit qu'au cours de contacts récents avec les dirigeants de l'Arabie saoudite, dont le roi, on l'avait informé que le prix mondial du pétrole passerait d'environ 25 $ le baril à moins de 10 $. Il était assez évident que l'offre excédait la demande et qu'une chute, peut-être brutale, du prix mondial était inévitable. Je pensais que la Norcen pouvait encaisser un tel revers sans trop nuire à son rendement. [...] Une chute de l'ampleur que prédisait Kissinger était plus difficile à absorber. [...] Il devenait nécessaire d'envisager la vente de Norcen[1]. »

À l'instar de Barbara Amiel, Black prit périodiquement la défense de Kissinger par le biais de ses journaux. Par exemple, Black dénonça la biographie de Kissinger rédigée par Christopher Hitchens : entre autres éléments controversés, elle soulignait le rôle joué par Kissinger dans le bombardement massif du Cambodge (qui avait été à l'origine de centaines de milliers de morts parmi les civils) et, en 1973, dans le coup d'État au Chili qui avait renversé le gouvernement Allende. « Ce n'est même pas un livre, écrivit Black. C'est plutôt une polémique malveillante, écrite par un pamphlétaire notoire[2]. »

C'est aussi dans le cadre des conférences de Bilderberg que Black fit la connaissance d'Andrew Knight, qui le mit au courant des problèmes financiers de Lord Hartwell, au *Daily Telegraph* : cette découverte fort à propos fut à l'origine du succès de la négociation la plus spectaculaire de la carrière de Black et assura à Knight le poste très en vue de président et chef de la direction du *Telegraph* ainsi que de considérables avantages financiers.

L'ancien conseiller à la sécurité nationale des États-Unis Zbigniew Brzezinski, Peter Carrington, l'ancien secrétaire adjoint à la défense des États-Unis Richard Perle et le chroniqueur conservateur George F. Will faisaient partie des autres personnalités du groupe Bilderberg avec qui Black noua des relations importantes.

Les réseaux de Black étaient formés à partir de communautés d'intérêts du domaine financier, politique ou intellectuel. Ainsi, au cours des années 1990, Black nomma Kissinger au conseil consultatif de Hollinger de pair avec certains de ses autres contacts au sein du groupe Bilderberg : Brzezinski, Will, l'ancienne première ministre britannique Margaret Thatcher et l'intellectuel catholique conservateur William F. Buckley fils.

« Chaque membre se voyait généralement octroyer des honoraires de 25 000 $ pour se présenter, une fois par année, à des réunions dont l'objectif était de débattre des problèmes mondiaux avec Lord Black (jusqu'à la dissolution du conseil en 2001), rapporta le *New York Times*. Selon un assistant de M. Brzezinski, il ressort des dossiers personnels de ce dernier qu'il aurait empoché presque 170 000 $ pour assister à huit de ces réunions, au cours des années 1990. M. Buckley estimait ses gains à 200 000 $ ou plus. M. Will ne se souvenait pas du nombre de réunions auxquelles il aurait assisté : un adjoint confirma par la suite que le tarif quotidien de chaque réunion était de 25 000 $[3]. » À l'occasion, Buckley et Will défendirent Black dans leurs propres chroniques, sans toutefois divulguer le fait qu'ils étaient inscrits au budget de Hollinger.

Il semble que Black, dans l'unique but de se faire des amis, distribuait une fortune à même la trésorerie de la compagnie. Il utilisait également son entreprise pour soutenir un puissant réseau d'alliés néoconservateurs bien décidés à s'imposer au niveau international.

Richard Perle, administrateur de Hollinger International, présida le Pentagon's Defence Policy Board jusqu'à ce qu'un conflit d'intérêts apparent l'oblige à démissionner en mars 2003. Ardent néoconservateur et partisan d'une politique américaine étrangère et militaire plus musclée, Perle était le codirecteur de Trireme Partners LP, une entreprise qui investissait dans les technologies de sécurité électronique et de cryptage à des fins de défense. Kissinger agissait à titre de conseiller auprès de Trireme. Et le conseil d'administration de Hollinger International autorisa un investissement de l'ordre de 2,5 millions de dollars dans Trireme.

Selon le journaliste et auteur Seymour Hersh, Perle tenta de recruter le marchand d'armes saoudien Adnan Khashoggi, dans le but de convaincre 10 riches saoudiens d'investir chacun 10 millions de dollars dans Trireme : en retour, cette dernière investirait dans des entreprises reliées à la technologie, aux biens et services reliés à la sécurité et à la défense nationale. Trireme écrivit à Khashoggi que la crainte du terrorisme « augmenterait la demande de tels produits en Europe ainsi que dans des pays comme l'Arabie saoudite et Singapour ». Les millionnaires saoudiens étaient au fait que Perle avait été un farouche avocat de la guerre en Irak et qu'il était très contrarié par la réaction insouciante de l'Arabie saoudite à l'égard du terrorisme. Entre 1996 et 2002, à titre de président de Hollinger Digital – une filiale de Hollinger qui investit 14 millions de dollars dans Cambridge Display Technology, une entreprise spécialisée dans les technologies virtuelles de pointe établie au Royaume-Uni –, Perle reçut un salaire annuel de 300 000 $ et des primes de 2 millions de dollars. Perle détenait également des actions dans Cambridge. Par contre, il ressortit du 8-K amendé déposé par Hollinger International le 7 mai 2004 que la plus grande controverse concernait un montant de l'ordre de 15,5 millions de dollars versé par Hollinger Digital sous forme de primes de rendement à Black et à plusieurs de ses associés, entre 1997 et 2003, tout en affichant, pour la même période, des pertes de 65 millions de dollars sur des investissements de 190 millions.

Perle exprima sa vision du monde dans un ouvrage rédigé en collaboration avec un de ses confrères néoconservateurs, David Frum (chroniqueur au *National Post*). *An End to Evil: How to Win the War on Terror* expose leurs convictions : pourquoi les États-Unis ne devraient pas se soumettre à l'autorité des Nations Unies et devraient ignorer la souveraineté de tout pays potentiellement menaçant ; pourquoi Washington avait eu raison de déclencher le conflit irakien ; comment l'Arabie saoudite et la France avaient trahi les États-Unis ; et comment Israël et les États-Unis menaient des guerres identiques contre la terreur. Il est à noter que cet ouvrage – qui traite la majeure partie de la planète avec dédain – s'inscrit remarquablement bien dans le contexte de la gamme étendue des activités commerciales de Perle, plusieurs d'entre elles dans le domaine de la défense et de la sécurité.

Dans la foulée des attentats du 11 septembre, Black appuya la guerre préventive contre l'Irak, affirmant que les États-Unis étaient « un pays extraordinairement puissant prêt à prendre l'initiative [...] et qui ne nous demande guère de grands sacrifices. Réjouissons-nous plutôt du fait qu'un tel pays soit prêt à utiliser sa force à des fins aussi justifiées. [...] Le président des États-Unis, Bush, avait parfaitement raison de déclarer devant l'Assemblée générale de l'ONU [à l'automne 2002, au sujet de l'Irak] que "nous agissons afin de maintenir le droit international, et de nous assurer que l'ONU soit prise au sérieux et ne soit pas inefficace comme l'a été la Société des Nations". »

Black mobilisa les ressources de son empire de presse afin d'accorder son appui aux motifs invoqués par la coalition pour justifier l'invasion de l'Irak, en mars 2003, à savoir que Saddam Hussein possédait des armes de destruction massive (selon un rapport des services de renseignement britanniques); qu'il entretenait des « relations opérationnelles » avec Al-Qaida; qu'il était à la tête d'une dictature totalitaire fondée sur des violations brutales des droits de l'homme; enfin, qu'il constituait une menace pour la région.

À titre d'illustration, lors d'un discours prononcé en février 2003 devant le Centre for Policy Studies – un groupe de réflexion stratégique britannique de droite –, Black déclara : « Selon les services de renseignement occidentaux, l'Irak possède des centaines de tonnes de sarin, d'agent moutarde et d'agent neurotoxique VX, 30 000 projectiles servant au lancement de ces armes chimiques et biologiques, un programme de développement d'armes biologiques mobiles et un vaste programme de livraison d'armes nucléaires. Ces substances, qui ont toutes été interdites en vertu d'un traité et d'une longue série de résolutions de l'ONU, sont toutes soustraites au regard du contingent actuel des 108 inspecteurs surmenés de l'ONU. Aucun autre régime au monde ne se compare à celui de Saddam Hussein, qui réunit un appui évident du terrorisme, un historique d'invasion de pays voisins, un désir fervent d'accumuler des armes de destruction massive et de développer la capacité de les lancer contre d'autres pays, de pair avec le traitement barbare de ses propres citoyens, des dizaines de milliers d'entre eux ayant été assassinés. En outre, Saddam Hussein est le chef des militants islamistes. Son gouvernement laïc ne tolère aucune dissension, religieuse ou d'autre nature. Il ne fait aucun doute qu'il est le leader des musulmans radicaux du monde arabe qui souhaitent violemment la défaite de l'Occident, comme en témoigne l'appui que lui a offert Ben Laden cette semaine. Il est le gardien des espoirs de tous ces musulmans qui, à l'exemple de Saddam lui-même, se sont réjouis publiquement du massacre du 11 septembre 2001. Il est certain que nous devons éviter le choc des civilisations et l'un des meilleurs moyens pour y parvenir est de démontrer que le barbarisme de Saddam est un modèle politique qu'il est dangereux d'imiter. »

Les grossières exagérations contenues dans ce discours semblaient indiquer que Black se frappait la poitrine à grands coups pour en appeler à une guerre totale contre l'Irak. À titre de baron mondial de la presse, ses opinions avaient un certain poids. On pourrait avancer qu'elles ont contribué modestement à la panique menant à l'invasion de l'Irak par les États-Unis. En fait, Black appuyait les opinions de Bush et de Tony Blair à l'égard de Saddam Hussein qui justifiaient le déclenchement des hostilités. Et ce n'était un secret pour personne que Richard Perle, administrateur de Hollinger International, était l'un des fervents défenseurs de la guerre.

Le *Telegraph* était une source d'information capitale sur la guerre en Irak. Au milieu de 2003, sir John Keegan, correspondant militaire du *Telegraph*, m'expliqua : « Nous avons investi d'énormes ressources dans la couverture de la guerre. Nous avons affecté des douzaines de correspondants à la couverture de la guerre : au Moyen-Orient, à Washington, etc. Nous couvrons les guerres plus complètement que qui que ce soit d'autre. La couverture des guerres coûte très cher. »

Le journal appuyait la démarche justificative de la coalition. « Comme tous les édifices gouvernementaux de Bagdad, rapportait le *Telegraph* en avril 2003, celui du ministère des Affaires étrangères a été détruit par des pilleurs. Pendant la deuxième semaine du conflit, il a été frappé par un missile de croisière américain. Presque chaque salle a été dépouillée et des bandes de pilleurs continuent à roder dans les corridors. À chaque étage, le plancher est parsemé de documents. Voilà, ballottés par le vent, les documents capitaux d'un régime qui fut l'un des plus secrets au monde. »

Peu après, le journaliste Inigo Gilmore écrivit que « des documents des services de renseignement irakiens découverts à Bagdad par le *Telegraph* ont fourni la première preuve d'un lien direct entre le réseau terroriste Al-Qaida d'Oussama Ben Laden et le régime de Saddam Hussein ». (Une opinion largement répandue voulait que ces « documents des services de renseignement » soient des faux.)

En décembre 2003, le *Sunday Telegraph* publia un reportage dans lequel le lieutenant-colonel al-Dabbagh – un militaire irakien qui avait commandé une unité de première ligne – prétendait qu'il avait été à l'origine d'informations ultrasecrètes transmises aux services de renseignement britanniques à l'égard des armes de destruction massive de Saddam. (Il déclara également que les rumeurs voulant que Saddam Hussein ait réellement possédé des armes de destruction massive étaient véridiques.)

Tout spéculatifs qu'ils aient pu être, ces nouveaux articles tendaient à justifier la guerre contre l'Irak. Les chroniques de Barbara Amiel dans le *Telegraph* soutenaient la même position. « Saddam possède déjà de modestes réserves d'armes biologiques et chimiques, écrivit-elle, et il n'a besoin que de matière fissile pour se doter d'un dispositif nucléaire. Dans sa folie, Saddam a clairement établi qu'il entendait bien dominer le monde arabe. Il ne peut y arriver sans dominer le mouvement islamiste dont l'objectif – clairement établi et abominablement illustré par les événements du 11 septembre dernier à New York – est l'éradication de l'Occident et de ses valeurs. »

En fait, Saddam possédait peu ou pas d'armes de destruction massive, il n'était pas sur le point de faire l'acquisition d'armes nucléaires et il n'était pas apprécié par les groupes terroristes islamistes qu'il devait – selon Amiel – mener à une quête insensée de domination du monde islamique. L'idéologie fanatique de l'islamisme ne devrait pas être confondue avec l'islam lui-même qui consiste en une totale dévotion à Dieu, selon le Coran.

À la mi-juin 2003, le rédacteur militaire du *Telegraph*, John Keegan, déclara : « Je crois que la guerre contre l'Irak a été une grande réussite et qu'elle a été bien menée. Il est évident que l'après-guerre a été sordide, mais c'est le propre des après-guerres d'être sordides. La coalition a adopté une approche parfaitement directe, à la différence de Saddam qui a probablement éliminé ses armes de destruction massive, mais qui était trop orgueilleux pour admettre qu'il les avait détruites. Il ne pouvait pas l'admettre publiquement parce que ces armes symbolisaient son prestige et son pouvoir et dissuadaient les Iraniens de l'attaquer. »

Selon l'opinion de Keegan, le terrorisme islamiste constitue un nouveau phénomène qui survivra aussi longtemps qu'il y aura des terroristes. « Al-Qaida a l'ardent désir de mettre la main sur des armes nucléaires et il éprouve l'ardent désir de les utiliser, dit-il. Ils seraient trop heureux de pouvoir en utiliser une. »

Peu après le déclenchement de la guerre contre l'Irak, en avril 2003, je m'étais rendu à New York pour une longue entrevue avec Conrad Black. Bien entendu, il me fit attendre plusieurs heures, ce jour-là. Il faisait toujours attendre les gens. En déambulant le long des corridors de la suite directoriale de Hollinger International, je ressentis un mélange d'ennui et d'appréhension. Dans la salle du conseil d'administration, je lus la correspondance de Daisy Suckley et Franklin Roosevelt. Elle était morte à 99 ans et ses héritiers avaient mis en vente les lettres révélatrices. Black avait eu un tuyau de la maison de vente aux enchères Sotheby's, dont il était administrateur, et les avaient rapidement achetées à prix réduit. J'avais aussi feuilleté des exemplaires des journaux de Hollinger et remarqué l'avis de décès de sir Jean Paul Getty : pendant ses vacances, Black avait embarqué plusieurs fois sur son extraordinaire yacht à vapeur, le *Talitha G*, une version réduite du paquebot *Normandie*.

Black s'était toujours montré indulgent envers les fripouilles hautes en couleur, de Maurice Duplessis à Robert Maxwell en passant par Richard Nixon, tout en vouant une admiration sans bornes à des personnages historiques héroïques, de Napoléon à sir Winston Churchill et à Franklin Delano Roosevelt. Black vouait un culte enthousiaste et sans réserve à la libre entreprise, au « conservatisme intégral » et à la foi catholique, tout en s'inquiétant du déclin de l'Occident, à l'instar d'Osward Spengler. Il arrivait toutefois que ses stratégies et sa manipulation du pouvoir soient parfaitement inappropriées. Ses invectives et son style tyrannique lui avaient attiré beaucoup d'ennemis. Tant que ses entreprises se portaient bien, le monde était à ses pieds. Mais dès qu'il commença à chanceler sur sa base, en 2003, et que ses tactiques furent dévoilées, beaucoup se retournèrent contre lui.

Toute cette toile de fond de grandeur et de richesse – les résidences, les avions privés, la statue en bronze de sir Winston Churchill signée Ivor Roberts-Jones, les lettres de Franklin Delano Roosevelt dans leur cadre en or – m'amena à me demander si Black n'était pas lui-même un escroc haut en couleur. Quel était le leitmotiv des défis et des réponses de son existence ? La façon dont il gérait ses affaires avait-elle quelque chose d'habile, de rusé ou de retors ? La promotion de sa vision du « gagnant à qui les privilèges reviennent de droit » l'aidait-elle à fermer volontairement les yeux sur sa tendance à se dévaloriser ? Je me suis aussi demandé si tous ces discours, tous ces éditoriaux et tous ces livres n'étaient pas qu'une diversion, un verbiage enflammé ne servant qu'à détourner l'attention du public d'une partie de la réalité.

Finalement, Conrad Black se présenta et s'excusa de son retard. Dans le confort de son bureau new-yorkais, pendant que le bruit des sirènes des camions de pompiers s'élevait au-dessus de l'agitation de la

Cinquième Avenue, Black exprima des opinions bien arrêtées sur les valeurs qu'il voulait transmettre à ses enfants. Il y avait un soupçon de tristesse dans sa voix.

Je ne savais pas très bien à qui je parlais : le Black rayonnant et extraverti ou le Black sombre et destructeur, comme une lune qui dérobe la surface du soleil et éclipse sa lumière dorée.

« Essayez de distinguer les questions de principe et les questions de stratégie, établissez des stratégies intelligentes tout en demeurant intraitable sur les principes, me dit-il. C'est facile à dire, mais en pratique, nous avons à y faire face tout le temps. C'est difficile. Et nous nous trompons tous parfois, mais… reconnaissez que c'est un problème qui revient constamment au cours de l'existence et nous devons le gérer au mieux de nos capacités. Nous avons tous, souvent, tendance à ignorer ce genre de considérations et à prétendre qu'il ne s'agit pas de crises de jugement. Mais de telles crises surgissent fréquemment et tout ce que vous pouvez faire est de les examiner attentivement, d'agir de manière concluante, et de faire pour le mieux. Donc, comme tous les conseils qu'on peut donner, celui-ci fait un peu cliché, mais je crois qu'il est important. Déterminez quand des questions de principe sont en jeu et tentez de maintenir le principe… Mais n'allez pas trop loin dans cette direction ou vous deviendrez un de ces bien-pensants qui posent à la vertu et qui transforment chaque geste, aussi terre à terre soit-il, en une grave crise morale. Nous connaissons tous des gens qui entrent dans cette catégorie et ils sont bien agaçants. »

Selon Black, chacun devait tirer des leçons de sa propre expérience, « sinon la vie devient extrêmement compliquée. Mon grand-père avait l'habitude de dire : "Certaines personnes apprennent lentement de leurs expériences." J'espère que je ne suis pas l'une d'elles ». Black poursuivit : « Mes entreprises n'ont pas toujours été totalement couronnées de succès, mais c'est le lot de l'existence. Je ne veux pas sombrer absurdement dans la banalité, mais même Alexandre le Grand – ou des gens comme lui – n'a pas tout réussi. En ce qui me concerne, j'ai rarement échoué complètement dans une entreprise sérieuse, mais je ne parle pas d'une partie d'échecs avec mon fils ou quelque chose comme ça. Certaines choses… si j'avais pu les recommencer, auraient été mieux faites, j'en suis sûr. »

Conrad Black avait une vue détachée, comme à vol d'oiseau, de la victoire et de la défaite. Il donnait l'impression qu'il chassait les plaintes de ses actionnaires du revers de la main, comme s'il écrasait des mouches inopportunes.

Deux semaines après ma rencontre avec Black avait lieu l'assemblée générale des actionnaires de Hollinger International pour l'année 2003.

Cachant une caméra vidéo portable dans son sac à main, la réalisatrice de films torontoise Debbie Melnyk entra dans le Metropolitan Club de New York en espérant capter quelques-uns des échanges de l'assemblée. Le métrage intégral des scènes qu'elle tourna à l'intérieur de l'édifice en marbre blanc néorenaissance du club de la Cinquième Avenue fut plus tard l'objet d'une citation à comparaître de la part de la SEC, lors du procès criminel de Chicago. Dans son documentaire, *Citizen Black*, un actionnaire se lève pour protester : « Vous avez mentionné que vous entendiez réduire votre utilisation de l'avion de la société. Pouvez-vous me parler du type d'avions utilisé par la compagnie, de la nature de la flotte et du nombre d'heures allouées à des vols d'affaires par rapport à leur utilisation à des fins personnelles ? »

« Il n'y a eu aucune utilisation à des fins personnelles, avait répondu Black, le foudroyant du regard. On a cherché à faire croire que mes associés et moi-même profitions d'une rémunération excessive, que nous ne nous privions de rien et que nous étions traités de façon indulgente par nos administrateurs indépendants. [...] Notre méthode de compensation est en vigueur depuis bien des années. [...] Comme il a été amplement démontré, il y a eu un certain nombre de transactions effectuées par des parties apparentées. Le président du comité de vérification, le gouverneur Thompson, a affirmé qu'il avait été démontré que chacune de ces transactions avait été faite dans l'intérêt de la compagnie et constituait le meilleur arrangement possible. »

Selon Chris Browne, gestionnaire de Tweedy, Browne, l'un des actionnaires institutionnels de Hollinger International, « il est apparu que les frais de gestion étaient excessifs. Black avait bâti le bilan financier du holding de manière que, manifestement, les frais ne puissent pas tomber au-dessous de ce niveau : subséquemment, il fut révélé que les frais de gestion de Ravelston étaient destinés à payer les intérêts de la dette. Et cela n'avait absolument rien à voir avec les services que nous recevions en tant qu'actionnaires de Hollinger International. Lors de l'assemblée annuelle de 2003, j'avais interrogé Black au sujet des paiements de non-concurrence, et il m'avait répondu qu'il s'agissait d'une pratique courante dans l'industrie. Je lui avais dit: "S'il s'agit d'une pratique courante dans l'industrie, pourriez-vous me citer quelques exemples?" Et il n'en avait cité aucun.» Selon Browne, plus de 300 millions de dollars de paiements douteux étaient en jeu.

Dans son film, Melnyk avance qu'au moins un administrateur indépendant, Henry Kissinger, aurait eu des privilèges additionnels, comme l'utilisation fréquente de l'avion de la société. Il en fut de même pour un autre ami de Conrad, William F. Buckley fils, qui n'était même pas administrateur de la compagnie.

Au début de 2003, Black envisagea de privatiser Hollinger International, bien que le prix d'une telle opération ait semblé trop élevé. La gouvernance d'entreprise implique, d'abord et avant tout, de veiller à équilibrer les intérêts des actionnaires majoritaires et minoritaires, mais cette vérité s'applique généralement moins aux entreprises privées qu'aux entreprises cotées en Bourse. En rachetant les parts des actionnaires minoritaires et en privatisant l'entreprise, Black aurait pu éviter l'affrontement avec les actionnaires institutionnels, lequel l'amena à être destitué de ses fonctions de président de Hollinger International et, plus tard, du *Telegraph*. Mais d'après Chris Browne, le coût de la privatisation aurait été simplement trop élevé.

Le 17 juin 2003, conséquence directe d'une révolte des actionnaires, le conseil d'administration de Hollinger International créa un comité spécial dirigé par Richard Breeden. Ce dernier s'était fait connaître en tant que président de la Securities and Exchange Commission. Il avait été assigné d'office par la justice au contrôle de la société WorldCom Inc. et il avait dévoilé au grand jour la plus grosse fraude corporative dissimulée derrière la plus grosse faillite d'entreprise de toute l'histoire américaine. Le comité spécial se lança dans une enquête sur des allégations d'irrégularités au sein de la compagnie, certaines d'entre elles impliquant Black.

Pendant la réalisation de son documentaire sur Conrad Black, en juin 2003, Debbie Melnyk avait installé une caméra devant le 14 Cottesmore Gardens, face à l'hôtel particulier des Black – qui valait 13,1 millions de livres –, afin d'immortaliser la réception estivale qui s'y tenait. Tout un personnel de maîtres d'hôtel, de valets, de cuisiniers et de domestiques en livrée s'affairait à dresser une table de 12 personnes dans la magnifique salle à manger en contrebas de cette immense demeure de 1150 mètres carrés, avec ses 7 chambres, ses 4 salles de bains et ses 5 salles de réception. En 1998, un vote de la revue *Tatler* avait placé Conrad Black et Barbara Amiel sur la liste des couples à inviter en priorité pour une réception, juste derrière Mick Jagger et Jerry Hall. Ils faisaient tous deux partie du cercle de la haute société londonienne. Conrad apparaissait régulièrement sur la liste des Britanniques les plus fortunés que publiait le *Sunday Times* ainsi que sur celle des 50 résidents les plus importants de Kensington et Chelsea, publiée par le *Evening Standard*, aux côtés du comédien Rowan Atkinson (Mr. Bean), du chanteur-compositeur Robbie Williams, et du banquier international sir Evelyn de Rothschild.

Les membres les plus en vue de cette brillante société se présentèrent chez les Black, du prince Andrew à la « reine de la méchanceté », l'animatrice du jeu télévisé *The Weakest Link* Anne Robinson, le rédacteur en chef du *Spectator* Boris Johnson, le ministre britannique de l'Intérieur David Blunkett, comme toujours accompagné de son chien d'aveugle, et le mannequin australien aux longues jambes, l'actrice Elle Macpherson, qui avait fait la couverture de la revue *Playboy*.

Les célébrités de la télévision et les mannequins-vedettes éblouissants – comme Macpherson – étaient des appâts assurant la présence de certains décideurs et ordonnateurs plus âgés du monde de la haute finance et de la politique, plus pesants et certainement plus ennuyeux. Comme Black, Macpherson était catholique. Elle représentait plus qu'un trophée aux cheveux brun pâle et aux mensurations voluptueuses de 90-63-89. Macpherson était aussi une ancienne étudiante en droit, qui avait bâti une fortune considérable sur la vente de sa ligne de lingerie féminine design et de ses nus photographiques pour le compte de diverses revues. La valeur nette de ses actifs dépassait vraisemblablement celle de Black.

En septembre 2003, la nièce et filleule de Black Lisa Riley, une banquière canadienne en poste à Londres, m'avait dit : « Tous les ans, à l'été, Conrad et Barbara organisent une réception et c'est celle dont tout le monde parle et à laquelle tout le monde veut être invité. »

Mais la réception de juin 2003 devait être leur dernière extravagance londonienne. Quatre mois plus tard, Black fut jeté hors de la suite directoriale de Hollinger International et ses amis des beaux jours cessèrent de rendre ses appels. Le statut social des Black piqua du nez.

En 2000 et 2001, l'énergie de Black s'était concentrée sur l'obtention d'un titre de baron. En 2002 et au début de 2003, il rédigea le manuscrit d'une biographie de 600 000 mots consacrée à Franklin Delano Roosevelt. L'ouvrage *Franklin Delano Roosevelt : Champion of Freedom* nécessita un énorme investissement de temps, d'énergie et d'émotions de la part de Black, mais son lancement fut éclipsé par l'annonce de l'abandon forcé de son poste de président et chef de la direction de Hollinger International.

« Comme je n'écris pas pour subsister, je commence à écrire un livre quand je ressens une émotion familière, dit Black. Je sais qu'il y a un livre quelque part en moi. Je commence à l'écrire quand cette émotion me soulève au point de me propulser jusqu'à ma machine pour commencer à taper. J'ai vécu la même expérience avec mes livres précédents. Une fois lancé, je m'isole du monde. Pendant deux semaines de vacances dans le Pacifique, j'ai ajouté du texte tous les soirs. » Il écrivit les 600 000 mots du manuscrit original en 53 semaines.

Il faisait sûrement allusion au voyage qu'il avait effectué avec son épouse dans le Pacifique Sud en 2001, utilisant l'avion privé de Hollinger International ; ce voyage constitua l'un des principaux chefs d'accusation au procès criminel de Chicago. Je l'imaginais à Bora Bora, martelant le clavier d'un ordinateur portable.

Black envoya un brouillon du manuscrit à Peter Osnos, directeur de la maison d'édition Public Affairs[4]. Cet éditeur new-yorkais est un admirateur du fabuleux journaliste d'enquête I. F. Stone, de la légende du *Washington Post* Ben Bradlee et de Robert L. Bernstein, ancien président et directeur général de Random House et fondateur de Human

Rights Watch. Osnos estimait que le manuscrit de Black était important, mais que « sa publication exigerait plus que de simplement l'insérer entre deux couvertures. Le brouillon que nous avions reçu était
substantiel, mais fut révisé avec sollicitude par Bill Whitworth », ancien
rédacteur de la revue *Atlantic Monthly* et rédacteur associé de la revue
The New Yorker.

Évidemment, je me demandais si Conrad Black était vraiment
l'auteur de cet ouvrage volumineux.

D'après le journal intime de Whitworth, il aurait travaillé sur la
biographie de Roosevelt pendant 13 mois, à partir du 9 septembre 2002.
« Je suis bien placé pour savoir que personne n'a écrit ce livre à sa place,
dit Whitworth. J'ai travaillé avec lui sur d'infimes détails et il m'a fourni
des corrections écrites de sa main. Dans le monde du journalisme, il y
a du personnel chargé d'effectuer les recherches et de vérifier les faits,
mais nous n'en avions pas. Il vérifiait lui-même les faits. Il est surprenant
qu'un dirigeant de journaux et d'entreprises ait pu écrire un ouvrage
aussi long. Parfois, il s'arrêtait pour le dîner et me rappelait [en Arkansas]
à 3 h du matin, heure de Londres, pour procéder à de nouveaux changements. [...] Plusieurs tâches reviennent à un réviseur. J'étais censé effectuer quelques coupures dans le texte. Nous n'avons pas coupé autant que
Conrad et moi l'avions espéré. Il ne pouvait pas se résoudre à réduire
certains passages sur lesquels il avait travaillé pendant très longtemps.
J'étais chargé de réviser le texte ligne par ligne et nous avons vérifié ainsi
trois fois la totalité du livre. J'attirais son attention sur un paragraphe ou
un passage que je ne trouvais pas clair. [...] Notre relation était paisible
et facile. Au départ, je dois admettre que j'étais un peu inquiet : je savais qu'il possédait plusieurs journaux et je craignais qu'il ait tendance à
donner des ordres aux réviseurs au lieu d'accepter leurs conseils. Il était
très patient et très réceptif. Conrad est un écrivain talentueux, enjoué
et perspicace : ses descriptions des personnalités et des politiciens sont
divertissantes. Il éprouve de la sympathie pour les hommes de pouvoir
et d'action qui réalisent des choses. Comme en témoigne ce livre, il s'intéresse beaucoup à ceux qui détiennent le pouvoir et à la façon dont ils
l'exercent[5]. »

Mais Chris Browne n'en avait cure. « En moyenne, un président-
directeur général passe environ 70 heures par semaine à diriger la

compagnie. Si vous passez 70 heures à diriger Hollinger, je ne crois pas que vous ayez le temps de rédiger un livre de 1280 pages. »

Selon Osnos, « Black est un être paradoxal. Je ne sais pas ce qui s'est passé sur le plan financier. Je n'en ai aucune idée. Mais quand il entrait en contact avec nous, il était très courtois envers le personnel, il se comportait très bien et respectait tous les délais. Il est très éloquent, très lucide ». Il décrit l'aspect « grandiose » de Black comme « une forme d'énergie […] comme en fait foi son appétit pour la recherche ».

Dans les années 1970, Black avait écrit sa biographie de Duplessis, en partie dans l'espoir de résoudre un problème politique : comment détourner l'énergie brute du nationalisme québécois exprimée par le biais du mouvement séparatiste révolutionnaire pour la diriger vers un nationalisme conservateur. Son livre sur Roosevelt abordait un ensemble de problèmes différent. Tout en traçant un portrait complexe de Roosevelt, Black voulait intégrer ses expériences de vie comme magnat des affaires et analyste du pouvoir arrivé à maturité, distiller ses connaissances de l'histoire et de la politique et affirmer son admiration pour les États-Unis. Dans ce contexte, il lui fallait établir un pont entre le libéralisme de sa jeunesse et le néoconservatisme de son âge mûr. (Il y avait une contradiction implicite entre ses propres convictions conservatrices et le fait que Roosevelt avait été ce libéral des années 1930 engagé dans une lutte politique contre le monde de la finance en majorité républicain, avec, comme objectif, une réglementation de l'économie en vue de redresser la situation des pauvres et des déshérités.)

S'élevant au-dessus du puissant mouvement isolationniste d'avant-guerre, Roosevelt réussit également à bâtir un dispositif de défense nationale et à s'imposer comme l'un des plus importants chefs des alliés durant la Seconde Guerre mondiale, aux côtés de sir Winston Churchill. Aux yeux de Black, Roosevelt était un personnage héroïque et l'architecte d'un nouvel ordre mondial. Le fait qu'un ancien président américain – l'éminent Theodore Roosevelt – ait été son cousin éloigné avait dû aider Roosevelt, au début de sa carrière, à passer du poste de secrétaire adjoint à la Marine à celui de gouverneur de l'État de New York.

Black évoque le grand style de Roosevelt : « Son physique puissant, agréable et vivant, son fume-cigarette pointé vers le haut de façon désinvolte, ses gestes flamboyants, son rire jovial et contagieux, son sens de la

répartie et l'amour qu'il éprouvait pour son travail et son poste en faisaient un personnage irrésistible. Certains traits originaux qui faisaient
son panache – le pli de son chapeau, sa cape de marin, son bâton de mar-
cheur – furent copieusement imités. Pour lui, la meilleure façon d'être président était d'être lui-même.» Même après avoir contracté la poliomyélite,
qui le condamna au fauteuil roulant, la ténacité et le courage de Roosevelt
lui permirent de demeurer dans la vie politique. Il remporta quatre mandats successifs comme président des États-Unis et mérita une place comme
l'une des personnalités politiques les plus déterminantes du XXᵉ siècle.

Arthur M. Schlesinger fils, auteur de *The Age of Roosevelt* – une
biographie en trois volumes rédigée à la fin des années 1950 et au début
des années 1960 –, souligna : «C'est avant tout la victoire qu'il avait remportée sur la poliomyélite qui avait renforcé chez lui l'optimisme caractéristique de la famille Roosevelt. Il rayonnait d'une force joyeuse qui,
loin d'éveiller chez les autres un sentiment de pitié, suscitait plutôt une
joie intense et le sens de leur propre potentiel. Il pouvait communiquer
ce sentiment de confiance par l'intonation de la voix, l'inclinaison de la
tête, la manière dont il tenait son fume-cigarette[6]. »

Black affirme que Roosevelt «a non seulement triomphé de cette
infirmité éprouvante, mais il a réussi à la dissimuler, ce qui était un défi
beaucoup plus difficile. À l'époque, on tenait pour acquis qu'un handi-
cap de ce genre allait présenter un réel problème électoral. Avec la collaboration de la presse, il réussit à en masquer l'ampleur. Par exemple, j'ai
à la maison un extrait d'une lettre datant de 1932 dans laquelle il prétend
qu'il ne portait un appareil orthopédique que sur une seule jambe. Une
seule fois durant toute son existence marcha-t-il avec un appareil orthopédique sur une seule jambe, et encore, avec l'aide de deux personnes
qui le soutenaient de chaque côté. En fait, il avait des appareils aux deux
jambes. Il cherchait constamment à en minimiser l'impact. Accomplir
ce qu'il a accompli dans sa condition rend ses réalisations d'autant plus
remarquables. Il avait pour objectif de changer le monde et il a réellement changé le monde et […] il figure parmi ceux, peu nombreux,
qui l'ont réellement changé pour le mieux. Napoléon avait pour but de
changer le monde et il a changé le monde, mais il ne l'a pas amélioré.
Lénine et Hitler avaient pour but de changer le monde et ils l'ont fait,
mais ils ne l'ont certainement pas rendu meilleur ».

Selon Osnos, Black croit que « Roosevelt a sauvé la planète de la tyrannie. La mission la plus élevée du conservatisme est de défendre la démocratie contre la tyrannie. Le mauvais conservatisme est l'envers de la médaille du stalinisme. Conrad est avant tout un partisan de la liberté ».

En septembre 2003, Henry Kissinger m'avait souligné les profondes aptitudes de Black pour l'étude de l'histoire : « Il est extrêmement pénétrant au plan intellectuel et, au plan personnel, c'est un ami très chaleureux. Il a écrit ce que je considère être un livre de grande envergure. Je crois que j'ai lu toutes les sections [du manuscrit inédit] traitant de la politique étrangère de Roosevelt ainsi qu'une ou deux sections consacrées à la politique intérieure. C'est un livre phare. Voilà l'un des livres les plus complets et riches de réflexion qui existent sur Roosevelt, quoique sa facture soit quelque peu européenne. »

Kissinger partage avec Black un grand respect pour la vision à long terme de Roosevelt et pour ses politiques fondamentales, « même si cette vision était à moitié instinctive. Voilà un homme qui avait un très net sens de l'orientation. Et la perspicacité de Roosevelt à l'égard de la politique internationale de l'Amérique, au milieu des années 1930, se comparait à celle de Churchill, en Angleterre, même si Roosevelt devait fonctionner dans un contexte bien plus difficile : le Congrès venait d'adopter trois lois de neutralité en 1936 et 1937, alors que Roosevelt préparait son pays à soutenir les nations occidentales pendant que la crise avec l'Allemagne pointait à l'horizon [...] Je n'ai jamais vu un compte rendu aussi méthodique de la façon dont Roosevelt est passé du discours de la Quarantaine, à Chicago, à l'entrée dans la Seconde Guerre mondiale. Et de la façon dont il a persisté dans ses tentatives à démontrer un engagement face à l'issue de cette crise, bien avant le déclenchement de la guerre[7]. J'ai lu beaucoup d'ouvrages sur Roosevelt. Je n'ai jamais eu droit à une explication aussi minutieusement détaillée et aussi bien exprimée de la mécanique des opérations [politiques] de Roosevelt ».

« J'essaie de démontrer, dit Black, que Roosevelt fut le personnage le plus important du XXe siècle [...], car il a soudé l'Amérique au reste du monde. Avec Churchill, il a été le sauveur de la civilisation occidentale et il a été le principal architecte des institutions de l'après-guerre – avant l'émergence des institutions de la guerre froide – et le créateur de ce durable déséquilibre des forces mondiales en faveur de l'Amérique. »

En choisissant Roosevelt et Churchill, Black était demeuré fidèle à la vision messianique du leadership politique qui ressortait de sa biographie de Duplessis. Il avait également affirmé l'importance qu'il accordait à des personnages exceptionnels capables de façonner des événements, voire des épisodes complets de l'histoire. Selon Black, Roosevelt avait non seulement sauvé la civilisation occidentale et fait en sorte que la démocratie puisse enfin régner sur le monde, mais il avait solidement ancré les États-Unis dans le monde et dompté le système politique américain.

Au cours des années 1960, la tension entre le libéralisme et le conservatisme américains s'est accentuée : l'héritage progressiste de Roosevelt a été affaibli par l'assassinat de John F. Kennedy, l'échec du projet de grande société de Lyndon Johnson, les troubles raciaux et le bourbier de la guerre du Vietnam. Le Parti démocrate perdit progressivement la faveur du public à la fin des années 1960 et au début des années 1970 et l'engagement de Black envers le libéralisme s'affaiblit peu à peu. Il fut blessé par la victoire du Vietnam sur les États-Unis et, au cours des années 1970 et 1980, il s'enthousiasma pour des chefs républicains, plus spécifiquement Ronald Reagan, qui entendait « restaurer la grandeur de l'Amérique ».

William F. Buckley fils croit que malgré « le consensus libéral voulant que Roosevelt ait emprunté la bonne voie [...], il fut bien le fondateur de la version moderne de l'État providence. C'était un interventionniste, un dirigiste très discret dont le discours n'était pas toujours en concordance avec les actes. Les conservateurs ont une opinion négative de Roosevelt. Ils admettent qu'il fut un leader important en temps de guerre, mais lui en veulent toujours autant de sa participation à l'accroissement du pouvoir étatique[8] ».

L'œuvre de Black recèle une contradiction évidente. Comment Black – qui fut jadis un libéral pour devenir ensuite un fervent « conservateur intégral » – pouvait-il admirer Roosevelt, ce patricien qui avait renforcé les pouvoirs de l'État afin de mener une guerre contre les spéculateurs financiers et autres profiteurs capitalistes de l'Amérique des années 1930 ?

Pour répondre à cette question, je rendis visite à John Kenneth Galbraith, économiste progressiste, à sa résidence de Francis Street, voisine de la Harvard Divinity School à Cambridge, au Massachusetts.

À ma connaissance, il était la dernière personne toujours vivante à avoir connu Roosevelt personnellement. (Il est décédé le 29 avril 2006.) D'origine écossaise, Galbraith était né en 1908 à Iona Station, en Ontario : légende vivante, géant physique et intellectuel, il avait travaillé pour les administrations de Franklin D. Roosevelt, Harry S. Truman, John F. Kennedy et Lyndon B. Johnson. Galbraith avait été le témoin oculaire de certains des événements les plus déterminants du xxᵉ siècle. Après avoir pratiquement dirigé l'économie de guerre américaine de 1941 à 1945, il avait interviewé plusieurs criminels de guerre nazis en attente du procès de Nuremberg, dont Hermann Goering, le bras droit d'Adolf Hitler, qui avait préféré se suicider avec une capsule de cyanure plutôt que d'être pendu. La maison de Galbraith regorgeait de statues d'éléphants en bois et de photographies sur lesquelles il figurait aux côtés du premier ministre indien, Jawaharlal Nehru, à l'époque où il était ambassadeur américain dans le sous-continent. Très âgée, son épouse nous apporta un plateau de thé. Ils étaient mariés depuis presque 70 ans. Je me suis assis près de « Ken ». Âgé de 95 ans, il avait une épaisse chevelure, des yeux vifs et pénétrants, un puissant visage rectangulaire, un nez en bec d'oiseau : son immense charpente était recourbée dans un fauteuil et ses genoux étaient recouverts d'une couverture.

D'entrée de jeu, Galbraith me confia qu'il ne faisait pas partie des admirateurs de Conrad Black. À ses yeux, Black était trop à droite, sa vision de Roosevelt était fantaisiste et inexacte et il représentait le type d'homme d'affaires manipulateur ciblé par Roosevelt lors de la création de la SEC.

Selon Galbraith, sa génération avait considéré Roosevelt comme « le seul espoir réel de soulager les misères de la dépression. Le New Deal avait été l'incarnation de cet espoir. Il y avait beaucoup de sujets d'antagonisme au sein du Parti républicain et de la communauté financière. La plupart des Américains fortunés étaient divisés entre ceux qui s'identifiaient au New Deal et ceux, bien plus importants en nombre, qui consacraient leur temps à le combattre, estimant qu'il menaçait leurs intérêts financiers[9] ».

D'après Galbraith, l'une des plus grandes réalisations de Roosevelt fut de réglementer le secteur financier en créant, en 1933, la Securities and Exchange Commission. « La création de la SEC, dit Galbraith, était une réponse aux scandales corporatifs révélés pendant et après le krach boursier de 1929. La Dépression et l'effondrement de la Bourse avaient exposé au grand jour l'ampleur des scandales financiers. Nous avions, à l'époque, une galaxie de situations annonciatrices de celle d'Enron et la SEC avait été créée pour répondre à ce type de situations. » Galbraith trouvait hautement ironique l'admiration de Black pour Roosevelt, qui avait été à l'origine de la SEC : cette même commission avait enquêté sur les activités de Black en 1982 et, une fois de plus, pendant le scandale de Hollinger en 2003 et 2004.

Schlesinger, qui était le meilleur ami et voisin de Galbraith dans les années où ils enseignaient ensemble à l'Université Harvard, a écrit que le New Deal avait « accompli une série fabuleuse de réformes qui, quelques années plus tôt, auraient ébranlé la nation. Le New Deal a établi le principe du maximum d'heures travaillées et du salaire minimum à l'échelle du pays tout entier. Il a aboli le travail des enfants. Il a porté un coup mortel aux ateliers où on exploitait le personnel. Il a érigé la négociation collective en politique nationale, transformant ainsi la situation du mouvement syndical. Il a accordé un nouveau statut au consommateur. Il a éradiqué toute une série de pratiques commerciales inéquitables[10] ».

Galbraith considérait également ironique le fait que Black évoque aussi fréquemment dans son livre la manipulation magistrale qu'aurait exercé Roosevelt.

« Même pendant son enfance et ses années d'école, écrivait Black, Franklin Roosevelt était souvent fourbe. À titre de chef politique, il était retors de façon presque compulsive. Même si, en gentleman qu'il était, FDR trouvait répugnantes certaines exigences de la vie politique, il y a eu recours spontanément tout en étant fier de son talent pour la dissimulation. » Le grand tour de force de la campagne présidentielle de 1932 « était en grande partie un mélange troublant de socialisme, d'atavisme, de fumisterie et de snobisme ». Lors de sa première conférence de presse présidentielle, en mars 1933, Roosevelt « avait complètement subjugué les 125 journalistes, maîtrisant l'art d'offrir des réponses tour à tour tordues, partielles, évasives et à moitié vraies, sachant toujours comment donner aux journalistes quelque chose qu'ils seraient en mesure d'utiliser. Il faisait preuve d'une excellente compréhension des conditions professionnelles des journalistes, les manipulant avec une telle finesse que peu d'entre eux se rendaient compte à quel point ils étaient ses instruments, ou se sentaient flattés de jouer ce rôle. [...] À la fin du point de presse, les journalistes l'avaient spontanément applaudi. »

Galbraith soutenait que FDR n'était pas aussi machiavélique que le décrit le livre de Black. « FDR était parfois obligé de changer d'avis, dit Galbraith. Il ne se jugeait pas manipulateur, même s'il considérait parfois qu'il devait s'adapter aux circonstances. »

Schlesinger m'avoua que derrière l'optimisme perpétuel de FDR « il y avait un autre homme – plus coriace que le personnage public, plus endurci et ambitieux, calculateur, mesquin, espiègle, égoïste et malicieux, plus profond, complexe et intéressant. Seuls les amis intimes de Roosevelt étaient conscients de ces traits de personnalité, qu'ils entrevoyaient de façon énigmatique et parfois terrifiante ». Et Schlesinger de conclure « qu'au fond de lui-même, Franklin Roosevelt était un homme dépourvu d'illusions ; lucide et compatissant, il avait frôlé la mort et comprenait donc la fragilité des efforts humains, mais demeurait assez fidèle à la vie pour faire de son mieux devant Dieu ». Bien sûr, d'ajouter Schlesinger, « Roosevelt était machiavélique et manipulateur. Il faut l'être lorsqu'on dirige une démocratie. La "persuasion" en démocratie est un terme apprécié, alors que le terme "manipulation" est déprécié[11]. »

À l'exemple de Schlesinger et Galbraith, Black acceptait l'héritage progressiste de Roosevelt, même s'il croyait que le New Deal n'était pas une réussite sur toute la ligne. Il disait que FDR avait fait intervenir le gouvernement « dans beaucoup de domaines où sa présence avait été restreinte ou inexistante : le redressement industriel, la relance, des programmes à grande échelle d'allocations conditionnelles, la sécurité sociale, la réforme des institutions financières, l'électrification rurale, la lutte contre les inondations et la sécheresse, la stabilisation de la production et des prix agricoles, la conservation, le refinancement des hypothèques domiciliaires et agricoles, la réforme des conditions de travail, le développement et la distribution par le secteur public de l'énergie hydro-électrique, le traitement généreux accordé aux anciens combattants et l'abrogation de la Prohibition ».

Tous ceux qui ont rendu visite à Black dans son palais de Palm Beach ou aux bureaux de direction de Hollinger International à New York peuvent attester qu'en rédigeant sa biographie de Roosevelt, Black réalisait un rêve qu'il caressait depuis longtemps. Il connaissait lui-même les corridors du pouvoir. Il contrôlait des journaux métropolitains dans des villes importantes (le *Chicago Sun-Times*, dont il était propriétaire, avait défendu Roosevelt de façon acharnée). Régulièrement invité à la Maison-Blanche, il avait cultivé la compagnie de plusieurs présidents, dont Nixon, Reagan et George Bush père.

Il voulait devenir un guerrier transatlantique reconnu. Black s'identifiait à FDR d'une manière romantique et personnalisée. Il cherchait à créer des liens avec son héros et, qui plus est, il voulait se les approprier. Peut-être voulait-il s'approprier la gloire qui auréolait FDR, tout en projetant sur FDR sa propre manipulation. À Palm Beach, il exposait fièrement la bannière étoilée présidentielle qui flottait sur la Maison-Blanche pendant la Seconde Guerre mondiale, alors qu'il exhibait dans des cadres dorés aux bureaux de direction de Manhattan des lettres qu'avait écrites FDR à sa cousine Daisy Suckley.

En novembre 2003, au moment même où Black s'apprêtait à entreprendre une tournée d'auteur pour Public Affairs Press, le scandale financier éclata chez Hollinger International. La coïncidence était malheureuse pour Black, qui espérait un triomphe littéraire.

« En effet, c'est tout à fait étrange que le jour même où son livre devait paraître, alors que des personnes qui s'y connaissent en louaient les qualités extraordinaires, son entreprise se soit retrouvée emportée dans un maelström vertigineux », dit Peter Osnos.

Entre novembre 2003 et le milieu de 2004, la crise de plus en plus grave chez Hollinger International fit la manchette des grands médias internationaux jusqu'au point de saturation. À la mi-novembre 2003, agissant au nom de Hollinger International, la banque d'investissement new-yorkaise Lazard LLC entama un processus stratégique de vente d'actifs devant se terminer au milieu de l'année 2004, l'entreprise devant être cédée dans sa totalité ou en plusieurs parties pouvant aller jusqu'à sept groupes d'actifs. L'appétit croissant du comité spécial pour l'action indépendante convainquit Black qu'à l'instigation surtout d'actionnaires minoritaires voulant encaisser des profits à court terme, l'objectif réel du comité était d'entraver son contrôle, sinon de briser sa prise sur Hollinger International. Sous prétexte qu'il aurait reçu des informations incomplètes et erronées, il refusa de rembourser des paiements de non-concurrence, contrevenant ainsi à une entente de remboursement qu'il avait pourtant acceptée quelques semaines auparavant. Il entreprit unilatéralement d'amender les statuts de Hollinger International afin d'enlever au comité spécial tout droit de regard sur la vente d'actifs de Hollinger International. Et le 17 janvier, faisant fi de la vente aux enchères de Hollinger International, Black accepta de vendre Hollinger Inc. aux frères Barclay, des investisseurs milliardaires de Grande-Bretagne. Black et son proche associé Peter White, maintenant directeur de l'exploitation chez Hollinger Inc., invoquèrent une clause d'exception dans l'entente avec Hollinger International, prétextant que la vente aux Barclay était nécessaire afin d'empêcher Hollinger Inc. de se trouver dès le mois de mars en cessation de paiement de ses dettes.

Le 20 février 2004 représenta pour Black un tournant quand, au bout de trois ans de batailles acrimonieuses avec les actionnaires minoritaires, il se présenta devant le tribunal de la Cour de Chancellerie de l'État du Delaware, située dans l'édifice du comté de New Castle.

Alors que plus de la moitié des entreprises américaines cotées en Bourse étaient enregistrées au Delaware (célèbre en tant que refuge pour les grandes sociétés), la Cour de Chancellerie était devenue le principal tribunal du droit corporatif dans le pays où les litiges sont les plus nombreux au monde. En tant que tribunal d'équité plutôt que tribunal judiciaire, la Cour de Chancellerie peut émettre des ordonnances temporaires et des jugements déclaratoires. Pendant son témoignage et son contre-interrogatoire, Black expliqua le processus stratégique chez Hollinger International, les négociations qu'il avait menées auprès des frères Barclay en vue de leur vendre Hollinger Inc., de même que sa tentative unilatérale d'amender les statuts de Hollinger International. Black était dépeint devant le tribunal comme un actionnaire majoritaire peu compréhensif et supposément prêt à fouler aux pieds les actionnaires minoritaires. Martin Flumenbaum, l'avocat représentant les administrateurs indépendants de Hollinger International, demanda à Black de confirmer s'il avait bien écrit un courriel en août 2002 selon lequel les actionnaires mécontents « étaient une bande d'hypocrites moralisateurs et ingrats ». Black répondit que certains des actionnaires correspondaient à cette description. « Le titre a bondi de 140 % depuis ce temps-là, M. Flumenbaum », précisa-t-il.

— Cela vous donne-t-il le droit de voler l'argent des autres ? répliqua Flumenbaum.

— Objection ! s'écria l'un des avocats de Black.

— Non, dit Black.

En réponse aux questions du vice-chancelier Leo Strine, Black dit qu'il « est déçu de constater dans le témoignage par déposition des administrateurs que l'offre qu'il a faite est comparée aux cabrioles du gouvernement nazi avant son occupation de la Bohême en 1938 ». Le 26 février, Strine porta un jugement cinglant, invalidant les statuts amendés que Black avait imposés chez Hollinger International et mettant en place, en vue de protéger les actionnaires minoritaires, un dispositif anti-OPA : la pastille empoisonnée. De plus, il frappa d'une injonction temporaire l'offre d'achat de Hollinger Inc. faite par les frères Barclay.

Strine contestait la prétention de Black selon laquelle Hollinger Inc. devait être vendue afin de faire face à des problèmes de liquidités. « Comme l'avait déclaré l'ancien chancelier Allen, les cas les plus intéressants du droit corporatif impliquent la couleur grise, écrivait Strine. Hélas, ce cas n'est pas de ce genre-là. » Selon lui, Black avait violé ses nouveaux devoirs de loyauté en vertu de l'entente sur la restructuration de novembre 2003 « en se saisissant d'une précieuse occasion qui s'offrait à Hollinger International [...] pour utiliser à ses propres fins des renseignements confidentiels de l'entreprise sans autorisation et menacer les administrateurs de Hollinger International d'une façon, comme il le dirait lui-même, "multidimensionnelle". [...] J'en conclus que Black a violé ses obligations fiduciaires et contractuelles de manière continuelle et grave ».

Strine examina les devoirs de fiduciaire qui incombaient à Black en tant que chef de la direction et actionnaire principal de Hollinger International, entreprise basée à Chicago, sans toutefois mentionner qu'il avait des devoirs identiques à titre de chef de la direction et actionnaire principal de l'entreprise torontoise Hollinger Inc. Tout le drame se situait dans la contradiction entre ces deux obligations, mais Strine n'en fit pas mention. Strine reprocha à Black d'avoir conclu une entente pour des raisons stratégiques sans avoir la moindre intention de la respecter. « [Black] reconnaissait qu'il était vulnérable à une enquête menée non seulement par le comité spécial, mais aussi par la Securities and Exchange Commission. Il a voulu éviter que les administrateurs indépendants agissent de manière à pousser la SEC à lancer un examen approfondi et immédiat ; il a voulu ralentir les travaux du comité spécial, tout en cherchant à concentrer l'attention des administrateurs indépendants sur le processus stratégique impliquant Hollinger International. En deux mots, Black avait peur de l'examen de la SEC et même d'une possible enquête criminelle. »

Strine rejeta tout argument voulant que Black ne soit pas obligé de respecter l'entente parce qu'il l'aurait acceptée sous la contrainte. « Black est un homme sophistiqué, qui sait comment faire rentrer un avocat dans la salle quand il en a besoin, surtout lorsqu'un avocat extrêmement compétent attend dans la salle d'à côté. Black n'est pas non plus un homme docile, facilement intimidé par les autres ; tout au contraire. [...] » Selon Strine, Black avait délibérément induit les autres administrateurs en erreur, afin de tirer des avantages tactiques du processus stratégique chez Hollinger International.

Strine évoqua également la relation entretenue par Black avec les administrateurs indépendants de Hollinger International. « Premièrement, il a pris des avis confidentiels fournis au conseil d'administration de Hollinger International, les communiquant sans l'autorisation du conseil d'administration de Hollinger International à la fois aux Barclay et à Triarc [une autre entreprise éventuellement intéressée à faire une offre d'achat]. Ensuite, il a appelé l'administrateur Kissinger, menaçant de destituer ce dernier de son poste d'administrateur de Hollinger International si le conseil d'administration adoptait un dispositif anti-OPA [communément appelée une pastille empoisonnée]. Des négociations s'ensuivirent donc entre, d'une part, Black et ses conseillers juridiques [...] et, d'autre part, le conseil d'administration de Hollinger International et ses propres conseillers juridiques. Pendant ce processus, Black menaça de poursuivre les administrateurs siégeant au comité spécial et au comité de vérification, mentionnant qu'il savait où se trouvaient des actifs personnels des administrateurs Seitz et Savage qu'il pouvait saisir. »

Quant aux prétentions de Black selon lesquelles il n'avait pas remboursé les paiements de non-concurrence parce qu'il avait trouvé des preuves d'une autorisation en bonne et due forme, Strine estima que « ces affirmations [étaient] erronées puisque Black ne détenait toujours aucune preuve d'une telle autorisation [...] ».

Enfin, en évaluant la crédibilité de Black, Strine l'accusa d'avoir « agi à la manière de Benedict Arnold[12] », d'avoir été un témoin « évasif et peu fiable », dont les « explications des événements clés et de ses propres motivations ne sonn[ai]ent pas juste. [...] Il m'était devenu impossible d'ajouter foi à ses paroles ». Selon Strine, Peter White, ancien ami et associé de Black, « demeurait tellement fidèle à Black au niveau personnel qu'il avait de la difficulté à être objectif ». Il trouvait que la prétention de White selon laquelle Hollinger Inc. pourrait déposer son bilan était une « tactique nihiliste » qui « para[issai]t absurde à l'observateur neutre, dans un contexte où elle [était] exprimée par le directeur d'une entreprise ayant trois fois plus d'actif que de passif ». (Comme en témoignera le refinancement de Hollinger Inc. en avril 2004, Strine avait raison sur ce point.) De plus, Strine rejeta l'allégation faite par Black selon laquelle le procès-verbal des réunions du conseil d'administration montrait que les administrateurs avaient approuvé les paiements de non-concurrence versés à Black et à plusieurs autres. Selon Strine, il n'en était rien. Et si le procès-verbal avait été rédigé de manière à donner cette impression, il « pourrait constituer une fraude tacite. Lorsqu'on regarde attentivement la manière dont les consentements ont été rédigés, on ne peut s'empêcher de déduire qu'ils font référence le moins possible [aux paiements de] non-concurrence, qu'en fait ils n'ont pas été soumis au conseil d'administration et qu'ils ont été ratifiés par un conseil qui ne les a jamais vus. [...] Ces consentements n'autorisent même pas d'ententes précises de non-concurrence. S'il fut un temps où ce genre de processus d'autorisation pouvait sembler "approprié", ce temps est depuis longtemps révolu. Au pire, le conseil d'administration de Hollinger International a été dupé de manière intentionnelle et a été victime de fraude. Au mieux, il a été mal renseigné sur toute la ligne. Dans un cas comme dans l'autre, aux termes de la loi du Delaware, les administrateurs indépendants de Hollinger International n'ont pas dûment autorisé les paiements de non-concurrence ».

Peter White était dégoûté de son expérience à la Cour de Chancellerie de l'État du Delaware. « Je pensais qu'on allait nous écouter de façon impartiale. J'ai complètement perdu mes illusions à ce sujet. Tout était préparé d'avance. J'ai appris que le système judiciaire américain était fortement influencé par les médias. Ils travaillent tous ensemble sur les mêmes dossiers, et cela se poursuit de nos jours. [...] Je ne peux pas imaginer un juge britannique ou canadien écrire quelque chose d'aussi incendiaire que Strine; c'est un dictateur de pacotille. »

Le jugement rendu au Delaware était une humiliation pour Black. Et il fit les manchettes partout dans le monde.

Selon un chroniqueur du *Financial Times*, « le jugement – un document de 133 pages – mérite une place dans les annales de l'assassinat de personnalité[13] ».

D'après le *Chicago Sun-Times*, toujours contrôlé par Black, le jugement constituait une défaite absolue et ce dernier « continue à faire face à une série d'autres problèmes. En plus de la poursuite de Hollinger International, réclamant 200 millions dollars, des actionnaires institutionnels ont intenté des poursuites, alléguant que [Black] et ses principaux associés ont pillé l'entreprise alors que les administrateurs n'ont rien fait pour les en empêcher[14] ».

En Angleterre, BBC News rapporta que « soudain, ce baron âgé de 59 ans doit suivre un cours intensif d'humilité. [...] Hollinger International prétendrait sans doute que Lord Black a provoqué sa propre chute, à cause de ce vice vieux comme le monde : l'avidité. [...] Bien que Lord Black ait été le troisième plus important magnat de presse au monde, il n'a pas été dans la même ligue que M. Murdoch, dont la News Corp. exploite des satellites de diffusion, des films, l'édition de livres ainsi que des journaux. La chute de Black provoquera beaucoup de rires de triomphe dans son pays d'origine où son appétit pour l'acquisition de journaux, ses opinions conservatrices sans détour et son mordant en ont fait une bête noire aux yeux des libéraux[15] ».

« Ce jugement, d'affirmer le *Globe and Mail*, trace le portrait d'un homme fourbe qui a fait des promesses pour les abandonner aussitôt dans le but de réaliser ses propres combines avec les Barclay. Le vaniteux Lord Black aura bien de la peine à se voir caractérisé de la sorte par le juge. Mais on soupçonne qu'il aura encore plus de peine en réalisant que, pour une fois dans sa vie, il a été totalement déjoué[16]. [...] »

Selon l'*International Herald Tribune*, « il est concevable que, s'il ne parvient pas à conclure une entente avec Hollinger International, Black puisse ne recevoir aucun argent lors de la vente de l'empire de presse qu'il a bâti. Il pourrait toujours demander à négocier une entente, mais à la suite du jugement de Strine, sa position de négociation est bien plus faible qu'elle ne l'était[17] ».

Pourtant, la couverture la plus dévastatrice fut sans doute celle du *Daily Telegraph*, le joyau de l'empire de Black. Le numéro du 28 février consacre plusieurs articles au jugement, y compris une grande photo de Black avec Barbara Amiel à ses côtés, le jour de sa présentation à la Chambre des lords. Le gros titre était : « Férocement direct, mais évasif et peu fiable : le verdict accablant sur Lord Black porté par un juge américain ». Dans le même numéro, Tom Utley, chroniqueur du *Telegraph*, s'indigne de ce que le plus important journal britannique de grand format doive être vendu aux enchères au plus offrant.

En réaction au jugement de Strine, un communiqué de presse fut publié à Toronto, déclarant : « Hollinger Inc. et Lord Black expriment respectueusement leur désaccord avec l'interprétation des faits dans ce dossier faite par le vice-chancelier. Ils reconnaissent toutefois que le jugement ouvre la voie à la réalisation de la pleine valeur pour les actionnaires à la fois de Hollinger Inc. et de Hollinger International Inc., grâce à la poursuite du processus stratégique mené par Lazard LLC au nom de Hollinger International. Hollinger Inc. et Lord Black attendent avec impatience que Lazard s'acquitte de ses tâches de manière rapide et efficace et qu'elle présente à Hollinger International ainsi qu'à Hollinger Inc. une stratégie produisant davantage de valeur que ne l'auraient produit l'OPA des Barclay sur Hollinger Inc. et son offre projetée sur Hollinger International. »

« Cela a été terriblement éprouvant, m'écrivit Black quelques jours après le jugement de Strine. Cependant, la solide performance de notre titre en Bourse montre bien la valeur que nous avons générée dans l'entreprise ; alors en matière de finance, le résultat devrait être assez bénéfique. La plupart des avocasseries invoquées n'ont aucun sens, mais l'atmosphère venimeuse créée par le lobby de la gouvernance d'entreprise et la façon dont mes ennemis me diffament systématiquement pourraient rendre dangereuse une partie des litiges. »

Une fois que le vice-chancelier Leo Strine eut rendu son jugement accablant, il était clair que Black avait échoué dans sa tentative de naviguer à travers les auditions à la Cour de la Chancellerie du Delaware. Le 7 mai 2004 – deux mois et demi plus tard –, Hollinger International déposait une plainte amendée fondée sur l'enquête menée par le comité spécial. Selon cette plainte, Hollinger International réclamait 1,25 milliard de dollars en dommages et intérêts, alléguant que Black, plusieurs de ses associés et leurs holdings respectifs se seraient attribué 484,5 millions de dollars en paiements irréguliers, montant auquel s'ajoutaient 390,6 millions en dommages et 103,9 millions en intérêts accordés avant jugement. Parmi les dommages évoqués, on notait des allégations concernant des frais de gestion excessifs de l'ordre de 217,8 millions de dollars; 90 millions en paiements de non-concurrence ou paiements non autorisés; 23,7 millions pour l'utilisation de deux jets appartenant à l'entreprise; 1,4 million pour des appartements; et 353 000 $ pour des automobiles.

En montant son dossier, le comité spécial, conseillé par Richard Breeden, avait déterré beaucoup d'éléments de preuve. Le tribunal devait s'assurer que les allégations portées contre les défendeurs étaient « justifiées ». Mais Black faisait maintenant face à un adversaire de taille. De son côté, Hollinger International gonflait les paiements afin de justifier un procès aux termes de la Racketeer Influenced and Corrupt Organizations Act (la loi RICO). À l'origine, cette loi avait été conçue de manière à doter les autorités de pouvoirs accrus dans leur lutte contre la mafia. Plus récemment, elle a été invoquée de façon tantôt appropriée tantôt abusive dans des cas de malversations dans des entreprises. Black et White avaient du mal à défendre leur position en public, car ils n'obtiendraient l'accès aux documents de Hollinger International qu'au moment où aurait lieu le procès, le cas échéant.

En juin 2004, Hollinger International annonça la vente du *Telegraph* aux frères Barclay, les mêmes magnats écossais énigmatiques avec lesquels Black avait tenté de s'entendre en janvier 2004. Le prix de vente – 665 millions de livres, soit 1,21 milliard de dollars – démontrait que Black avait raison de croire que l'entreprise avait acquis de la valeur grâce à lui. Mais cette vente avait eu lieu malgré ses objections. Black la contesta devant la Cour de la Chancellerie du Delaware au motif que Hollinger Inc., à titre d'actionnaire principal dans Hollinger International, détenait un droit de vote concernant la vente de tous ou de presque tous les actifs de l'entreprise.

Le 1er juillet, Black gardait toujours l'espoir. Il m'écrivit: « Des événements dramatiques pourraient survenir ce mois-ci. En conséquence, je suis très préoccupé. […] Vous êtes en train de poursuivre une cible mouvante, et vous ne voudriez pas terminer l'histoire juste au moment où commence le dernier chapitre. » Cinq jours plus tard, Black m'écrivait encore une fois : « Je me prépare en vue d'un procès au Delaware qui déterminera la propriété ultime du *Daily Telegraph* et je ne peux rien faire avant que ce dossier soit réglé. [...] Je suis bien d'accord que toute cette question ne sera pas réglée dans l'espace d'un seul mois, mais il y aura ce mois-ci des nouvelles importantes, et peut-être que celles-ci ne viendront pas toutes du Delaware. »

Le 16 juillet 2004, Black et Hollinger Inc. versaient une somme de 30 millions de dollars à Hollinger International en vertu des directives de la Cour de la Chancellerie. (Black et Hollinger Inc. laissaient entendre tous les deux qu'ils allaient contester cette directive en appel.)

Le 23 juillet, le vice-chancelier Leo Strine entendit les représentations de Hollinger Inc. et de Hollinger International au sujet du droit des actionnaires d'exercer un droit de vote sur la vente projetée du *Telegraph* aux frères Barclay. Le 29 juillet, Strine décida qu'aucun vote n'était requis, enlevant ainsi à Black sa dernière chance de bloquer la vente et de garder le contrôle du *Telegraph*. La Cour suprême du Delaware rejeta l'appel de Black. Parmi les membres du comité spécial du conseil d'administration de Hollinger International votant en faveur de la vente du *Telegraph* se trouvaient Henry Kissinger et Richard Perle, qui passèrent outre aux objections véhémentes de leur ancien ami Conrad Black. On croyait que Hollinger International était sur le point de déposer dans un compte de garantie bloqué ou dans un compte semblable le produit de vente qui reviendrait à Black jusqu'à ce que les poursuites et autres réclamations soient réglées.

Vers la fin de 2004, une guerre faisait rage entre le comité spécial de Hollinger International et Conrad Black. Et personne ne pouvait prévoir qui remporterait en fin de compte la victoire. Espérant rapidement anéantir Black, le comité spécial commença par une attaque secrète. Le comité lança une campagne médiatique musclée et exagéra ses allégations dans les diverses plaintes qu'il déposa contre Black, réussissant quelques coups rapides, tels que la vente du *Telegraph* en juillet 2004. Mais cette stratégie ne pouvait pas durer. Le battage médiatique s'estompa tranquillement alors que les médias devenaient blasés. Le comité spécial publiait l'un après l'autre des rapports contenant des litanies d'allégations. Mais au fil du temps, chaque nouveau rapport attirait moins d'attention médiatique que le précédent. La stratégie d'anéantissement céda la place à une stratégie d'usure. Dorénavant, l'objectif fut de saper Black, de drainer ses ressources et d'affaiblir sa position afin de pouvoir le détruire.

Le 30 août, le comité spécial déposa à la Cour fédérale du district nord de l'Illinois une plainte qui aurait dû être dévastatrice, dans laquelle il répétait les allégations faites en mai, tout en les élaborant davantage. Les auteurs du rapport – Gordon Paris, Graham Savage et Richard Breeden – tentèrent d'offrir à leurs lecteurs un récit coloré de 513 pages, dont le titre – *Les Chroniques Hollinger* – faisait penser au scénario d'un feuilleton télévisé. Ils utilisaient toutes les figures de rhétorique imaginables. La plainte comparait Black à un voleur de banque qui pille l'entreprise comme s'il s'agissait de sa propre tirelire ; insinuait qu'il se sentait coupable d'avoir récolté tant d'avantages à titre de propriétaire ; lui reprochait vivement d'avoir consacré tant de temps à la rédaction de sa biographie de FDR et à ses travaux parlementaires à la Chambre des lords ; se moquait de David Radler en affirmant qu'il avait tellement accéléré les paiements excessifs que ces derniers s'effectuaient dans le temps qu'il fallait pour manger un sandwich au thon ; et critiqua violemment la haute direction de Black, dont la « corruption éthique » était tellement répandue, systématique et intéressée qu'une plainte aux termes de la loi RICO était justifiée. Le comité spécial réclamait toujours 1,25 milliard de dollars de Black, de plusieurs associés et de leurs entreprises.

Certaines allégations contenues dans le rapport étaient troublantes – notamment celles relatives à des transactions avec des apparentés –, tandis que d'autres allégations semblaient être de nature spéculative. Toute allégation devrait être prouvée hors de tout doute devant un tribunal, où les normes relatives à la preuve n'avaient rien à voir avec celles des grands journaux financiers. La plupart des allégations étaient techniques et contextuelles. Et comme très peu de gens avaient accès à tous les détails, il était difficile de se former un jugement. Nombre de journalistes et d'auteurs n'étaient que trop heureux de répéter les allégations sans en faire une analyse critique. Après tout, comme le comité spécial se prétendait « indépendant », les gens tenaient naturellement pour acquis que ses rapports présentaient les faits de façon rigoureuse et objective.

Personne ne semblait remarquer que le comité sélectionnait et construisait des éléments de preuve de manière à provoquer le plus de dégâts possible, tout en servant ses propres intérêts. Le comité spécial condamnait la façon dont Black avait manipulé ses administrateurs; mais dans les faits, le comité spécial exerçait beaucoup plus de pouvoirs que Black n'en avait jamais eu. D'une part, le comité spécial pouvait poursuivre les administrateurs tout en leur offrant, d'autre part, la perspective d'une médiation et d'ententes à l'amiable.

Dans ces circonstances, il était compréhensible que les administrateurs déclarent publiquement que Black ne les avait pas informés de manière convenable, qu'ils ne connaissaient pas la vraie nature des transactions et paiements en jeu et qu'ils étaient insatisfaits du résultat. C'était leur seule défense possible. Le comité spécial présenta ses conclusions comme étant objectives. Mais il était en mesure de faire plier la volonté des personnes qu'il convoquait à des entrevues. Et cela coûtait une fortune. Pendant que le compteur tournait, Richard Breeden avait besoin de résultats à la mesure des honoraires spectaculaires qu'il empochait.

Mais le 7 octobre, la crédibilité du comité spécial fut entachée lorsque la juge Blanche Manning de la Cour fédérale du district nord de l'Illinois rejeta tous les chefs d'accusation portés par Hollinger International contre Black et divers associés. Elle ne prit pas de décision quant au bien-fondé de la plainte, mais déclara que cette dernière n'était pas conforme à la définition du racket et qu'en conséquence, la Cour fédérale ne pouvait pas l'entendre. Black interpréta le rejet aux termes de la loi RICO comme une justification.

En octobre et novembre 2004, un tourbillon d'activités illustrait que Black tentait de passer à l'offensive. Le 27 octobre, Hollinger International reconnut que Black avait droit à sa part des produits de la vente du *Telegraph*. De son côté, Black accepta (pour l'instant) que l'injonction l'empêchant de reprendre le poste de chef de la direction soit prolongée. Deux jours plus tard, Black fit une offre de privatisation de la torontoise Hollinger Inc. qui, dans le cas où elle se concrétiserait, aurait pour effet de le soustraire à la moralité changeante de la gouvernance d'entreprise. Il deviendrait l'actionnaire de référence d'une entreprise privée qui ne serait plus obligée de rendre des comptes aux actionnaires minoritaires et n'aurait plus à publier d'états financiers.

Mais le jour même, Hollinger International riposta en déposant une nouvelle plainte amendée à la Cour fédérale du district nord de l'Illinois qui laissait tomber toute référence à la loi RICO et présentait de nouvelles allégations, notamment contre Richard Perle. Désormais, l'entreprise réclamait 425,2 millions de dollars en dommages et 116,7 millions de dollars en intérêts avant jugement, pour un total de 541,9 millions de dollars. Le ton de cette nouvelle plainte était plus sobre, les aspects tape-à-l'œil et sarcastiques ayant presque tous été enlevés.

Trois jours plus tard, Black démissionna comme chef de la direction de Hollinger Inc. afin de faciliter l'examen de son offre de privatisation par les administrateurs indépendants de l'entreprise. Il venait évidemment d'élaborer sa propre stratégie, mais en quoi consistait-elle? Pour répondre à cette question, il faut remonter à l'enfance, à la jeunesse et au début de l'âge adulte de Black, à une époque où il reconstituait la bataille d'Austerlitz avec les petits soldats de Hal Jackman et dévorait des livres sur la bataille de Midway et le siège de Leningrad. Face à une campagne médiatique d'une telle intensité, beaucoup de gens se seraient enfuis en courant. Mais aux yeux de Black, son nouvel isolement lui donnait le temps de réfléchir. Il pouvait – *non, il devait* – tirer parti de la débâcle de 2004. Les désavantages auxquels il faisait face sur les plans juridique, financier et politique pouvaient être transformés en avantages qui lui assureraient la victoire ultime. Les mesures qu'il prit n'avaient rien de fortuit ni d'improvisé. Bien au contraire, tout cela faisait partie d'un plan cohérent et bien ordonné qu'il expliquait par analogies.

«Étant donné la victoire [sur la plainte déposée aux termes de la loi] RICO, souligna Black, le refinancement de Hollinger Inc., leur tentative ratée de nous empêcher de recevoir notre part de la vente du *Telegraph* et leur tentative de bloquer la privatisation de Hollinger Inc. ainsi que le lancement de cette privatisation, ils [les adversaires de Black et surtout le comité spécial] ont dû reculer. Je doute fort que mes ennemis soient maintenant capables de mener une guerre d'usure. Pour utiliser une expression à la mode au Pentagone, ils vont succomber à l'"attrition". Alors je dirais qu'actuellement, [les hostilités] ressemblent aux campagnes du Pacifique et de Russie pendant la Seconde Guerre mondiale, où il y avait eu une activité féroce et de lourdes pertes, mais où le résultat fut décisif et l'usure d'une ampleur telle qu'elle n'énerva pas les puissances victorieuses.»

En quoi consiste une stratégie d'usure? En 1521, Machiavel avait écrit dans *L'art de la guerre* qu'il valait mieux soumettre l'ennemi par la famine que par l'épée, car lors d'une bataille, la chance avait souvent plus d'importance que la *virtu*. (Le destin est plus important dans l'art de la guerre que la bravoure ou la conscience résolue.) À l'époque de Machiavel, les batailles décisives étaient plutôt rares. Pendant la Renaissance, la stratégie débilitante et désolante de l'usure comportait des avantages: la famine organisée, les tirs embusqués continus et le repositionnement.

Hollinger International et Black utilisaient l'équivalent moderne de l'épée. Ils étaient prêts à s'éclabousser de sang et à réduire l'ennemi à la famine. Plus il y aurait de litiges coûteux, moins les deux parties seraient en mesure de tirer profit d'une victoire ultime devant le tribunal. Si, de juin 2003 à septembre 2004, les travaux du comité spécial avaient coûté 56,1 millions de dollars, alors chaque trimestre, des frais juridiques et autres viendraient alourdir le bilan de l'entreprise. Les frais juridiques augmentaient de façon vertigineuse. Celui qui resterait avec le dernier dollar remporterait la victoire.

Au milieu de toute cette désolation, Black s'était posé des questions. Avec le recul, il avoua qu'il aurait agi autrement à titre de chef de la direction de Hollinger International. Il aurait réduit sa propre vulnérabilité aux attaques des investisseurs institutionnels, tout en imposant un contrôle d'entreprise plus rigoureux afin que les décisions prises consciencieusement soient accompagnées des pièces justificatives requises et «irréprochables». À ces exceptions près, il n'aurait pas modifié ses opinions. Par exemple, il n'aurait pas proposé aux administrateurs de répondre plus rapidement et avec plus de tact aux questions ou préoccupations des actionnaires minoritaires. «Au Canada, en Grande-Bretagne et aux États-Unis, me dit-il, le *zeitgeist* est hostile: on éprouve beaucoup d'animosité à l'égard des directeurs d'entreprise dits complaisants et on a tendance à considérer les personnes occupant une position semblable à la mienne comme des escrocs. La débâcle en matière de relations publiques se calmera lorsque la réalité des faits sur les plans financier et juridique s'améliorera, comme cela se produit actuellement, et il apparaît manifestement injuste de m'associer aux contrevenants à la loi et d'associer Hollinger à des entreprises en faillite telles qu'Enron. On voit aussi que les attaques personnelles contre Barbara et moi-même sont excessives, alors que les zélotes de la gouvernance d'entreprise présentement à la mode perdent leur invincibilité. Mes ennemis ont bien empoisonné les puits. Mais au bout du compte, tout cela se retournera contre eux. »

Black croyait-il que la position du comité spécial de même que la menace de tenir les administrateurs responsables au niveau personnel avaient influencé les gestes individuels des administrateurs ? « Certains des administrateurs ont été intimidés par Breeden, dit Black. Voilà bien la manière abusive dont le système de gouvernance d'entreprise fonctionne souvent aux États-Unis. »

Manifestement, le comité spécial se préoccupait de gestes concrets (transactions, paiements, dépenses) qu'il considérait comme immoraux, poursuivis-je. Il présentait ces gestes comme étant illégaux. Y a-t-il une différence entre les deux, c'est-à-dire entre la moralité et la légalité ?

« Aucun des gestes dont j'ai eu connaissance n'était objectivement immoral ou illégal, dit Black. Il y a certainement une différence entre les deux, mais le comité spécial a tenté de créer un climat d'indignation morale afin de monter la Cour et les agences réglementaires contre nous. Il semble avoir obtenu un certain succès, mais une fois devant un analyste sérieux des faits, il sera bien plus difficile [pour le comité], en l'absence d'éléments de preuve, de continuer à mener sa vendetta, comme le montre déjà le rejet de la plainte aux termes de la loi RICO. »

Devrait-il y avoir une distinction entre les deux ? « Oui, répondit Black. La moralité n'est pas tributaire de la loi. »

La question de savoir si les administrateurs avaient sciemment approuvé diverses actions était technique et contextuelle. Il fallait savoir, par exemple, s'ils avaient reçu des informations adéquates avant de prendre des décisions, s'ils ont bien compris leur devoir de fiduciaire, etc.

D'après Black, quelles compétences et quelle formation fallait-il pour qu'un conseil d'administration soit efficace ?

« Il faut des personnes intelligentes, expérimentées et consciencieuses, dit-il. Je pense que c'est un avantage d'avoir une participation dans l'entreprise ou de s'identifier à ceux qui en ont une, car de cette manière, les administrateurs auront plus le sens des affaires et seront plus courageux. Les qualités les plus importantes sont l'intelligence, l'intégrité et l'aptitude commerciale. Tout cela devient d'un intérêt purement théorique, car presque aucun administrateur possédant ces qualités ne continuera à siéger au conseil d'administration dans l'atmosphère de terreur qui règne actuellement. »

Je lui demandai si le comité spécial avait un programme politique caché, c'est-à-dire des objectifs n'ayant rien à avoir avec les tâches qu'il effectuait au nom de Hollinger International.

« Breeden veut devenir monsieur Gouvernance d'Entreprise : le pourfendeur efficace de tout dirigeant d'entreprise le moindrement vulnérable. Il domine complètement le comité. Je doute fort que les autres membres du comité aient des motivations propres, à part la cupidité de Paris, alors qu'il s'accroche à son poste tout en empochant 60 000 $ par semaine en faisant semblant d'être un dirigeant d'entreprise. »

Comment Barbara a-t-elle réagi, étant donné qu'on a fait des allégations à son sujet également ?

« Courageusement et stoïquement, avec la même détermination que j'ai à l'emporter sur nos ennemis. »

Que prévoyait-il comme résultat ultime des diverses plaintes déposées contre lui ?

« On démontrera que ces plaintes n'ont aucun fondement et qu'elles ont été déposées et publicisées de manière exacerbée, frénétique et malhonnête. Tous ceux qui en sont responsables seront punis par la justice. Ce sera un processus long mais, au bout du compte, satisfaisant. »

Black affirma qu'il s'était détaché de bien des choses qui avaient jadis de l'importance pour lui. Après avoir renoncé à sa citoyenneté canadienne en 2001, il n'avait pas présenté de nouvelle demande de citoyenneté canadienne et n'avait pas l'intention de le faire. Il entretenait toujours une grande résidence à Toronto et ses principaux holdings – Hollinger Inc. et Ravelston – avaient toujours leurs sièges sociaux à Toronto. Mais, dit-il, il n'avait pas d'intérêt particulier envers le Canada.

« Je conteste la raison d'être du Canada, qui consiste à se situer à gauche des États-Unis, et je crois qu'elle aboutira à un échec qui ne sera réduit et camouflé que par la grande richesse du Canada et l'ambition possible éprouvée par des vagues d'immigration relativement non assimilables de changer d'orientation politique. J'ai l'impression que les Canadiens originaires de l'Inde et de la Chine sont bien plus capitalistes que les Canadiens de naissance. Cela dit, je ne suis plus la politique canadienne et je trouve que ce serait inconvenant de ma part d'émettre des commentaires là-dessus. Au moment de renoncer à ma citoyenneté, j'ai dit que j'expliquerais une fois pour toutes pourquoi je l'avais fait. En démocratie, ceux qui contestent énergiquement les choses sont libres de partir et d'expliquer pourquoi ils partent, mais ils ne devraient pas imposer leurs opinions de manière excessive aux populations dont ils viennent ·de se séparer. [...] Au niveau fédéral, le Canada est presque un État à parti unique, comme il l'a été depuis la Première Guerre mondiale. Je ne crois pas que ce soit un bon système, mais cela ne me touche plus. »

En ce qui concernait la Grande-Bretagne, Black avait mis en vente sa maison de Cottesmore Gardens et ne lisait plus le *Telegraph*. Après avoir gagné la guerre des prix contre *The Times* de Rupert Murdoch et s'être retiré de la presse·britannique, Black éprouvait un grand soulagement. Il trouvait ironique que le *Times*, en larguant son image de journal sérieux de grand format, se soit transformé en tabloïd populaire.

« Que ce soit dans la presse écrite ou à la télévision, Murdoch est un homme de tabloïd. Il est tellement cynique: il n'a aucune notion de la qualité des produits ni de l'intégrité. Au bout du compte, c'est bien pour cette raison que nous [au *Telegraph*] avons remporté la guerre des prix. Il pensait pouvoir assurer plus rapidement sa domination du marché en sabrant les prix. Ce n'était pas le cas ; c'était un échec horriblement coûteux qu'il a réussi à camoufler dans les comptes de News Corp. et grâce aux pratiques comptables australiennes. Voilà sa dernière tentative de remporter une victoire rapide. Je ne lis ni le *Times* ni le *Telegraph*. Je ne m'intéresse plus à la question de savoir comment se déroule la compétition entre eux. C'était très angoissant et je suis soulagé de ne plus me préoccuper de cela ni de la concurrence implacable et fanatique de Murdoch, même si, évidemment, j'aurais préféré me retirer du domaine de la presse londonienne avec plus de dignité. »

À la fin de 2004, Black avait perdu confiance en la presse à l'exception de « monopoles dans de petites villes, à un prix raisonnable et dans des situations offrant de bonnes perspectives de croissance. Je ne crois plus, et depuis longtemps, que la presse soit un secteur d'activité en croissance. C'est pour cette raison que j'ai commencé à démanteler notre entreprise, ce qui a été une opération très réussie sur le plan financier ».

Et puis, il y avait sa position dans l'univers des grandes sociétés. Comme magnat de la presse, à la tête du troisième empire médiatique au monde, c'était un géant qui grâce à sa personnalité, ses fulminations et son exaspération occasionnelle avait l'habitude de dominer les assemblées des actionnaires. Maintenant, il voyait les choses autrement. « Je ne veux plus jamais jouer un rôle au sein d'une entreprise cotée en Bourse. Il deviendra impossible de recruter des administrateurs sérieux, de diriger une entreprise avec l'esprit de décision requis, et la Bourse elle-même cédera du terrain aux échanges de divers instruments de créance ayant une certaine ressemblance avec les actions, ces échanges étant réglementés, mais invulnérables aux bouffonneries des investisseurs institutionnels rapaces. Je suis heureux d'être un des premiers à quitter un champ de bataille qui deviendra de plus en plus contesté et inhospitalier. Notre entreprise sera une société d'exploitation; les holdings n'ont plus aucun sens. Nous investirons là où nous penserons pouvoir obtenir un bon rendement, et cela comprendra la presse écrite. »

Rob Kirkpatrick, associé supérieur de Cardinal Value Equity Partners (un important actionnaire institutionnel dans Hollinger International), déposa une plainte en janvier 2004 à la Cour de Chancellerie du Delaware. Selon lui, il y avait de bonnes chances que la guerre d'usure se prolonge entre Hollinger International et Conrad Black et qu'elle ne profite qu'aux avocats des deux parties. « Ce serait peut-être une bonne chose d'en arriver à une entente, dit-il. Mais tout dépendra des détails. Personnellement, cela m'étonnerait que Conrad Black fasse autre chose que de taper comme une brute. »

Hollinger International et Black avaient rassemblé leurs forces, s'étaient retranchés sur leurs positions, et entreprenaient des poursuites et contre-poursuites l'un contre l'autre. Dès qu'un jugement donnait raison à une partie, l'autre trouvait aussitôt des motifs de lancer un appel. L'approche brutale s'appliquait aux deux camps; l'approche brutale et la tentative de réduire l'ennemi à la famine.

« En ce qui concerne Cardinal, dit Kirkpatrick, notre seul intérêt consiste à maximiser le prix des actions de Hollinger International. Et nous prendrons les moyens de réaliser cet objectif. D'un point de vue plus altruiste, le meilleur résultat serait peut-être de mener la bataille juridique et d'établir une nouvelle norme plus élevée qui s'appliquerait aux actions des administrateurs d'entreprises américaines cotées en Bourse. »

On avait entendu dire que certains des avocats travaillant pour le compte de Cardinal et de Tweedy, Browne avaient des ententes de paiement d'honoraires conditionnels. Cela voulait dire que ces avocats obtiendraient une partie des sommes versées à titre de dommages par Conrad Black, ses proches associés et plusieurs holdings sous leur contrôle. Les avocats spécialisés en droit corporatif ressemblent un peu aux avocats spécialisés dans le domaine de la faute professionnelle médicale ; afin d'augmenter leurs propres honoraires d'avocat, ils ont tout intérêt à faire gonfler le montant des dommages.

Le 15 novembre, la SEC déposa une poursuite pénale de 76 pages dans l'État de l'Illinois contre Conrad Black, David Radler et l'entreprise torontoise Hollinger Inc. Selon les allégations contenues dans la poursuite, les deux se seraient lancés dans un « complot frauduleux et trompeur » pour détourner plus de 85 millions de dollars en paiements de non-concurrence partagés entre eux-mêmes et plusieurs associés entre 1999 et 2003 ; auraient fait des « présentations erronées et auraient omis de transmettre des faits pertinents » au conseil d'administration et au comité de vérification de Hollinger International de même que lors du dépôt réglementaire des états financiers. La poursuite les accusait également d'avoir « trompé et fraudé » les actionnaires publics « au moyen d'une série de complots trompeurs et de présentations erronées ». La SEC alléguait que ces complots comprenaient le versement de paiements de non-concurrence, des transactions entre apparentés au moyen desquelles Black, Radler et leurs associés se seraient approprié des actifs de Hollinger International, de même que l'investissement à hauteur de 2,5 millions de dollars dans Trireme Partners, le fonds de capital de risque de Richard Perle. Tout exploitant d'entreprise doit respecter la loi. Mais dans sa poursuite, la SEC fit remarquer que Black avait des obligations supplémentaires. Entre août 2002 et août 2003, Black, avait « signé et certifié les rapports annuels et trimestriels de Hollinger International, dûment déposés auprès de la SEC conformément à la loi Sarbanes-Oxley de 2002 » ; et en 1982, il avait signé une ordonnance de consentement de la Cour, s'engageant par la même occasion à se conformer à l'avenir aux règlements sur les valeurs mobilières.

Une condamnation pour fraude au civil pourrait donner lieu à une pénalité financière, mais non à une peine de prison. La stratégie de la

SEC comportait trois volets : exclure Black et Radler de tout rôle futur à la direction d'une entreprise cotée en Bourse ; récupérer une somme d'argent non précisée qui aurait été détournée de façon frauduleuse ; et créer une norme plus rigoureuse en matière de divulgation lors du dépôt réglementaire des états financiers et des assemblées d'actionnaires, cette norme devant s'appliquer dans un cas comme celui de Hollinger, où un actionnaire de référence exerce un contrôle effectif sur l'entreprise. La poursuite déposée par la SEC fit le tour du monde. Mais selon les analystes, le procès pourrait s'étaler sur plusieurs années et toute allégation devrait être prouvée devant le tribunal.

Chose étonnante, la SEC omit de mentionner deux controverses brûlantes qui troublaient Tweedy, Browne depuis octobre 2001 : le versement sur sept ans de plus de 200 millions de dollars en frais de gestion à Conrad Black et plusieurs de ses associés et la responsabilité des administrateurs de Hollinger International de remettre en question, critiquer, approuver ou écarter des décisions prises pendant leur mandat au conseil. Le silence de la SEC était étrange. Pour une quelconque raison, la SEC avait manifestement choisi de ne pas tenir compte de plusieurs allégations importantes faites par des actionnaires.

La crise qui faisait rage chez Hollinger International depuis le début de 2003 laissait bien des questions sans réponse. Quelle était la responsabilité de Conrad Black à l'égard des divers paiements controversés ? Quelle était la responsabilité du conseil d'administration de Hollinger International quant à ces mêmes paiements ? Et si le conseil d'administration de Hollinger International avait approuvé ces paiements en toute connaissance de cause ? Tweedy, Brown et plusieurs autres militants de l'actionnariat avaient enclenché un processus qui avait mené à la destitution de Black en tant que chef de la direction, l'avait privé du droit de voter sur le sort de Hollinger International et avait abouti à la vente des meilleurs actifs détenus par l'entreprise. Devrait-on limiter la capacité des actionnaires de manipuler des procédés juridiques à l'encontre de la direction d'une entreprise ? Le *Telegraph* avait-il été vendu au moment opportun et dans des circonstances appropriées ? Aurait-on pu obtenir un meilleur prix de vente (c'est-à-dire une valeur supérieure pour les actionnaires) si la vente du *Telegraph* avait été différée ? Les actionnaires auraient-ils été mieux servis si le *Telegraph* n'avait tout simplement pas été vendu? En invoquant des principes strictement pour des raisons stratégiques à court terme, Conrad Black n'avait-il pas fini par miner sa propre crédibilité?

« Conrad a perdu un degré de sensibilité que je m'attendais à ce qu'il conserve, à l'égard de la gouvernance et de son mode de vie personnel, dit le sénateur Michael Meighen, qui connaît Black depuis les années 1960. C'est une question de mesure et de proportion. C'est une question de proportions. Il a dépassé la mesure. Quand cela arrive, on perd le contact avec certains éléments de la réalité. Certaines des sommes versées aux hauts dirigeants du monde des affaires – les options, les frais de gestion – sont tout simplement obscènes. Elles sont démesurées par rapport au genre de rémunération appropriée et généreuse qu'on mérite pour un travail bien fait. »

En juillet 2005, je rencontrai Conrad pendant une heure au bar du hall d'entrée de l'hôtel Intercontinental, dans la rue Bloor près d'Avenue Road à Toronto. Il était en retard de 15 minutes. À son arrivée, je fus surpris de voir qu'il semblait plus humble et plus loquace que les autres fois. La serveuse était mignonne et pleine d'esprit. Elle était heureuse d'avoir une célébrité comme Black dans son bar. Nous l'avions tenue très occupée. Il avait pris trois grands verres de Chardonnay et moi trois grands verres de Shiraz. Dehors, le chauffeur de Black, John Hillier, faisait nerveusement le guet à côté d'une très longue Cadillac bleu marine, garée en double file. Le 20 mai 2005, cet homme à l'aspect sévère avait aidé Black à sortir 12 boîtes du 10 Toronto Street, pendant que la caméra de sécurité tournait. Lors de la poursuite criminelle à Chicago, ce document vidéo fournira un élément de preuve sur l'accusation d'entrave à la justice.

En avalant notre premier verre de vin et en mangeant des bretzels indigestes, je lui demandai comment se portait sa famille. « Ma fille Alana vient de m'envoyer un courriel du Honduras où elle fait de la plongée en vacances, dit-il. Elle était surprise de voir des gardiens de sécurité portant des mitraillettes à la station de plongée. Cela n'a rien d'exceptionnel; ça arrive fréquemment en Amérique latine. »

— Bien, Conrad [...] Comment vous sentez-vous par rapport à la situation?

— Richard Breeden a fait campagne de la manière la plus sauvage possible pour que le gouvernement américain porte des accusations contre mes associés et moi-même. Mais si, au bout de 18 mois, le DTI [Département du Commerce et de l'Industrie] n'a même pas rédigé une seule lettre, cela signifiera qu'ils n'ont absolument rien contre moi. Je n'ai que du mépris pour Breeden, pour la campagne vicieuse menée dans la presse, pour la notion selon laquelle le lobby de la gouvernance d'entreprise peut arracher une entreprise au propriétaire en se basant sur la présomption de culpabilité et sans offrir de preuves de malversation.

— Mais il y a plus en jeu ici que le lobby de la gouvernance d'entreprise. La loi Sarbanes-Oxley ne définit-elle pas de manière beaucoup plus claire les obligations imposées aux chefs de la direction d'entreprises cotées en Bourse? (Je me souvins comment, une fois, il m'avait dit que Sarbanes-Oxley était « une loi démentielle » assortie de « toutes sortes de conditions absurdes qui consistaient à la fois à fermer la porte de la grange après que les chevaux se furent sauvés et à pénaliser les gens respectueux des lois ».)

— Il n'y a plus guère besoin de Sarbanes-Oxley, car elle ne fait que reformuler des lois déjà en vigueur, me dit Black cette fois-ci.

— Étant donné tout ce qui s'est passé, je me demande si vous ne trouviez pas grisante l'expérience de diriger un empire de presse. Tout cela vous est-il monté à la tête en quelque sorte? Tous ces journalistes et artisans des mots qui travaillaient pour vous, tous ces lecteurs qui entendaient votre voix à travers le journal?

— Oui, c'était grisant d'être un baron de la presse, d'être propriétaire du *Daily Telegraph* et d'autres journaux.

— Conrad, j'ai toujours pensé que votre motivation fondamentale était la curiosité. Vous vouliez être le témoin oculaire des événements historiques, utiliser votre position de baron de la presse pour être aux premières loges et apprendre à connaître des chefs politiques et garder au moins un accès à eux afin de recueillir leurs opinions en privé.

— J'ai eu accès à eux de façon modérée. Des gens importants à Londres ou à Washington étaient prêts à prendre mes appels. Mais ce n'est pas comme si j'avais eu beaucoup d'influence sur la politique. J'ai exercé une influence modérée, sans plus.

Ce commentaire m'étonna. Nous vidâmes notre premier verre. Je l'avais toujours entendu se vanter de ses visites chez les premiers ministres britanniques et les présidents américains. Autrefois, le fait de garder un accès direct et unique au pouvoir semblait faire partie de son image publique.

Il se pencha en avant. « George, comment vous sentez-vous par rapport à votre livre ? » C'était une drôle de question. Il cherchait à savoir si je pouvais lui être d'une quelconque utilité.

« Il a été dur à écrire. Après tout, vous êtes un personnage public bien en vue, vous avez intenté des procès contre beaucoup de gens et cette histoire est toujours en train de changer. Beaucoup de gens ne veulent entendre que des commentaires négatifs à votre sujet : les rumeurs malicieuses et les dénonciations anonymes, les erreurs que vous avez commises, sans porter attention à l'autre côté des choses. Mon éditeur a fait faillite. […] Afin de m'éloigner de toute cette manipulation, j'ai commencé à enseigner à l'université. À vrai dire, je suis écœuré de toute la manipulation entourant cette histoire. »

Ce commentaire le fit grimacer. Il avait dû comprendre que je faisais allusion à sa manipulation autant qu'à celle des autres.

— Conrad, je ne sais pas ce que j'aurais fait à votre place : pour survivre, vous avez dû être capable de vous concentrer sur les aspects positifs des choses.

— Ma situation n'est pas si mauvaise, répondit-il. Une fois que les diverses poursuites se termineront en queue de poisson, j'entends bien lancer des poursuites en diffamation. Ravelston est actuellement sous séquestre à cause du flux de l'encaisse en liquidités, mais l'entreprise n'est pas du tout en faillite. Je viens d'être nommé au conseil d'administration de Blackpool Energy, dont les actions ont bondi de 100 % à l'annonce de ma nomination[18].

— Votre expérience a dû vous montrer qui étaient vos vrais amis.

— Eh bien, tout au long de cette affaire, Ted Rogers, Paul Desmarais, Ken Thomson, les Weston, et d'autres ont été très corrects avec moi, alors que les Eaton, les Bassett, et d'autres ne l'ont pas été. Et je trouve cela affreux, compte tenu de tout ce que j'ai fait pour eux, y compris les paiements faramineux que je leur ai versés.

En l'écoutant parler de la sorte, je ne pus m'empêcher de penser qu'il se trompait au sujet de Ken Thomson, qui m'avait dit en privé que

Conrad Black avait été trop gourmand, que les choses finiraient très mal pour lui. Quant au clan Desmarais, il continuait à l'occasion à inviter Black à des soirées mondaines, mais en privé, après avoir vécu l'expérience de la copropriété du groupe Southam avec Black, il avait pris la décision de se dissocier de lui sur le plan des affaires. Black parlait comme s'il avait reçu l'appui de célébrités, qu'il pouvait présenter sur demande. Il avait misé sur des amis des beaux jours, des gens payés pour lui tenir compagnie, et des leaders de l'establishment qui lui montraient de la courtoisie en public, tout en aiguisant leurs couteaux en privé.

— Très bien pour ce qui est des gens riches, dis-je, mais vous devez avoir des amis qui ne sont pas fortunés, qui s'intéressent plus aux idées. (Je pensais à Brian Stewart et Larry Zolf.)

— Ces amitiés vont bien. Mes amis américains et britanniques me soutiennent toujours, même si les médias britanniques s'imaginaient que les accusations de « pillage » portées par Breeden mèneraient directement à des chefs d'inculpation au criminel. D'après certaines personnes, j'aurais détourné de l'argent, ce qui est complètement faux. À mes yeux, certains des commentaires médiatiques ont été raisonnables, alors que beaucoup d'autres, surtout au *Globe and Mail* et dans les journaux appartenant à Murdoch, ont été invariablement malicieux. Peter White se porte bien – d'ailleurs, il y aura un article dans le *Financial Post* demain qui expliquera que, dorénavant, les nouveaux administrateurs de Hollinger Inc. s'offrent des honoraires de 1 million de dollars par année, ce qui fait d'eux les administrateurs de société les mieux payés au monde !

Nous avons ensuite parlé de son livre sur Roosevelt. Il voulait connaître mes impressions sur John Kenneth Galbraith, Arthur Schlesinger, Peter Osnos et Bill Whitworth.

Il dit ensuite qu'il partirait bientôt en vacances avec Barbara, en Angleterre et en Provence.

Je lui demandai s'il était toujours catholique. Sa réponse me fit rire : « Bien sûr que je suis toujours catholique, même s'il y a des personnes qui deviennent catholiques temporairement ; comme Hemingway, si je ne m'abuse. »

Le temps était venu de nous séparer. Il me demanda si c'était lui ou moi qui payait. Je pris l'addition : 79 $.

Regardant nerveusement à droite et à gauche, John Hillier ouvrit la porte de la Cadillac pour Black. La limousine ressemblait davantage à un bateau qu'à une voiture. Une fois qu'ils furent partis, la serveuse vint me parler.

— Savez-vous qui c'était? demanda-t-elle.

— Et vous? lui demandai-je.

— Bien oui, c'est Conrad Black, l'homme qui fait la une de tous les journaux! Alors dites [...] *vous* le connaissez?

Je haussai les épaules.

Cinq semaines après ma rencontre avec Black, le procureur fédéral américain porta des accusations criminelles contre David Radler, Mark Kipnis et Ravelston Corp. En acceptant de devenir témoin à charge pour le département de la Justice, Radler s'était négocié une peine allégée. Le 17 novembre 2005, Fitzgerald porta des accusations criminelles contre Conrad Black, Jack Boultbee et Peter Atkinson. Le 16 décembre, Black plaida non coupable, mais il dut verser une caution de 20 millions de dollars.

The Canadian Press/Dave Chidley

CHAPITRE 11

Coupable !

Ken Thomson et Conrad Black sont les deux derniers magnats canadiens de la presse à avoir siégé à la Chambre des lords à Londres. Ken m'avait dit que les choses finiraient mal pour Conrad. Et il avait bien raison.

Vers la fin du procès criminel de Black en 2007, plusieurs événements avaient illustré la différence entre ces deux hommes et l'héritage respectif qu'ils ont laissé.

Thomson me semblait astucieux, humble et aimable – comme s'il était devenu milliardaire par accident. Black, par contre, ce génie autodestructeur aux fanfaronnades féroces et suffisantes, était un homme qui avait atteint gloire et fortune, mais avait continué à s'élever au-delà de sa trajectoire normale, jusqu'à ce que son système de guidage flanche et qu'il s'écrase au sol.

Au début de mai 2007, la vaste entreprise que Ken Thomson et son père avaient léguée à leur famille et aux autres actionnaires fit une offre de quelque 17,5 milliards de dollars pour l'achat de Reuters, une agence de presse internationale plus que centenaire, spécialisée dans l'actualité financière. Une fois que la nouvelle compagnie Thomson-Reuters aurait obtenu les diverses approbations réglementaires, elle deviendrait un chef de file mondial dans le domaine de l'information, rivalisant avec l'entreprise Bloomberg de New York.

Il y avait quelque chose de terre à terre qui frappait chez Ken, ce gentil géant de North Bay, en Ontario, qui avait transformé l'empire légué par son père – le *Times* de Londres, le *Scotsman* et du pétrole dans la mer du Nord – pour en faire la quinzième fortune du monde. La dernière fois que je lui rendis visite à son bureau de Toronto, nous avions parlé franchement de l'art canadien et de l'état de la presse internationale. Je prenais soin de ne jamais avoir l'air de lui demander quoi que ce soit. Ken éprouvait beaucoup de plaisir à converser, mais sa secrétaire de direction s'inquiétait de ce qu'il me consacre un peu trop de ses énergies limitées. C'était le temps de m'en aller. Je lui serrai la main et, à ma grande surprise, elle était étonnamment chaude pour une personne de son âge. Il ne me laissait pas partir, il croyait peut-être que c'était la dernière fois que nous nous voyions. Puis, me serrant de la main de façon presque paternelle, il me guida le long du corridor, me présentant aux différents dirigeants de sa compagnie. « George est un honnête homme », dit-il en me présentant à John A. Tory et Richard Harrington, respectivement président de Thomson Investments Ltd. et chef de la direction de Thomson Corporation, tous deux quelque peu étonnés. Leurs bureaux semblaient plus exigus que ceux de Hollinger International, même si le groupe Thomson était bien plus important et prospère que les compagnies de Black ne l'avaient jamais été.

Puis de l'autre côté, il y a l'héritage de Conrad Black. Quelques jours après l'annonce de la fusion Thomson-Reuters, alors que son procès criminel se déroulait à Chicago, Black accorda une entrevue à Olive Burkeman du *Guardian* de Londres[1]. L'entrevue devait porter sur la nouvelle biographie du président américain déchu Richard M. Nixon, que Black avait publiée en mars 2007 sous le titre *The Invincible Quest*. « Impénétrable comme un monolithe de l'île de Pâques et presque aussi immobile, écrivirent Burkeman et son collègue Andrew Clark, l'ancien magnat de la presse Conrad Black a un visage large ; il s'exprime en ajustant légèrement l'étroitesse de ses yeux qui sont déjà étroits au départ. Au tribunal de Chicago, où il fait face à une peine maximale de 101 ans pour fraude, il prend un air détaché, sceptique, comme si le procès était assez amusant et concernait quelqu'un d'autre. Occasionnellement, il lance un regard furieux lorsqu'un ancien ami témoigne à la barre contre lui. Puis il y a sa troisième expression – un air de plaisir félin, les yeux mi-clos – que l'on voit rarement ces jours-ci, mais qu'on pourrait probablement revoir si jamais il était lavé de toutes les accusations. »

Au début de l'entrevue, Conrad Black soutint que le peuple américain avait méconnu la grandeur de Nixon. Il raconta comme à son habitude l'histoire d'un géant déchu. Mais tout d'un coup, il éclata. La poursuite du gouvernement contre lui était «une connerie... une farce... un scandale... une fraude totale». Il évoqua le Ve Amendement qui stipule que «nulle propriété privée ne peut être expropriée sans une juste indemnité. C'est scandaleux. Le cours normal de la loi est garanti. Mais il n'est pas appliqué». C'est là qu'il perdit son calme complètement. «À tous, j'envoie un message clair. Je dis simplement: *c'est la guerre.*» Quant à l'idée selon laquelle lui et Barbara avaient mené un train de vie extravagant, «c'est de la pure foutaise». De toute façon, si la poursuite a des sautes d'humeur, c'est bien «parce qu'elle va s'écraser sur toute la ligne». Il n'alla pas jusqu'à dire que «la partie est gagnée d'avance et que je vogue inexorablement vers la victoire. [...] Ce procès a ses moments effrayants. Mais je vois la tendance. Ma stratégie fonctionne».

Or, en réalité, la stratégie de Black ne fonctionnait pas. Quelques jours plus tard, il m'écrivit un mot, me disant: «Le livre sur Nixon paraîtra le 22 mai au Canada et en Grande-Bretagne et à la fête du Travail aux États-Unis. Aucun lancement n'est prévu pour l'instant, mais ce livre fera assurément parler de lui. [...] Tout va merveilleusement bien à Chicago et la perception générale des médias, selon qui le ministère public a de la difficulté à faire valoir sa cause, se propage d'une façon qui me réchauffe le cœur.»

Encore une fois, le Black brillant et radieux était éclipsé par un double plus sombre, qui venait obscurcir tout ce que l'autre côté de lui-même venait de réaliser avec la biographie de Nixon.

Autour d'un verre de vin à Montréal, le président d'une banque me disait en 1994 que «la réussite en affaires impliquait de faire ce qu'on veut avec l'argent des autres». Les temps ont changé depuis cette déclaration, toutefois. Lors du procès de Black, la poursuite voulait établir que l'argent de l'entreprise n'est pas «l'argent des autres»; c'est l'argent des actionnaires qui le confient à l'entreprise dans laquelle ils investissent, à tel point que dorénavant la réussite en affaires passe par le respect de l'argent des autres.

Quelques jours plus tard, le jury entendit le témoignage de Paul Healy, ancien responsable chez Hollinger International des relations auprès des investisseurs. Il accepta d'être témoin à charge en retour d'une promesse d'immunité. Selon Healy, l'assemblée des actionnaires de mai 2002 avait été « la plus houleuse » qu'il ait jamais vue. Peu avant la tenue de cette assemblée, Black avait envoyé un courriel à Healy, dans lequel il traitait les préoccupations des actionnaires « d'épidémie d'idiotie. [...] Bien que j'aie le goût de leur botter le cul, je ne veux pas qu'il y ait une atmosphère désagréable lors de cette assemblée ». Même si Black était contesté directement par les actionnaires pour avoir partagé avec ses associés des paiements de non-concurrence d'une valeur de plusieurs millions de dollars, Healy avait été étonné de constater que Black n'en avait rien dit à son conseil d'administration, quelques heures plus tard le même jour. Lorsque Healy voulut informer le président du comité de vérification James Thompson de l'existence de ces plaintes, Black l'avait rabroué. « Il m'a dit que je dépassais les bornes », expliqua Healy au jury. « C'est mon entreprise, a-t-il dit, j'en suis l'actionnaire de contrôle et c'est à moi de décider ce que l'administrateur doit savoir et quand. »

Peu de temps après l'assemblée des actionnaires de mai 2002, Black et Healy rencontrèrent des investisseurs potentiels qui leur avaient posé des questions précises au sujet des frais de gestion et des avantages tels que l'utilisation des jets de la compagnie. « Black leur a dit : "Je peux avoir un 747 si je le veux" », dit Healy au tribunal. Les investisseurs repartirent, interloqués[2].

Quelques jours plus tard, l'ancienne secrétaire de direction de Black, Joan Maida, que j'avais rencontrée au 10 Toronto Street, fut contre-interrogée. Le procureur adjoint Jeffrey Cramer se moqua ouvertement de sa tentative d'expliquer ce qui s'était passé, lorsqu'elle avait aidé Black à sortir une douzaine de boîtes de documents du bureau, le 20 mai 2005. Un juge de l'Ontario avait frappé Black d'une injonction lui interdisant de retirer tout document. De plus, la veille, le 19 mai 2005, la SEC avait envoyé une demande d'information à Black, ce qui équivalait à une ordonnance judiciaire. Maida, Black et le chauffeur John Hillier avaient été pris en flagrant délit sur une bande-vidéo de sécurité.

— D'après vos souvenirs, quelqu'un vous a-t-il parlé d'une injonction au Canada ? demanda Cramer.

— Non, répondit Maida.

— Vous ne savez pas s'il [Black] était au courant des mesures de rétention des documents ? demanda Cramer.

— Non, je l'ignore, répondit-elle.

Elle répéta qu'elle ne se souvenait pas de ce que Black avait dit, lorsque la caméra de sécurité les avait filmés au moment de placer les boîtes dans la Cadillac qui attendait à l'extérieur.

Cramer montra à Maida une photo de Black qui désignait du doigt la caméra de sécurité dans le couloir. « Peut-être que c'est moi qu'il montre du doigt », dit-elle.

— Avez-vous le souvenir de l'avoir vu pointer du doigt ? s'enquit Cramer.

— Non.

Cramer projeta sur un écran géant la photo du gros doigt tendu de Black, afin que le jury saisisse bien l'image, mais les réponses de Maida demeurèrent évasives, contradictoires et tout simplement incroyables. Elle admit avoir distribué des T-shirts portant les mots : « *Conrad will win.* »

— En fait, vous espérez que Conrad soit acquitté. Vous espérez qu'il gagne, n'est-ce pas ? dit Cramer.

— Oui[3].

Un matin de bonne heure, je me rendis à la salle d'audience 1241 pour m'assurer d'avoir un siège. Aucun avocat n'était encore présent. Je m'assis comme d'habitude au fond de la salle, à gauche, contre le mur. La juge Amy St. Eve était déjà sur le banc, mettant de l'ordre dans ses papiers et conversant tranquillement avec Joe Rickhoff, le greffier assis devant elle.

Quelques spectateurs renfrognés s'étaient glissés dans la salle pour assister à la séance du tribunal. Un grand costaud aux cheveux crépus, vêtu d'une combinaison orange, s'amena, chaînes aux pieds, pour comparaître devant la juge St. Eve, pendant que des gardes armés observaient la scène. On lui fit la lecture de l'acte d'accusation pour trafic de drogue et il acquiesça de la tête quand on lui demanda s'il comprenait qu'il pouvait écoper d'une peine de réclusion à perpétuité et d'une amende de 4 millions de dollars. Je me demandai si c'était là le genre d'homme qui partagerait la cellule de Black en prison fédérale, si jamais ce dernier était condamné.

En assistant au procès, j'en avais conclu que les avocats ressemblaient à des chirurgiens oncologues, qui sont payés quoi qu'il arrive et ont besoin de garder un certain détachement. De la même façon, le résultat d'un procès criminel ne peut être prévu, surtout lors d'un procès devant jury où le verdict est rendu par 12 citoyens choisis pratiquement au hasard.

Le procès commençait à faire des ravages chez les journalistes. Certains d'entre eux, toujours fidèles à Conrad Black, continuaient à prédire son acquittement. Si jamais le verdict s'avérait négatif, ils avaient en réserve une explication néoconservatrice, selon laquelle le gouvernement avait démontré qu'il était fondamentalement corrompu durant le procès. D'autres journalistes se demandaient si Black allait chercher à s'enfuir au Belize ou même à avaler une capsule de cyanure, au lieu d'être condamné et emprisonné. Nous nous perdions tous en conjectures par rapport au verdict.

J'avais quant à moi du mal à imaginer comment, dans l'hypothèse d'une condamnation, Black pourrait survivre à l'emprisonnement ou encore, dans l'éventualité d'un acquittement, comment il pourrait survivre à des poursuites civiles de plus de 1 milliard de dollars. Ni la poursuite, ni la défense ne semblaient particulièrement convaincantes. D'un jour à l'autre, je ne savais plus qui croire. À la pause, Black déambulait dans le corridor, saluant de la tête comme lors d'un service religieux et plaisantant à l'occasion, pendant que ses fidèles, admiratifs, le suivaient. Il ne devait pas donner d'entrevues. Il dut trouver insupportable ce silence imposé par le tribunal. Le 12 juin, il renonça à la dernière chance qui lui était offerte de témoigner pour sa propre défense.

Avec lassitude, je continuais à défendre la présomption d'innocence. « L'objectivité » m'apparaissait désormais comme un idéal philosophique plutôt qu'une chose vers laquelle un journaliste peut tendre. Finalement, je me dis que je devais être équitable : je pouvais porter des jugements impartiaux, équilibrés et, avec un peu de chance, honnêtes, mais que cela dépendrait toujours de ma capacité de comprendre la cause. Cette cause – toute la preuve, les allégations, les objections – n'avait rien à voir avec les idéaux philosophiques, mais se rapportait essentiellement aux relations de pouvoir.

Un matin, le jury était absent et aucun autre journaliste n'était présent dans la salle d'audience. La séance était consacrée aux directives que la juge devait donner au jury.

Au bout de quelques minutes, cette conférence, à laquelle assistaient la juge, la poursuite et les avocats de la défense, me parut très importante. La juge St. Eve discutait d'un point crucial avec les deux parties. Devait-elle donner au jury la « directive de l'autruche », demandant au jury de tenir compte d'un possible refus délibéré de la part des accusés de comprendre la vraie nature des transactions dont ils avaient bénéficié ? L'image de l'autruche signifie qu'un accusé s'est peut-être délibérément caché la tête dans le sable, sans poser de question ni demander d'explication au sujet d'une fraude en cours dont il a tiré profit directement. En d'autres termes, le jury serait invité à interpréter la preuve dans une perspective beaucoup plus large.

Selon la défense, Black ne savait pas que les paiements qu'il avait reçus pouvaient être irréguliers. Mais la directive de l'autruche inviterait clairement le jury à envisager la possibilité que Black ait touché des millions de dollars de paiements mensuels tout en se tenant délibérément à l'écart des mécanismes et de la légalité de ces paiements.

Lors de cette conférence, les avocats de la défense étaient manifestement très nerveux. Un avocat de la défense marmonna au juge qu'il pouvait y avoir des condamnations. On voulait s'assurer qu'en invoquant la « directive de l'autruche » la juge n'orientait pas les travaux du jury vers un verdict de culpabilité.

« Je voudrais poser deux questions au gouvernement, demanda la juge St. Eve. Vous avez déposé un mémoire en faveur de la directive de l'autruche. Vous y donnez quelques exemples de preuves qui semblent indiquer qu'un accusé aurait tenu d'autres accusés dans l'ignorance, c'est-à-dire qu'au lieu de se protéger, un accusé en aurait protégé d'autres. [...] Vous alléguez que dans le cas des paiements de non-concurrence effectués lors des ententes avec CanWest et avec les journaux Community [CNHI], la réponse de Black avait été de tracer une ligne et de refuser de poser des questions au sujet de ces paiements. S'agissait-il de dissimulation ? »

« Même en accordant à Black le bénéfice du doute, répondit Sussman, il disait : "Je ne veux plus rien savoir de la nature de ces paiements." En ce qui concerne Black et les paiements, nous [le gouvernement] plaidons en faveur de la directive de l'autruche. Dans le cadre des paiements reçus lors des ententes avec Paxton et Forum [deux paiements versés dans le cadre d'ententes de non-concurrence faisant l'objet d'accusations à Chicago], il avait reçu ces deux paiements par chèque, alors qu'il savait certainement qu'il n'y a jamais eu d'entente de non-concurrence. [...] Il s'est caché la tête dans le sable. »

La juge St. Eve dit qu'elle prenait l'affaire en délibéré et qu'elle rendrait sa décision le lendemain. Dans une directive écrite émise le jeudi, elle indiqua que le ministère public avait fourni suffisamment de preuves pour justifier « la conclusion d'un refus délibéré ». Avant de prendre cette décision, elle avait sans doute examiné attentivement les poursuites contre Kenneth Lay et Jeffrey Skilling, anciens dirigeants d'Enron Corp., et contre Bernard Ebbers, ancien dirigeant de WorldCom, qui avaient tous trois été condamnés sur une base similaire.

La procureure adjointe Julie Ruder, une grande brune souriante à l'esprit acéré, fut chargée du réquisitoire au nom du gouvernement. Elle décrivit Black et les autres coaccusés comme étant des maîtres fraudeurs qui avaient systématiquement volé l'argent des actionnaires de Hollinger International.

« C'était du vol pur et simple », dit-elle au jury. Les accusés ont « empoché une partie des profits de leur entreprise » en créant « de fausses traces écrites afin de créer un semblant de légitimité. [...] Ont-ils cherché à cacher leurs traces ? Mais c'est *exactement* ce qu'ils ont fait, dit-elle. Il est de votre responsabilité de démasquer le mensonge caché derrière cette opération de camouflage ».

Julie Ruder mania la preuve plus clairement que ne l'aurait fait le procureur principal Sussman. « Nous ne sommes pas ici parce que quelqu'un a commis une erreur, dit-elle. Nous sommes ici parce que cinq hommes ont systématiquement volé 60 millions de dollars aux actionnaires de Hollinger International. [...] Dans l'un des cas, Conrad Black se payait lui-même pour ne pas se concurrencer lui-même. C'est ridicule ! »

En encaissant divers paiements de non-concurrence, poursuivit-elle, les coaccusés ont trompé les actionnaires. Au Canada, les paiements de non-concurrence sont exempts d'impôt et Black avait besoin des fonds pour maintenir son train de vie luxueux.

« Mesdames et messieurs, comme dans la légende, l'oie était Hollinger International et l'œuf d'or était l'argent qu'il [Black] volait aux actionnaires. Et ce n'était pas *son* argent », conclut Julie Ruder.

Lorsque l'avocat de la défense Ed Genson entama sa plaidoirie, je me rappelai à quel point il s'était identifié à Arthur Bannister dans *La dame de Shanghai*. Toute sa vie, il avait été aux prises avec son infirmité physique. Elle faisait partie de sa personnalité. Et le fait de se déplacer péniblement, à l'aide d'orthèses, faisait également partie de sa façon de plaider. Pendant que Genson déclamait contre les accusations, le jury écoutait impassiblement, attentivement et en silence, prenant rarement des notes. « Le racket est une question relativement simple à régler. Il constitue de loin l'accusation la plus grave portée dans ce procès. La poursuite prétend qu'il y a eu conspiration selon la définition du racket. Elle prétend que ces quatre hommes [Black, Boultbee, Atkinson et Kipnis] ont participé à cette conspiration, à cette combine. [...] Il n'y a jamais eu de conspiration ni de combine. Les gens ne se parlent pas entre eux et personne ne dit quoi faire aux autres. [...] La dernière accusation d'importance, celle qui me met le plus en colère, est bien l'accusation [contre Black] d'entrave à la justice. »

Genson marqua une pause et inspira longuement. « Black a pris des documents [qui se trouvaient dans son ancien bureau de Toronto] et il les a rendus par la suite. Ce que vous allez dire c'est que ces documents comprenaient des effets personnels – des photographies de ses résidences à Londres, les relevés de son compte de chèques personnel, la succession de son frère. Il a pris des documents personnels. Le ministère public doit prouver deux choses : d'abord que Conrad a dissimulé ou tenté de dissimuler des preuves et ensuite qu'il les a trafiquées. Personne au cours de ce procès ne l'a accusé d'avoir trafiqué quoi que ce soit. En fait, il n'a jamais reçu la première demande lui enjoignant de produire des documents [de la part de la SEC], il n'était au courant de rien. »

Genson se moqua de la poursuite, tout en s'adressant directement au jury. Il changea sa voix, prenant un ton intimiste, comme s'il parlait à un ami qu'il avait perdu de vue depuis longtemps, lorsqu'il s'adressa aux 12 jurés qui allaient bientôt avoir le pouvoir de décider du destin de Black.

« Avez-vous déjà perdu quelque chose et vous n'arrivez pas à le retrouver même si ça ne vaut pas grand-chose ? Puis vous vous fâchez et décidez de fouiller partout ? Voilà bien ce que le procureur fait. J'imagine que je dois être la seule personne compulsive ici. [...] »

L'air épuisé, il s'épongea le front. « La nuit dernière, à 4 h 30, j'ai fait une dépression nerveuse au moment de produire un résumé de 20 pages. Vous n'allez pas vous souvenir de ce que je vais dire. Je vais plutôt vous donner des références à des documents spécifiques, tout en vous demandant d'aller les consulter. [...] Je ne vais pas faire le malin. Et vous savez bien qu'une fois que vous entrerez dans la salle [du jury] et que vous réaliserez que vous êtes responsables, vous oublierez la moitié de tout ce que les avocats vous ont dit, et vous irez vous-mêmes consulter les documents. [...] L'accusation réfutera les arguments de la défense et je m'attends à ce que cette réfutation soit très énergique. Conrad Black est un brave homme. Conrad Black a beaucoup fait pour Hollinger. Vous avez été très patients. J'ai presque fini. Conrad n'est pas Américain. Mais il a une sorte d'idéal du travail acharné. Il n'a ni volé ni voulu voler. Il a été un homme d'affaires qui a travaillé fort et qui a réussi. Je souhaite que vous écoutiez attentivement la preuve. Tout cela a été très dur pour Conrad et sa famille. Lors de ce procès, le ministère public a réagi de façon excessive, il a manipulé les faits. »

La semaine suivante, pendant que les autres avocats de la défense prononçaient leur plaidoirie, j'eus une dernière rencontre avec Conrad Black. Portant un costume beige, une chemise Oxford bleu pâle et une cravate dorée, il s'était présenté au bar de l'hôtel Ritz-Carlton de Chicago. Il avait le regard amer et épuisé d'un guerrier. Il commanda un verre de Chardonnay.

« Aujourd'hui, c'est le 50e anniversaire du cinquième triomphe électoral de Maurice Duplessis, le 20 juin 1957. [...] Alors sommes-nous d'accord que nos propos resteront privés jusqu'à ce que le verdict soit prononcé ? »

Je me sentis intimidé. La juge St. Eve lui avait demandé à plusieurs reprises de ne pas parler à la presse pendant le procès. Mais à la mi-mai, l'éclat de rage de Black pendant une entrevue donnée au *Guardian* avait semblé indiquer qu'il n'éprouvait aucun remords et qu'il s'imaginait être en mesure de mener une guerre tout seul contre le gouvernement de la seule superpuissance au monde.

— Disons-nous que nos propos resteront privés ? demandai-je. Bien sûr ; jusqu'à ce que le verdict soit prononcé.

— J'ai trouvé que la séance d'aujourd'hui était intéressante, car la poursuite a obligé les équipes de la défense à s'unir, même si elles n'ont pas réellement d'intérêts communs. Gus Newman et Patrick Tuite [les avocats de la défense de Boultbee et d'Atkinson, respectivement] ont adopté des positions qui ont effectivement renforcé la nôtre. L'accusation est tellement faible qu'elle sera anéantie au cours des deux prochains jours. Et une fois que je serai acquitté, nous passerons à un autre niveau. Vous qui avez sondé l'opinion des gens autour, qu'en disent-ils ?

— Je ne suis pas allé chercher l'avis d'« experts », dis-je. Ce sont des autorités de salon qui ne savent pas vraiment de quoi ils parlent. Par ailleurs, les médias tendent à interviewer d'anciens procureurs qui ont une mentalité bien particulière.

— Et les gens que vous connaissez, qu'en disent-ils ? demanda-t-il en se penchant vers moi.

— Plusieurs journalistes qui sont dans la salle d'audience se sont fait une idée depuis longtemps. Plusieurs autres ne savent pas quoi penser et d'autres vous appuient. Le seul qui prédit que le gouvernement sera balayé sur toute la ligne est Steve Skurka.

— Mais c'est un avocat, dit Conrad.

— C'est exact. [...] Les gens que je connais n'ont pas réellement suivi le procès de près. Ils disent que la poursuite a tenté de lancer contre vous de nombreuses accusations, en espérant que certaines d'entre elles aboutissent. J'estime qu'au premier abord, plusieurs des accusations sont de nature spéculative, tandis que quatre ou cinq autres accusations sont bien plus dommageables. Mais ces autres accusations semblent concerner des fautes, des erreurs de jugement, plutôt que des actes frauduleux motivés par une intention criminelle. J'ignore si ces actes justifient votre incarcération, car c'est bien cela que la poursuite cherche à obtenir. Il est difficile de prévoir comment le jury réagira.

— Il faudra un verdict unanime, dit Black. Je peux vous le garantir. Le jury semble attentif, il a l'air de bien faire son travail.

— Les jurés écoutent attentivement, impassibles. Il est difficile d'imaginer ce qu'ils pensent. Il y a tellement d'argent en cause dans ce procès. J'estime que les coûts directs de ce procès, y compris les enquêtes menées par les entreprises, les assurances, les honoraires d'avocats, atteignent quelque 500 millions de dollars.

— C'est bien plus que cela! Plutôt 1,5 milliard, si l'on compte la perte de valeur des actions.

— Mais il y a moyen de récupérer ces sommes un jour.

— Non. [...] Mais les coûts directs doivent atteindre le montant que vous évoquez, George : autour d'un demi-milliard de dollars. Évidemment, une fois que je serai acquitté, nous passerons au stade supérieur et je reprendrai ma place. En fait, mon acquittement aura pour effet de changer complètement la gouvernance d'entreprise. J'ai de la chance de me retrouver en aussi bonne forme. Lorsque mon frère Monte avait l'âge que j'ai aujourd'hui, il souffrait d'une maladie fatale, alors qu'à cet âge [62] ma mère avait déjà succombé à une maladie fatale.

— Je voulais simplement vous dire que je regrette tout ce qui s'est passé, dis-je. Cela a dû être une expérience très éprouvante. J'admire la façon dont vos enfants vous ont appuyé.

Dès que j'eus prononcé ces mots, son expression se transforma. Je pouvais presque l'entendre rugir comme un tigre derrière les barreaux de sa cage. Il devait penser que je prédisais sa condamnation. J'avais l'impression qu'il s'attendait de ma part à des mots d'encouragement tels que « bonne chance », mais je le regardai en silence. À ma grande surprise, c'est lui qui régla l'addition.

La biographie de Richard M. Nixon fut publiée à la fin de mai. Tout en justifiant plusieurs des agissements de « Tricky Dick » et en lui reconnaissant certaines fautes, Black cherche à racheter un politicien mal aimé et tout à fait désagréable qui s'est saboté lui-même. En lisant le livre, je ne pus m'empêcher d'établir un parallèle entre Nixon et Black, les deux hommes – du moins selon Black – ayant été persécutés par des « campagnes de diffamation » et ayant joui d'une solide réputation internationale jusqu'à ce qu'ils soient attaqués par une meute de libéraux. Peu avant la parution de ce livre, Black m'avait expliqué ce qu'il entendait par le mot « machiavélique », qu'il avait utilisé à plusieurs reprises au sujet de Franklin Roosevelt. « Je voulais dire que c'était un homme exceptionnellement secret, retors, impénétrable et intrigant, travaillant toujours à l'exécution d'un plan que personne d'autre ne pouvait deviner. Les objectifs qu'il visait étaient admirables et les moyens qu'il a déployés pour y parvenir n'étaient pas gênés par des facteurs éthiques, mais

Roosevelt était bien l'homme que j'ai décrit. » Voilà en quelques phrases ce à quoi Black lui-même semblait aspirer depuis les années 1960.

Il avait tour à tour écrit plusieurs biographies. D'abord celle de Duplessis, ensuite celle de Roosevelt, maintenant celle de Nixon, en plus de sa propre autobiographie. Il avait étudié l'essence de la grandeur. Ressentait-il de l'empathie pour les personnes qu'il avait évoquées dans ses écrits, ou pour ses employés ? « J'ai ressenti pour les personnes sur lesquelles j'ai écrit (à part moi-même) ce que George C. Scott avait dit au sujet du général George S. Patton : "C'était un splendide anachronisme et j'ai plutôt apprécié ce vieux monsieur." Voilà ce que j'ai ressenti au sujet de Duplessis et, jusqu'à un certain point, de Nixon. Roosevelt était un personnage tellement dominateur et brillant, c'était difficile de ne pas l'admirer même quand il n'était pas spécialement sympathique. Quant aux employés, un employeur a des responsabilités envers eux comme groupe, alors que l'empathie se détermine au cas par cas. »

Black a étudié la grandeur historique ; il l'a poursuivie, analysée et enregistrée. Il a rassemblé une collection de souvenirs associés à la grandeur, que ce soit des drapeaux présidentiels, des trônes d'évêques ou encore des bouteilles de rasage de Napoléon et des lettres de ses héros dans des cadres dorés. À sa façon inimitable, il a fusionné sa personnalité à celles de ces héros, se justifiant par des références à Nietzsche qui croyait aux surhommes spécialement créés pour s'élever au-dessus des règles morales et dominer leur époque, à Spengler qui croyait que les grandes personnalités historiques pouvaient renverser le cours de la civilisation et sauver l'Occident du déclin et à Darwin qui semblait approuver les dominateurs, comme si ces derniers, en écrasant les autres, se montraient les seuls aptes à survivre.

Conrad Black a voulu que d'autres admirent sa propre grandeur historique, mais la cape est tombée et, à Chicago, la disgrâce approchait dangereusement.

Il serait difficile de représenter Black comme un cerf solitaire aux prises avec une meute de loups, comme un idéaliste abaissé par des envieux ou encore comme un héros shakespearien. Le seul personnage dramatique auquel je pourrais penser à le comparer est le roi bossu et comploteur Richard III, la personnification même du méchant machiavélique de la Renaissance, qui trahit tout le monde et est trahi à son

tour. À la fin de la tragédie, pendant que les ennemis resserrent lentement l'étau autour de lui, le roi sanglote désespérément : « Un cheval !
Un cheval ! Mon royaume pour un cheval ! » À Chicago, vers la fin de
son procès, Black n'avait plus d'options. Il ne pouvait plus aller nulle
part.

Pour Black, ce grand maître de la stratégie, une première grande
erreur stratégique fut de coter à la Bourse de New York les actions de
Hollinger International. En comparaison des commissions des valeurs
mobilières au Canada, les agences de réglementation boursière américaines appliquent la loi, depuis toujours, de façon sévère et énergique.
Une deuxième erreur stratégique colossale fut de renoncer à sa citoyenneté canadienne.

On pourra s'interroger pendant longtemps sur la marque laissée
par Black sur le journalisme, tout comme sur son parcours de magnat
des affaires.

Le lancement audacieux du *National Post* et les prises de contrôle
d'Argus Corp., du *Daily Telegraph* et du groupe Southam furent tous
remarquables et compenseront pour ses pratiques d'affaires et sa des-
cente aux enfers. En misant sur la qualité des reportages, c'est bien sous
la gouverne de Black que le *Daily Telegraph* remporta la victoire lors de
la guerre des prix contre le *Times* de Rupert Murdoch. Étant donné les
ressources financières immenses de News Corp., l'empire médiatique
de Murdoch, la victoire de Black mérite d'être soulignée. Il a accru
énormément la valeur du *Telegraph*, dont il a fait l'acquisition en 1985
pour 60 millions de dollars et qui fut vendu en juillet 2004 pour 1,2 milliard. Il fit de même avec le *Chicago Sun-Times*, dont il avait fait l'acquisition en 1993 au prix de 180 millions de dollars, et qui fut évalué à plus
de 1 milliard par le vice-chancelier Strine en juillet 2004.

Mais il a laissé beaucoup de décombres sur son passage. En outre,
contrairement à Ken Thomson, Paul Desmarais père et à d'autres magnats de la presse, Black n'a réussi ni à préparer la relève, ni à assurer
une transition ordonnée du contrôle de son empire. Mais ses enfants
sont bien plus jeunes. Au bout du compte, tout comme il a raté sa tentative de relancer le nationalisme conservateur au Québec dans les années 1970 ou de lancer une nouvelle idéologie de droite au Canada, sa
défense du néoconservatisme américain lui a fait perdre des appuis en

Grande-Bretagne et ses problèmes chez Hollinger l'ont conduit en cour criminelle aux États-Unis.

Dans les derniers jours du procès, les avocats de Boultbee, Atkinson et Kipnis entraînèrent les jurés dans un véritable tourbillon de faits et d'arguments, cherchant à semer dans leur esprit le plus de doutes possible au sujet des accusations portées contre leurs clients. Le gouvernement a cherché à embrouiller les jurés, dirent-ils ; il a voulu que le jury en arrive à un verdict sur la base d'informations incomplètes ; il a manipulé les faits ; les témoins à charge ont simplement menti à propos de ce qu'ils savaient ; les trois membres du comité de vérification, qui ont témoigné pour la poursuite (le gouverneur Thompson, l'ambassadeur Burt et Marie-Josée Kravis), ont sciemment approuvé un paiement après l'autre ; le gouvernement les a menacés de poursuites, de pénalités et d'une possible radiation leur interdisant de siéger à l'avenir au sein de conseils d'administration ; le gouvernement a fait pression sur les témoins de la poursuite afin qu'ils se parjurent ; tout le dossier d'accusation repose sur un seul principal témoin à charge, David Radler, qui, en racontant une nouvelle version des faits chaque fois qu'il prenait la parole, a menti de façon répétée ; en échange de son témoignage à charge, Radler a obtenu des avantages du gouvernement, dont une peine réduite et la chance de purger cette peine sur un ranch au Canada ; la cause du gouvernement est basée sur des mensonges et des tromperies ; le principe du fardeau de la preuve existe pour protéger les citoyens contre le pouvoir redoutable du gouvernement ; il s'agit d'une cause criminelle et non d'un jeu ; le simple fait que le gouvernement déclare qu'une chose est fausse ne l'a pas rendue fausse par magie ; le jury a pu observer le pouvoir du gouvernement, mais ce pouvoir s'arrêtera à la porte de la salle du jury. Le jury recevra 15 boîtes de documents et devra prendre sa propre décision...

Avec toute cette pression émotive dans la salle 1241, l'un des jurés fut pris d'un malaise soudain. La juge suspendit la séance pendant cinq minutes. Nous nous levâmes tous lorsque la juge et les membres du jury sortirent de la salle. Tout d'un coup, la tension baissa, pendant que nous nous demandions ce que nous faisions debout. Chacun se mit à parler avec animation à son voisin : les avocats de la poursuite et de la défense, les accusés millionnaires et leurs familles, les journalistes, les spectateurs et les huissiers. Je me demandai où étaient le champagne et les huîtres.

Le temps était venu pour Eric Sussman de présenter pour le gouvernement la réfutation des arguments de la défense. À ce stade du procès, le système judiciaire américain permet à la poursuite de présenter de nouvelles preuves, si elle le juge à propos, sans que la défense puisse y répliquer. Sussman demanda à la juge de lui accorder une heure et demie ou deux heures, mais il finit par prendre une journée entière.

« Depuis presque 4 mois, dit-il en arpentant la salle devant le jury, nous avons entendu plus de 40 témoins et examiné des milliers de documents. Pour chacun des accusés, il y a eu un moment de vérité. Pour M. Black, ce moment de vérité, c'est quand il s'est payé pour ne pas se concurrencer lui-même. » Sussman décrivit ensuite le moment de vérité de chacun des autres accusés. « Pour eux tous, pour chacun des accusés, ce moment est venu lorsqu'ils ont menti au comité de vérification et aux actionnaires. Pourquoi ces hommes ont-ils reçu des paiements de non-concurrence, alors que les acheteurs [de journaux appartenant à Hollinger International] n'en avaient pas fait la demande ? Pourquoi ces hommes ont-ils eu le droit de prendre cet argent et pourquoi ont-ils menti à ce sujet ? Et lorsque les avocats de la défense prétendent que les ententes de non-concurrence sont valables, alors que ce point précis ne figure même pas à l'accusation, ils ne tiennent pas compte de parties entières des témoignages à charge qui ne les arrangent pas, tout en accusant avec désinvolture les témoins de la poursuite de se parjurer. Selon le vieil adage du milieu judiciaire, quand vous avez les faits de votre côté, tenez-vous-en aux faits. Quand vous avez la loi de votre côté, tenez-vous-en à la loi. Et quand vous n'avez ni l'un ni l'autre, alors dites que tous les autres sont en train de se parjurer. »

Sussman allait de l'avant. Avec des exclamations telles que « Regardez ! Mais voyons donc ! OK ! Vous savez bien ! On s'en fout ! », il semblait chercher à toucher une corde sensible chez les jurés de la classe ouvrière. Le procureur en chef Patrick Fitzgerald était assis dans la première rangée, le regard noir, sans un sourire, les yeux cristallins et les épaules voûtées tel un boxeur ou un requin carnivore. « Il nous faut une condamnation, nom de Dieu ! » semblait hurler son langage corporel à l'intention de Sussman.

« Essentiellement, les avocats de Conrad Black ont présenté deux arguments, poursuivit Sussman. D'abord, que le principal témoin à charge, David Radler, est un menteur. Deuxièmement, que Conrad Black est persécuté et qu'il est victime de préjugés de classe. La défense souhaite que cette cause ne vise que David Radler. [...] Mais qui cherche à baser cette cause sur David Radler ? Il a témoigné pendant deux jours, alors que son contre-interrogatoire a duré environ une semaine. C'est bien la défense qui dépend de David Radler. David Radler a fourni des commentaires détaillés au sujet des événements, il a présenté un point de vue de l'intérieur de ce qui s'est passé. Bien sûr que notre cause reposait en partie sur David Radler. Mais vous n'avez pas besoin de croire un seul mot du témoignage de David Radler pour condamner chacun des accusés. »

Les spectateurs en eurent le souffle coupé. Le dernier argument présenté par Sussman semblait fort étrange, puisque la cause de la poursuite reposait principalement sur le témoignage de Radler.

« David Radler est un criminel, poursuivit Sussman. David Radler est un fraudeur. Il a menti au comité spécial ainsi qu'à la SEC. Il nous a menti également. [...] Qui a choisi David Radler comme notre principal témoin à charge ? Conrad Black l'a choisi lorsqu'il a décidé de faire affaire avec lui il y a 30 ans. Croyez-vous que David Radler est devenu criminel du jour au lendemain ? Qui se ressemble s'assemble. Vous savez quoi ? Conrad Black et David Radler se sont assemblés pendant plus de 30 ans. [...] Sans doute, David Radler vous mentirait si c'était dans son intérêt de le faire. Si tout ce que David Radler avait à faire était de vous mentir, de s'en tenir au scénario, comme la défense tente de vous le faire croire, ne croyez-vous pas qu'il aurait pu faire mieux que cela ?

« On nous a dit que David Radler était responsable de l'ouest du Canada tandis que Conrad Black était responsable de l'est du Canada. Eh bien, mesdames et messieurs, pendant que nous tous assistions à ce procès, un événement extrêmement important est survenu. David Radler a mis le grappin sur tout le Canada, alors que Conrad Black se trouvait sur un îlot perdu ! En fait, Conrad Black a participé à *chaque* transaction, c'est lui qui a apposé sa signature à la dernière page, c'est lui qui les a toutes présentées à son conseil d'administration. Il était au courant, il en connaissait tous les détails. Il savait très bien ce qui se passait dans sa propre entreprise. [...] Ce n'est pas parce que le responsable de la sécurité s'endort qu'on doit pardonner à ces hommes d'avoir commis des crimes. Si vous n'aimez pas ce que le comité de vérification a fait, cela ne veut pas dire pour autant que [les accusés] avaient le droit d'agir comme ils l'ont fait. Nous ne sommes pas ici parce que le comité de vérification a parcouru des documents de façon sommaire. Nous sommes ici parce que cinq hommes ont dépouillé l'entreprise. [...] Conrad Black savait pertinemment que les paiements de non-concurrence étaient un moyen de soutirer de l'argent à Hollinger International. »

Puis il fut question des avantages. « Ce n'est pas notre problème de savoir comment Conrad Black dépense son argent, poursuivit-il, mais c'est notre problème de savoir comment il dépense l'argent des actionnaires. Il n'y a rien de surprenant à ce que la défense n'ait pas fait la distinction, car Conrad Black lui-même n'a certainement pas fait cette distinction. [...] Si ces avantages ont de l'importance, c'est bien parce qu'ils nous permettent de mieux comprendre son attitude à l'égard du devoir de fiduciaire. Ces avantages font partie d'un complot bien coordonné par lequel il cherchait à profiter personnellement de sa position au détriment des actionnaires. »

Continuant sur la question des avantages, Sussman dit ensuite que l'erreur n'était pas que Black ait pris l'avion de la compagnie pour effectuer un voyage à Bora Bora; l'erreur était plutôt que le comptable de l'entreprise l'ait noté. Ce n'était pas à Black de décider si les actionnaires devaient payer la note lors de la fête d'anniversaire de son épouse, c'était plutôt au comité de vérification d'en décider. N'était-il pas surprenant de constater que Black se souvenait de chaque détail au sujet des coûts de la fête d'anniversaire de son épouse, alors qu'il ignorait tout des paiements à coups de millions qu'il a pourtant reçus?

Puis il aborda l'accusation d'entrave à la justice, basée en grande partie sur la vidéo de sécurité captée en mai 2005, qui montrait Conrad Black, John Hillier et Joan Maida en train de sortir des boîtes de documents de 10 Toronto Street pour les déposer dans une Cadillac noire dans la ruelle derrière l'immeuble. Sussman se moqua de la version donnée par Black. « Comment croire que ce type est apparu spontanément au 10 Toronto Street avec son chauffeur et sa secrétaire de direction, alors que la veille, la SEC venait de lui envoyer copie d'une demande de documents ? Pourquoi croyez-vous que ce bonhomme-là a voulu trimbaler toutes ces boîtes jusqu'à sa voiture derrière le 10 Toronto Street ? Était-ce pour ouvrir un bureau à domicile ? Vous savez bien pourquoi. Vous avez entendu dire qu'il les avait rapportées, ces boîtes. En fait, on lui a ordonné de les rapporter. Nous ne savons pas ce qu'il a sorti de ces boîtes. Nous savons seulement ce qu'il a rapporté.

« Mesdames et messieurs, dit Sussman au moment où il en venait au cœur de l'argumentation de la poursuite, ce procès ne concerne pas la divulgation réglementaire. Il ne concerne pas de fausses divulgations qui auraient été faites à la SEC. La fraude, dans ce cas, est bien la raison invoquée pour justifier les paiements de non-concurrence versés à ces accusés : ils ont menti aux actionnaires en leur faisant croire que ces paiements de non-concurrence étaient justifiés. Nous avons entendu des plaidoiries pendant 25 heures. Mais pendant tout ce temps, aucun [des avocats de la défense] n'a répondu à la question posée par Mme Ruder : pourquoi ces cinq hommes [Black, Radler, Boultbee, Atkinson et Kipnis] ont-ils reçu des paiements de non-concurrence alors que les acheteurs n'avaient rien demandé ? [...] Pourquoi commet-on des crimes ? Les gens commettent des crimes pour des millions de raisons : l'argent, le pouvoir, l'amitié, la passion, la colère. Il existe des millions de raisons. On ne vous demande pas de répondre à cette question-là. On vous demande d'évaluer les faits et les aspects juridiques et de décider si un crime a été commis. [...] Nous avons prouvé que David Radler n'était pas le père Noël, versant des millions de dollars à ces hommes, avant de leur mentir à propos de ce qu'il venait de faire. »

Sussman montra ensuite deux immenses affiches noires aux jurés, l'une affichant en lettres blanches le mot « honnêteté » et l'autre, le mot « loyauté ».

« Au moment d'évaluer les transactions dont il est question ici, n'oubliez pas ces deux mots, car vous verrez bien que ce sont exactement les deux choses dont on a privé les actionnaires. »

En conclusion, d'un ton sarcastique, Sussman projeta sur le grand écran, pour que les jurés puissent bien les lire, les mots d'une note que Conrad Black avait envoyée le 25 mai 2002 à Paul Healy, qui en devenant témoin à charge avait obtenu l'immunité. Le courriel faisait allusion à l'indignation des actionnaires lors de l'assemblée de Hollinger

430   *Le baron Black*

International, quelques semaines auparavant. « Dans deux ans, avait écrit Black, plus personne ne s'en souviendra. »

Le lendemain, Conrad Black, son épouse Barbara et son ex-mari George Jonas ainsi que les trois enfants de Black entrèrent pour une dernière fois dans la salle d'audience pour écouter la juge St. Eve donner ses directives au jury. Avec une certaine raideur, Conrad salua de la tête Ed Genson et Ed Greenspan avant de s'asseoir. Le visage inexpressif, Barbara avait le regard absent comme si elle était sous l'effet d'un puissant sédatif. Elle semblait s'appuyer, en raison de l'épuisement, sur l'épaule de Jonas qui était assis près d'elle.

« Mesdames et messieurs du jury, dit la juge St. Eve, vous avez vu et entendu toutes les preuves et tous les arguments des avocats. Maintenant, je vais vous donner des directives au sujet de la loi.

« En tant que membres du jury, vous avez deux responsabilités. Votre première responsabilité consiste à prendre une décision sur les faits, à partir de la preuve présentée lors de ce procès. C'est votre travail et ce travail vous revient à vous seuls. Votre deuxième responsabilité est d'appliquer aux faits la loi telle que je vais l'énoncer. Vous devez suivre ces directives, même si vous êtes en désaccord avec elles. Chacune de ces directives est importante et vous devez les suivre toutes.

« Accomplissez ces devoirs de manière juste et impartiale. Ne laissez pas la sympathie, les préjugés, la crainte ou l'opinion publique influencer votre jugement. Ne vous laissez pas influencer par la race d'une personne, sa couleur, sa religion, son pays d'origine, son sexe ou son statut économique.

« Rien de ce que je vous dis maintenant ni rien de ce que j'ai dit ou fait pendant le procès ne signifie que j'exprime une opinion au sujet des faits ou de ce que votre verdict devrait être.

« La preuve comprend le témoignage des témoins, les pièces déposées devant le tribunal et les stipulations.

« Une stipulation signifie que le gouvernement et un ou plusieurs accusés admettent que certains faits sont vrais ou qu'une personne aurait témoigné d'une certaine façon.

« C'est à vous de décider lesquels des témoins ont témoigné de façon véridique et exacte, en partie, en entier, ou pas du tout, comme c'est à vous de décider quelle importance accorder au témoignage de chaque témoin.

« En évaluant le témoignage de chaque témoin, vous pouvez examiner, entre autres : son âge ; son intelligence ; sa capacité et la possibilité qu'il a eue de voir, d'entendre et de connaître les choses au sujet desquelles il a témoigné ; sa mémoire ; tout intérêt, parti pris ou préjugé qu'il pourrait avoir ; son attitude lors de son témoignage ; et le bien-fondé de son témoignage à la lumière de toute la preuve présentée dans cette cause.

« En évaluant la preuve, vous devez utiliser votre bon sens et examiner la preuve à la lumière de vos propres observations de la vie.

« Dans nos vies, nous observons souvent un fait et nous en concluons qu'un autre fait existe. En termes juridiques, nous appelons cela une "inférence". Un jury a le droit de faire des inférences raisonnables. Toutes les inférences que vous faites doivent être raisonnables et doivent être basées sur la preuve déposée ici devant le tribunal.

« Certains d'entre vous ont entendu les expressions "preuve circonstancielle" et "preuve directe". La preuve directe établit de manière directe l'existence d'un fait ou d'un événement, par exemple par le témoignage d'un témoin. La preuve circonstancielle établit des faits qui permettent de conclure à la vérité d'autres faits. La loi n'établit pas l'importance qu'il faut accorder soit à la preuve directe, soit à la preuve circonstancielle. C'est à vous de décider quelle importance il convient d'accorder à chaque preuve. Pour en arriver à un verdict, vous devez tenir compte de toute preuve déposée devant ce tribunal, incluant la preuve circonstancielle.

« Certaines choses ne constituent pas une preuve. Je vais les énumérer pour vous : premièrement, les témoignages que j'ai supprimés du procès-verbal ou dont je vous ai demandé de ne pas tenir compte ne constituent pas une preuve et ne doivent pas être examinés ; deuxièmement, tout ce que vous avez vu ou entendu en dehors de cette salle d'audience ne constitue pas une preuve et doit simplement être écarté. Cela comprend les reportages dans la presse, à la radio ou à la télévision que vous avez vus ou entendus. De tels reportages ne constituent pas une preuve et votre verdict ne doit aucunement être influencé par de telles affirmations publiques ; troisièmement, les questions et objections posées par les avocats ne constituent pas une preuve. Les avocats ont la responsabilité de poser une objection lorsqu'ils croient qu'une question est inappropriée. Vous ne devez pas vous laisser influencer par quelque objection que ce soit ou par ma décision à ce sujet ; quatrièmement, les déclarations que les avocats ont faites devant vous ne constituent pas une preuve. L'objectif de ces déclarations est de discuter des enjeux et de la preuve. Si la preuve dont vous vous souvenez est différente de ce que les avocats ont dit, c'est votre mémoire qui compte.

« Pendant les préparatifs d'un procès, il est approprié pour un avocat d'interroger tout témoin.

« Vous pouvez estimer que le témoignage d'un ou de plusieurs témoins est plus convaincant que le témoignage du plus grand nombre. Vous n'êtes pas obligés d'accepter le témoignage du plus grand nombre de témoins.

« "L'information" lors de cette poursuite est la méthode formelle consistant à inculper les prévenus et à les citer à procès. Elle ne constitue pas une preuve et elle ne crée aucune inférence de culpabilité.

« L'accusé Conrad Black est inculpé pour fraude postale et électronique (premier chef d'accusation et chefs 5 à 12). Il est accusé avoir dissimulé des documents à l'encontre d'une instance officielle (chef 13) et d'un délit de racket (chef 14). De même, l'accusé Black est inculpé pour avoir aidé à la préparation d'une fausse déclaration de revenus des sociétés (chefs 15 et 16). L'accusé Black a plaidé non coupable à tous ces chefs d'accusation.

« L'accusé John Boultbee est inculpé pour fraude postale et électronique (premier chef d'accusation et chefs 5 à 12). De même, l'accusé Boultbee est accusé d'avoir aidé à la préparation d'une fausse déclaration de revenus des sociétés (chefs 15 et 16). L'accusé Boultbee a plaidé non coupable à tous ces chefs d'accusation.

« L'accusé Peter Atkinson est inculpé pour fraude postale et électronique (premier chef d'accusation et chefs 5 à 9). De même, l'accusé Atkinson est inculpé pour avoir aidé à la préparation d'une fausse déclaration de revenus des sociétés (chef 16). L'accusé Atkinson a plaidé non coupable à tous ces chefs d'accusation.

« L'accusé Mark Kipnis est inculpé pour fraude postale et électronique (chefs 1 à 9). De même, l'accusé Kipnis est inculpé pour avoir aidé à la préparation d'une fausse déclaration de revenus des sociétés (chefs 15 et 16). L'accusé Kipnis a plaidé non coupable à tous ces chefs d'accusation.

« Pour chacun de ces chefs d'inculpation, les accusés sont présumés innocents. Cette présomption est maintenue pendant chaque étape du procès et pendant vos délibérations. Cette présomption doit être respectée, à moins que, après avoir examiné toutes les preuves déposées lors de cette poursuite, vous soyez persuadés hors de tout doute raisonnable que l'accusé est coupable de ce dont il est accusé. Le gouvernement a le fardeau de prouver hors de tout doute la culpabilité d'un accusé.

« Pendant l'ensemble du procès, ce fardeau de la preuve appartient à la poursuite. Les accusés ne sont jamais tenus de prouver leur innocence ni d'apporter quelque preuve que ce soit.

« Un accusé a le droit absolu de ne pas témoigner. Vous ne devez pas tenir compte du fait qu'un accusé n'a pas témoigné pour en arriver à un verdict. »

La juge St. Eve donna par la suite des informations sur l'admissibilité des propos de deux témoins à charge. « Vous avez entendu le témoignage de Paul Healy, qui a obtenu l'immunité, c'est-à-dire la promesse du gouvernement que tout témoignage ou information qu'il fournirait ne soit pas utilisé contre lui lors d'une poursuite criminelle. Le fait qu'il ait obtenu l'immunité ne doit pas être considéré comme une preuve contre les accusés. Vous avez également entendu le témoignage de David Radler, qui a plaidé coupable à un chef d'accusation. Radler a reçu des bénéfices du gouvernement, incluant la promesse d'une peine réduite en échange de sa coopération. Son plaidoyer de culpabilité ne doit pas être considéré comme une preuve contre les accusés.

« Vous pouvez accorder aux témoignages de Healy et de Radler l'importance que vous trouvez qu'ils méritent, tout en tenant compte du fait que ces témoignages doivent être traités avec prudence et grand soin. »

La juge St. Eve donna ensuite un résumé détaillé des chefs d'inculpation contre les quatre accusés. Elle en arriva ensuite à la directive de l'autruche.

« Lorsque le mot "sciemment" ou la phrase "l'accusé savait" sont utilisés dans ces directives, cela veut dire que l'accusé se rendait compte de ce qu'il faisait, était conscient de la nature de sa conduite et n'a pas agi par ignorance, par erreur ou par hasard. La connaissance peut être prouvée par la conduite de l'accusé et par tous les faits et circonstances entourant la cause. Vous pouvez inférer qu'il y a eu connaissance en combinant le soupçon avec l'indifférence délibérée vis-à-vis de la vérité. Si vous estimez qu'un accusé avait de forts soupçons que des actes criminels étaient en train de se commettre, mais qu'il a intentionnellement fermé les yeux de crainte d'en apprendre trop, vous pouvez en arriver à la conclusion qu'il a agi sciemment, d'après le sens que je donne à ce mot. Vous ne pouvez pas en arriver à la conclusion que l'accusé avait connaissance d'un fait si par sa propre négligence il n'a pas réussi à découvrir la vérité. »

En terminant, elle dit : « Je ne m'attends pas à ce que vous ayez besoin de communiquer avec moi. Si vous avez besoin de communiquer avec moi, la manière appropriée de le faire est par écrit. Cette note doit être signée par le président du jury, ou si ce dernier ne veut pas le faire, par un autre membre du jury. La note doit être transmise au responsable de la sécurité du tribunal, qui me la transmettra. Je vous répondrai soit par écrit soit en vous demandant de revenir à la salle d'audience pour que je vous réponde oralement. Si vous communiquez avec moi, vous devriez indiquer dans la note votre division numérique, si vous en avez une.

« Avant de me soumettre une question, vous devriez faire un effort sérieux de répondre à toute question en vous référant aux directives que je vous ai données. Si vous me soumettez une question, je dois la montrer aux avocats de chaque partie et je dois les consulter avant de vous répondre. Ou bien je répondrai à votre question, ou bien j'expliquerai pourquoi je ne peux pas y répondre.

« Le verdict doit refléter le jugement pondéré de chaque membre du jury. Que ce soit un verdict de culpabilité ou de non-culpabilité, votre verdict doit être unanime.

« Vous devriez faire tous les efforts raisonnables pour en arriver à un verdict. Ce faisant, vous devriez vous consulter l'un et l'autre, exprimer vos opinions et écouter les opinions de vos collègues du jury. Parlez de vos différences avec l'esprit ouvert et sans préjugé. N'hésitez pas à réexaminer vos opinions ni à changer d'opinion si vous croyez avoir tort. Mais vous ne devriez pas délaisser vos convictions honnêtes au sujet de l'importance ou de l'impact de la preuve simplement parce que vos collègues du jury ont d'autres opinions ou parce que vous voulez en arriver à un verdict unanime.

« Vous, les 12 membres du jury, devriez accorder une attention juste et équitable à toutes les preuves et délibérer de sorte que vous en arriviez à une entente qui respecte le jugement individuel de chaque membre du jury.

« Vous êtes les juges impartiaux des faits. Votre seul intérêt est d'établir si le ministère public a prouvé le bien-fondé de sa cause hors de tout doute. »

Sur ce, la juge St. Eve suspendit la séance. Cela n'avait pris que 55 minutes.

Dans le hall d'entrée de l'édifice Everett Dirksen, guettant l'arrivée de Conrad Black, les caméramans et photographes de presse prirent position. Mais quand ce dernier apparut enfin, accompagné de Barbara et suivi de George Jonas, on aurait dit qu'ils souffraient tous les trois d'incurvation de la colonne vertébrale. Précédés par James et Jonathan et suivis d'Alana, les trois apparaissaient vieillis et brisés. Ils contournèrent la meute de journalistes, passant à travers le labyrinthe des caméras de télévision et des micros à perche pour atteindre le trottoir de la rue South Dearborn, puis montèrent à bord d'une fourgonnette allongée de couleur blanche, de marque Chevrolet, et partirent en trombe.

Au bout de 11 jours, le verdict tomba enfin. Conrad Black était déclaré coupable de trois chefs de fraude et d'un chef d'entrave à la justice. Cela entraînait une confiscation importante de ses biens et une peine sévère dans une prison américaine à sécurité moyenne. Les trois chefs de fraude concernaient certaines transactions de moindre importance, les témoignages associés à ces transactions n'ayant guère suscité l'intérêt des journalistes à l'époque. Dans une de ces transactions frauduleuses, Black, Radler et plusieurs autres s'étaient offert des paiements de non-concurrence lors de la vente d'American Publishing Co., un groupe de petits journaux régionaux. Black lui-même avait empoché la somme de 2,6 millions de dollars. Mais au moment de la rédaction de cette entente de non-concurrence, il ne restait chez American Publishing qu'un seul hebdomadaire en Californie. Une entreprise contrôlée par Black et Radler acheta ce dernier journal pour la somme d'un dollar. Black était-il en train de se verser de l'argent afin de ne pas entrer en compétition avec lui-même ? Voilà un personnage plus grand que nature !

Le jury fut impressionné par la vidéo de sécurité montrant Black en train de sortir des documents de son ancien bureau de Toronto. Une fois le verdict rendu, les membres du jury expliquèrent à la presse qu'ils avaient trouvé peu crédible le témoignage de David Radler et que l'avocat de Black, Ed Greenspan, leur avait semblé très désagréable. De plus, ils affirmèrent que les commentaires de certains journalistes voulant qu'ils ne comprenaient pas bien la cause leur avaient déplu. Ils avaient pris leur travail au sérieux. Pour le jury, le chef d'inculpation le plus facile à juger fut celui d'entrave à la justice. « Mais voyons, coupable ! » expliqua la jurée Monica Prince en entrevue au *Toronto Star*. On l'avait sur une bande vidéo en train de sortir tous ces dossiers, alors qu'on lui avait bien dit ne pas sortir ces dossiers. Pourtant, il les a pris, comme s'il disait : « Je suis Conrad Black, je vais prendre ce que j'ai le goût de prendre », dit-elle en rigolant[4]. Selon Monica Prince, les jurés auraient voulu trouver Black coupable de tous les chefs d'inculpation.

De leur côté, Peter Atkinson, Jack Boultbee et Mark Kipnis furent déclarés coupables de trois chefs de fraude, mais ils feront face à une peine plus légère.

En couvrant depuis plusieurs années cette histoire grandiose aux multiples dimensions psychologiques, j'ai souvent cherché à faire des analogies avec le cinéma afin d'expliquer – ou même de m'expliquer – ce qui était en jeu. Ainsi, après ma rencontre à Toronto avec Conrad Black en juillet 2005, je me souviens de lui avoir envoyé une copie sur DVD de *La loi du silence* (*I Confess*) d'Alfred Hitchcock, dans lequel un tueur avoue avoir commis un meurtre et cherche à éviter la justice, alors que le prêtre qui entend la confession est faussement accusé du crime et ne réussit à établir son innocence qu'à la toute fin du film. Je savais que le film plairait bien à Black, car Hitchcock l'avait réalisé à Québec en 1953. Maurice Duplessis avait autorisé Hitchcock à tourner certaines scènes à l'intérieur de l'Assemblée législative, comme on l'appelait à l'époque, alors que d'autres scènes avaient été tournées dans la cathédrale catholique.

Mais un autre film me venait sans cesse à l'esprit : *Citizen Kane*. Conrad avait été le premier à se comparer à William Randolph Hearst, au début des années 1960, alors qu'il se trouvait en vacances avec son ami Brian Stewart. Depuis ce temps, il continuait ici et là à laisser entendre dans ses écrits ou en conversation qu'il ressemblait à Citizen

Kane, même si, en feignant la surprise, il pouvait à l'occasion s'opposer à ce que quiconque fasse une telle comparaison.

Au cours des années, j'ai demandé à bien des gens des morceaux du casse-tête qu'est Conrad Black. Je me sentais comme le journaliste dans *Citizen Kane* qui cherche à comprendre la signification du mot « Rosebud » (bouton de rose), le dernier mot prononcé par Kane au moment de rendre l'âme. Trouver le sens de ce mot voulait dire trouver le secret de son existence. « Rosebud », pour Kane, symbolisait l'innocence perdue, les belles années de son enfance avant les déchirantes luttes de pouvoir, les réussites retentissantes et les échecs tout aussi retentissants plus tard dans la vie. Dans la scène finale, on voit un traîneau lancé dans les flammes. Un mot qui y est peint – « Rosebud » – prend feu, noircit, puis disparaît.

« J'ai suivi de près l'ascension et la chute de Conrad Black, ai-je écrit en mars 2007 dans le journal de Boston le *Christian Science Monitor*, cherchant, tel un journaliste-témoin dans *Citizen Kane*, à expliquer ce magnat de presse plus grand que nature qui, au niveau personnel, semble s'être saboté lui-même par son avidité, son comportement provocateur et son exhibitionnisme. »

Naturellement, Black rétorqua aussitôt que j'avais complètement perdu la « vision », la grande vision, je suppose, de son acquittement complet et de son retour en gloire après ce que j'ai appelé sa « chute ». Et s'il ne gagnait pas au criminel à Chicago, eh bien, il gagnerait en appel.

La seule expérience de sa vie digne de « Rosebud » fut la croisière du couronnement en 1953 à bord du *Queen Elizabeth*. Tout allait bien pour lui à l'époque : son père se portait bien, la famille s'entendait à merveille, traversant l'Atlantique à bord du plus prestigieux navire au monde afin de voir de leurs propres yeux la renaissance de la Grande-Bretagne, le couronnement de la jeune reine, pendant que des millions de spectateurs étaient rassemblés pour le cortège. Conrad avait continué de puiser à la source de cette expérience formatrice, comme en témoigne le fait qu'il se soit entouré dans sa vaste demeure du 26 Park Lane Circle de superbes maquettes des plus grandioses paquebots et cuirassés de la première moitié du XXe siècle. Peu importe ce qu'il faisait chez lui – accueillir des membres de la famille royale, des princes, des musiciens rock, des mannequins-vedettes, des milliardaires, des intellectuels ou des membres de sa famille, rédiger pour publication une chronique néo-conservatrice caustique, faire la correction d'épreuves de ses biographies de Roosevelt ou de Nixon, développer une nouvelle stratégie digne de Machiavel –, il était à tout moment entouré de ces maquettes de navires qui lui rappelaient que tout était sûr, innocent, serein, à sa juste place. Une fois qu'il ira en prison, par contre, il ne pourra plus regarder ces maquettes.

À ma surprise, Mary Wisniewski, journaliste au *Chicago Sun-Times*, m'avait dit lors d'un déjeuner pendant le procès à Chicago que Black et les autres accusés «avaient l'air de traiter Hollinger Internatio-nal comme leur propre navire pirate». Voilà sans doute une nouvelle fa-çon d'utiliser la métaphore du navire!

Les équipes de télévision disparurent du décor et j'imaginais voir 500 millions de dollars partir en fumée. Ou était-ce plutôt 1,5 milliard, comme Conrad Black avait dit? J'imaginais un immense tas de billets de banque qu'on avait ratissés et qui dégageaient une volute de fumée foncée. Lentement, inexorablement, inéluctablement, serpentant à tra-vers la masse de papier, elle se transformait en flammes orange brillantes. Puis j'imaginais tous ces billets de banque se transformer en papier jour-nal. C'était la fin définitive du troisième groupe de presse mondial.

Quelle prétention Conrad Black avait-il à la grandeur historique? De tous les plus grands requins canadiens de la finance, il fut le seul à se faire prendre.

Notes

CHAPITRE 1 : TWEEDY, BROWNE ET BLACK

1. Newman, *The Establishment Man*, p. 78.
2. Tous les montants d'argent figurant dans cet ouvrage sont en dollars américains, à moins qu'ils ne soient autrement spécifiés.
3. Propos recueillis par l'auteur.
4. Propos recueillis par l'auteur.
5. *Fortune*, 13 octobre 2003.
6. Commission américaine des valeurs mobilières (N.D.T.).
7. Propos recueillis par l'auteur.
8. Propos recueillis par l'auteur.
9. Propos recueillis par l'auteur.
10. À moins d'avis contraire, toutes les citations de Conrad Black dans ce livre sont tirées d'interviews menées par l'auteur ou de correspondance entre Conrad Black et l'auteur.
11. Propos recueillis par l'auteur.
12. Animateur de radio très écouté aux États-Unis, il est l'un des représentants les plus connus de la droite américaine.
13. *Fortune*, 13 octobre 2003.
14. *Washington Post*, 4 décembre 2003.
15. *Wall Street Journal, Globe and Mail, Financial Times*, 18 novembre, 2003.
16. Conrad Black faisait référence à l'augmentation de la valeur de ses actions depuis sa démission en tant que PDG de Hollinger International.
17. Propos recueillis par l'auteur.
18. *Globe and Mail*, 18 octobre 2003.
19. Selon un document préparé par le Sun-Times Media Group (anciennement Hollinger International), en juillet 2007, les frais juridiques versés pour la défense de Conrad Black et divers coaccusés avaient dépassé la somme de 60 millions de dollars.

20. Conrad Black a répété ce commentaire dans un courriel adressé à l'auteur.
21. Voici le résumé de ces versements, d'après le *Chicago Sun-Times* du 19 mars 2007 : M. Radler a accepté de verser 7 millions de dollars à Hollinger International en 2003 ; afin d'en arriver à une entente au pénal avec Hollinger International (aujourd'hui connue sous le nom de Sun-Times Media Group), il a de plus accepté de verser à la même entreprise 21,18 millions de dollars ; North American Newspapers Ltd., entreprise appartenant à Radler, a versé à Hollinger International 23,3 millions de dollars ; Horizon Publishing Co. a versé 11,78 millions de dollars, et enfin, Bradford Publishing Co. a versé 7,15 millions de dollars.

CHAPITRE 2 : LA LOI DE CHICAGO

1. Célèbre avocat criminaliste américain (1857-1938).
2. Cette amende est une partie du montant de 71 millions de dollars que Radler et diverses entreprises sous son contrôle ont accepté de rembourser.
3. *The Australian*, 21 octobre 2000.

CHAPITRE 3 : DES MOTS PERCUTANTS ET DES DÉCLARATIONS BIEN SENTIES

1. Avec son frère Lord Northcliffe, le premier vicomte Rothermere (1868-1940), il a érigé un puissant empire de presse qui comprenait le *Daily Mail* de Londres. Durant la Première Guerre mondiale, il a été premier secrétaire d'État à l'aviation du gouvernement britannique ; en 1934, le *Daily Mail*, profasciste, proclamait : « Hourra pour les chemises noires ! », pour appuyer le politicien d'extrême droite sir Oswald Mosley.
2. Interview de Maurice Hecht avec George Black, 1973, Archives E. P. Taylor.
3. *Saturday Night*, 26 mars 1955.
4. Propos recueillis par l'auteur. David Culver a été président d'Alcan, un des géants mondiaux de l'aluminium.
5. *Conrad Black par Conrad Black*, Montréal, Québec/Amérique, 1993, p. 13.
6. *Daily Telegraph*, 14 janvier 2002.
7. Propos recueillis par l'auteur, juillet 2003.
8. Propos recueillis par l'auteur.
9. Propos recueillis par l'auteur.
10. Barbara Amiel, *Confessions*, 1re édition, p. 15.
11. *Ibid.*, p. 23 et 59.
12. Dendy, *Lost Toronto*, p.188.

13. Propos recueillis par l'auteur.
14. Fraser, *Telling Tales,* p. 75-76
15. Propos recueillis par l'auteur.
16. Conrad Black, ouvr. cité, p. 22 et 24.
17. Peter C. Newman, *The Establisment Man,* p. 31.
18. Propos recueillis par l'auteur.
19. Propos recueillis par l'auteur.
20. Lacey, *Little Man: Meyer Lansky and the Gangster Life,* p. 409
21. *Daily Telegraph,* 30 janvier 1997.
22. Barbara Amiel, *Confessions,* p. 53-54.
23. *Ibid.,* p. 130.
24. Propos recueillis par l'auteur.
25. Barbara Amiel, *Confessions,* p.144.
26. Propos recueillis par l'auteur.
27. Propos recueillis par l'auteur.
28. Halberstam, *The Powers That Be,* p. 409.
29. Conrad Black, ouvr, cité, p. 39.

CHAPITRE 4: LE RÉDEMPTEUR DES GÉANTS DÉCHUS

1. *Conrad Black par Conrad Black,* ouvr. cité, p. 41-42.
2. Propos recueillis par auteur.
3. *Conrad Black par Conrad Black,* ouvr. cité, p. 41.
4. « On parle français ici. »
5. En français dans le texte.
6. *Ibid.,* p. 47.
7. Propos recueillis par l'auteur.
8. Propos recueillis par l'auteur.
9. *Conrad Black par Conrad Black,* p. 50-51.
10. « Hero Worship », *CBC News Viewpoint,* 24 octobre 2003.
11. Propos recueillis par l'auteur.
12. *Gazette* de Montréal, 24 août 1978.
13. Black sur Nick Auf der Maur, dans *Nick: A Montreal Life,* Montréal, Vehicule Press, 1998, p. 107.
14. Northrop Frye, *Anatomie de la critique,* p. 267.
15. *Conrad Black par Conrad Black,* ouvr. cité, p. 76.
16. Propos recueillis par l'auteur.
17. *Conrad Black par Conrad Black,* ouvr. cité, p. 58, et propos recueillis par l'auteur.

18. Tiré de *Diagnostic and Statistical Manuel of Mental Disorders*, 4ᵉ édition, (DSM-IV), p. 393-395.
19. *Conrad Black par Conrad Black*, ouvr. cité, p. 59.
20. Graham Greene, *Un Américain bien tranquille*, traduit par Marcelle Sibon, p. 32-33.
21. *The Sherbrooke Record*, 2 octobre 1970 : « M. Conrad Black, directeur du *Sherbrooke Record*, en mission d'enquête dans le Sud-Est asiatique, se trouve actuellement au Vietnam. L'entrevue d'une heure et demie qu'il vient de réaliser avec le président sud-vietnamien, Nguyên Van Thieu, est l'une des plus importantes données récemment par ce dernier. »
22. Henry Kissinger, *Diplomacy*, p. 655-656.
23. *Conrad Black par Conrad Black*, ouvr. cité, p. 61.
24. Propos recueillis par l'auteur.
25. *Conrad Black par Conrad Black*, ouvr. cité, p. 94.
26. En français dans le texte.
27. Propos recueillis par l'auteur.
28. En français dans le texte.
29. Max et Monique Nemni, *Trudeau : fils du Québec, père du Canada*, t. 1, Montréal, Éditions de l'Homme, 2006.
30. Conrad Black, *Duplessis*, Toronto, McClelland, 1973, p. 7.
31. *Conrad Black par Conrad Black*, ouvr. cité, p. 22.
32. Propos recueillis par l'auteur.
33. Propos recueillis par l'auteur.
34. Propos recueillis par l'auteur.
35. *Maurice Duplessis*, 2ᵉ édition, p. 520.
36. Propos recueillis par l'auteur.
37. *Maurice Duplessis : 1890-1944, l'ascension*, p. 287-288.
38. Propos recueillis par l'auteur.
39. Propos recueillis par l'auteur.
40. Cette lettre se trouve dans un dossier remis à l'auteur par le bâtonnier de Rio de Janeiro. En effet, la lettre a été publiée dans un des quotidiens de Rio, en mai 1972, quelques semaines après l'assassinat de Bernonville, et a été présentée par le procureur fédéral au Brésil au cours du procès pour meurtre à la suite de cet assassinat.
41. *Maurice Duplessis : 1944-1959, le pouvoir*, p. 551
42. Propos recueillis par l'auteur.
43. *Conrad Black par Conrad Black*, ouvr. cité, p. 74.
44. Propos recueillis par l'auteur.

CHAPITRE 5: MACHIAVÉLIQUE, HOMME DES COULISSES ET FAISEUR DE ROIS

1. Dans un courriel envoyé à l'auteur.
2. *Conrad Black par Conrad Black*, ouvr. cité, p. 139.
3. Peter C. Newman, «Titans: How the Canadian Establishment Seized Power», discours prononcé devant l'Empire Club, 10 novembre 1998. Traduction libre.
4. Documentaire de CBC-TV, *Ten Toronto Street*.
5. *Conrad Black par Conrad Black*, our. cité, p. 144 et 146.
6. Cité par Peter C. Newman dans *The Establishment Man*, ouvr. cité, p. 96.
7. *Conrad Black par Conrad Black*, p. 149.
8. Propos recueillis par l'auteur.
9. *Conrad Black par Conrad Black*, ouvr. cité, p. 161.
10. *Ibid.*, p. 162-163.
11. *Ibid.*, p. 164.
12. *Ibid.*, p. 105.
13. Oswald Spengler, *Le déclin de l'Occident*, traduit par M. Tazerout, v. 5, p. 703-704.
14. *Ibid.*, p. 719.
15. Propos recueillis par l'auteur.
16. Cité in *The Establishment Man*, ouvr. cité, p. 175.
17. Propos recueillis par l'auteur.
18. *Ten Toronto Street*.
19. *Conrad Black par Conrad Black*, p. 200.
20. *Toronto Star*, 17 juin 1978.
21. *Globe and Mail*, 17 juillet 1978.
22. Cité dans *The Establishment Man*, ouvr. cité, p. 109.
23. *Conrad Black par Conrad Black*, p. 266.
24. *Globe and Mail*, 7 juin 1979.
25. *The Establishment Man*, ouvr. cité, p. 259-260.
26. *Conrad Black par Conrad Black*, p. 232.
27. *Vanity Fair*, février 2004.
28. *Ibid.*
29. *New York Times Magazine*, 15 août 1999.
30. Peter Cook, *Massey at the Brink*, Toronto, Collins, 1981, p. 240.
31. *Ibid.*, p. 259.
32. *Conrad Black par Conrad Black*, ouvr. cité, p. 232.
33. En anglais, le mot «creep» peut se traduire par «sale type» (N.D.T.).
34. *Conrad Black par Conrad Black*, ouvr. cité, p. 137.
35. *A World Restored*, p. 329 et 322.

36. *Ibid.*, p. 286.
37. Propos recueillis par l'auteur.
38. *Maclean's*, 21 février 1983.
39. Selon la présentation faite par le brigadier général S. F. Andrunyk du discours prononcé par Barbara Amiel devant l'Empire Club à Toronto, le 4 février 1982.
40. *Telling Tales*, p. 64-65.
41. Propos recueillis par l'auteur.
42. Édition canadienne-anglaise de la revue *Châtelaine*, septembre 1985.
43. Citée dans *The Times* de Londres, 23 novembre 2003.
44. Propos recueillis par l'auteur.
45. *Confessions*, ouvr. cité, p. 251-252.
46. *La seconde venue*, poème traduit par Yves Bonnefoy dans *Anthologie bilingue de la poésie anglaise*, Paris, Gallimard, La Pléiade, 2005.
47. Barbara Amiel évoque la démocratie libérale du point de vue de l'idéologie néoconservatrice. À ne pas confondre avec des partis politiques.
48. Dans l'édition canadienne-anglaise de la revue *Châtelaine*, 1980.
49. *Whose Money is it Anyway?* p. 105.
50. *Conrad Black par Conrad Black*, ouvr. cité, p. 303-304.
51. *The Establishment Man*, p. 14.

CHAPITRE 6: CHASSE AU PAPIER

1. WASP : White Anglo-Saxon Protestant.

CHAPITRE 7: LE JOYAU DE LA COURONNE

1. *Architectural Digest*, avril 1988.
2. A. J. P. Taylor, *Beaverbrook*.
3. Roy Thomson, *After I Was Sixty*, p. 171.
4. Propos recueillis par l'auteur.
5. Peter Hennessy, *The Prime Minister*, p. 102-143.
6. Propos recueillis par l'auteur.
7. Duff Hart-Davis, *The House the Berrys Built*, p. 155.
8. *Ibid.*, p. 285.
9. *Conrad Black par Conrad Black*, p. 312.
10. Black se trouve en bonne compagnie. Les banques Rothschild et Hambro gèrent des investissements au nom du Vatican, et de plusieurs autres clients de premier ordre.

11. Hart-Davis, p. 301.
12. *Conrad Black par Conrad Black*, p. 313.
13. *Globe and Mail*, 14 juin 1985.
14. *Report on Business Magazine*, juin 1986.
15. Lettre envoyée par Nicholas Berry à l'auteur, septembre 2003.
16. *The Spectator*, 23 novembre 1985.
17. *Ibid.*, 14 décembre 1985.
18. *Matthieu* 5, 14.
19. Margot Kidder, dans Nancy Southam (ed.), *Pierre*, p. 255 et 257.
20. Propos recueillis par l'auteur.
21. Propos recueillis par l'auteur.
22. *Conrad Black par Conrad Black*, p. 43.
23. *The Establishment Man*, p. 69.
24. Propos recueillis par l'auteur.
25. Propos recueillis par l'auteur.
26. Northrop Frye fait allusion à ce genre d'écriture dans *L'anatomie de la critique*.
27. *Report on Business Magazine*, mars 1986.
28. Les citations dans ce paragraphe proviennent de chroniques rédigées par Black pour *Report on Business Magazine* entre novembre 1985 et août 1987.
29. Propos recueillis par l'auteur.
30. *Report on Business Magazine*, janvier 1988.
31. *Conrad Black par Conrad Black*, p. 361.
32. Max Hastings, *Editor*, p. 22.
33. Propos recueillis par l'auteur.
34. Propos recueillis par l'auteur.
35. *Ibid.*, p. 102.
36. Cet échange est basé sur les notes inédites que Mark Abley a prises lors d'une entrevue au milieu des années 1990 avec Conrad Black.
37. Selon cette notion typiquement anglaise, l'Église anglicane est divisée en deux grandes communautés: la Haute Église se situe plus près de l'Église catholique romaine en matière de hiérarchie, d'autorité, de croyances et de cérémonial, tandis que la Basse Église anglicane, plus simple, austère et apte à laisser à chacun le soin d'interpréter l'Évangile à sa guise, se situe plus près du protestantisme.
38. Propos recueillis par l'auteur.
39. Propos recueillis par l'auteur.
40. *Editor*, p. 236-237.
41. *Conrad Black par Conrad Black*, p. 341-342.

42. En Grande-Bretagne, le terme « pair à vie » a le même sens que le terme « baron à vie ».

43. Propos recueillis par l'auteur.

44. Propos recueillis par l'auteur.

45. Propos recueillis par l'auteur.

46. Citée dans *Conrad Black par Conrad Black*, p. 338.

47. Selon Brian McArthur, rédacteur associé du *Times*. Propos recueillis par l'auteur.

48. Cité dans Hennessy, *op. cit.*, p. 398.

49. Citée dans Richard Siklos, *Shades of Black*, p. 184.

50. Propos recueillis par l'auteur.

51. *Conrad Black par Conrad Black*, p. 382.

52. Hart-Davis, p. 329.

53. De telles pratiques sont documentées par plusieurs observateurs, dont John Pilger dans son livre *Heroes*.

54. *Editor*, p. 249.

55. *The Sunday Times*, 5 juillet 1992.

CHAPITRE 8 : LE SOLEIL NE SE COUCHERA JAMAIS

1. *The Financial Post*, 18 juillet 1989.

2. C. M. Black, F. Davis Radler et Peter G. White, *Mémoire présenté devant la Commission du Sénat sur les médias par le Sherbrooke Record, la Voix des Cantons de l'Est*, 7 novembre 1969, p. 20.

3. Propos recueillis par l'auteur.

4. Propos recueillis par l'auteur. Après avoir travaillé pour Rupert Murdoch en tant que rédacteur associé du *Times* de Londres, John O'Sullivan a travaillé pour Black en tant qu'éditorialiste en chef effectif au *National Post*, et rédacteur au *National Interest*, une publication conservatrice subventionnée par Hollinger, spécialisée en politique internationale et logée au Nixon Center à Washington.

5. Propos recueillis par l'auteur.

6. Propos recueillis par l'auteur.

7. Propos recueillis par l'auteur.

8. *Financial Post*, 30 novembre 1988.

9. *Ibid.*, 26 octobre 1990.

10. *Ibid.*, 15 juin 1991.

11. *Ibid.*, 2 mai 1992.

12. Pierre Elliott Trudeau, *La Presse*, 10 mars 1989.

13. *Jerusalem Post*, 23 février 2001.

14. *Conrad Black par Conrad Black*, p. 365.
15. *Ibid.*, p. 365.
16. Propos recueillis par l'auteur.
17. Cité dans Siklos, *Shades of Black*, p. 209.
18. *Conrad Black par Conrad Black*, p. 406.
19. Cité dans *Conrad Black par Conrad Black*, p. 409.
20. Propos recueillis par l'auteur.
21. Propos recueillis par l'auteur.
22. *Conrad Black par Conrad Black*, p. 414.
23. Propos recueillis par l'auteur.
24. *Lateline*, 29 novembre 1993, cité dans *Percentage Players: Report of the Senate Select Committee on Certain Aspects of Foreign Ownership Decisions in Relation to the Print Media*, p. 112.
25. *Ibid.*
26. Roy Thomson, *After I Was Sixty*, p. 6.
27. Conrad Black par Conrad Black, p. 351 et 353.
28. *Conrad Black par Conrad Black*, p. 449.
29. Cité dans *Vanity Fair*, novembre 1992.
30. *Conrad Black par Conrad Black*, p. 460.
31. *Chicago Tribune*, 18 septembre 1994.
32. *Chicago Magazine*, 20 novembre 2003.
33. *Ibid.*, 20 novembre 2003.
34. Propos recueillis par l'auteur.
35. *Conrad Black par Conrad Black*, p. 308-309.
36. *Conrad Black par Conrad Black*, p. 475.
37. Propos recueillis par l'auteur.
38. Propos recueillis par l'auteur, publiés dans la revue parisienne *Politique Internationale*, n° 63, printemps 1994, p. 324.
39. Propos recueillis par l'auteur, publiés dans la revue parisienne *Politique Internationale*, n° 63, printemps 1994, p. 337.
40. *Conrad Black par Conrad Black*, p. 433-434.

CHAPITRE 9: SES HEURES DE GLOIRE

1. Lorsqu'un grand jury enquête sur Watergate, Nixon est identifié en tant que «coconspirateur non accusé». Menacé de destitution, préférant démissionner que de faire face à la procédure d'impeachment, Nixon se fait toutefois pardonner par préemption. En 2003, Jeb Magruder l'accuse d'avoir donné l'ordre personnel de cambrioler Watergate, lors d'une conversation téléphonique.

2. Propos recueillis par l'auteur.

3. Newspaper Association of America, *Presstime*, septembre 1998.

4. La traduction française est parue aux Éditions de l'Homme au premier trimestre de 1999.

5. *The Globe and Mail*, 18 novembre 2003.

6. Évidemment, l'Albertain Whyte évoque ici la « nation » au sens canadien-anglais du terme, sans toutefois clarifier s'il parle au nom du « reste du Canada » ou bien s'il entend inclure dans sa définition le Québec. Dans un tel contexte, on aurait tendance en français à dire « pancanadien ».

7. *National Review*, 5 mai 2003.

8. Propos recueillis par l'auteur.

9. Propos recueillis par l'auteur.

10. Allan Levine, *The CanWest Global Story*: 1977-2002, p. 165.

11. *National Post*, 10 août 2000.

12. *The Spectator*, 3 mars 2001.

13. *Ibid.*, 17 mars 2001.

14. *The Independent*, 24 mai 2003.

15. « Nous, les très fidèles et loyaux sujets de Votre Majesté, les Communes du Canada, assemblés en Parlement, approchons humblement de Votre Majesté, la priant qu'il lui plaise : a) de s'abstenir dorénavant de conférer des titres ou des distinctions honorifiques à aucun de ses sujets domiciliés ou habitant ordinairement au Canada, sauf les appellations d'un caractère professionnel ou vocationnel, ou qui découlent d'une fonction ; b) de décréter que des mesures opportunes soient prises par législation ou autrement pour assurer l'extinction d'un titre ou d'une distinction honorifiques, et d'une dignité ou d'un titre de pair du Royaume héréditaires, dès le décès d'un titulaire domicilié ou habitant d'ordinaire au Canada et qui actuellement est en jouissance d'un titre ou distinction, dignité ou titre de pair du Royaume héréditaires ; et que dorénavant nul titre, distinction ou dignité de pair du Royaume ne seront acceptés, tenus en jouissance ou usités par un particulier, ou reconnus. Et nous prions humblement Votre Majesté de prendre le tout en votre considération favorable et gracieuse. »

16. En effet, en faisant adopter la Loi constitutionnelle de 1982, Chrétien et Trudeau ont rendu presque impossible l'abolition du rôle constitutionnel joué au Canada par le souverain britannique. Selon l'article 41 : « Toute modification de la Constitution du Canada portant sur les questions suivantes se fait par proclamation du gouverneur général sous le grand sceau du Canada, autorisée par des résolutions du Sénat, de la Chambre des communes et de l'assemblée législative de chaque province : la charge de

reine, celle de gouverneur général et celle de lieutenant gouverneur... »
En d'autres termes, le consentement unanime des deux Chambres du
Parlement fédéral et de chacune des assemblées législatives des dix pro-
vinces était requis – ce qui était une impossibilité.

17. *Globe and Mail*, 31 octobre 2001.
18. *The Independent*, 24 mai 2003.
19. *National Post*, 20 mars 2004.
20. *International Herald Tribune*, 15 mars 2004.

CHAPITRE 10 : COMPLÈTEMENT DÉJOUÉ

1. *Conrad Black par Conrad Black*, p. 328.
2. *Ottawa Citizen*, 3 juin 2001.
3. *New York Times*, 22 décembre 2003.
4. Propos recueillis par l'auteur.
5. Propos recueillis par l'auteur.
6. *The Age of Roosevelt*, t. 1, p. 408-409.
7. Note de l'auteur : même en version originale anglaise, les propos de
   Kissinger à ce sujet, recueillis en entrevue, sont loin d'être clairs. Kissinger
   a parfois du mal à s'exprimer en anglais.
8. Propos recueillis par l'auteur.
9. Propos recueillis par l'auteur.
10. *The Age of Roosevelt*, t. II, p. 174.
11. Propos recueillis par l'auteur.
12. Pendant la guerre de l'Indépendance, le général américain Benedict Arnold est
    connu pour avoir trahi l'Amérique révolutionnaire et avoir livré le fort de West
    Point aux Britanniques en 1780 contre un paiement de 6000 livres.
13. *Financial Times*, les 28 et 29 février 2004.
14. *Chicago Sun-Times*, le 27 février 2004.
15. BBC News, le 27 février 2004.
16. *Globe and Mail*, le 27 février 2004.
17. *International Herald Tribune*, le 28 février 2004.
18. Selon un affidavit déposé le 19 avril 2005 à la Cour supérieure de l'On-
    tario par Peter White : « Le principal actif de Ravelston Corporation Ltd.
    est sa participation directe et indirecte dans Hollinger. Le 15 avril 2005,
    la valeur marchande de cette participation était d'approximativement
    164 millions de dollars même si, à la suite d'ordonnances d'interdiction
    d'opérations, les Requérants (Ravelston Corporation et Ravelston Mana-
    gement Inc.) ne sont pas en mesure de disposer de leurs participations.

D'autres actifs de Ravelston Corporation comprennent des espèces et des quasi-espèces (d'une valeur, au 15 avril 2005, d'approximativement 218 000 $), d'autres immobilisations d'approximativement 750 000 $ ainsi que des comptes clients, y compris des sommes devant être versées par des entreprises associées. [...] Étant donné le niveau extrêmement limité de ressources disponibles dans l'immédiat, les Requérants (Ravelston Corporation et Ravelston Management Inc.) entendent conserver des liquidités au cours des 30 jours à venir, alors que toute dépense sera contrôlée par RSM Richter Inc. » Selon le *Premier rapport à la Cour*, déposé le 14 mai 2005 par RSM Richter, le résumé non vérifié du bilan au 2 janvier 2005 fait état d'actifs de Ravelston Management à hauteur de 84,3 millions de dollars et d'actifs de Ravelston Corporation à hauteur de 216,8 millions de dollars. Ravelston Management est une filiale en propriété exclusive de Ravelston Corporation. À la suite d'une ordonnance d'interdiction d'opérations des administrateurs émise le 1er juin 2004 par la Commission des valeurs mobilières de l'Ontario, RSM Richter fait remarquer que « Ravelston Corporation et son syndic ne peuvent vendre des actions de Hollinger jusqu'à ce que Hollinger se conforme pleinement à toute exigence en matière de dépôt de documents réglementaires ou jusqu'à ce que la Commission des valeurs mobilières de l'Ontario lève l'ordonnance d'interdiction d'opérations des administrateurs dans des conditions qui lui soient acceptables. »

CHAPITRE 11 : COUPABLE !

1. *The Guardian*, 19 mai 2007.
2. *Chicago Sun-Times*, 23 mai 2007.
3. Associated Press, 31 mai 2007.
4. *Toronto Star*, 15 juillet 2007.

Bibliographie

Livres

AMIEL, Barbara. *Confessions*, Toronto, MacMillan, 1980.

AUF DER MAUR, Nick. *Nick: A Montreal Life*, Montréal, Vehicule Press, 1998.

BARLOW, Maude, et James WINTER. *The Big Black Book: The Essential Views of Conrad and Barbara Amiel Black*, Toronto, Stoddart, 1997.

BELL, Ken. *Un homme et sa mission. Le cardinal Léger en Afrique*, traduit par Henriette Major, Montréal, Éditions de l'Homme, 1976.

BLACK, Conrad. *The Career of Maurice L. Duplessis as Viewed through his Correspondence*, Montréal, Université McGill, 1973. Mémoire de maîtrise non publié.

_____. *Duplessis*, vol. 1 et 2, traduit par Monique Benoît, Montréal, Éditions de l'Homme, 1977.

_____. *Franklin Delano Roosevelt: Champion of Freedom*, New York, Public Affairs, 2003.

_____. *The Invincible Quest: The Life of Richard Milhous Nixon*, Toronto, McClelland & Stewart, 2007.

_____. *Conrad Black par Conrad Black*, traduit par Jean-Pierre Fournier, Montréal, Québec Amérique, 1993.

_____. *Maurice Duplessis*, traduit par Jacques Vaillancourt. Montréal, Éditions de l'Homme, 1998.

BOUCHARD, Lucien. *À visage découvert*, Montréal, Boréal, 1992.

BUCKLEY, William F. *Up from Liberalism*, New York, Hillman, 1961.

BULL, George. *Inside the Vatican*, New York, St. Martin's, 1982.

CAMERON, Stevie. *On the Take: Crime, Corruption and Greed in the Mulroney Years*, Toronto, Seal, 1995.

CARRINGTON, Peter. *Reflecting on Things Past*, New York, HarperCollins, 1988.

CHESTERTON, G. K. *Orthodoxy*, London, Unicorn, 1939.

CHRÉTIEN, Jean. *Dans la fosse aux lions*, Montréal, Éditions de l'Homme, 1985.

CLARKSON, Stephen, et Christina McCALL. *Trudeau. L'homme, l'utopie, l'histoire*, Montréal, Boréal, 1990 ; *Trudeau. L'illusion héroïque*, Montréal, Boréal, 1995.

CONRAD, Joseph. *Œuvres*, 2 t., Paris, Gallimard, 1982.

COOK, Peter. *Massey at the Brink*, Toronto, HarperCollins, 1981.

Debrett's Baronetage and Peerage, London, Debrett's. Éditions variées.

DE GAULLE, Charles. *Mémoires*, 3 vol., Paris, Livre de Poche, 1966.

DENDY, William. *Lost Toronto*, Toronto, Oxford University Press, 1978.

Diagnostic and Statistical Manual of Mental Disorders (DSM-IV), 4e édition, Washington, American Psychiatric Association, 1994.

FINLAYSON, Ann. *Whose Money Is It Anyway? The Showdown on Pensions*, Markham, Viking, 1988.

FISK, Robert. *Pity the Nation*, Oxford, Oxford University Press, 1990.

FRASER, John. *Telling Tales*, Toronto, Totem, 1987.

FRUM, David, et Richard PERLE. *An End to Evil : How to Win the War on Terror*, New York, Random House, 2003.

FRYE, Northrop. *Anatomie de la critique*, traduit par Guy Durand, Paris, Gallimard, 1969.

FULFORD, Robert. *Best Seat in the House*, Toronto, HarperCollins, 1988.

GALBRAITH, John Kenneth. *The Anatomy of Power*, Boston, Houghton Mifflin, 1983.

_____. *La crise économique de 1929*, traduit par Gilles Dostaler, Paris, Payot, 1989.

_____. *Une vie dans son siècle. Mémoires*, traduit par Daniel Blanchard, Montréal, Éditions de la Table Ronde, 2006.

GODIN, Pierre. *La révolution tranquille. La poudrière linguistique*, Montréal, Boréal, 1990.

GOLDENBERG, Susan. *The Thomson Empire*, New York, Bantam, 1985.

GRAFFTEY, Heward. *Portraits from a Life*, Montréal, Véhicule, 1996.

HAINES, Joe. *Maxwell*, London, MacDonald, 1986.

HALBERSTAM, David. *The Powers that Be*, New York, Alfred A. Knopf, 1983.

HART-DAVIS, Duff. *The House the Berrys Built: Inside the Telegraph 1928-1986*, Toronto, Stoddart, 1990.

HASTINGS, Max. *Editor: An Inside Story of Newspapers*, London, Macmillan, 2002.

_____. *Going to the Wars*, London, Pan, 2000.

HENNESSY, Peter. *The Prime Minister: The Office and its Holders since 1945*, London, Penguin, 2000.

HIGGINS, Michael W., et Douglas R. LETSON. *My Father's Business: A Biography of His Eminence G. Emmett Cardinal Carter*, Toronto, Macmillan, 1990.

HITCHENS, Christopher. *The Trial of Henry Kissinger*, New York, Verso, 2002.

House of Lords: A Thousand Years of British Tradition, London, Smith's Peerage, 1994.

JOHNSON, Lyndon. *The Vantage Point*, New York, Henry Holt, 1971.

KAREL, David. *La collection Duplessis*, Québec, Musée du Québec, 1991.

KISSINGER, Henry A. *Crisis: The Anatomy of Two Major Foreign Policy Crises*, New York, Simon & Schuster, 2003.

_____. *Diplomacy*, New York, Simon & Schuster, 1994.

_____. *A World Restored: Metternich, Castlereagh and the Problems of Peace, 1812-1822*, London, Phoenix, 2000.

KNIGHTLEY, Philip. *The First Casualty*, San Diego, Harcourt, 1975.

LACEY, Robert L. *Little Man: Meyer Lansky and the Gangster Life*, Boston, Little, Brown, 1991.

LACHANCE, Micheline. *Le prince de l'Église*, Montréal, Éditions de l'Homme, 1982 ; *Le dernier voyage*, Montréal, Éditions de l'Homme, 2000.

LAVERTU, Yves. *L'affaire Bernonville*, Montréal, VLB, 1994.

LÉVESQUE, René. *Attendez que je me rappelle*, Montréal, Québec Amérique, 1986.

LEVINE, Allan. *From Winnipeg to the World: The CanWest Global Story*, Winnipeg, CanWest Global, 2002.

MACHIAVEL, Nicholas. *Œuvres complètes*, traduit par Edmond Barincou, d'Avenel, Jacques Gohory et Dreux du Radier, Paris, Gallimard, 1952.

MALRAUX, André. *Les chênes qu'on abat*, Paris, Gallimard, 1974.

MAURRAS, Charles. *Enquête sur la monarchie*, Paris, Nouvelle librairie nationale, 1925.

MORRIS, Edmund. *Dutch: a Memoir of Ronald Reagan*, New York, Random House, 1999.

NEMNI, Max, et Monique NEMNI. *Trudeau. Fils du Québec, père du Canada*, t. 1, Montréal, Éditions de l'Homme, 2006.

NEWMAN, John Henry Cardinal. *Apologia pro vita sua*, London, Longmans, Green, 1947.

NEWMAN, Peter C. *The Establishment Man*, Toronto, McClelland & Stewart, 1982.

———. *Renegade in Power*, Toronto, McClelland & Stewart, 1964.

NIETZSCHE, Friedrich. *The Will to Power*, traduit par Walter Kaufmann, New York, Vintage, 1967.

NIXON, Richard M. *Memoirs*, 2 vol., New York, Warner, 1979.

NOLTE, Ernst. *Les fondements historiques du national-socialisme*, traduit par Jean-Marie Argelès, Paris, Pocket, 2004.

NORWICH, John Julius. *Shakespeare's Kings: The Great Plays and the History of England in the Middle Eages, 1337-1485*, New York, Scribner, 1900.

PEARSON, Lester B. *Mike*, 2 vol., Toronto, University of Toronto Press, 1972-1973.

ROBINSON, Jonathan. *On the Lord's Appearing: An Essay on Prayer and Tradition*, Edinburgh, Clark, 1997.

RUMILLY, Robert. *Duplessis*, 2 vol., Montréal, Fides, 1973.

———. *Quel monde!*, Montréal, chez l'auteur, 1965.

SAWATSKY, John. *Mulroney: The Politics of Ambition*, Toronto, McClelland & Stewart, 1992.

SCHLESINGER, Arthur M. *The Age of Roosevelt*, 3 vol., Boston, Houghton Mifflin, 1957-1960.

SHERIDAN, E. F. (réd.). *Do Justice: The Social Teaching of the Canadian Catholic Bishops*, Montréal, Médiaspaul, 1987.

SIKLOS, Richard. *Shades of Black: Conrad Black and the World's Fastest Growing Press Empire*, Toronto, Reed, 1995.

SPENGLER, Oswald. *Le déclin de l'Occident. Esquisse d'une morphologie de l'histoire universelle*, traduit de l'allemand par M. Tazerout, 5 t., Paris, Gallimard, 1932-1933.

TAYLOR, A. J. P. *Beaverbrook*, London, Hamish Hamilton, 1972.

THATCHER, Margaret. *Statecraft*, London, HarperCollins, 2002.

THOMSON, Roy. *After I Was Sixty*, London, Nelson, 1975.

TRUDEAU, Pierre Elliott. *À contre-courant*, Montréal, Stanké, 1996.

———. *Ce gâchis mérite un gros non!*, Outremont, L'Étincelle, 1992.

WATTS, Gregory. *Catholic Lives: Contemporary Spiritual Journeys*, Leominster, Gracewing, 2001.

WESTLEY, Margaret W. *Grandeur et déclin. L'élite anglo-protestante de Montréal, 1900-1950*, traduit par Dominique Clift avec la collaboration de Louis Royer, Montréal, Libre Expression, 1990.

WILLSON, Beckles. *The Life of Lord Strathcona and Mount Royal*, 2 vol., Boston, Houghton Mifflin, 1915.

WORSTHORNE, Peregrine. *Tricks of Memory*, London, Weidenfeld & Nicolson, 1993.

Presse écrite

Les Affaires
The Age
Annex Gleaner
Architectural Digest
Australian
Australian Business Monthly
Australian Financial Review
L'avenir de Brome-Missisquoi
Châtelaine
Chicago
Chicago Sun-Times
Chicago Tribune
Cité libre
Compass
Daily Mail
Daily News
Daily News (Halifax)
Daily Telegraph
Le Devoir
Le Droit
Eastern Townships Advertiser
Economist
FQ Magazine
Financial Post
Financial Times (London)
Forbes
Fortune
The Gazette (Montréal)
The Globe and Mail

Globe and Mail Report on Business
Guardian
GQ (édition britannique)
Hamilton Spectator
Independent
International Herald Tribune
Jerusalem Post
Jerusalem Report
Le Jour
Los Angeles Times
Maclean's Magazine
Le Monde
Montreal Star
National Post
National Review
New York Post
New York Sun
New York Times
New York Times Magazine
New Yorker
Observer
Ottawa Citizen
Playboy
Politique Internationale
La Presse
Presstime
Record (Sherbrooke)
Saturday Night

Selwyn House School Examiner
Le Soleil
The Spectator
Standard (St. Catharines)
Sunday Telegraph
Sunday Times
Sydney Morning Herald
Tatler
Time
The Times (London)

Toronto Life
Toronto Star
Toronto Sun
Town and Country
Vanity Fair
Vogue
Vox
Wall Street Journal
Washington Post
World Press Review

Médias électroniques
ABC, radio, télévision et site Web; BBC, radio, télévision et site Web; CBC, radio, télévision et site Web; CNN, télévision et site Web; Radio-Canada, télévision et site Web

Publications gouvernementales
Archives nationales du Québec, Montréal
Débats de l'Assemblée nationale du Québec
Débats de la Chambre des communes du Canada
Débats du Sénat canadien
Débats de la Chambre des communes britannique
Débats de la Chambre des lords britannique
Kahan Commission report
Percentage Players: Report of the [Australian] Senate Select Committee on Certain Aspects of Foreign Ownership Decisions in Relation to the Print Media
United States International Trade Commission, documents
Divers rapports annuels d'entreprises
Divers documents de justice et archives non publiées, mentionnés en notes

Index

Table des matières

Achevé d'imprimer au Canada
sur papier Quebecor Enviro 100% recyclé
sur les presses de Quebecor World Saint-Romuald

100%